D1732363

Fallen im privaten Baurecht

Mängelhaftung / Abnahme

VRiOLG Dr. Heinrich Merl

Fallen im privaten Baurecht

Nach aktueller Rechtsprechung
Mit Fallbeispielen und Praxishinweisen

Mängelhaftung
Abnahme

DeutscherAnwaltVerlag

Bibliografische Information Der Deutschen Bibliothek
Die Deutsche Bibliothek verzeichnet diese Publikation in der Deutschen Nationalbibliografie; detaillierte bibliografische Daten sind im Internet über http://dnb.ddb.de abrufbar.

Merl
Fallen im privaten Baurecht
Mängelhaftung / Abnahme

1. Aufl. Berlin: Bauwerk, 2005

ISBN 3-934369-06-5 (Bauwerk Verlag)
ISBN 3-8240-0638-3 (Deutscher Anwaltverlag)

REMITTENDEN - EXEMPLAR

© Bauwerk Verlag GmbH, Berlin 2005
www.bauwerk-verlag.de
info@bauwerk-verlag.de

Alle Rechte, auch das der Übersetzung, vorbehalten.

Ohne ausdrückliche Genehmigung des Verlags ist es auch nicht gestattet, dieses Buch oder Teile daraus auf fotomechanischem Wege (Fotokopie, Mikrokopie) zu vervielfältigen sowie die Einspeicherung und Verarbeitung in elektronischen Systemen vorzunehmen.

Zahlenangaben ohne Gewähr

Druck und Bindung:
Bercker Graphischer Betrieb

Vorwort

Durch das Schuldrechtsmodernisierungsgesetz und die darauf beruhende Neufassung der VOB/B wurde das Bauvertragsrecht erheblich geändert. Tiefgreifenden Änderungen unterlag insbesondere das Mängelhaftungsrecht. Vorliegend soll dem Leser durch einen gestraffte systematische Darstellung der notwendige Überblick über neues und altes Mängelhaftungsrecht sowie über das Recht der Abnahme gegeben werden.

Dazu werden wichtige Einzelfragen anhand neuer Gerichtsentscheidungen praxisorientiert erläutert. Durch Praxishinweise und Hinweise auf drohende „Fallen" soll dem Leser eine Arbeitshilfe für die Bewältigung seiner Praxisprobleme an die Hand gegeben und rechtssicheres Verhalten erleichtert werden. Durch grafische Darstellungen wurde versucht, den Text besonders auch für Baupraktiker noch leichter „lesbar" zu gestalten.

München, im November 2004

Der Verfasser

Inhaltsverzeichnis

Seite

Seite

Seite

Seite

Seite

Seite

1 Grundlagen des Mängelhaftungsrechts

1.1 Anwendbarkeit des werkvertraglichen Mängelhaftungsrechts

Der Bauvertrag zählt i.d.R. zum Vertragstyp des Werkvertrags gem. §§ 631 f. BGB. Denn der Auftragnehmer verpflichtet sich vertraglich zu einem bestimmten Arbeitsergebnis, nicht nur zu einer Arbeitsleistung. Das gilt auch für den Architektenvertrag und zwar auch dann, wenn der Architekt nur mit Planungsaufgaben betraut ist. Ansprüche des Erwerbers beim Bauträgervertrag wegen Mängeln an neu errichteten Gebäuden richten sich auch nach Werkvertragsrecht. **1**

Leitsatz

Ansprüche des Erwerbers wegen Mängeln an neu errichteten Gebäuden richten sich nach Werkvertragsrecht, unabhängig davon, ob das Bauwerk bei Vertragsschluss bereits fertig gestellt war und ob sich die Parteien als Käufer und Verkäufer bezeichnet haben. Das gilt selbst dann, wenn eine Eigentumswohnung erst zwei Jahre nach Errichtung der Wohnanlage veräußert wird.

BGH, Urteil vom 9.1.2003 – VII ZR408/01 – BauR 2003, 535

Das gesetzliche Mängelhaftungsrecht ergibt sich somit für den Bauvertrag in aller Regel aus §§ 633 f. BGB. Haben die Parteien die Geltung der VOB/B vereinbart, treten an die Stelle der gesetzlichen Mängelhaftungsvorschriften die entsprechenden Haftungsregeln der VOB/B. Bei vereinbarter VOB/B richtet sich die Mängelhaftung des Auftragnehmers vor Abnahme nach § 4 Nr. 7 VOB/B, nach Abnahme nach § 13 VOB/B. Zu den gesetzlichen und nach VOB/B maßgebenden Regeln der Mängelhaftung treten noch abändernde oder ergänzende Vereinbarungen der Parteien hinzu, die durch Einzelvereinbarung oder Allgemeine Geschäftsbedingungen Inhalt des Vertrags werden können. Dementsprechend ist bei der Bearbeitung von Mängelhaftungsfällen zunächst zu prüfen, ob im Grundsatz gesetzliches Mängelhaftungsrecht Anwendung findet, die VOB/B vereinbart ist und abändernde Vereinbarungen der Parteien vorliegen.

Leitsatz

Die Unwirksamkeit einer Allgemeinen Geschäftsbedingung führt nicht automatisch zur Geltung einer nachrangig vereinbarten VOB/B. Vielmehr gilt an Stelle der unwirksamen Allgemeinen Geschäftsbedingungen grundsätzlich die gesetzliche Regelung. Die Parteien können jedoch vereinbaren, dass die Regeln der VOB/B gelten sollen, wenn vertragliche Geschäftsbedingungen unwirksam sind.

BGH, Urteil vom 27.11.2003 – VII ZR 53/03 – BauR 2004, 488, 492

1.2 Vereinbarung des Mängelhaftungsrechts der VOB/B

2 Das Mängelhaftungsrecht der VOB/B gilt nur bei entsprechender Vereinbarung der Parteien. Die VOB/B ist weder als Ganzes noch hinsichtlich der Regeln zur Mängelhaftung Gewohnheitsrecht oder Handelsbrauch. Auch bei öffentlichen Aufträgen muss die VOB/B in den jeweiligen Vertrag einbezogen werden. Soll die VOB/B gegenüber einem Nichtkaufmann einbezogen werden, hat der Verwender ausdrücklich auf die von ihm geforderte Einbeziehung der VOB/B hinzuweisen. Beim Vertragsabschluss zwischen Unternehmen aus der Bauwirtschaft oder im kaufmännischen Rechtsverkehr muss der Hinweis jedenfalls so gehalten sein, dass er von einem sorgfältigen Vertragspartner erkannt wird. Über den wesentlichen Inhalt der VOB/B muss der Verwender die andere Vertragspartei informieren, wenn diese keine Kenntnis der VOB/B hat und von ihr eine solche Kenntnis auch nicht erwartet werden kann. Der Text der VOB/B ist der unkundigen Vertragspartei rechtzeitig vor Vertragsschluss zu übergeben. Einer solchen Information bedarf es aber nur gegenüber der unkundigen Partei. Die Partei, die selbst die Einbeziehung der VOB/B fordert, den Inhalt der VOB/B kennt oder kennen müsste, bedarf keiner weiteren Aufklärung.

3 Allgemein erwartet werden kann die Kenntnis der VOB/B von den im Baubereich tätigen Personen und Unternehmen sowie von öffentlichen Auftraggebern. Wird ein Bauherr bei Vertragsabschluss durch einen Architekten vertreten, muss er sich dessen Kenntnis der VOB/B zurechnen lassen. Beauftragt der Auftraggeber allerdings einen Architekten mit seiner Beratung oder Vertretung , der ihm vom Auftragnehmer empfohlen wurde und „in dessen Lager steht“, so muss sich der Auftraggeber die VOB/B – Kenntnis des Architekten nicht zurechnen lassen (siehe nachfolgende Entscheidung).

Leitsatz

Die VOB/B kann nicht wirksam durch bloße Inbezugnahme vereinbart werden, wenn der Bauherr bei Abschluss des Bauvertrags von einem Architekten beraten wird, der ihm vom Bauunternehmer empfohlen wurde und mit diesem ständig zusammenarbeitet.

Fall

Der Auftragnehmer verpflichtete sich gegenüber dem Kläger, ein Wohnhaus zu einem Pauschalpreis „schlüssel- und bezugsfertig“ zu erstellen. Bei Vertragsschluss wurde der Auftraggeber von einem Architekten beraten, der zu diesem Zeitpunkt mit dem Auftragnehmer in ständiger Geschäftsbeziehung stand. Nach Abnahme entstand zwischen den Parteien Streit über Mängel. Der Auftraggeber verlangte Vorschuss für die ersatzweise Mangelbeseitigung. Für die Entscheidung des Rechtsstreits wesentlich war u. a., ob die Geltung der VOB/B wirksam vereinbart war. Dem Vertrag lagen Allgemeine Geschäftsbedingungen des Auftragnehmers zu Grunde, in denen auf die VOB/B verwiesen wurde. Dem Auftraggeber war der Inhalt der VOB/B nicht bekannt, er wurde vom Auftragnehmer darüber nicht informiert.

Entscheidung

Die VOB/B war nicht wirksam in den Vertrag einbezogen. Der Auftragnehmer wäre als Verwender der VOB/B verpflichtet gewesen, den Auftraggeber in die Lage zu versetzen, sich in geeigneter Weise Kenntnis von der VOB/B und den daraus für ihn entstehenden Risiken zu verschaffen. Eine solche Informationsmöglichkeit hatte der Auftragnehmer dem Bauherrn jedoch nicht eröffnet. Der Text der VOB/B lag weder bei den Vertragsverhandlungen noch bei Vertragsschluss vor. Daher war die VOB/B nicht wirksam vereinbart (§ 2 Abs. 1 Nr. 2 AGBG). Daran änderte nichts, dass der Bauherr bei Vertragsschluss durch einen Architekten beraten wurde. Denn dieser stand auf Grund seiner ständigen Geschäftsbeziehung zum Auftragnehmer in dessen „Lager".

OLG Hamm, Urteil vom 17.6.1992 – 26 U 69/91 – NJW-RR 1993, 27

Fallen/Praxishinweis

Das bloße Angebot des Verwenders, der andere Vertragspartei den VOB/B-Text auf Verlangen zu übersenden, reicht nicht, auch wenn die kostenlose Übersendung angeboten wird.. Ebenso reicht nicht der bloße Abdruck des VOB/B-Textes auf der Rückseite des Vertrags. Hinweise auf den Inhalt der VOB/B nach Vertragsschluss, z. B. auf Auftragsbestätigungen, Lieferscheinen oder Rechnungen, sind verspätet.

Hinweis auf weitere Rechtsprechung

Unklar und damit unwirksam ist folgender Hinweis des Auftragnehmers auf das Mängelhaftungsrecht der VOB/B: *„Die Gewährleistung für die auszuführenden Arbeiten regelt sich nach BGB, die Ausführung der Bauleistungen nach VOB/B"* – OLG München, BauR 2003, 1719 –

1.3 Wirksamkeit vereinbarter VOB-Regeln/ Privilegierung der VOB/B

Die Regeln der VOB/B sind im Ausgangspunkt wie Allgemeine Geschäftsbedingungen zu behandeln. Die Wirksamkeit Allgemeiner Geschäftsbedingungen ist nach §§ 305 f. BGB bzw. für Verträge, die bis zum 31.12.2001 abgeschlossen wurden, nach §§ 9 f. AGBG zu prüfen. **4**

Die **VOB/B i. d. F. 2000** ist insofern **privilegiert,** als die einzelnen Bestimmungen der VOB/B keiner Einzelprüfung nach §§ 305 f. BGB bzw. nach §§ 9 f. AGBG unterliegen, wenn dem Vertrag die VOB/B vom Verwender unverändert zu Grunde gelegt wird. Als unverändertes Ganzes ist die VOB/B ausgewogen und hält damit der AGB-Prüfung nach § 305 f. BGB stand, auch hinsichtlich der Mängelhaftungsregeln. Änderungen der VOB/B, die auf den Verwender der VOB/B zurückgehen, lassen diese Privilegierung entfallen, und zwar selbst dann, wenn es sich nur um geringfügige Änderungen handelt. Dies führt unter anderem dazu, dass wesentliche Teile des Mängelhaftungsrechts der VOB/B nicht zur Anwendung kommen.

Leitsatz

Jede vertragliche Abweichung von der VOB/B führt dazu, dass diese nicht als Ganzes vereinbart ist; es kommt nicht darauf an, welches Gewicht der Eingriff hat. Bei der in diesem Fall notwendigen Einzelprüfung sind erhebliche Teile des Mängelhaftungsrechts der VOB/B (insbesondere § 13 Nr. 4 VOB/B) unwirksam, wenn der Auftragnehmer als Verwender der VOB/B anzusehen ist und die Abänderung der VOB/B zu vertreten hat.

Fall

Der Insolvenzverwalter eines Bauherrn verlangte Schadensersatz wegen mangelhafter Installation von Wasserleitungen eines Wohnhauses, das der Beklagte errichtet hatte. Die kupferne Kaltwasserleitung war infolge von Lochfraß undicht.

Der Beklagte berief sich auf Verjährung. Der Bauherr war Ende Juli 1992 eingezogen. Klage hatte er nach Mängelrügen, einer gemeinsamen Mangelprüfung und einem durchgeführten selbständigen Beweisverfahren erst im September 2000 erhoben. Die Frage der Verjährung war insbesondere davon abhängig, ob für den geltend gemachten Gewährleistungsanspruch die zweijährige Verjährungsfrist nach § 13 Nr. 4 Abs. 1 VOB/B i.d.F. 2000 anzuwenden war. Im Vertrag war die VOB/B nachrangig nach Vertragsbedingungen des beklagten Auftragnehmers vereinbart.

Entscheidung

Die Verjährungsfristen des § 13 Nr. 4 Abs. 1 VOB/B 2000 kamen nicht zur Anwendung. Der vom beklagten Auftragnehmer verwendete Formularvertrag enthielt inhaltliche Abweichungen von der VOB/B. Damit war eine Einzelprüfung nach §§ 9 f. AGBG (jetzt §§ 305 f. BGB) vorzunehmen, die zur Unwirksamkeit von § 13 Nr. 4 VOB/B führte, so dass die gesetzlichen Verjährungsfristen und nicht die demgegenüber wesentlich kürzeren Verjährungsfristen des § 13 Nr. 4 VOB/B anzuwenden waren.

BGH, Urteil vom 15.4.2004 – VII ZR 129/02, NZBau 2004, 385

Anmerkung

Nach früherer Rechtsprechung des Bundesgerichtshofs führte nur eine Abänderung der VOB/B im Kernbereich zur Einzelprüfung. Diese Rechtsprechung ist mit der vorliegenden Entscheidung des BGH aufgegeben worden. Eine Einzelprüfung der Regeln der VOB/B ist auch bei nur geringfügigen Änderungen der VOB/B veranlasst, soweit diese durch die Vertragspartei herbeigeführt werden, die als Verwender der VOB/B anzusehen ist.

Fallen/Praxishinweis

Die Entscheidung entspricht dem Urteil des BGH vom 22.1.2004 (VII ZR 419/02 – BauR 2004, 668; NZBau 2004, 385). Ob die Privilegierung der VOB/B auch dann entfällt, wenn von den Öffnungsklauseln der VOB/B Gebrauch gemacht wird, wie sie sich in § 13 Nr. 4 Abs. 1 Satz 1 VOB/B und in § 12 Nr. 1 letzter Halbsatz VOB/B finden, ist umstritten. Man wird jedenfalls davon ausgehen können, dass im Falle des § 13 Nr. 4 Abs. 1 VOB/B solche Änderungen unschädlich sind, welche die Verjährungsfristen den gesetzlichen Verjährungsfristen angleichen. Auch im Übrigen stellt es vom System her keine Änderung der VOB/B dar, wenn von den Änderungsmöglichkeiten Gebrauch gemacht wird, welche die VOB/B selbst einräumt. Schließlich lässt die VOB/B dadurch, dass sie Änderungsmöglichkeiten einräumt, erkennen, dass jedenfalls solche Änderungen das Gesamtgefüge der VOB/B und ihre Ausgewogenheit nicht in Frage stellen, die nicht wesentlich von den Vorgaben der VOB/B abweichen.

Ist der Auftragnehmer für vertragliche Abänderungen der vereinbarten VOB/B verantwortlich, muss er davon ausgehen, dass auf seine Mängelhaftung die längeren Verjährungsfristen nach § 634 a BGB anzuwenden sind. Auch stehen dem Auftraggeber (nach Fristsetzung) Rücktritts- und Minderungsrecht entsprechend den gesetzlichen Regeln zu, während sie bei wirksam vereinbarter VOB/B teils ausgeschlossen wären (Rücktrittsrecht), teils unter strengeren Voraussetzungen stehen. Für den Auftraggeber günstige Regelungen im Mängelhaftungsrecht der VOB/B (z.B. der Quasi-Neubeginn der Verjährung durch erste schriftliche Aufforderung zur Mangelbeseitigung) bleiben dagegen zu Lasten des als Verwender anzusehenden Auftragnehmers bestehen.

Ist dagegen der Auftraggeber selbst Verwender der VOB/B oder ändert er die vom Auftragnehmer in den Vertrag eingebrachte VOB/B ab, so schadet dies dem Auftragnehmer nicht. Der Auftragnehmer kann sich in diesem Fall auch auf die kurzen Verjährungsfristen nach § 13 Nr. 4 VOB/B berufen.

Hinweis auf weitere Rechtsprechung

Sind bei nachrangig vereinbarter VOB/B Allgemeine Geschäftsbedingungen der Parteien unwirksam, so treten an ihre Stelle nicht die Regeln der VOB/B, sondern die gesetzlichen Regeln. Den Parteien steht es allerdings frei, etwas anderes zu vereinbaren

BGH, Urteil vom 27.11.2003 – VII ZR 53/03 – BauR 2004, 488, 492

Vgl. zudem BGH NJW 2004, 1597 = NZBau 2004, 267 = BauR 2004, 668 (Auswirkung der Änderungen der VOB/B auf Schlusszahlungseinrede des Auftraggebers.)

5 Einer Einzelprüfung hält auch § 4 Nr. 7 Satz 3 VOB/B nicht stand, wenn der Auftragnehmer als Verwender anzusehen ist. Denn im Gegensatz zu § 4 Nr. 7 Satz 3 VOB/B setzen gesetzliche Mängelrechte auch vor Abnahme keine Kündigungsandrohung voraus, sondern haben nur eine Fristsetzung und den entsprechenden Fristablauf zur Voraussetzung.

Die Privilegierung der als Ganzes vereinbarten VOB/B ist nur hinsichtlich der VOB/B i.d.F. 2000 durch die oberstgerichtliche Rechtsprechung abgesichert. Für die Neufassung der VOB/B, also die Fassung VOB/B 2002, ist streitig, ob diese ebenfalls als Ganzes privilegiert ist, oder ob auch bei unveränderter Vereinbarung der VOB/B eine Einzelprüfung nach §§ 307 f. BGB stattfindet (vgl. hierzu Kleine-Möller/Merl, Handbuch des privaten Baurechts § 12 Rdn. 74 f.)

1.4 Mängelhaftung nach VOB/B beim Bauträgervertrag

6 Die Anwendbarkeit des Mängelhaftungsrechts der VOB/B auf den Bauträgervertrag ist fraglich und letztlich zu verneinen. Selbst wenn dem Wortlaut nach die VOB/B Inhalt des Bauträgervertrags sein sollte, kommen wesentliche Bestimmungen der VOB/B bei der Ausführung des Bauträgervertrags ersichtlich nicht zur Anwendung. Daher ist davon auszugehen, dass beim Erwerb vom Bauträger die VOB/B nicht uneingeschränkt Gegenstand des Vertrags ist. Der Bauträgervertrag unterliegt daher im Ergebnis weitestgehend dem gesetzlichen Mängelhaftungsrecht, selbst wenn die VOB/B in den Bauträgervertrag ohne Abänderung einbezogen wäre.

2 Die mangelhafte Bauleistung

2.1 Unterschiedliche Mangeldefinition in Abhängigkeit vom Zeitpunkt des Vertragsschlusses

Die Definition des Sachmangels ist davon abhängig, wann der Vertrag geschlossen wurde und ob die VOB/B Bestandteil des Vertrags ist. Auf den Abschluss des Vertrags ist deshalb abzustellen, weil durch das Schuldrechtsreformgesetz für die ab 1. 1. 2002 geschlossenen Verträge ein geänderter Mängelbegriff eingeführt wurde, der – wenn auch erhebliche Zeit später – in § 13 VOB/B i. d. F. 2002 übernommen wurde.

7 Für die bis 31. 12. 2001 geschlossenen BGB-Verträge ergibt sich die Definition des Sachmangels aus § 633 Abs. 1 BGB alter Fassung (a. F.). Danach liegt ein Sachmangel vor, wenn der Leistung des Auftragnehmers zugesicherte Eigenschaften fehlen oder die Leistung mit Fehlern behaftet ist, die den Wert oder die Tauglichkeit zu dem gewöhnlichen oder nach dem Vertrag vorausgesetzten Gebrauch aufheben oder mindern. Dem entspricht die Definition des Sachmangels durch § 13 Nr. 1 VOB/B i. d. F. 2000, wobei im Gegensatz zu § 633 BGB a. F. der Verstoß gegen anerkannte Regeln der Technik als eigenständiger Mangeltatbestand ausgebildet ist.

8 Für die ab 1. 1. 2002 geschlossenen Verträge ergibt sich die Definition des Sachmangels aus § 633 Abs. 2 BGB (neue Fassung). Danach ist das Werk frei von Sachmängeln, wenn es die vereinbarte Beschaffenheit aufweist, sich für die vertraglich vorausgesetzte oder gewöhnliche Verwendung eignet und die bei Leistungen der gleichen Art übliche und vom Auftraggeber zu erwartende Beschaffenheit aufweist. Fehlt eines der Leistungskriterien, ist die Leistung mangelhaft.

Diese Mangeldefinition ist in die VOB/B 2002 mit der Maßgabe übernommen worden, dass der Verstoß gegen anerkannte Regeln der Technik einen selbstständigen Mängeltatbestand darstellt. Die VOB/B 2002 trat für öffentliche Auftraggeber am 15. 2. 2003 in Kraft. Haben die Parteien die VOB/B vereinbart ohne nähere Angabe, welche Fassung gilt, so ist die Neufassung VOB/B 2002 auf die ab 15. 2. 2003 abgeschlossenen VOB-Verträge anzuwenden.

Dem Sachmangel gleichgestellt wird durch die Schuldrechtsreform der Rechtsmangel (§ 633 Abs. 2 Satz 3 BGB). Außerdem steht es nach neu geltendem Recht einem Sachmangel gleich, wenn der Auftragnehmer ein anderes als das bestellte Werk oder das Werk in zu geringer Menge herstellt. In der VOB/B i. d. F. 2002 ist diese Gleichstellung nicht übernommen worden.

2.2 Mangeldefinition für den BGB-Vertrag bei Vertragsschluss bis 31.12.2001 sowie nach VOB/B 2000

2.2.1 Überblick

9 Soweit nicht die Geltung der VOB/B vereinbart ist, ergibt sich die Definition des Mangels für die bis 31.12.2001 geschlossenen Bauverträge aus **§ 633 Abs. 1 BGB alter Fassung (a.F.)**. Dieser lautet wie folgt:

§ 633 Abs. 1 BGB a.F.

Der Unternehmer ist verpflichtet, das Werk so herzustellen, dass es die zugesicherten Eigenschaften hat und nicht mit Fehlern behaftet ist, die den Wert oder die Tauglichkeit zu dem gewöhnlichen oder dem nach dem Vertrag vorausgesetzten Gebrauch aufheben oder mindern.

Nach **§ 13 Nr. 1 VOB/B i. d. F. 2000** ist der Leistungsmangel wie folgt definiert:

§ 13 Nr. 1 VOB/B i. d. F. 2000

Der Auftragnehmer übernimmt die Gewähr, dass seine Leistung zur Zeit der Abnahme die vertraglich zugesicherten Eigenschaften hat, den anerkannten Regeln der Technik entspricht und nicht mit Fehlern behaftet ist, die den Wert oder die Tauglichkeit zu dem gewöhnlichen oder dem nach dem Vertrag vorausgesetzten Gebrauch aufheben oder mindern.

10 Die Prüfung der Mangelfreiheit bzw. Mangelhaftigkeit der Bauleistung erfolgt somit in folgenden Prüfungsschritten:

1. Fehlt eine zugesicherte Eigenschaft?
2. Liegt ein Fehler der Bauleistung vor?
3. Beeinträchtigt ein vorliegender Fehler
   a) den Wert der Bauleistung bzw. des Bauwerks, oder
   b) die Tauglichkeit zu dem
      aa) gewöhnlichen oder zu dem
      bb) nach dem Vertrag vorausgesetzten Gebrauch?

Hinzu tritt für den VOB-Vertrag noch die Prüfung, ob gegen anerkannte Regeln der Technik verstoßen wurde. Nach gesetzlichem Werkvertragsrecht findet diese Prüfung im Rahmen der Prüfung statt, ob die Leistung einen Fehler aufweist.

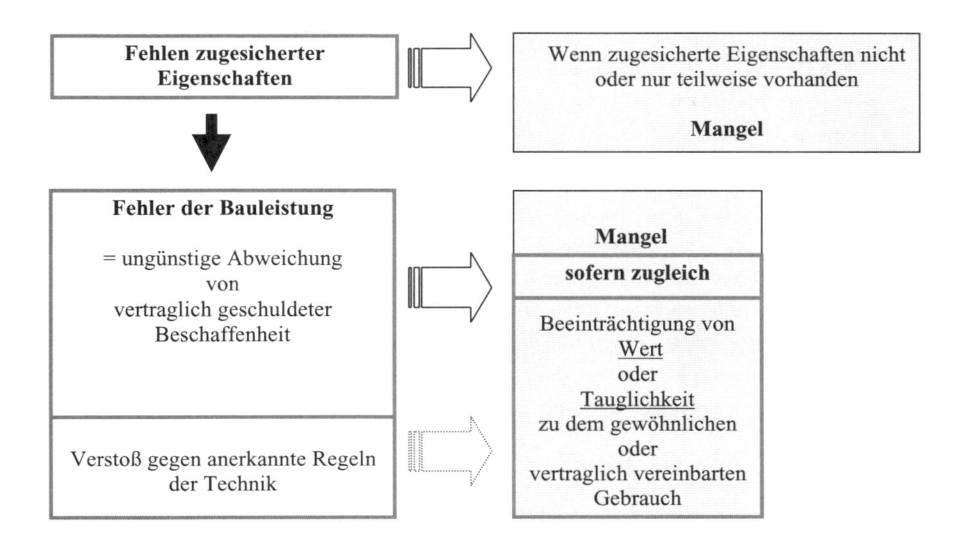

Das vorangehende Prüfungsschema ist für den VOB-Vertrag insofern abzuwandeln, als bei einem Verstoß gegen anerkannte Regeln der Technik keine weitere Prüfung veranlasst ist, ob Wert oder Tauglichkeit dadurch eingeschränkt sind.

11 Unter den Begriff der zugesicherten Eigenschaften fallen nicht sämtliche vertraglich vereinbarten Leistungsmerkmale, sondern nur im Vertrag besonders hervorgehobene Eigenschaften der Leistung. **Zugesichert sind solche Eigenschaften,** für deren Fehlen der Auftragnehmer nach dem Vertrag selbst dann einstehen muss, wenn dies für Wert oder Tauglichkeit der Leistung unerheblich sein sollte.

12 Unter **Fehler der Bauleistung** i.S.v. § 633 Abs. 1 BGB a.F. ist jede ungünstige Abweichung von der vertraglich geschuldeten Beschaffenheit zu verstehen. Ein Leistungsfehler liegt vor, wenn entweder vereinbarte Eigenschaften der Bauleistung fehlen oder die Leistung nicht die übliche Beschaffenheit aufweist. Ein Fehler der Bauleistung führt zu einem Mangel der Leistung, wenn Wert oder Tauglichkeit der Leistung bzw. des Bauwerks beeinträchtigt sind. Wirkt sich ein Fehler auf Wert und Tauglichkeit der Bauleistung nicht aus, liegt kein Mangel vor.

13 Die anerkannten Regeln der Technik finden in § 633 Abs. 1 BGB a.F. keine Erwähnung. Dennoch sind die anerkannten Regeln der Technik ein wesentliches Prüfungskriterium. Verstößt der Auftragnehmer gegen anerkannte bautechnische Regeln, so weist seine Leistung einen Fehler i.S.von § 633 Abs. 1 BGB a.F. auf. Üblicherweise wird nämlich erwartet, dass bautechnische Regeln eingehalten werden, sofern nicht eine gegenteilige vertragliche Absprache getroffen wurde. Zum

Sachmangel wird der Verstoß gegen anerkannte Regeln der Technik, wenn dadurch Wert oder Tauglichkeit der Leistung beeinträchtigt sind.

Im Unterschied zur gesetzlichen Mangeldefinition enthält **§ 13 Nr. 1 VOB/B i.d.F. 2002** eine eigenständige Regelung für den Verstoß gegen anerkannte Regeln der Technik. Insoweit kommt es nicht darauf an, ob durch den Regelverstoß Wert oder Tauglichkeit der Leistung beeinträchtigt ist. Der Mangel, der auf einem Regelverstoß beruht, wird damit ähnlich dem Mangel behandelt, der im Fehlen einer zugesicherten Eigenschaft besteht.

14 Das **gesetzliche Mängelhaftungsrecht** enthält keine Regeln über die Behandlung der **Leistung nach Probe**. Es bedarf daher der Auslegung, welche Bedeutung der Probe bzw. dem Muster nach dem Willen der Parteien zukommen sollte. Im Regelfall wird man davon ausgehen können, dass der Auftraggeber die Leistung so beauftragen will, wie er deren Beschaffenheit einer vor Vertragsabschluss erstellten Probe entnehmen konnte. Den Eigenschaften der Probe bzw. des Musters kommt somit die Qualität zugesicherter Eigenschaften zu. Jedoch bleiben Abweichungen, die nach der Verkehrssitte bedeutungslos sind, außer Betracht.

Dafür, dass der Auftragnehmer die Leistung entsprechend den erkennbaren Eigenschaften der Probe bzw. des Musters erbringen soll, spricht eine widerlegbare Vermutung. Sie zu widerlegen ist Aufgabe der Partei, die eine andere Soll-Beschaffenheit der Leistung behauptet. Sie hat Umstände vorzutragen und gegebenenfalls zu beweisen, aus denen sich schließen lässt, dass der Probe nicht die übliche Bedeutung zukommt, sondern dass die Probe z.B. den Auftraggeber nur über das ungefähre Leistungsergebnis orientieren sollte.

Für Umstände, die eine von der Regel abweichende Bewertung der Probe rechtfertigen, ist diejenige Partei beweispflichtig, die sich darauf beruft. Dies ist der Auftraggeber, wenn er eine höherwertigere Leistung verlangt, als sie auf Grund der Probe verlangt werden könnte. Dagegen ist der Auftragnehmer beweispflichtig, wenn er auf Grund der Probe bzw. des Musters eine gegenüber dem Üblichen geringere Leistungsqualität als vereinbart behauptet.

15 Für den **VOB-Vertrag** enthält § 13 Nr. 2 VOB/B eine ausdrückliche Regelung für die Leistung nach Probe. Entsprechend der gewerbeüblichen Auffassung gelten danach die erkennbaren Eigenschaften der Probe als zugesichert.

§ 13 Nr. 2 VOB/B

Bei Leistungen nach Probe gelten die Eigenschaften der Probe als zugesichert, soweit nicht Abweichungen nach der Verkehrssitte als bedeutungslos anzusehen sind. Dies gilt auch für Proben, die erst nach Vertragsabschluss als solche erkannt sind.

Auch § 13 Nr. 2 VOB/B begründet nur eine widerlegbare Vermutung, so wie dies vorangehend für das gesetzliche Werkvertragsrecht bereits festgestellt wurde. Den Parteien steht es frei, den vorgelegten Proben und Mustern eine andere Bedeutung zu geben.

Unter Berücksichtigung der eigenständigen Regelung in § 13 VOB/B hinsichtlich des Verstoßes gegen anerkannte Regeln der Technik und bezüglich der Leistung nach Probe ergeben sich für die VOB/B 2000 folgende Prüfungsschritte: **16**

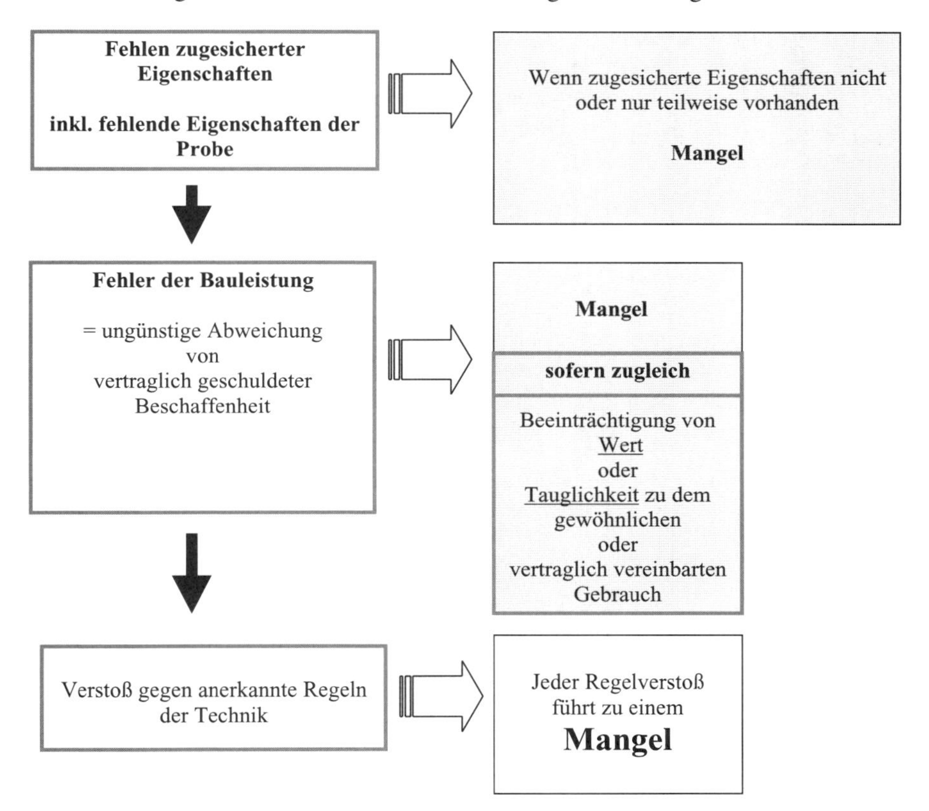

Nachfolgend werden die vorangehend angesprochenen Mängelkategorien im Einzelnen erörtert. Die Erörterungen gelten sowohl für den BGB-Vertrag (soweit dieser bis 31.12.2001 abgeschlossen wurde) als auch für den VOB/B -Vertrag, dem die VOB/B i.d.F. 2000 zugrunde liegt.

2.2.2 Zugesicherte Eigenschaft

Die Parteien können im Vertrag einzelnen Eigenschaften der Leistung ein besonderes Gewicht in Form der „Zusicherung“ beilegen. So können die Vertragsparteien z.B. vereinbaren, dass Farbtöne oder Maße „ohne jede Abweichung“ eingehalten werden müssen. Dies bedeutet, dass der Auftragnehmer für das Vorliegen der so gekennzeichneten Leistungsmerkmale auch dann einzustehen hat, wenn sich ihr Fehlen auf Wert und Tauglichkeit der Leistung nicht auswirkt. **17**

Mangelprüfung bei Fehlen zugesicherter Eigenschaften

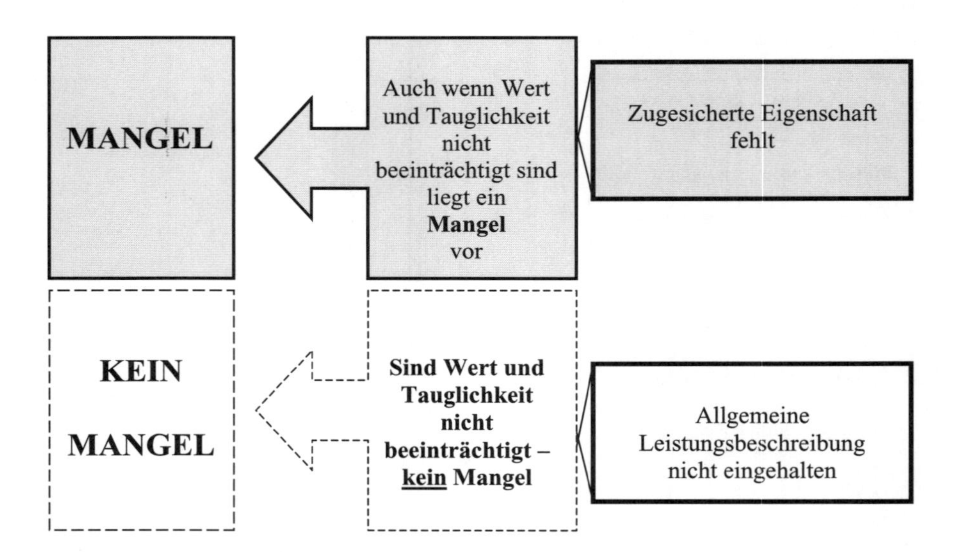

18 Zugesicherte Eigenschaften und Leistungsbeschreibung entsprechen einander nur teilweise. Die zugesicherten Eigenschaften sind ein Teil der in der Leistungsbeschreibung des Vertrags enthaltenen Leistungsmerkmale.

Eine zugesicherte Eigenschaft liegt zweifelsfrei dann vor, wenn sie im Vertrag ausdrücklich als „zugesichert" bezeichnet ist. Dennoch ist, um eine vertragliche Zusicherung anzunehmen, nicht in jedem Fall die ausdrückliche Bezeichnung der Eigenschaft als „zugesichert" erforderlich. Die Zusicherung kann sich auch aus sinngemäß ähnlichen Erklärungen ergeben, z. B. wenn nach dem Vertrag auf bestimmte Eigenschaften besonderer Wert gelegt wird, diese „auf jeden Fall" vorhanden sein müssen o. Ä. Die Zusicherung kann sich auch aus Umständen außerhalb des Vertrags ergeben, wenn diese den Schluss rechtfertigen, dass dem Auftragnehmer nach dem übereinstimmenden Willen der Parteien keinerlei Abweichung von einzelnen vertraglich beschriebenen Leistungsmerkmalen gestattet ist. Einseitige Vorstellungen einer Partei in dieser Richtung werden allerdings nur dann Inhalt des Vertrags, wenn sie für die andere Partei erkennbar werden, und sie diesen Vorstellungen vor Vertragsschluss nicht entgegen tritt.

19 Zusicherungsfähig sind sämtliche körperlichen Merkmale der Leistung, wie z. B. die Materialbeschaffenheit, Konstruktionsart, Wirkungsweise, Lebensdauer, optische Beschaffenheit, erforderliche Instandhaltungsmaßnahmen und -kosten oder die Wohnfläche eines Bauwerks. (Zur Wohnflächen-Rechtsprechung vgl. BGH, Urteil vom 21. 1. 1999 – VII ZR 398/97 – BauR 1999, 648; OLG Celle, Urteil vom 14. 1. 1998 – 6 U 88/96 – BauR 1998, 8 105/806; OLG Düsseldorf, Urteil vom 11. 7. 1996 – 5 U 18/96 – BauR 1997, 475.) Zusicherungsfähig sind auch rechtliche Eigenschaften der Leistung, z. B. die Genehmigungsfähigkeit eines Bauwerks nach Bauordnungsrecht.

20 Eine Eigenschaftszusicherung enthält z.B. die Vereinbarung, Fußbodenplatten in Mörtel der Mörtelgruppe 3 zu verlegen (OLG Nürnberg, Urt. v. 7.11.1997 – 6 U 451/96 – BauR 1998, 1013), oder wenn die Parteien die Verwendung von Material eines bestimmten Fabrikats oder eines bestimmt bezeichneten Herstellers vereinbaren.

Fall

Gegenstand des Bauvertrags war das unter Angabe der Artikelnummer des Herstellers bezeichnete Fußbodenheizsystem V mit der Stetigregelung V-mat als Einzelraumregelung. Diese Einzelraumregelung war bei anderen in der Qualität vergleichbaren Systemen nicht angeboten. Der Auftragnehmer verlegte statt des ausgeschriebenen Heizsystems V das Fußbodenheizsystem der Marke R mit einer „Auf/Zu-Regelung". Diese funktionierte als solche einwandfrei und war im Übrigen in ihrer Qualität mit dem ausgeschriebenen Fabrikat vergleichbar. Der Bauherr verlangte wegen des vom Auftragnehmer eigenmächtig geänderten Heizsystems Schadensersatz.

Entscheidung

Nach dem Urteil des OLG Düsseldorf vom 28.6.2002 (Az. 5 U 61/01) war der vom Bauherrn geltend gemachte Schadensersatzanspruch berechtigt. Da der Auftragnehmer, dem als Fachunternehmer die Unterschiede der Fabrikate und Systeme bekannt waren, das mit bestimmten Angaben vorgegebene Leistungsverzeichnis ausgefüllt hatte, hatte er das im Leistungsverzeichnis vorgegebene Heizungs- und Steuerungssystem zugesichert. Dass er ein anderes Fabrikat verwendete, wurde vom Gericht als wesentlicher Mangel angesehen, da durch die bestimmte Vorgabe von Heiz- und Steuerungssystem das besonderes Interesse des Bauherrn gerade an diesem System vorgegeben und vom Auftragnehmer akzeptiert worden war.

OLG Düsseldorf BauR 2002, 1860

Zur zugesicherten Eigenschaft im Einzelnen vgl. Kleine-Möller/Merl, Handbuch des privaten Baurechts, 3. Aufl., § 12 Rdn. 295 f.

21 Die Zusicherung kann im Grundsatz auch durch Allgemeine Geschäftsbedingungen des Auftraggebers erreicht werden, jedoch sind die „zugesicherten Eigenschaften" insbesondere konkret zu beschreiben. Allgemeine Geschäftsbedingungen des Auftraggebers, wonach „alle wesentlichen" oder gar sämtliche vereinbarten Eigenschaften der Leistung „ zugesichert" sein sollen, sind unangemessen und unwirksam. Einer Formularklausel kann auch entgegenstehen, dass sie als überraschend angesehen werden muss. Dies liegt dann nahe, wenn sich die Zusicherung auf völlig unerhebliche, auch nach dem Vertragszweck unbedeutende Eigenschaften der Leistung bezieht.

22 Die Zusicherungsvereinbarung ist – soweit sie nicht einen formbedürftigen Vertrag betrifft (etwa einen notariell zu beurkundenden Bauträgervertrag mit Grundstückserwerb) – formfrei möglich und auch bei nur mündlicher Abrede wirksam.

23 Hinsichtlich der Rechtsfolgen bei Fehlen einer zugesicherten Eigenschaft gelten die allgemeinen Regeln der Mängelhaftung gem. §§ 633 f. BGB bzw. §§ 4 Nr. 7, 13 VOB/B. Bei einer in jeder Hinsicht folgenlosen Abweichung von zugesicherten Eigenschaften, wenn Wert und Tauglichkeit der Leistung keinerlei Einschränkungen unterliegen, und auch aus dem Vertrag kein schützenswertes Interesse des Auftraggebers ersichtlich ist, steht dem Auftragnehmer der Einwand der Unverhältnismäßigkeit der Nacherfüllung zu. Dieser führt, wenn er berechtigt ist, dazu, dass die Verpflichtung des Auftragnehmers zur Mangelbeseitigung entfällt.

Der Einwand der Unverhältnismäßigkeit der Mangelbeseitigung ist auch bei Fehlen einer zugesicherten Eigenschaft möglich. Die Unverhältnismäßigkeit ist vom Gericht nicht von Amts wegen, sondern nur bei entsprechendem Vortrag des Auftragnehmers zu berücksichtigen. Bei der Abwägung von Nacherfüllungsaufwand und dadurch erzielbarem Vorteil, ist das besondere Leistungsinteresse des Auftraggebers zu berücksichtigen, das in der Zusicherungsvereinbarung zum Ausdruck kommt.

Bei grob fahrlässig oder vorsätzlich verursachten Mängeln kann der Einwand der Unverhältnismäßigkeit nicht erhoben werden. Soweit sich das Verhalten des Auftraggebers nicht als reine Schikane darstellt, ist der Auftragnehmer bei grob fahrlässig oder vorsätzlich verursachten Mängeln zur Mangelbeseitigung auch bei unverhältnismäßigem Aufwand verpflichtet.

Vortrags- und beweispflichtig für das Vorliegen einer zugesicherten Eigenschaft ist die Partei, die sich auf die Zusicherung beruft und aus ihr Rechte herleitet. Dies ist i. d. R. der Auftraggeber, da Zusicherungen in aller Regel auf eine höhere Leistungsqualität abzielen.

2.2.3 Fehler der Bauleistung

24 Ein Fehler der Bauleistung liegt vor, wenn die Leistung zum Nachteil des Auftraggebers von der vertraglich vereinbarten oder üblichen Beschaffenheit abweicht. Dies kann sämtliche Eigenschaften der Leistung betreffen, insbesondere

- das optische Erscheinungsbild der Bauleistung,
- Eigenschaften des verwendeten Materials,
- die Konstruktion des Leistungsergebnisses,
- ihre Funktionsweise und Wirkung,
- Betriebs- und Instandhaltungskosten,
- die Haltbarkeit der Bauleistung, oder
- ihre Belastbarkeit, sowie
- die Wohnfläche eines Bauwerks bzw. einer Wohnung.

Ein Fehler der Bauleistung kann insbesondere auch in einem Schönheitsfehler liegen, wenn es sich nicht um eine zu vernachlässigende Abweichung handelt. Ein Fehler der Bauleistung liegt auch vor, wenn sie nach Bauordnungsrecht nicht genehmigungsfähig ist.

25 Vereinbarungen der Parteien zur Beschaffenheit der Leistung finden sich insbesondere in der vertraglichen Leistungsbeschreibung sowie in den zum Inhalt des Vertrags gemachten Plänen und Berechnungen. Es kann sich um die Beschreibung einzelner Leistungsmerkmale handeln, aber auch um eine generelle Beschreibung der Leistungsqualität, soweit diese einen Rückschluss auf einzelne Leistungsmerkmale zulässt. So kann sich aus der Beschreibung einer Wohnung als Komfortwohnung ergeben, dass ein erhöhter Schallschutz geschuldet wird.

Leitsatz

Wird die nach der Baubeschreibung geschuldete Leistung in anderer Weise erbracht, so stellt dies eine Abweichung der Ist-Beschaffenheit von der vereinbarten Soll-Beschaffenheit dar. Ist dadurch die Nutzungsmöglichkeit, die nach der vereinbarten Beschaffenheit der Leistung zu erwarten war, für den Auftraggeber nicht mehr unverändert gegeben, liegt ein Mangel selbst bei technischer Gleichwertigkeit von vereinbarter und tatsächlicher Ausführung vor.

Fall

Nach der Baubeschreibung eines Bauträgervertrags war das Treppenhaus in geschlossener Bauweise herzustellen. Es sollten im Treppenhaus Fenster mit Isolierverglasung angebracht werden sowie eine Hauseingangstüre. Zugleich war für innen liegende WC/Bäder eine mechanische Entlüftung geplant, die nur deshalb notwendig war, da die Entlüftung dieser Räume auf Grund der geschlossenen Ausführung nicht über das Treppenhaus erfolgen konnte. Tatsächlich wurde das Treppenhaus vom Bauträger als offenes Treppenhaus erstellt. Die Kläger verlangten Kostenvorschuss, um das offene Treppenhaus in ein geschlossenes Treppenhaus umzuändern.

Entscheidung

Das OLG Stuttgart verurteilte den Bauträger zur Vorschussleistung nach § 633 Abs. 3 BGB a.F. Die Ausführung des Treppenhauses war mangelhaft, da sie von der vereinbarten Soll-Beschaffenheit der Leistung abwich. Diese Abweichung führte nach Ansicht des Gerichts zu einer Minderung der Gebrauchstauglichkeit, da ein geschlossenes Treppenhaus anders genutzt werden kann als ein offenes Treppenhaus. Ob die Herstellungskosten bei offener bzw. geschlossener Bauweise gleich hoch sind, ob nach allgemeiner Bewertung ein offenes Treppenhaus minderwertig ist, oder ob die offene Bauweise sogar objektiv mit Vorteilen verbunden ist, ist nach der Entscheidung irrelevant.

OLG Stuttgart, Urteil vom 17.10.2002 – 2 U 37/02 – BauR 2003, 1394

Fallen/Praxishinweis

Das OLG Stuttgart hat keine zugesicherte Eigenschaft gem. § 633 Abs. 1 BGB a. F. hinsichtlich der Gestaltung des Treppenhauses angenommen, wie es eigentlich nahe liegen würde. Es ist vielmehr von einem Fehler der Bauleistung ausgegangen, und musste daher prüfen, ob Wert oder Tauglichkeit der Leistung eingeschränkt waren. Dabei hat es folgerichtig darauf abgestellt, dass nach dem Vertrag die Gebrauchsmöglichkeiten eines geschlossenen Treppenhauses geschuldet waren. Bestand eine entsprechende Gebrauchsmöglichkeit bei offenem Treppenhaus nicht, so war die Leistung mangelhaft.

Im Ergebnis gilt diese Entscheidung auch nach neuem Mängelhaftungsrecht. Nach § 633 Abs. 2 Satz 1 BGB n.F. ist die Leistung bereits dann mangelhaft, wenn sie nicht die vereinbarte Beschaffenheit hat. Dies ist in dem der Entscheidung zu Grunde liegenden Fall gegeben. Darauf, ob die vertraglich vorausgesetzte Verwendung möglich ist, kommt es nach neuem Mangelbegriff nicht mehr an. Eine Leistung ist bereits dann mangelhaft, wenn eines der in § 633 Abs. 2 BGB n.F. aufgeführten Leistungskriterien fehlt. Sofern der Bauträger sich also in der Baubeschreibung des Vertrags auf eine bestimmte Ausführung festlegt, stellt jede nicht völlig unerhebliche Abweichung der tatsächlichen Ausführung einen Mangel dar, ungeachtet dessen, wie sie sich auf die Verwendungstauglichkeit der Leistung auswirkt.

Der **Preis** einer Bauleistung ist grundsätzlich keine Sacheigenschaft der Leistung. Er kann allerdings in Zusammenhang mit weiteren Umständen einen Rückschluss darauf zulassen, welche Beschaffenheit die Leistung aufweisen muss. Dies kommt z. B. in Betracht, wenn der Auftragnehmer Leistungen in verschiedener Qualität anbietet. In diesem Fall kann der Auftraggeber zum Beispiel für das preisgünstigste Produkt nicht die Qualität der teuersten Ausführung erwarten. Den Auftragnehmer trifft in solchen Fällen eine besondere Aufklärungspflicht über die jeweiligen Qualitäts- und Beschaffenheitsunterschiede. Verlangen kann der Auftraggeber in jedem Fall zumindest die übliche Beschaffenheit und Qualität. Eine gegenüber dem Üblichen geringere Leistungsqualität bedarf in jedem Fall einer zweifelsfreien Vereinbarung nach entsprechender Aufklärung des Auftraggebers.

26 Soweit der Vertrag die Leistung nicht beschreibt, ist auf die üblichen Erwartungen an die Beschaffenheit der Bauleistung abzustellen. Maßgebend sind dann die Eigenschaften, die allgemein von der Bauleistung erwartet werden. Auf die übliche Soll-Beschaffenheit ist zurückzugreifen ohne Rücksicht darauf, ob die Parteien absichtlich oder versehentlich von einer (vollständigen) Leistungsbeschreibung abgesehen haben. Ein Rückgriff auf die übliche Soll-Beschaffenheit kommt weiterhin in Frage, soweit die Leistungsbeschreibung unklar oder widersprüchlich ist. Die üblichen Erwartungen im allgemeinen Geschäftsverkehr sind bei zweifelhafter Leistungsbeschreibung ein wesentlicher Anhaltspunkt für das von den Parteien Gewollte.

Ist eine bestimmte **Wohnfläche beim Erwerb vom Bauträger** nicht zugesichert, liegt ein Mangel vor, wenn die Wohnfläche erheblich geringer ist, als im Vertrag angegeben. So hat das OLG Celle (Urteil vom 14.1.1998 – 6 U 88/96 – BauR 1998, 805) einen Mangel angenommen, nachdem die Wohnfläche mehr als 10 Prozent kleiner war, als nach dem Vertrag geschuldet. Das OLG Düsseldorf (Urteil vom 11.7.1996 – 5 U 18/96 – BauR 1997, 475) hat einen Leistungsmangel angenommen bei einer im Spitzboden um 2,91 m^2 geringeren Wohnfläche als im Vertrag zugesagt (zugesagt waren insgesamt 123 m^2 Wohnfläche, davon 15,41 m^2 im Spitzboden). Der für die fehlende Fläche zu leistende Ausgleich entspricht dem m^2-Preis des Kaufvertrags. Für einen Spitzboden wurde vom OLG Düsseldorf (a.a.O.) 5 Prozent des m^2-Preises der Vollgeschosse angesetzt.

Ein Anspruch aus Verschulden bei Vertragsverhandlungen steht dem Erwerber gegen den Bauträger zu, wenn dieser seinen Angebotsunterlagen einen Grundriss mit genauen m^2-Angaben beigelegt hat, vor Vertragsschluss aber die Dachneigung ändert und auf die sich daraus ergebende Verringerung der Wohnfläche nicht hinweist. Der Erwerber braucht nicht von sich aus nach Änderungen in den Vertragsunterlagen im Vergleich zu den im vorangehenden Angebot übermittelten Unterlagen zu forschen. Die im Vertrag oder in einer Bauzeichnung enthaltene Angabe einer Wohnfläche dürfen die Parteien dahin verstehen, dass die angegebene Fläche nach DIN 283 bzw. nach der zweiten Berechnungsverordnung errechnet wurde (BGH, Urteil vom 21.1.1999 – VII ZR 398/97 – BauR 1999, 648).

2.2.4 Verstoß gegen die anerkannten Regeln der Technik

27 Üblicherweise wird im Geschäftsverkehr erwartet, dass die Leistung den anerkannten **Regeln der Technik** entspricht. Diese sind daher beim BGB-Vertrag zur Prüfung der Mangelfreiheit der Leistung heranzuziehen, auch ohne dass sich dies aus dem Gesetzestext unmittelbar ergibt. Es bedarf auch keiner besonderen Verpflichtung des Auftragnehmers im Vertrag, die anerkannten Regeln der Technik einzuhalten. Vielmehr liegt auch ohne besondere Vereinbarung der Parteien bei einer regelwidrigen Ausführung der Leistung ein Mangel vor. Erbringt der Auftragnehmer seine Leistung unter Verstoß gegen anerkannte Regeln der Technik, ist die Leistung fehlerhaft.

Fehler der Bauleistung und Verstoß gegen technische Regeln

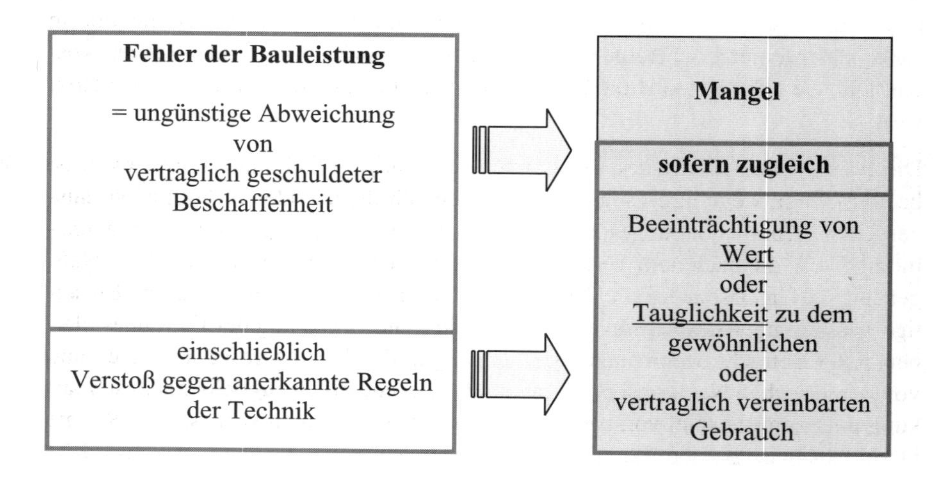

Bei vereinbarter VOB/B sind die anerkannten Regeln der Technik nach § 13 Nr. 1 VOB/B ausdrücklicher Maßstab zur Prüfung der Mangelhaftigkeit der Leistung. Darauf, ob Wert oder Tauglichkeit der Leistung beeinträchtigt sind, kommt es nach § 13 VOB/B nicht an.

28 Zu berücksichtigen ist allerdings, dass letztlich nicht die Einhaltung der Regeln der Technik ausschlaggebend ist, sondern ob die Leistung gebrauchsfähig ist. Das bedeutet einerseits, dass bei Verstoß gegen Regeln der Technik ein Mangelanspruch ausgeschlossen sein kann, wenn das Leistungsergebnis uneingeschränkt tauglich ist. Umgekehrt reicht es nicht, die Regeln der Technik einzuhalten, wenn dies nicht zu einem funktionsfähigen Leistungsergebnis führt. Die nicht den Regeln der Technik entsprechende Leistung wird allerdings in der allgemeinen Beurteilung meist als geringerwertig angesehen werden, so dass sich bei regelwidriger Leistung ein Nachteil des Auftraggebers jedenfalls in Form eines geringeren Verkehrswerts des Bauwerks ergeben wird und dem Auftraggeber ein entsprechender Minderungs- oder Schadensersatzanspruch zusteht.

2.2.5 Beeinträchtigung von Wert oder Tauglichkeit der Bauleistung

29 Fehler der Bauleistung führen nur dann zum Leistungsmangel und damit zu Mängelrechten des Auftraggebers, wenn durch den Fehler der Wert der Leistung oder die Tauglichkeit zum gewöhnlichen oder vertraglich vorausgesetzten Gebrauch aufgehoben oder gemindert ist. Unerhebliche Beeinträchtigungen reichen aus, wenn sie nicht ganz bedeutungslos sind.

Der Wert der Bauleistung bemisst sich nach ihrem objektiven Verkehrswert und ist das Ergebnis ihrer technischen und sonstigen Eigenschaften der Bauleistung, insbesondere aus ihrer Funktionstauglichkeit und Haltbarkeit, wie auch aus den in Zusammenhang mit der Bauleistung stehenden Instandhaltungs- oder Betriebskosten. Der Wert der Bauleistung manifestiert sich insbesondere in ihrem Verkaufswert.

30 Die für die Mangelhaftigkeit der Leistung wesentliche Gebrauchstauglichkeit ist beeinträchtigt, wenn ihre Tauglichkeit zum gewöhnlichen oder vertraglich vorausgesetzten Gebrauch herabgesetzt ist. Vertraglich vorausgesetzt ist die Gebrauchsmöglichkeit, die nach dem Vertrag vom Auftraggeber erwartet werden darf. Maßgebend sind insbesondere im Vertrag vereinbarte Nutzungsmöglichkeiten. Einseitige Vorstellungen des Auftraggebers über die spätere Nutzung des Gebäudes bleiben außer Betracht, wenn sie keinen Eingang in den Vertrag gefunden haben und von den üblichen Nutzungserwartungen abweichen. Eine Tauglichkeitseinschränkung liegt zum Beispiel vor, wenn zum dauernden Aufenthalt vorgesehene Räume nicht als solche genehmigungsfähig sind oder wenn die vereinbarte Wohnfläche eines Bauwerks nicht erreicht wird.

2.3 Mangeldefinition nach BGB bei Vertragsschluss ab 1.1.2002 sowie nach VOB/B 2002

2.3.1 Überblick

31 Für alle Verträge, die ab dem 1.1.2002 (Inkrafttreten des SchMG) abgeschlossen werden und für die nicht die Geltung der VOB/B vereinbart ist, ist die Mangelfreiheit der Leistung anhand von § 633 Abs. 2 BGB n. F. zu prüfen, der wie folgt lautet:

§ 633 Abs. 2 BGB

Das Werk ist frei von Sachmängeln, wenn es die vereinbarte Beschaffenheit hat. Soweit die Beschaffenheit nicht vereinbart ist, ist das Werk frei von Sachmängeln,
1. wenn es sich für die nach dem Vertrag vorausgesetzte, sonst
2. für die gewöhnliche Verwendung eignet und eine Beschaffenheit aufweist, die bei Werken der gleichen Art üblich ist und die der Besteller nach der Art des Werks erwarten kann.

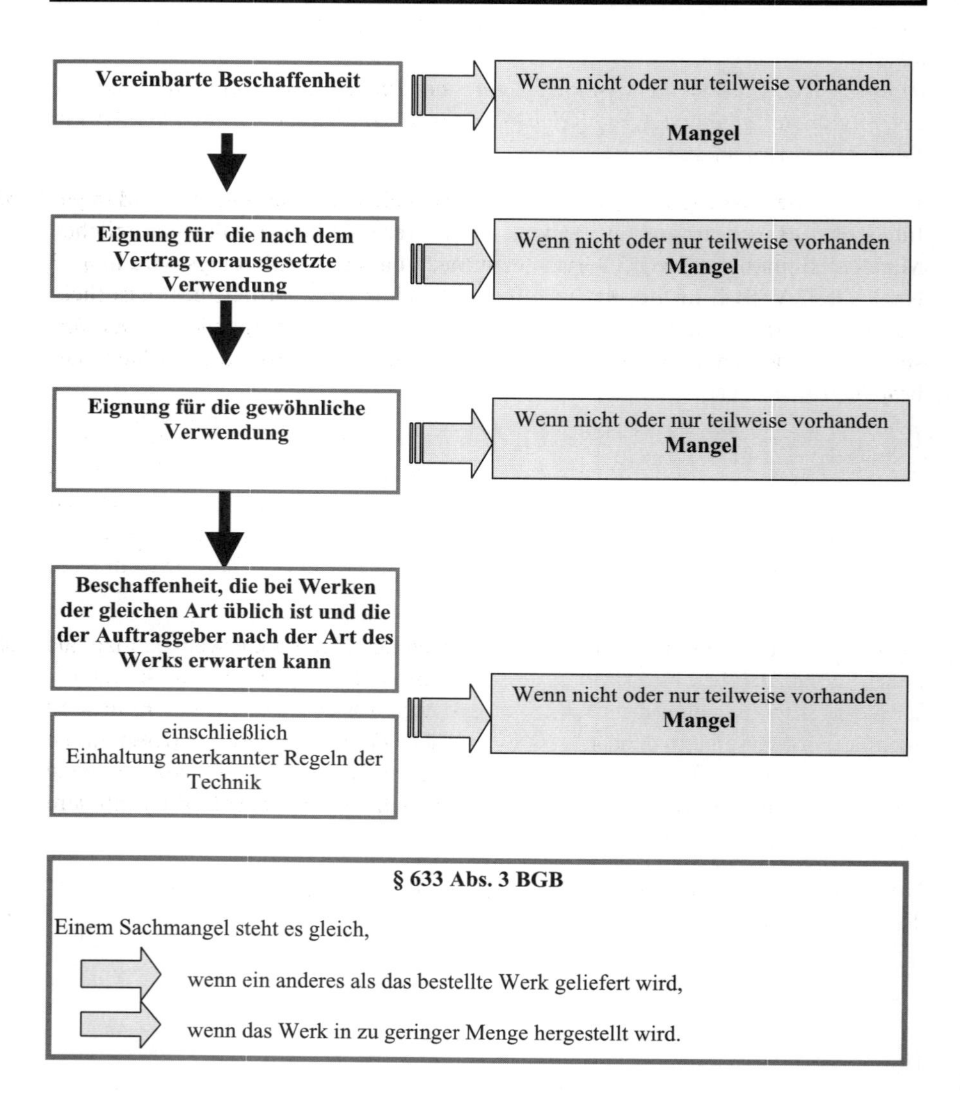

Durch die VOB/B 2002 (Geltung ab 15.2.2003) wurde die Mangeldefinition der VOB/B der gesetzlichen Neufassung des Mangelbegriffs angepasst.

§ 13 Nr. 1 VOB/B

Der Auftragnehmer hat dem Auftraggeber seine Leistung zum Zeitpunkt der Abnahme frei von Sachmängeln zu verschaffen. Die Leistung ist zur Zeit der

Abnahme frei von Sachmängeln, wenn sie die vereinbarte Beschaffenheit hat und den anerkannten Regeln der Technik entspricht. Ist die Beschaffenheit nicht vereinbart, so ist die Leistung zur Zeit der Abnahme frei von Sachmängeln,
a) wenn sie sich für die nach dem Vertrag vorausgesetzte,
sonst
b) für die gewöhnliche Verwendung eignet und eine Beschaffenheit aufweist, die bei Werken der gleichen Art üblich ist und die der Auftraggeber nach der Art der Leistung erwarten kann.

32 Die geänderte Fassung von § 13 Nr. 1 VOB/B, welche die Definition des Mangels für den VOB-Vertrag enthält, deckt sich im Wesentlichen mit der gesetzlichen Mangeldefinition nach § 633 Abs. 2 BGB (neue Fassung). Allerdings wird in § 13 Nr. 1 Satz 2 VOB/B im Gegensatz zum gesetzlichen Werkvertragsrecht ausdrücklich auf die Einhaltung der anerkannten Regeln der Technik hingewiesen. Der Verstoß gegen anerkannte Regeln der Technik stellt einen eigenständigen Mangeltatbestand dar.

Die Formulierung des § 13 Nr. 1 VOB/B bringt weiterhin wesentlich eindeutiger zum Ausdruck, dass die Prüfungskriterien alternativ zu verstehen sind. Fehlt eines der Kriterien, ist die Leistung mangelhaft. Weiterhin enthält die VOB/B eine ausdrückliche Regelung für die Leistung nach Probe. Die Eigenschaften der Probe sind als vereinbarte Beschaffenheit zu behandeln, soweit nicht Abweichungen bedeutungslos sind. Vgl. i.E. Rdn. 75.

33 Soweit die Mangeldefinition dem Wortlaut nach den Eindruck erwecken mag, als wäre die Leistung bereits dann mangelfrei, wenn sie die vereinbarte Beschaffenheit aufweist, trifft dies nicht zu. Die Prüfungskriterien nach § 633 Abs. 2 BGB sind nicht alternativ, sondern kumulativ zu verstehen: Fehlt nur eines der Kriterien, ist die Leistung mangelhaft. So ist die Leistung zum Beispiel mangelhaft, wenn sie zwar die vereinbarte Beschaffenheit aufweist, sich jedoch nicht für die nach dem Vertrag vorausgesetzte Verwendung eignet.

Somit ergibt sich für den VOB-Vertrag nachfolgendes Prüfungsschema für die Mangelfreiheit der Leistung.

Prüfungsschema für VOB/B 2002

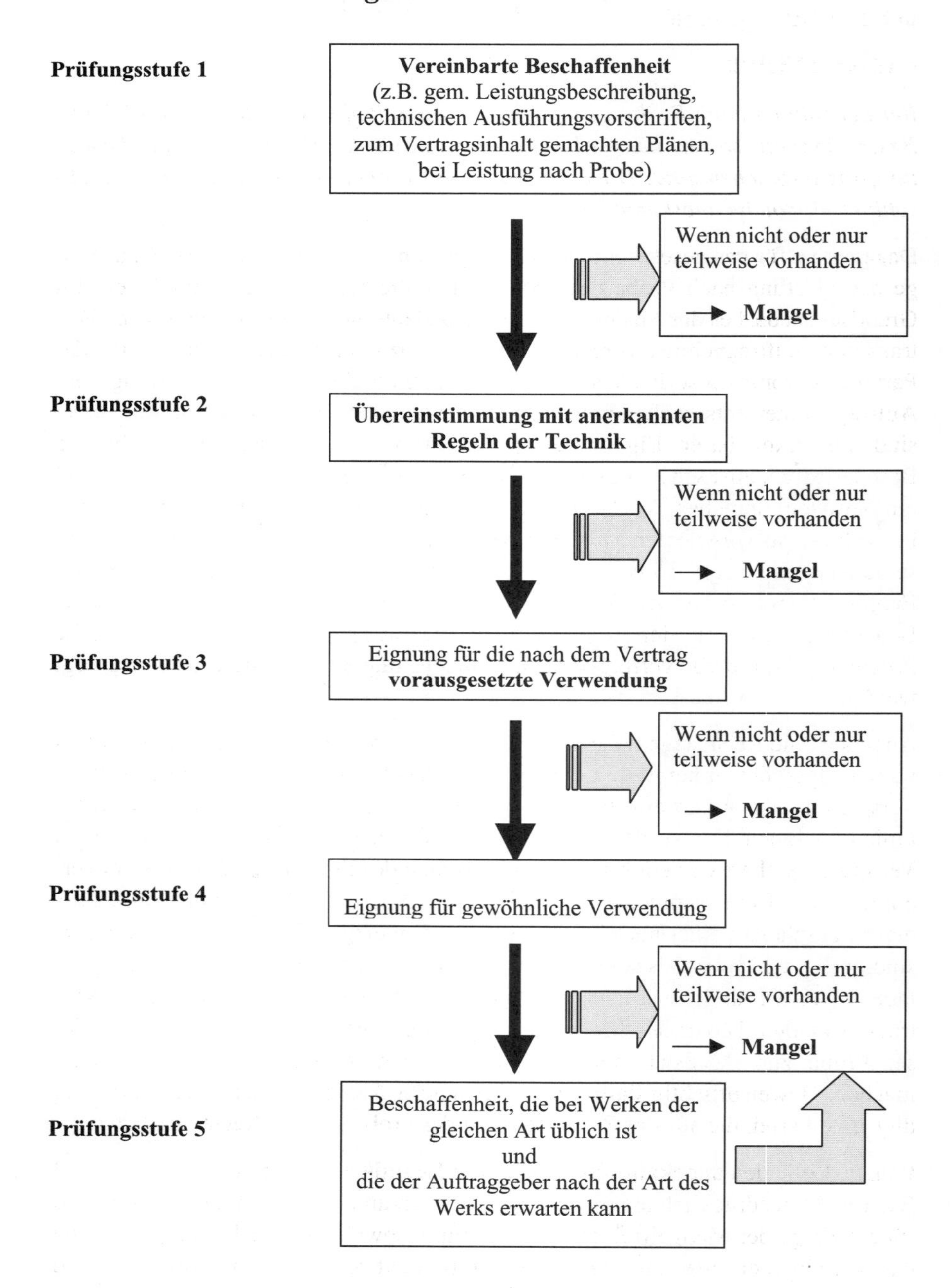

34 Welche Bedeutung der **Leistung nach Probe** bzw. nach Muster zukommt, ist nur in § 13 VOB/B geregelt.

§ 13 Nr. 2 VOB/B

Bei Leistungen nach Probe gelten die Eigenschaften der Probe als vereinbarte Beschaffenheit, soweit nicht Abweichungen nach der Verkehrssitte als bedeutungslos anzusehen sind. Dies gilt auch für Proben, die erst nach Vertragsabschluss als solche anerkannt sind.

Dagegen ist für das gesetzliche Werkvertragsrecht aus § 633 Abs. 2 BGB zur Frage der Leistung nach Probe bzw. Muster unmittelbar nichts zu entnehmen. Im Grundsatz bedarf es der Auslegung, welche Bedeutung den vor Abschluss des Vertrags vom Auftragnehmer vorgelegten Mustern bzw. Proben nach dem Willen der Parteien zukommen sollte. Waren sich die Parteien einig, dass die Leistung vom Auftragnehmer entsprechend einer Probe bzw. einem Muster auszuführen ist, so sind alle erkennbaren Eigenschaften von Probe bzw. Muster als vereinbarte Beschaffenheit anzusehen. Für einen solchen Willen der Parteien wird in der Regel ein Anschein sprechen. Will der Auftragnehmer behaupten, dass die vorgelegte Probe bzw. das vorgelegten Muster keinen Einfluss auf den Inhalt des Vertrags und seine Leistungsverpflichtung haben sollte, wird er dies beweisen müssen. Im Ergebnis kommt daher der Probe bzw. dem Muster für den BGB-Vertrag dieselbe Bedeutung zu, wie sie sich für den VOB-Vertrag aus § 13 Nr. 2 VOB/B für solche Proben ergibt, die vor Vertragsschluss vom Auftragnehmer erstellt und vorgelegt werden.

Anders ist die Rechtslage hinsichtlich der Proben, die erst nach Vertragsabschluss vom Auftragnehmer hergestellt und vorgelegt werden. Diese können für den BGB-Vertrag nur ausnahmsweise Einfluss auf den vertraglich geschuldeten Leistungsumfang nehmen. Sie werden zum Inhalt des Vertrags dann, wenn dies bereits im Vertrag vereinbart war oder dies bei der Vorlage der Probe bzw. des Musters vereinbart wird. Dementsprechend formuliert § 13 Nr. 2 Satz 2 BGB zutreffend, dass die Eigenschaften einer nach Vertragsschluss vorgelegten Probe dann zugesichert sind, wenn die Probe „als solche" anerkannt ist. Dies bedeutet, dass nicht die Vorlage der Probe allein ausreicht, sondern es der Anerkennung der Probe als Vertragsbestandteil bedarf, also der Erklärung beider Parteien, die Eigenschaften dieser Probe zum Maßstab der Leistungsverpflichtung des Auftragnehmers zu machen. Beweispflichtig dafür, dass eine solche Absprache getroffen wurde, ist diejenige Partei, die aus der Beschaffenheit der Probe für sich Rechte herleitet.

35 Welche Rolle den **anerkannten Regeln der Technik** zukommt, ist in § 633 Abs. 2 BGB nicht ausdrücklich angesprochen. Die anerkannten Regeln der Technik sind für die Frage der Mangelfreiheit der Leistung insoweit zu berücksichtigen, als sie das wiedergeben, was als übliche Beschaffenheit allgemein erwartet wird und daher vom Auftraggeber im Einzelfall auch erwartet werden kann. Dies trifft unabhängig davon zu, ob die Parteien im Vertrag auf die allgemein anerkannten Regeln Bezug nehmen, also den Auftraggeber ausdrücklich verpflichten, die anerkannten

Regeln der Technik einzuhalten. Die anerkannten Regeln der Technik enthalten den Mindeststandard, den der Auftraggeber hinsichtlich der Bauleistung auch ohne besondere Vereinbarung erwarten kann. Sie sind daher stillschweigend zu Grunde zu legen. In der Rechtsliteratur wird auch die Meinung vertreten, dass die anerkannten Regeln der Technik zur vereinbarten Beschaffenheit nach § 633 Abs. 2 Satz 1 BGB gehören. Insoweit wird eine stillschweigende Vereinbarung der Parteien hinsichtlich der Anwendung der anerkannten Regeln der Technik angenommen. Im Ergebnis wirkt sich der Meinungsunterschied nicht aus.

Die **Vortrags- und Beweislast** hinsichtlich einer streitigen Vereinbarung zur Beschaffenheit der Leistung trifft im gerichtlichen Verfahren diejenige Partei, die sich auf die Vereinbarung beruft. Dies ist in der Regel der Auftraggeber, da Vereinbarungen zur Beschaffenheit der Leistung in aller Regel dazu dienen, einen höheren als üblichen Standard oder eine vom Üblichen abweichende und auf die speziellen Interessen des Auftraggebers zugeschnittene Gebrauchsfähigkeit sicherzustellen.

36 Zur Prüfung der Mangelfreiheit der Leistung ist auf den **Zeitpunkt der Abnahme** abzustellen. Für § 13 VOB/B ergibt sich dies unmittelbar aus dessen Wortlaut. Für den BGB-Vertrag ergibt sich der maßgebliche Zeitpunkt der Abnahme aus § 633 Abs. 1 BGB, wonach der Auftragnehmer dem Auftraggeber das Werk frei von Sachmängeln zu „verschaffen" hat. Der Zeitpunkt des „Verschaffens" entspricht dem Abnahmezeitpunkt. Dieser Zeitpunkt ist auch maßgebend für den vom Auftragnehmer geschuldeten Soll-Zustand. Dieser kann sich gegenüber dem Soll-Zustand bei Vertragsschluss durch spätere Vereinbarungen der Parteien, aber auch durch einseitige Anordnungen des Auftraggebers, denen der Auftragnehmer entsprechend § 1 Nr. 4 VOB/B nachkommen muss, ändern.

Auf den Zeitpunkt der Abnahme abzustellen ist auch hinsichtlich der anerkannten Regeln der Technik sowie bei der Beurteilung dessen, was als gewöhnliche Verwendung und übliche Beschaffenheit der Leistung anzusehen ist. Erst nach Abnahme eingetretene Änderungen der bautechnischen Kenntnisse sind insoweit heranzuziehen, als es um die Beurteilung der Tauglichkeit bzw. Verwendungsfähigkeit der Bauleistung geht. Ob z.B. eine bestimmte Konstruktion gebrauchsfähig ist, ist nach den technischen Kenntnissen im Zeitpunkt der Entscheidung zu beurteilen.

Fall

Bei der Errichtung einer Lagerhalle wurden auf Vorschlag des Generalunternehmers zur Dachabdichtung Folien verwendet, die bereits seit 15 Jahren in der Bauwirtschaft verwendet wurden, bis dahin nicht als fehlerhaft aufgefallen waren, und den bei Ausführung geltenden Regeln der Bautechnik entsprachen. Die Mangelhaftigkeit der Folien zeigte sich erst später, als auf Grund eines bis dahin unentdeckten Schrumpfungsprozesses Risse in der Folie auftraten. Der

Bauherr nahm den Architekten in Anspruch, da dieser der Verwendung der Folie zugestimmt hatte.

Entscheidung

Nach der Entscheidung des OLG Hamm war die Architektenleistung mangelhaft, weil der Architekt die Verwendung einer untauglichen Folie zugelassen hatte. Dass die verwendeten Folien den bei Baudurchführung allgemein anerkannten Regeln der Technik entsprachen, machte die Leistungen des Architekten nicht mangelfrei, führte aber dazu, dass mangels einer schuldhaften Pflichtverletzung kein Schadenersatzanspruch gegen den Architekten bestand.

OLG Hamm, Urteil vom 9.1.2003 – 17 U 91/01 – BauR 2003, 56

Fallen/Praxishinweis

Im Gegensatz zum Architekten haftet der ausführende Unternehmer verschuldensunabhängig. Er haftet auch für die bei der Ausführung des Auftrags unerkennbaren Mängel. Der Bauunternehmer müsste in dem vom OLG Hamm entschiedenen Fall daher für die Mangelhaftigkeit der Folien einstehen, falls nicht zwischenzeitlich die Verjährung der Mängelansprüche eingetreten ist.

37 Beschädigen Dritte vor Abnahme die Leistung des Auftragnehmers, so hat dieser hierfür im Rahmen der Mängelhaftung einzustehen, selbst wenn er am Entstehen des Schadens unbeteiligt und auch nicht in der Lage war, den Schadenseintritt zu verhindern. Dem Auftragnehmer obliegt insoweit eine garantieähnliche Einstandspflicht für die Mangelfreiheit seiner Leistung zum Zeitpunkt der Abnahme. Der Bauleistung nach Abnahme zugefügte Schäden fallen dagegen in das Risiko des Auftraggebers; infolge der Abnahme (wie auch bei Annahmeverzug des Auftraggebers) ist die Leistungs- und Vergütungsgefahr auf den Auftraggeber übergegangen.

2.3.2 Vereinbarte Beschaffenheit

38 Nach der Neufassung von § 633 Abs. 2 BGB, die für alle seit dem 1.1.2002 abgeschlossenen Verträge gilt, und nach § 13 Nr. 1 VOB/B i. d. F. 2002 liegt ein Mangel vor, wenn die erbrachte Leistung nicht die vereinbarten Eigenschaften aufweist, und daher die vertraglich vereinbarte Beschaffenheit nicht erreicht ist.

Unter vereinbarter Beschaffenheit ist die Summe der Leistungseigenschaften zu verstehen, die im Vertrag beschrieben sind. Dies würde allerdings bedeuten, dass auch bei unerheblichsten Abweichungen von der Leistungsbeschreibung ein Mangel vorliegen würde und Mängelrechte bestünden. Es ist allgemeine Meinung, dass ein derart ausufernder Mangelbegriff nicht sachgerecht wäre. Wie der Mangelbegriff eingegrenzt werden kann, ist streitig. In der Rechtsliteratur wird insbesondere der Versuch unternommen, zwischen normaler Leistungsbeschreibung und Beschaffenheitsvereinbarung zu unterscheiden. Diese Unterscheidung soll nach der Bedeutung der jeweiligen Eigenschaft für die Verwendungstauglichkeit der Leistung bestimmt werden. Allerdings wird damit die Abgrenzung zwischen den Kriterien der vereinbarten Beschaffenheit und der Verwendungstauglichkeit der Leistung unsicher.

Im Ausgangspunkt trifft es sicher zu, dass es unangebracht ist, jede noch so unerhebliche Abweichung von vertraglich vereinbarten Leistungsmerkmalen als Mangel und damit als Grund dafür zu sehen, dem Auftraggeber Mangelrechte einzuräumen. Zwar scheidet ein Rücktrittsrecht des Auftraggebers bei geringfügigen Mängeln ohnedies nach § 323 Abs. 5 Satz 2 BGB wegen der Unerheblichkeit der Pflichtverletzung aus. Zudem entfallen Minderung und Schadensersatz, wenn ein Minderwert bzw. ein Schaden nicht festgestellt werden kann. Dem Nacherfüllungsanspruch (Anspruch auf Mangelbeseitigung) wiederum kann der Einwand der Unverhältnismäßigkeit nach § 635 Abs. 3 BGB bzw. § 275 Abs. 2 BGB entgegengehalten werden. Damit dürfte sich in der überwiegenden Mehrzahl der Fälle eine sachgerechte Lösung finden lassen, aber wohl nicht in allen Fällen. Die Notwendigkeit, geringfügigste Abweichungen von der vereinbarten Beschaffenheit aus dem Mangelbereich auszugliedern, bleibt. Der Versuch, zwischen „normaler" Leistungsbeschreibung und Beschaffenheitsvereinbarung zu unterscheiden, beschreibt das zu lösende Problem, enthält aber noch nicht die Lösung. Denn es stellt sich die Frage, nach welchen Merkmalen diese Unterscheidung getroffen wird. Ein Lösungsweg kann in Anknüpfung an § 13 Nr. 2 VOB/B darin bestehen, dass Abweichungen von der vereinbarten Beschaffenheit dann nicht als Mangel angesehen werden, wenn sie nach der Verkehrssitte oder nach den vertraglichen Vereinbarungen als „bedeutungslos" anzusehen sind. Welchen Lösungsweg die Rechtsprechung einschlägt, muss abgewartet werden.

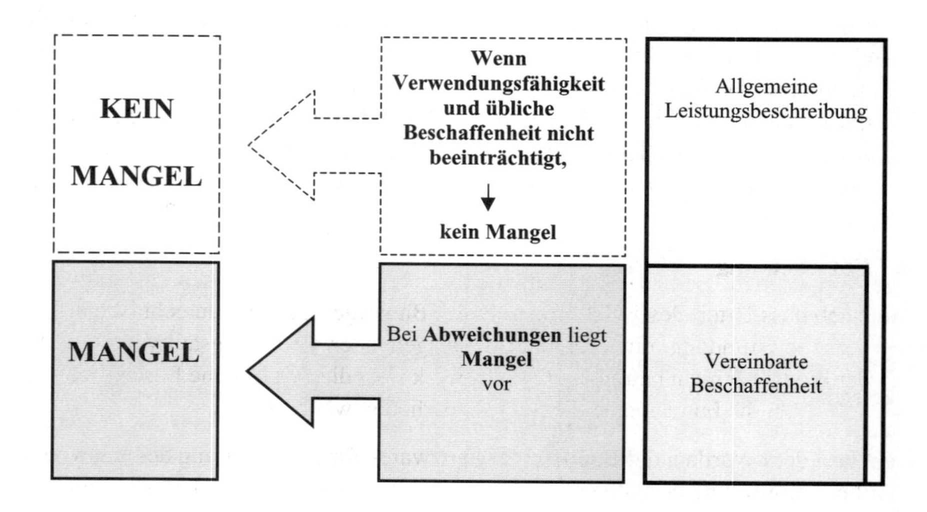

39

Gegenstand der Beschaffenheitsvereinbarung können alle Sacheigenschaften der Leistung sein, und zwar unabhängig davon, ob sie für Funktion oder Wert der Leistung von Bedeutung sind. Die Vereinbarung kann sich auf körperliche Merkmale der Leistungen beziehen, wie Materialbeschaffenheit, Konstruktion, Funktionsweise, Nutzungsdauer, Belastbarkeit, Unterhaltskosten, äußeres Erscheinungsbild oder Lage des Bauwerks, aber auch auf Umstände tatsächlicher oder rechtlicher Art, welche die Beziehung der Sache zur Umwelt betreffen und ihr unmittelbar und auf gewisse Dauer anhaften (z. B. die bauordnungsrechtliche Genehmigungsfähigkeit).

Vereinbart ist die Beschaffenheit nur insoweit, als im Vertrag eine verbindliche Festlegung erfolgt. Bloße Wünsche und Anregungen des Auftraggebers führen zu keiner Beschaffenheitsvereinbarung.

Leitsatz

Lässt der Vertrag dem Auftragnehmer die Wahl zwischen verschiedenen Arten der Leistungsausführung, so schuldet der Auftragnehmer die bautechnisch erforderliche Ausführung. Zu einer darüber hinausgehenden Leistung ist er nicht verpflichtet, auch wenn nach dem Vertrag ein Gutachten „zu beachten" ist, das eine bestimmte Ausführungsart empfiehlt.

Fall

Der Kläger kaufte vom beklagten Bauträger Eigentumswohnungen einer im Bau befindlichen Wohnungsanlage. Wegen der Bauausführung verwiesen die Verträge auf die Baubeschreibung, die der Teilungserklärung als Anlage beigefügt war. Zur Gründung des Gebäudes enthält die Baubeschreibung Folgendes: „Herstellen der Streifen-, Einzel- und Punktfundamente gemäß Bodenbeschaffenheit und Bodenpressung bzw. Statik. Das Bodengutachten des Büros P. ist zu beachten."

Der Gutachter, dessen Gutachten nicht Gegenstand der Beurkundung war, hielt eine einwandfreie Gründung auf Streifen- oder Einzelfundamenten für nicht möglich und befürwortete eine Pfahlgründung. Spätere Gutachten eines anderen Sachverständigen hielten dagegen eine Flächengründung für geeignet. Bei der Ausführung des Gebäudes wurde auf eine Pfahlgründung verzichtet. Nach Fertigstellung traten in den Wänden des Bauwerks Risse auf, deren Ursache streitig war.

Entscheidung

Nach dem Urteil des BGH schuldete der Bauträger nur die bautechnisch erforderliche Gründung, einen darüber hinausgehenden Gründungsaufwand musste der Bauträger nicht betreiben. Das Bauwerk wies die vertragliche Beschaffenheit auf, wenn die Fundamente die Standsicherheit gewährleisteten.

Nach dem Wortlaut der Baubeschreibung waren für die Gründung des Bauwerks die Anforderungen maßgeblich, die sich aus den Bodenverhältnissen und der Statik des geplanten Gebäudes ergaben. Daran änderte nichts, dass nach dem

Vertrag das Bodengutachten des Büros P. zu beachten war. Hierdurch wurde weder eine technisch mögliche Gründungsart ausgeschlossen, noch eine bestimmte Gründungsart vereinbart. Da den Erwerbern der Inhalt des Gutachtens bei Vertragsschluss nicht bekannt war, war das Gutachten nicht zur Auslegung des Vertrags heranzuziehen.

Grundsätzlich ist, wenn sich nicht zweifelsfrei etwas anderes ergibt, derjenigen Auslegung eines Vertrags der Vorzug zu geben, die einen Vertrag als widerspruchsfrei erscheinen lässt, und in den Grenzen des Gesetzes zu einer sachgerechten Regelung führt.

BGH, Urteil vom 14.3.2003 – V ZR 278/01 – BauR 2003, 1032, 1034

Fallen/Praxishinweis

Soll der Auftraggeber eine Ausführung der Bauleistung beanspruchen können, die über das bautechnisch Erforderliche hinausgeht, muss dies im Vertrag eindeutig zum Ausdruck kommen. Der bloße Hinweis, dass vom Auftragnehmer ein Gutachten zu beachten ist, kann jedenfalls dann nicht zu einer Beschaffenheitsvereinbarung führen, wenn dem Auftragnehmer im Vertrag grundsätzlich die Wahl zwischen verschiedenen technisch möglichen Arten der Ausführung gelassen wird, und der Auftraggeber insbesondere das in Bezug genommene Gutachten seinem Inhalt nach gar nicht kennt.

40 Eine Beschaffenheitsvereinbarung liegt z. B. vor, wenn die Parteien die schlüsselfertige Herstellung eines Bauwerks vereinbaren. Die Frage, was unter schlüsselfertiger Herstellung zu verstehen ist, ist nicht nur für den Vergütungsanspruch des Auftragnehmers, sondern auch für die Mängelhaftung von Bedeutung. Fehlen nämlich Leistungen, die für eine schlüsselfertige Herstellung erforderlich sind, so fehlt auch die vereinbarte Beschaffenheit. Gegenstand nachfolgender Entscheidung ist die Frage, ob bei schlüsselfertiger Herstellung eines Gebäudes eine direkte Verbindung zur öffentlichen Wasser- und Abwasserversorgung geschuldet wird.

Leitsatz

Zur schlüsselfertigen Erstellung eines Gebäudes gehört alles, was Voraussetzung für dessen ordnungsgemäße und vollständige Nutzung ist. Fehlt eine direkte Verbindung zur öffentlichen Wasser- und Abwasserversorgung, ist das Bauwerk mangelhaft.

Fall

Die Kläger erwarben neu erstellte Eigentumswohnungen in der vom Beklagten als Bauträger errichteten Wohnungseigentumsanlage. Ein direkter Anschluss an die öffentliche Wasserversorgung bestand für das Haus, in dem die von den Klägern erworbenen Eigentumswohnungen lagen, nicht. Die Frischwasserzuleitung erfolgte über ein Grundstück, das im Eigentum einer anderen Wohnungseigentümergemeinschaft stand. Diese hatte zu Gunsten der Eigentümergemeinschaft der Kläger verschiedene Grunddienstbarkeiten bestellt, die jedoch nicht die Wasserversorgung für das Gebäude der Kläger abdeckten. Die Kläger verlangten vom Bauträger Kostenvorschuss, um den nach ihrer Ansicht erforderlichen und vom Bauträger geschuldeten direkten Anschluss an die öffentliche Wasserversorgung herzustellen.

Entscheidung

Nach der Entscheidung des OLG Koblenz kann der Erwerber einer Eigentumswohnung oder eines Hauses grundsätzlich davon ausgehen, dass sein Grundstück unmittelbar an das öffentlichen Versorgungs- und Entsorgungsnetz angeschlossen ist, ohne dass die Leitungsführung über Grundstücke Dritter erfolgt. Ist dies doch der Fall, muss der Bauträger durch geeignete Maßnahmen sicherstellen, dass eine dem direkten Anschluss in tatsächlicher und rechtlicher Hinsicht vergleichbare Absicherung der Leitungsführung besteht. Fehlt eine dingliche Absicherung, ist der zukünftige Gebrauch des Wohnungseigentums mit einer Ungewissheit behaftet, die die Verwendungsfähigkeit zum gewöhnlichen Gebrauch herabsetzt.

OLG Koblenz, Urteil vom 26. 2. 2002 – 3 U 498/01 – BauR 2003, 721

Fallen/Praxishinweis

Das OLG Koblenz musste sich nicht damit beschäftigen, ob die Anbindung an das öffentliche Kanal- und Abwassernetz zur vereinbarten oder üblichen Beschaffenheit zählt. Denn die Rechtsfolgen hingen davon nicht ab. Man wird von einer vereinbarten Beschaffenheit auszugehen haben, da die Erforderlichkeit der Anbindung an das öffentliche Netz aus der vertraglich vereinbarten schlüsselfertigen Herstellung folgt. Damit kommt es auch nicht darauf an, ob das Bauordnungsrecht eine dingliche Absicherung des Leitungsrechts vorschrieb.

Der Anspruch der Erwerber auf eine dauerhafte gesicherte Anbindung der Hausinstallation an das öffentliche Versorgungsnetz besteht unabhängig vom Bauordnungsrecht. Er ergibt sich aus dem privatrechtlichen Anspruch der Erwerber, ein schlüsselfertig erstelltes Bauwerk zu erhalten. Der Bauträger hätte seiner Haftung auch nicht dadurch entgehen können, wenn er auf die fehlende dingliche Absicherung im Erwerbervertrag hingewiesen hätte. Dann hätte zwar die tatsächliche Ausführung der vereinbarten Beschaffenheit entsprochen. Die Leistung des Bauträgers wäre jedoch insoweit mangelhaft gewesen, als vorrangig und unabhängig von jeder Beschaffenheitsvereinbarung die Verwendungsfähigkeit des Bauwerks auf Dauer sichergestellt sein muss.

41 Der Hinweis auf allgemeine Regeln der Technik, auf DIN-Normen bzw. auf die Allgemeinen Technischen Vertragsbedingungen für Bauleistungen (VOB/C) enthält keine Festlegung der vereinbarten Beschaffenheit im Sinn von besonderen Sacheigenschaften, sondern nur den Hinweis auf die übliche Beschaffenheit der Leistung (strittig). Vereinbaren die Parteien dagegen, dass konkret bezeichnete DIN-Normen unbedingt eingehalten werden müssen, so handelt es sich um eine Beschaffenheitsvereinbarung nach § 633 Abs. 2 BGB bzw. § 13 Nr. 1 VOB/B.

42 Das Leistungsmerkmal muss so konkret angegeben sein, dass der geschuldete Standard der Ausführung zweifelsfrei zu ermitteln ist. Dies ist bei der Vereinbarung eines „günstigen" Energieverbrauchs oder „geringer" Unterhaltungskosten nicht möglich, falls sich Vergleichswerte nicht sicher feststellen lassen. Selbst bei hinreichenden Vergleichswerten kann auf Grund der unscharfen vertraglichen Formulierung die Beurteilung der Mangelfreiheit bzw. Mangelhaftigkeit der Leistung problematisch sein. Denn nicht jede ungünstige Abweichung von den Vergleichswerten kann als Mangel angesehen werden. Wo die Grenze zwischen unbedeutender und erheblicher Abweichung liegt, lässt sich für die Beteiligten in der Regel nur schwer voraussehen und feststellen.

43 Aus dem Preis einer Leistung lässt sich in aller Regel keine bestimmte Beschaffenheit der Leistung ableiten. Keine Beschaffenheitsvereinbarung liegt auch vor bei einer allgemeinen Anpreisung, wie z. B. bei der Zusage einer „einwandfreien" Leistung. Mit der Frage, inwieweit sich aus der Zusage einer „exklusiven" oder „erstklassigen" Leistung eine bestimmte Sacheigenschaft ableiten lässt, hatte sich das OLG Celle in nachfolgendem Fall zu befassen.

Fall

Die Beklagten bestellten beim Kläger nach Besuch seiner Ausstellungsräume eine Holztreppe. Sie betonten, dass sie eine „erstklassige Treppe" sowie eine „erstklassige Arbeit" erwarten würden. Den Beklagten hatte zudem ein Prospekt des Klägers vorgelegen, in dem dieser „exklusive Treppenmöbel nach individuellen Wünschen" anpries. Die vom Kläger gelieferte Treppe war aus Holz der Güteklasse II erstellt. Die Kläger lehnten die Abnahme der Treppe ab. Sie waren der Meinung, auf Grund der bei Vertragsschluss gegebenen Zusagen sei eine Treppe aus Holz der Güteklasse I geschuldet.

Entscheidung

Nach dem Urteil des OLG Celle bestand kein Anspruch der Beklagten auf eine Treppe aus Holz der Güteklasse I. Eine ausdrückliche Vereinbarung, dass Holz der Güteklasse I zu verwenden sei, hatten die Parteien nicht getroffen. Aus der Forderung der Beklagten bei den Vertragsverhandlungen, dass sie „eine erstklassige Treppe" bzw. „eine erstklassige Arbeit" erwarteten, ließ sich nach Ansicht des Gerichts ebenso wenig ein Anspruch auf Verwendung von Holz der Güteklasse I ableiten, wie aus dem vom Kläger vorgelegten Prospekt. Schließlich stellte das OLG Celle darauf ab, dass auch im Ausstellungsraum des Klägers ausschließlich Treppen der Güteklasse II ausgestellt waren. Der Hersteller dürfe davon ausgehen, dass es bei der Bestellung um eine Treppe in der Qualität der Ausstellungsstücke gehe, also um eine Treppe aus Holz der Güteklasse II.

OLG Celle, Urteil vom 29.1.2003 – 7 U 113/02 – BauR 2003, 1592

Fallen/Praxishinweis

Die Entscheidung lässt sich nur dann rechtfertigen, wenn dem Auftraggeber auf Grund der Ausstellungsstücke die Holzqualität bekannt sein musste. Ansonsten ist die Entscheidung fraglich, da man von „exklusiven" Möbeln und einer „erstklassigen Treppe" nur dann sprechen kann, wenn nicht nur die handwerkliche Ausführung, sondern auch das Material exklusiv bzw. erstklassig ist. Dies wird man von Holz der Güteklasse II nicht annehmen können. Der Fall zeigt, dass es einer möglichst exakten Leistungsbeschreibung bedarf, um Fehlinterpretationen zu vermeiden.

44 Die Beschaffenheit der Bauleistung kann von den Parteien auch in der Weise festgelegt werden, dass bestimmte Eigenschaften (auch bestimmte Fehler) ausdrücklich ausgeschlossen werden und nicht vorhanden sein dürfen. Die Vereinbarung muss die Eigenschaften (oder ausgeschlossenen Fehler) konkret bezeichnen. Die allgemeine Vereinbarung, die Leistungen müssen „fehlerfrei" sein, stellt keine Vereinbarung zur Beschaffenheit der Leistung dar. Eine solche Vereinbarung gibt nur das wieder, was ohnehin von einer Leistung erwartet wird. Es handelt sich somit nur um einen Hinweis auf die übliche Beschaffenheit der Leistung.

45 Welche Leistungsmerkmale vereinbart sind, ist dem Vertrag, der Baubeschreibung, dem Leistungsverzeichnis, den in Bezug genommenen Plänen und entsprechenden Unterlagen zu entnehmen. Bei widersprüchlichen Leistungsangaben in verschiedenen Teilen des Vertrags ist das Rangverhältnis der Vertragsteile zu klären. Eine Rangfolge kann im Vertrag ausdrücklich festgelegt sein und ergibt sich für den VOB-Vertrag aus § 1 Nr. 2 VOB/B wie folgt:

a) Leistungsbeschreibung,
b) Besondere Vertragsbedingungen,
c) Zusätzliche Vertragsbedingungen,
d) Zusätzliche technische Vertragsbedingungen,
e) Allgemeine technische Vertragsbedingungen für Bauleistungen,
f) Allgemeine Vertragsbedingungen für die Ausführung von Bauleistungen (VOB/B).

Im Übrigen ist die Rangfolge verschiedener Vertragsteile durch Auslegung des Vertrags zu ermitteln. Eine generelle Rangordnung, etwa im Verhältnis von Plänen und schriftlicher Baubeschreibung oder von Vorbemerkungen und Einzelpositionen eines Leistungsverzeichnisses besteht nicht. Das Rangverhältnis ist jeweils im Einzelfall zu bestimmen. Insbesondere kommt den Vorbemerkungen des Leistungsverzeichnisses kein genereller Vorrang gegenüber den Einzelpositionen zu.

Innerhalb der Leistungsbeschreibung gibt es nach dem Urteil des BGH vom 11.3.1999 (VII ZR 179/98 – BauR 1999, 897) keinen grundsätzlichen Vorrang einzelner Teile. So kann nicht davon ausgegangen werden, dass die Vorbemerkungen oder die Einzelpositionen eines Leistungsverzeichnisses generell Vorrang hätten. Leistungsverzeichnis und sonstige Vertragsbestandteile sind vielmehr als sinnvolles Ganzes auszulegen. Lässt sich keine ganzheitliche Auslegung finden, so muss die Rangfolge der widersprüchlichen Leistungsangaben geklärt werden. Eine solche Rangfolge ist aus dem Vertrag oder ggf. aus mit dem Vertrag in engem Zusammenhang stehenden Umständen zu entnehmen.

46 Als wesentlicher Gesichtspunkt ist bei der Prüfung widersprüchlicher Vertragsteile zu berücksichtigen, dass in der Regel die konkrete Vereinbarung der allgemeinen Leistungsbeschreibung vorgeht.

Leitsatz

Bei Unklarheiten infolge widersprüchlicher Leistungsbeschreibung im Vertrag, hat sich die Auslegung zunächst an dem Vertragsteil zu orientieren, der die Leistung konkret beschreibt.

Sachverhalt

Der Kläger erwarb vom Beklagten ein noch fertig zu stellendes Haus. Die notarielle Baubeschreibung sah als Kellerabgang „eine Treppenanlage bestehend aus Betonfertigteilstufen mit seitlicher Abmauerung“ vor. In den dem Vertrag beigefügten Grundriss-, Ansichts- und Schnittplänen ist diese Außentreppe nicht enthalten. Das Erstgericht war der Ansicht, es sei kein wirksamer Vertrag zustande gekommen, weil der Kellerabgang zwar in den Plänen, aber nicht in der Baubeschreibung enthalten war. Die Parteien hätten den mehrdeutigen Vertragsinhalt bei „Vertragsschluss“ unterschiedlich verstanden.

Entscheidung

Maßgebend ist nach der Entscheidung des BGH, wie der Erwerber das ihm unterbreitete Vertragsangebot verstehen darf. Dieser kann davon ausgehen, dass ein Anbieter seine Leistung widerspruchsfrei anbieten will. Lassen sich widersprüchliche Leistungsbeschreibungen nicht in Übereinstimmung bringen, hat sich die Auslegung zunächst an dem Teil zu orientieren, der die Leistung konkret beschreibt. Dabei kommt dem Wortlaut der Leistungsbeschreibung gegenüber etwaigen Plänen jedenfalls dann eine große Bedeutung zu, wenn damit die Leistung im Einzelnen genau beschrieben wird, während die Pläne sich nicht im Detail an dem Bauvorhaben orientieren. Die Baubeschreibung beschrieb im entschiedenen Fall den Kellerabgang derart genau, dass der Erwerber davon ausgehen durfte, dass die Pläne nachrangig waren.

BGH, Urteil vom 5.12.2002 – VII ZR 342/01 – BauR 2003, 388

Fallen/Praxishinweis

Bei widersprüchlicher Leistungsbeschreibung wird diese meist zum Nachteil der Partei ausgelegt, welche den Widerspruch zu vertreten hat. So ist beim Kauf vom Bauträger der Erwerber oft nicht in der Lage, umfangreiche Vertragsunterlagen in allen Einzelheiten zu überprüfen. Er muss sich darauf verlassen, dass die Leistung vom Bauträger als sinnvolles Ganzes beschrieben ist. Fehler und Widersprüche in der Leistungsbeschreibung gehen daher meist zu Lasten des Bauträgers, d. h. allgemein zu Lasten desjenigen, der die Leistungsbeschreibung aufstellt. Daran wird auch eine vertragliche Regelung zur Rangfolge widersprüchlicher Leistungsteile wenig ändern.

47 Bei der Auslegung von Leistungsverzeichnissen in **öffentlichen Ausschreibungen** kommt es insbesondere auch darauf an, ob die verwendete Formulierung von den angesprochenen Fachleuten in einem spezifischen Sinn verstanden wird oder ein bestimmtes Verständnis in den maßgeblichen Geschäftskreisen üblich ist (BGH, Urteil vom 23.1.2003 – VII ZR 10/01 – BauR 2003, 536/538). Auf diesen Auslegungsgrundsatz ist maßgeblich auch dann abzustellen, wenn ein Bauvertrag zwischen fachkundigen Parteien vorliegt.

48 Bei der Auslegung des Vertrags ist nicht nur auf den Vertragstext, sondern auch auf die vorangehenden Erklärungen der Parteien bei den Vertragsverhandlungen abzustellen, selbst wenn diese nicht ausdrücklich zum Bestandteil des Vertragstextes gemacht wurden. Einseitige Vorstellungen einer Partei werden Vertragsinhalt, wenn die andere Partei diese erkennt und, ohne Widerspruch zu erheben, den Vertrag schließt. Erweckt zum Beispiel der Bauträger bei den Vertragsverhandlungen beim Erwerber die Vorstellung, dass eine Wohnung eine bestimmte Wohnfläche aufweist, und schließt der Erwerber im Vertrauen hierauf den Vertrag, so wird die angegebene Wohnfläche geschuldet, sofern nicht der Vertrag eine abweichende Vereinbarung enthält.

Fall

Im Bauträgervertrag und den mitbeurkundeten Vertragsplänen war keine Wohnungsgröße angegeben, noch auf den ersten Blick erkennbar. Vor Vertragsschluss hatte der Geschäftsführer des Bauträgers dem späteren Erwerber schriftlich mitgeteilt, die Wohnfläche betrage ca. 107 m^2. Tatsächlich betrug die Wohnfläche 98,77 m^2.

Entscheidung

Nach dem Urteil des OLG Nürnberg schuldete der Bauträger eine Wohnfläche von „ca. 107 m^2". Denn der Geschäftsführer des Bauträgers kannte bei Vertragsschluss die Vorstellung des Erwerbers hinsichtlich der Größe der Wohnung, ohne dieser Vorstellung entgegenzutreten.

Allerdings hielt das OLG Nürnberg im entschiedenen Fall die vorhandene Wohnfläche für ausreichend. Da keine feste Wohnungsgröße angegeben war, sondern nur eine ca.-Wohnfläche hielt das Gericht die Abweichung von 7,69 Prozent noch für zulässig. Es stützt diese Meinung zudem darauf, dass es dem Erwerber bei den Vertragsverhandlungen mehr auf ein zusätzliches Zimmer als auf die genaue Wohnungsgröße angekommen sei.

OLG Nürnberg, Urteil vom 27.7.2000 – 13 U 1118/00 – BauR 2000, 1883

49 Übergibt der Bauträger dem Erwerber vor Vertragsabschluss zwecks Beschreibung der zu errichtenden Wohnung Bauzeichnungen und eine Wohnflächenberechnung des Architekten, so wird die daraus zu entnehmende Wohnfläche Vertragsinhalt (OLG Celle, Urteil vom 14.1.1998 – 6 U 88/96 – BauR 1998, 805). Die in einer Bauzeichnung enthaltene Angabe einer Wohnfläche dürfen die Käufer dahin verstehen, dass die angegebene Fläche entsprechend der Verkehrsauffassung nicht als Grundfläche, sondern als Wohnfläche gem. DIN 283 bzw. nach der 2. Berechnungsverordnung zu verstehen ist (BGH, Urteil vom 21.1.1999 – VII ZR 398/97 – BauR 1999, 648; OLG Celle, Urteil vom 14.1.1998 – 6 U 88/96 – BauR 1998, 805/806). Stützt sich der Veräußerer darauf, dass der Käufer bereits vor Vertragsschluss darauf hingewiesen worden sei, dass es sich bei der angegebenen Fläche um die Bodenfläche handle und die Wohnfläche geringer sei, so ist er beweispflichtig. Bestreitet der Erwerber diese Behauptung ohne nähere Sachangaben, so kann ein entsprechendes Beweisangebot des Veräußerers durch das Gericht nicht als unsubstantiiert zurückgewiesen werden, wenn Zeit- und Ortsangaben hinsichtlich des behaupteten Gesprächs fehlen. Zeit und Ort des Gesprächs aufzuklären, ist dem Gericht im Rahmen der Beweisaufnahme aufgegeben (BGH, Urteil vom 21.1.1999 – VII ZR 398/97 – BauR 1999, 648).

50 Dass es sich empfiehlt, die Leistungsbeschaffenheit möglichst auslegungssicher zu vereinbaren, zeigt nachfolgende Entscheidung des OLG Düsseldorf, wonach Erwerber einer Eigentumswohnung in einem **sanierten Altbau** sogar Schallmängel und eine funktionsuntüchtige Horizontalsperre hinzunehmen hatten, ohne den Veräußerer dafür in Anspruch nehmen zu können.

Leitsatz

Bei der Veräußerung eines renovierten oder sanierten Altbaus richten sich die berechtigten Erwartungen des Erwerbers lediglich darauf, dass die durchgeführten Arbeiten mangelfrei sind, und allenfalls noch darauf, dass der Veräußerer keine auf Grund des Alters des Bauwerks objektiv erforderlichen oder sich aufdrängenden Baumaßnahmen, insbesondere Instandsetzungsmaßnahmen, unterlassen hat. Soweit keine neue Bausubstanz geschaffen wurde, richtet sich die Haftung nicht nach Werkvertragsrecht, sondern nach Kaufvertrag.

Fall

Die Käufer erwarben eine Eigentumswohnung in einem vom Veräußerer sanierten Altbau. Bei den Vertragsverhandlungen sicherte der Veräußerer zu, die Häuser seien „bis auf die Grundmauern" saniert. Auf Grund dieser Erklärung waren die Käufer der Ansicht, der Schallschutz der Haus- und Wohnungstrennwand sowie die vom Veräußerer eingebauten Haustreppen müssten den aktuellen Bauvorschriften und DIN-Normen entsprechen. Sie rügten zudem eine nicht mehr funktionstüchtige Horizontalsperre.

Entscheidung

Nach dem Urteil des OLG Düsseldorf enthält die Erklärung des Bauträgers, das Objekt sei bis auf die Grundmauern saniert, keine Zusicherung bestimmter Eigenschaften des Bauwerks. Es handle sich um eine Erklärung in der Nähe einer unverbindlichen Anpreisung.

„Wenn die Erwerber aber nach ihrer eigenen Besichtigung und den erhaltenen Informationen lediglich von einer Sanierung, Erneuerung, Modernisierung und Renovierung ausgehen konnten, dann lässt sich kein Gesichtspunkt feststellen, unter dem die Beklagte zur Einhaltung der aktuellen bautechnischen Anforderungen verpflichtet gewesen wäre." Es spreche nichts dafür, „dass die Erwerber die Zusicherung dahin verstanden hätten, dass das Gebäude in allen seinen Einzelteilen den aktuellen bautechnischen Anforderungen gerecht werde."

Hinsichtlich des Schallschutzes der Haus- und Wohnungstrennwand hätten die Erwerber gewusst, dass abgesehen von Maurerarbeiten keinerlei Arbeiten an den Trennwänden ausgeführt seien. Daher könnten die Erwerber die Erklärungen des Bauträgers nicht so verstehen, dass die Wohnungstrennwände eine Schalldämmung entsprechend den aktuellen Bauvorschriften aufweisen würden. Die berechtigten Erwartungen des Erwerbers dürften sich nur darauf richten, „dass die Arbeiten mangelfrei sind und der Veräußerer keine auf Grund des Alters des Bauwerks objektiv erforderlichen oder sich aufdrängenden Baumaßnahmen, insbesondere Instandsetzungen, unterlassen hat".

Sogar hinsichtlich einer fehlenden bzw. nicht funktionsfähigen Horizontalsperre verneinte das Gericht eine Haftung des Bauträgers nach Werkvertragsrecht. Denn die Arbeiten des Bauträgers hätten sich auf Erneuerungs-, Modernisierungs- und Verschönerungsarbeiten (Erneuerung bzw. Modernisierung der Boden- und Wandbeläge, des Außenputzes und des Anstrichs, der Wasser- und Elektroleitung, Einbau einer Gasheizung, neuer Innentüren und Haustüren, eines Teiles der Fenster sowie der Dacheindeckung) beschränkt. Für die Bausubstanz, der die Horizontalsperre zuzuordnen sei, hafte der Bauträger daher nur nach Kaufrecht. Kaufrechtliche Ansprüche waren bereits verjährt.

OLG Düsseldorf, Urteil vom 25.7. 2003 – 22 U 6 /03 – BauR 2003, 1911

Fallen/Praxishinweis

Diese Entscheidung zeigt deutlich, dass beim Erwerb von sanierten Altbauten eine exakte Beschreibung der Sanierungs- bzw. Modernisierungsmaßnahmen erforderlich ist. Zutreffend ist die Entscheidung insofern, als eine Schalldämmung nicht nach den neuesten Regeln der Technik verlangt werden kann. Gesichert sein muss allerdings eine Bewohnbarkeit der Gebäude entsprechend dem bei Altbauten entsprechender Art üblichen Wohnstandard.

Im Übrigen schränkt die Entscheidung des OLG Düsseldorf den Prüfungs- und Herstellungsumfang des Veräußerers über Gebühr ein. Aus der Zusicherung des Veräußerers, die Häuser seien bis auf die Grundmauern saniert, wird man auch eine Herstellungsverpflichtung hinsichtlich der Horizontalsperre annehmen müssen. Denn die Zusicherung des Veräußerers, dass das Gebäude bis auf die Grundmauern saniert wurde, enthält das Versprechen, dass das gesamte Gebäude im erforderlichen Umfang überprüft und saniert wurde. Dies betrifft insbesondere auch den für Bestand und Nutzbarkeit des Bauwerks außerordentlich wichtigen Bereich, in dem sich die nicht funktionsfähige Horizontalsperre befand. Besteht aber eine Überprüfungs- und Herstellungspflicht des Veräußerers, so haftet er auch nach werkvertraglichem Mängelhaftungsrecht, wenn er die erforderliche Prüfung und daraus sich ergebende Sanierungsarbeiten unterlässt. U. U. kann man sogar an ein arglistiges Verhalten des Veräußerers denken, wenn dieser einen derart wichtigen Bereich keiner Prüfung unterzieht. Eine Verjährung der Mängelhaftungsansprüche wäre in diesem Fall nicht eingetreten.

Rechtsprechungshinweis

Vgl. zur Sanierungspflicht besonders nachfolgendes Urteil des OLG München vom 2. 10. 2001, BauR 2003, 396.

Uneingeschränkte Zustimmung verdient die nachfolgende Entscheidung des OLG München zum Kauf sanierter Altbauten. Sie stellt darauf ab, dass bereits aus dem Begriff der „Modernisierung und Renovierung" ein Rückschluss auf die zu erbringenden Arbeiten und die geschuldete Beschaffenheit des Bauwerks gezogen werden kann. Wenn der Veräußerer zusagt, einen Altbau zu modernisieren und renovieren, ohne dies im Vertrag zu konkretisieren oder einzuschränken, so kann der Erwerber davon ausgehen, dass die Funktionstauglichkeit des Altbaus umfassend geprüft wird und alle sich dabei als notwendig ergebenden Sanierungsmaßnahmen durchgeführt werden.

Leitsatz

Das Versprechen einer umfassenden Modernisierung und Renovierung eines Altbaus im erforderlichen Umfang umfasst auch im Einzelnen nicht beschriebene, aber erforderliche Maßnahmen.

Fall

Der Bauträger verpflichtete sich zur Modernisierung und Renovierung eines Altbaus „im erforderlichen Umfang". Die Trockenlegung des Kellers des Gebäudes war in der Baubeschreibung nicht aufgeführt. Tatsächlich wurde vom gerichtlich bestellten Sachverständigen im Keller der Gebäude Feuchtigkeit festgestellt mit der Folge von Mangelbeseitigungskosten in Höhe von insgesamt 210.000,– DM.

Entscheidung

Nach dem Urteil des OLG München, dessen Entscheidung durch Nichtannahmebeschluss des BGH vom 24.10.2002 (VII ZR 249/01) rechtskräftig wurde, war der Bauträger verpflichtet, den Keller trocken zu legen. Die Klägerin habe durch die Formulierung im notariellen Vertrag den Anschein erweckt, den gesamten Altbau im fachlich erforderlichen Umfang umfassend zu modernisieren und zu renovieren. Ein feuchter Keller könne nicht das Ergebnis einer fachgerechten Modernisierung und Sanierung sein. Ein Hinweis im Vertrag, dass der Keller von der Modernisierung und Renovierung ausgenommen sein solle, finde sich im Vertrag nicht.

OLG München, Urteil vom 2.10.2001 – 9 U 2101/99 – BauR 2003, 396

Fallen/Praxishinweis

Der Entscheidung des OLG München ist vorbehaltlos beizupflichten. Die Zusage des Veräußerers, den Altbau umfassend zu modernisieren und zu sanieren, kann nicht dadurch eingeschränkt sein, dass im Vertrag nur bestimmte Sanierungsmaßnahmen beschrieben sind. Verpflichtet sich der Veräußerer im notariellen Vertrag zur umfassenden Modernisierung und Renovierung eines Altbaus, so hat er alle Teile des Bauwerks auf ihre Funktionsfähigkeit zu untersuchen und entsprechende Sanierungsmaßnahmen zu ergreifen.

Will der Veräußerer von modernisierten bzw. sanierten Altbauten seine Leistungspflicht auf bestimmte Maßnahmen beschränken, so muss er dies im Vertrag unzweifelhaft zum Ausdruck bringen und den Erwerber ausdrücklich darauf hinweisen, dass er im Übrigen die Bausubstanz auf ihre Funktionsfähigkeit nicht untersucht oder trotz erkennbarer Risiken keine Sanierungsmaßnahmen ergriffen werden. Der Erwerber muss erkennen können, dass und welche verborgenen Risiken er in Kauf nehmen soll. Über Allgemeine Geschäftsbedingungen kann der Verkäufer allerdings keinen Haftungsausschluss erreichen.

Werden die vom Veräußerer zu erbringenden Modernisierungs- und Sanierungsmaßnahmen nicht im Einzelnen beschrieben, ist die Mangelfreiheit des Bauwerks anhand der vertraglich vorausgesetzten oder gewöhnlichen Verwendung sowie nach den üblichen Leistungsmerkmalen von Altbauten der entsprechenden Art zu bestimmen.

Schwer zu bestimmen ist in einem solchen Fall, was als Modernisierungsziel anzusehen ist. Abzustellen ist zunächst darauf, was vom Erwerber als übliche Beschaffenheit erwartet werden kann, inwieweit also üblicherweise modernisierte Altbauten an die Beschaffenheit von Neubauten heranreichen. Hieran wird sich insbesondere der Umfang der erforderlichen Modernisierung im Hinblick auf die Schalldämmung ausrichten. Eine den derzeit geltenden Regeln der Technik entsprechende oder angenäherte Schalldämmung wird der Erwerber insoweit verlangen können, als sich dies ohne übermäßigen Aufwand erreichen lässt.

60 Mit der Frage, ob eine Auftragsbestätigung den Leistungsumfang verbindlich festlegt, wenn sie vom Ergebnis der Vertragsverhandlungen abweicht, hatte sich das OLG Dresden zu befassen.

Fall

In dem vom Auftraggeber übersandten Leistungsverzeichnis war u. a. für Rauchschutztüren eine Rahmenkonstruktion mit „Umfassungszarge" ausgeschrieben. Das daraufhin vorgelegt Angebot des Auftragnehmers enthielt eine Konstruktion mit „Gegenzarge". Nach weiteren Vertragsverhandlungen übersandte der Auftragnehmer eine Auftragsbestätigung, welche die Formulierung „Profilrohrzarge" enthielt. Nach Lieferung der Rauchschutztüren wurde festgestellt, dass auf Grund der „Profilrohrzarge" die Durchgangshöhe der Türen nicht mehr ausreichend war.

Entscheidung

Nach dem Urteil des OLG Dresden war für den Inhalt der Leistungspflicht des Auftragnehmers dessen Auftragsbestätigung maßgebend. Dass der Auftragnehmer in der Auftragsbestätigung vom ursprünglichen Leistungsverzeichnis erkennbar abgewichen war, stand dem nicht entgegen, weil er weder bewusst vom Ergebnis der Vertragsverhandlungen abgewichen war, noch die Abweichung so erheblich war, dass der Auftragnehmer nicht mit dem Einverständnis des Empfängers rechnen konnte.

OLG Dresden, Urteil vom 29.9.2002 – 7 U 994/01 – BauR 2003, 882

Fallen/Praxishinweis

Die Entscheidung zeigt deutlich, welche Sorgfalt auf die Prüfung eingehender „Auftragsbestätigungen" zu verwenden ist. Die Entscheidung ist allerdings nur dann zutreffend, wenn die Verhandlungen der Parteien einen nachvollziehbaren Grund für die Änderung der Bezeichnung der Zargen durch den Auftragnehmer boten. War dies nicht der Fall, so läge ein Verschulden des Auftragnehmers bei Vertragsschluss vor. Auf Grund dieser Pflichtverletzung müsste der Auftragnehmer für die fehlende Gebrauchstauglichkeit der von ihm in der Auftragsbestätigung angegebenen Zargen einstehen. Denn der Empfänger einer Auftragsbestätigung braucht nicht damit zu rechnen, dass darin eine ganz andere Leistung „bestätigt“ wird, als sie bisher Gegenstand der Verhandlungen war.

61 Zu berücksichtigen sind auch nach Vertragsschluss vereinbarte oder durch den Auftraggeber z.B. nach § 1 Nr. 4 VOB/B vereinbarte oder vom Auftraggeber angeordnete Änderungen der Leistungsausführung. Die Verbindlichkeit einseitiger Anordnungen des Auftraggebers richten sich nach § 1 Nr. 4 VOB/B.

Mit der Vereinbarung der VOB/B wird dem Auftraggeber das Leistungsbestimmungsrecht eingeräumt, unter den Voraussetzungen des § 1 Nr. 4 VOB/B durch einseitige empfangsbedürftige rechtsgeschäftliche Willenserklärung den Leistungsumfang zu ändern. Das Verlangen einer zusätzlichen Leistung gem. § 1 Nr. 4 VOB/B führt dazu, dass der vertragliche Leistungsumfang erweitert wird.

BGH, Urteil vom 27.11.2003 – VII ZR 346/01 – BauR 2004, 495/497

Unwirksam sind Allgemeine Geschäftsbedingungen des Auftragnehmers, die diesem das Recht einräumen, ohne Zustimmung des Auftraggebers vom vereinbarten Leistungsinhalt abzuweichen, ohne dass diese Befugnis hinreichend eingegrenzt ist.

Leitsatz

Allgemeine Geschäftsbedingungen des Bauträgers, wonach ihm ein Recht auf Änderung der Ausführung gegenüber der Baubeschreibung zusteht, wenn ihm dies technisch oder wirtschaftlich zweckmäßig erscheint, sind unwirksam.

Fall

Die Kläger erwarben vom Beklagten eine noch zu erstellende Eigentumswohnung. Im notariellen Vertrag war die Beschaffenheit der Wohnung und des Gemeinschaftseigentums in der Teilungserklärung, dem amtlichen Aufteilungsplan mit Abgeschlossenheitsbescheinigung und der Baubeschreibung beschrieben. Nach der Baubeschreibung war das Treppenhaus „geschlossen“ auszuführen, Teilungserklärung und Aufteilungsplan enthielten dazu nichts. Der Bauträger behielt sich im Vertrag ausdrücklich das Recht vor, Änderungen der Ausführungsart, der vorgesehenen Baustoffe und Einrichtungsgegenstände vorzunehmen, soweit ihm dies technisch oder wirtschaftlich zweckmäßig erscheine und keine Wertminderung eintrete. Tatsächlich errichtete der Bauträger statt des vereinbarten geschlossenen Treppenhauses ein offenes Treppenhaus. Die Kläger begehrten Vorschuss in Höhe der Kosten, die zum Umbau in ein geschlossenes Treppenhaus erforderlich waren. Der Bauträger berief sich unter anderem darauf, dass er nach dem Vertrag zur Änderung der Ausführung berechtigt sei.

Entscheidung

Den Klägern wurde der verlangte Vorschuss zugesprochen. Das OLG Stuttgart ging zum einen davon aus, dass die geänderte Ausführung zu einer Minderung der Gebrauchstauglichkeit führte. Entscheidend ist danach, welchen Gebrauch die Kläger nach den vertraglichen Vereinbarungen erwarten durften und was der Auftragnehmer nach dem Vertrag als Werkleistung schuldet. Daran gemessen, ist die Gebrauchstauglichkeit beeinträchtigt, da ein geschlossenes Treppenhaus anders genutzt werden kann als ein offenes Treppenhaus. Die Behauptung des Bauträgers, dass die Herstellungskosten für die Ausführung des Treppenhauses in geschlossener oder offener Bauweise gleich hoch sind, ist irrelevant. Darauf kommt es nicht an. Die Vereinbarung, wonach der Bauträger zur Änderung der im Vertrag beschriebenen Leistungen berechtigt war, wurde als unwirksam angesehen, weil es sich um Allgemeine Geschäftsbedingungen des Bauträgers handelte. Nach § 10 AGBG, der für die Entscheidung anzuwenden war, ist die Vereinbarung eines Rechts des Verwenders, die versprochene Leistung zu ändern oder von ihr abzuweichen, unwirksam, soweit dies nicht für den anderen Vertragsteil zumutbar ist. Das OLG Stuttgart hat im vorliegenden Fall die Zumutbarkeit der geänderten Ausführung auf Grund der damit verbundenen geänderten Nutzung des Treppenhauses verneint.

OLG Stuttgart, Urteil vom 17.10.2002 – 2U 37/02 – BauR 2003, 1394, 1395

Falle/Praxistipp

Die Änderungsbefugnis des Bauträgers muss in jedem Fall so eingeschränkt sein, dass sie ausschließlich zumutbare Änderungen erlaubt. So ist eine Änderungsklausel zulässig, die dem Bauträger „unwesentliche“ oder unwesentliche Änderungen erlaubt. Dagegen ist der Begriff der „kleinen“ Änderungen zu unscharf und deckt sich nicht mit den zumutbaren Änderungen (OLG Frankfurt am Main DB 1981, 884). Erst recht kann nicht darauf abgestellt werden, ob die Änderung die Gebrauchsfähigkeit der Leistung beeinträchtigt. Eine Änderung kann nämlich auch dann unzumutbar sein, wenn die Gebrauchsfähigkeit nicht beeinträchtigt ist, aber z.B. das optische Erscheinungsbild der Leistung verändert wird. Auch die bloß generelle Umschreibung zulässiger Änderungen dahin, dass sie „zumutbar“ sein müssen, ist ungenügend (BGH 86, 295). Ist die Klausel so gefasst, dass sie auch die Änderung zugesicherter Eigenschaften erlaubt, dürfte sie schon aus diesem Grund unzulässig sein (BGH NJW-RR 1989, 626). Diese Maßstäbe für die Wirksamkeit von Änderungsklauseln gelten nicht nur für den Bauträgervertrag, sondern grundsätzlich auch für den Bauvertrag. Zu berücksichtigen ist allerdings, dass solche Klauseln nur dann unwirksam sind, wenn der Bauträgern bzw. der Auftragnehmer als Verwender der Klausel anzusehen ist. So weit das OLG Stuttgart noch auf die frühere Regelung in § 10 Nr. 4 AGBG abstellte, gilt auch nach neuem Recht gem. § 308 Nr. 4 BGB nichts anderes, da sich die Vorschriften in vollem Umfang decken.

Anordnungen des Bauleiters des Auftraggebers, die erheblich in Widerspruch zur vertraglichen Leistungsbeschreibung stehen, führen nur dann zu einer Vertragsänderung, wenn der Bauleiter zur Vertragsänderung bevollmächtigt ist. Er bedarf hierzu einer gesonderten, über die übliche Vollmacht eines Bauleiters hinausgehenden Ermächtigung.

Fall

Nach dem Bauvertrag war der Unternehmer verpflichtet, eine Feuchtigkeitsabdichtung einzubauen. Der vom Bauherren mit der Bauleitung beauftragte Ingenieur ordnete ohne Wissen des Bauherrn an, auf die Feuchtigkeitsabdichtung zu verzichten. Der ausführende Unternehmer folgte dieser Anordnung. Aus technischer Sicht war die Feuchtigkeitsabdichtung jedoch unbedingt erforderlich, ihr Fehlen führte zu Feuchtigkeitsschäden.

Entscheidung

Nach dem Urteil des BGH war der Bauleiter nicht zur Änderung des Vertragsinhalts ermächtigt. Der Bauunternehmer durfte daher der Änderungsanordnung des Bauleiters nicht ohne vorherige Rückfrage beim Bauherrn nachkommen. Da die vertraglich vereinbarte Feuchtigkeitsabdichtung nicht ausgeführt war, fehlte der Leistung des Bauunternehmers die vereinbarte Beschaffenheit. Der Bauunternehmer haftete daher für die fehlende Abdichtung.

BGH, Urteil vom 18.1.2001 – VII ZR 457/98 – BauR 2001, 622

Fallen/Praxishinweis

Grundsätzlich sind Architekten und Ingenieure nicht befugt, den zwischen den Parteien abgeschlossenen Vertrag abzuändern. Dies gilt selbst dann, wenn eine Änderungsanordnung ersichtlich den Zweck hat, dem Bauherrn Kosten zu ersparen. Selbst eine Änderungsanordnung des Architekten/Ingenieurs, die fachlich keinen Bedenken begegnet und keine Mängelrisiken birgt, kann für den ausführenden Unternehmer zur Falle werden. Im Grundsatz hat nämlich der Bauherr das Recht, die Leistung in der Beschaffenheit zu verlangen, wie sie im Vertrag vereinbart wurde. Ein Mangel der Leistung des ausführenden Unternehmers liegt bereits darin, dass er von der mit dem Bauherrn vereinbarten Beschaffenheit abweicht. Der Auftraggeber kann eine „Mangelbeseitigung" selbst dann verlangen, wenn die Feuchtigkeitsabdichtung technisch nicht erforderlich, aber von Vorteil ist, z.B. einen erhöhten Schutz gegen Feuchtigkeit (über das übliche Maß hinaus) garantiert. Dass die geänderte Ausführung auf Anordnung des Architekten geschieht, ist nur dann von Bedeutung, wenn der Architekt zu einer solchen Vertragsänderung bevollmächtigt ist. Eine solche Vollmacht ist mit dem Architektenvertrag üblicherweise nicht verbunden. Sie ergibt sich nicht bereits daraus, dass Architekt oder Ingenieur im Bauvertrag als Vertreter des Bauherrn „auf der Baustelle" bezeichnet werden.

Rechtsprechungshinweis

Die Leistung des Auftragnehmers ist mangelhaft, wenn sie nicht die vereinbarte Beschaffenheit aufweist. Ist der Auftragnehmer verpflichtet, das Bauvorhaben gemäß den zum Vertragsinhalt gemachten genehmigten Plänen zu errichten und ordnet der Architekt eine geänderte Ausführung an, kommt eine Änderung des ursprünglichen Vertrags nur dann zu Stande, wenn der Architekt zu einer derartigen Vertragsänderung bevollmächtigt ist. (BGH, Urteil vom 19.12.2002 – VII ZR 103/100 – BauR 2003, 689/691)

62 Mit dem Fall einer Ausführungsänderung auf Anordnung des Architekten hatte sich der BGH auch in nachfolgender Entscheidung zu befassen.

Fall

Der Auftragnehmer war mit Erd- und Rohbauarbeiten für ein Einfamilienhaus beauftragt. Auf Weisung des Architekten legte der Bauunternehmer den Keller um 1,15 Meter höher, als ursprünglich geplant. Dies veränderte den optischen Eindruck des Gebäudes, weshalb der Bauherr den Abriss des Rohbaus betrieb. Er forderte vom Bauunternehmer Vorschuss für die entstehenden Abrisskosten, die Erstattung geleisteter Abschlagszahlungen und Ersatz sonstiger Aufwendungen, die durch das Höherlegen des Kellers verursacht waren.

Entscheidung

Nach dem Urteil des BGH war der Architekt auf Grund der üblichen Architektenvollmacht nicht berechtigt, die vertraglich vereinbarte Planung eigenmächtig abzuändern und den Keller höher zu legen. Der Bauunternehmer hätte der Planungsänderung des Architekten nicht folgen dürfen, seine Leistung entsprach nicht dem Vertrag und war fehlerhaft. Darauf, ob der veränderte optische Eindruck des Gebäudes den Wert oder die Tauglichkeit des Bauwerks beeinträchtigte, kam es nicht an. Es kann nämlich nicht damit argumentiert werden, dass die tatsächlich ausgeführte Leistung wirtschaftlich und technisch gleichwertig oder gar besser ist, als die ursprünglich geplante und vereinbarte Leistung. Selbst wenn die tatsächliche Ausführung nach Ansicht des Gerichts bzw. des gerichtlichen Sachverständigen den Vorzug verdienen würde, muss der Bauherr dies nicht hinnehmen.

BGH, Urteil vom 7. 3. 2002 – VII ZR 1/00 – BauR 2002, 1536

Rechtsprechungshinweis

Der vorangehend kommentierten Entscheidung entspricht auch das Urteil des BGH vom 19.12.2002 (VII ZR 103/100 – BauR 2003, 689/691). In diesem Fall hatte ebenfalls der Architekt eine gegenüber den genehmigten Bauplänen geänderte Ausführung angeordnet, die der Bauunternehmer auch so ausführte. Da er jedoch nach dem Vertrag verpflichtet gewesen wäre, das Bauwerk nach den genehmigten Bauplänen zu errichten, war seine Leistung mangelhaft. Denn auch hier war der Architekt zu der Anordnung einer dem Vertrag widersprechenden geänderten Bauausführung nicht bevollmächtigt.

63 Beweispflichtig dafür, dass die ursprüngliche Beschaffenheitsvereinbarung nachträglich abgeändert wurde, ist die Partei, die sich darauf beruft. Die Beweislast ist unabhängig von der Abnahme der Leistung.

Vereinbaren die Parteien eine bestimmte Art der Bauausführung, so bleibt der Auftragnehmer auch bei vorbehaltloser Abnahme für seine Behauptung beweisbelastet, der Vertrag sei während der Bauerrichtung einvernehmlich derart geändert worden, dass kein Mangel vorliegt. Der Grundsatz, dass derjenige eine nachträgliche Vertragsänderung zu beweisen hat, der sich auf sie beruft, geht der Regel vor, dass der Auftraggeber nach Abnahme der Leistung deren Mangelhaftigkeit und als deren Voraussetzung auch den vertraglichen Sollzustand beweisen muss.

BGH, Beschluss vom 3.6.2003 – VII ZR 186/01 – BauR 2003, 1382

64 Vereinbarte Leistungsmerkmale werden vom Auftragnehmer unabhängig davon geschuldet, ob sie objektiv für Wert und Funktionsfähigkeit der Leistung von Bedeutung sind. Eine Prüfung, ob und wie sich fehlende Eigenschaften oder Merkmale der Leistung auf Wert oder Brauchbarkeit auswirken, findet nicht statt. Jede nicht völlig vernachlässigbare Abweichung der erbrachten Leistungen von Leistungsverzeichnis, vertraglicher Funktionsbeschreibung, technischen Vertragsbedingungen oder den zum Vertragsinhalt gemachten Plänen bedeutet, dass die Bauleistung mangelhaft ist.

Leitsatz

Weicht die tatsächliche Ausführung von der vertraglich vereinbarten Beschaffenheit ab, ist die Leistung mangelhaft, auch wenn sie technisch fehlerfrei und behördlich abgenommen ist.

Fall

Die Parteien schlossen einen Bauvertrag über ein Reihenhaus. Zu „Ausführung und Leistungsumfang“ war u. a. auf eine Baubeschreibung und im Einzelnen bezeichnete zeichnerischen Unterlagen verwiesen. Daraus ergab sich zum einen eine bestimmte Ausführung des Heizungsschornsteins, insbesondere dass dieser über das Dachniveau hinausgeführt werden sollte. Zum anderen war ein Gartenhaus an einer bestimmten Stelle des Grundstücks vorgesehen. Der Auftragnehmer führte den Schornstein in anderer Weise aus und errichtete das Gartenhaus an einer anderen als der vorgesehenen Stelle. Die Ausführung des Schornsteins war technisch einwandfrei, sie war auch von den Baubehörden abgenommen worden. Das Gartenhaus hatte der Auftragnehmer verlegt, um Versickerungsanlagen für das Oberflächenwasser zu schaffen. Die Klägerin verlangte vom Auftragnehmer Kostenvorschuss gemäß § 633 Abs. 3 BGB a.F., um den Schornstein entsprechend den Planunterlagen umzubauen und das Gartenhaus an die Stelle zu versetzen, die im Vertrag bezeichnet war.

Entscheidung

Das OLG Celle verurteilte den Auftragnehmer auf Zahlung des von der Klägerin geforderten Kostenvorschusses mit der Begründung, dass die Klägerin eine geänderte Ausführung nicht hinnehmen müsse. Sie habe Anspruch auf die in einer bestimmten Art und Weise versprochene Leistung. Dass nach dem Vertrag „unerhebliche Abweichungen" von der vertraglich zugesagten Bauausführung ohne Zustimmung des Käufers zulässig waren, stand dem Anspruch der Klägerin nicht entgegen, da die Abweichungen zum einen nicht unerheblich waren und zum anderen stichhaltige Gründe zur Änderung der Planung nicht vorgelegen hätten.

OLG Celle, Urteil vom 6.2.2003 – 5 U 159/02 – BauR 2003, 1408

Fallen/Praxishinweis

Das OLG Celle hatte aus seiner Sicht nicht darüber zu entscheiden, ob die im Vertrag vorgesehene Befugnis des Auftragnehmers zu „unerheblichen Abweichungen" von der Leistungsbeschreibung wirksam war. Denn es beurteilte die Abweichungen ohnehin als erheblich. Aber auch wenn es sich nur um geringfügige Abweichungen gehandelt hätte, wäre der Auftragnehmer hierzu jedenfalls dann nicht befugt gewesen, wenn es sich bei der fraglichen Vereinbarung um eine von ihm verwendete Allgemeine Geschäftsbedingung handelte.

Durch Allgemeine Geschäftsbedingungen kann der Auftragnehmer keinen Freibrief für eigenmächtige Leistungsabweichungen erreichen, auch nicht für „unerhebliche" Abweichungen. Eine Allgemeine Geschäftsbedingung des Auftragnehmers entsprechend der hier vorliegenden Vereinbarung ist schon deshalb unwirksam, weil das Änderungsrecht des Auftragnehmers an keine Voraussetzungen gebunden ist, sondern diesem einen fast willkürlichen Entscheidungsspielraum lässt (vgl. Rdn. 73).

65 Ist die Verwendung eines bestimmten, z.B. **nach Fabrikat oder Hersteller bezeichneten Materials** vereinbart, so ist der Auftragnehmer zur Verwendung dieses Materials verpflichtet. Andernfalls fehlt der Leistung die vereinbarte Beschaffenheit. Dies gilt selbst dann, wenn das vom Auftragnehmer verwendete Material dem vertraglich vereinbarten Produkt hinsichtlich der Funktionstauglichkeit gleichwertig sein sollte. Denn ungeachtet der Gebrauchstauglichkeit der Leistung fehlt dem eingesetzten Material die vereinbarte Beschaffenheit, da ein anderes als das ausgeschriebene Produkt verwendet wurde. Daher kann der Auftraggeber bei noch laufenden Arbeiten die weitere Verwendung des vertragswidrigen Materials unterbinden und nach § 4 Nr. 6 VOB/B verlangen, dass das vertragswidrige Material von der Baustelle entfernt wird.

Beispiel

Nach dem Leistungsverzeichnis sind für einen Dachausbau Gipskartonplatten der Firma A zu verwenden. Da der Auftragnehmer gleichwertiges Material eines anderen Herstellers auf Lager hat, verwendet er dieses. Der Auftraggeber bemerkt die Verwendung des nicht dem Vertrag entsprechenden Materials erst nach Fertigstellung der Arbeiten. Er verlangt, alle nicht dem Vertrag entsprechenden Platten zu entfernen und die Leistung mit dem im Leistungsverzeichnis ausgeschriebenen Material neu auszuführen. Der Auftragnehmer lehnt dies unter Hinweis auf die Gleichwertigkeit des von ihm verwendeten Materials ab.

Lösung/Praxishinweis

Der Auftraggeber kann die Verwendung des gleichwertigen, aber nicht dem Vertrag entsprechenden Materials untersagen. Diesen Anspruch kann er notfalls bei Gericht durch eine einstweilige Verfügung durchsetzen, indem er dem Auftragnehmer die Verwendung des nicht dem Vertrag entsprechenden Materials unter Androhung von Ordnungsmitteln verbieten lässt. Er kann bei Gericht auch eine einstweilige Verfügung beantragen, durch die der Auftragnehmer verpflichtet wird, das vertragswidrige Material, soweit es auf der Baustelle lagert, zu entfernen, damit die Gefahr einer heimlichen Verwendung beseitigt ist. Für den VOB-Vertrag ergibt sich dies aus § 4 Nr. 6 VOB/B, im Ergebnis gilt dies aber auch für den BGB-Vertrag.

Sind die Arbeiten bereits abgeschlossen, und verlangt der Auftraggeber, die eingebauten Gipskartonplatten wieder zu entfernen, so steht ihm im Grundsatz ein entsprechender Anspruch zu, dem aber unter Umständen der Einwand der Unverhältnismäßigkeit entgegensteht. Wenn das bereits eingebaute Material tatsächlich völlig gleichwertig sein sollte, müsste es als Schikane und damit rechtsmissbräuchliches Verhalten betrachtet werden, wenn der Auftraggeber das eingebaute Material wieder ausbauen lassen will, obwohl er dadurch keinerlei Vorteil hat.

Bleibt das vertragswidrige Material eingebaut, so stellt sich die Frage, ob der Auftragnehmer hierfür die vertraglich vereinbarte Vergütung verlangen kann. Dies ist dann nicht der Fall, wenn das verwendete Material (obwohl gleichwertig) billiger ist. Die vom Auftraggeber zu entrichtende Vergütung reduziert sich um die Preisdifferenz.

66 Kein vertragswidriges Verhalten liegt naturgemäß vor, wenn dem Auftragnehmer im Leistungsverzeichnis ausdrücklich eine Wahlmöglichkeit eingeräumt ist, z.B. dem Auftragnehmer die Verwendung eines zum ausgeschriebenenn Produkt „gleichwertigen" Materials freigestellt ist. In diesem Fall sind nur die Eigenschaften des in der Leistungsbeschreibung genannten Produkts verbindlich vorgegeben. Die Gleichwertigkeit von ausgeschriebenem und ausgeführtem Produkt ist im Hinblick auf die Funktion zu beurteilen, in der das Produkt verwendet werden soll. Bei der Prüfung, ob die Leistung mangelfrei oder mangelhaft ist, sind sämtliche auf die Funktion des Produkts bezogenen Eigenschaften des ausgeschriebenen Produkts mit den entsprechenden Eigenschaften des tatsächlich verwendeten Produkts zu vergleichen. Besteht kein Unterschied, so ist die Leistung insoweit mangelfrei.

67 Der Auftraggeber kann die Nachbesserung der Leistung entsprechend der vertraglichen Leistungsbeschreibung selbst dann verlangen, wenn die Leistungsbeschreibung nicht den Regeln der Technik entspricht, jedoch eine höhere Qualität ergibt als die erbrachte Leistung.

Fall

Der Bauunternehmer war beauftragt, Bodenplatten in Mörtel der Mörtelgruppe 3 zu verlegen. Er verwendete jedoch Mörtel der Gruppe 2. Der Auftraggeber verlangte Mangelbeseitigung und forderte, den Bodenbelag zu entfernen und neu unter Verwendung der vereinbarten Mörtelgruppe zu verlegen. Dies verweigerte der Unternehmer mit der Begründung, die Verwendung der vertraglich vorgesehenen Mörtelgruppe entspreche ebenfalls nicht den Regeln der Technik. Der Bodenbelag halte auch dann der zu erwartenden Druckbelastung nicht stand.

Entscheidung

Nach dem Urteil des OLG Nürnberg war der Bauunternehmer zur Nacherfüllung (Mangelbeseitigung) verpflichtet, auch wenn der Belag bei Verwendung der vereinbarten Mörtelgruppe 3 nicht ausreichend druckfest sein sollte. Jedenfalls halte ein Steinboden bei Verwendung von Mörtelgruppe 3 den Belastungen wesentlich besser stand als der tatsächlich vom Auftragnehmer verlegte Boden. Daher liege kein rechtsmissbräuchliches Verhalten des Auftraggebers vor.

OLG Nürnberg, Urteil vom 7.11.1997 – 6 U 451/96 – BauR 1998, 1013

Fallen/Praxishinweis

Wenn unterstellt wird, dass die vom Auftraggeber verlangte Mangelbeseitigung wiederum nicht fachgerecht ist, stellt sich die Frage, ob der Auftragnehmer eine ausdrückliche Freistellung von der Gewährleistung verlangen kann, damit er bei erneut auftretenden Mängeln vor Ansprüchen des Auftraggebers sicher ist. Dies ist nicht der Fall. Bereits durch den Hinweis auf die drohenden Mängel wird der

Auftragnehmer von einer Mängelhaftung frei. Er ist daher nicht auf eine Haftungsfreistellung angewiesen und kann eine solche nicht verlangen (strittig).

68 Einer ausdrücklichen Vereinbarung von Funktionswerten, wie z.B. Schalldämmmaßen, steht es gleich, wenn mit der vertraglich vereinbarten Ausführung der Bauleistung bestimmte Werte (Schalldämmmaße) zu erreichen sind (OLG Hamm, Urteil vom 8.3.2001 – 21U 24/100 – BauR 2001, 1262). Vereinbaren die Parteien eine bestimmte Ausführung, so schuldet der Auftragnehmer nicht nur die Ausführung dieser Konstruktion, sondern auch die mit der vereinbarten Konstruktion bei ordnungsgemäßer Ausführung erreichbaren Funktionswerte. Diese können über das hinausgehen, was nach den anerkannten Regeln der Technik geschuldet ist.

Fall

Im Bauträgervertrag war eine zweischalige Bauweise der Haustrennwände mit Trennfugen unter Verwendung bestimmter Mauerziegel vereinbart. Die Konstruktion war ihrer Art nach geeignet, höhere Schalldämmwerte zu erzielen, als nach den anerkannten Regeln erforderlich. Der Bauträger ließ die Konstruktion entsprechend ausführen, erreicht wurden jedoch nur den DIN-Normen entsprechende Schalldämmwerte.

Entscheidung

Nach der Entscheidung des OLG Hamm schuldete der Auftragnehmer den Schallschutz, der bei sorgfältiger Ausführung der vereinbarten Baukonstruktion erreicht werden konnte. Dass die entsprechenden Schalldämmwerte höher lagen, als nach den anerkannten Regeln der Technik erforderlich, stand dem nicht entgegen.

OLG Hamm, Urteil vom 8.3.2001 – 21 U 24/00 – BauR 2001, 1262

Rechtsprechungshinweis

Vgl. BGH, Urteil vom 14.5.1998 – VII ZR 184/97 – BauR 1998, 872; OLG Hamm BauR 2001, 1757.

69 Den Parteien steht es frei, einzelnen Eigenschaften ein besonderes Gewicht beizulegen, so dass selbst üblicherweise tolerierte Abweichungen als Mangel anzusehen sind. So können die Vertragsparteien z.B. vereinbaren, dass Farbtöne oder Maße „ohne jede Abweichung" eingehalten werden müssen, also eine Abweichung selbst dann unzulässig ist, wenn sie üblicherweise in Kauf genommen wird und Wert und Tauglichkeit des Bauwerks nicht beeinträchtigt werden. Derart vereinbarte Leistungsmerkmale wären nach früherer Definition des Mängelbegriffs „zugesicherte" Eigenschaften. Auch wenn es nach der Neufassung von § 633 Abs. 2 BGB den Mängelbegriff der zugesicherten Eigenschaften nicht mehr gibt, ist eine solche Vereinbarung einer besonders exakten Ausführung für die Prüfung der Mangelhaftigkeit oder Mangelfreiheit der Leistung von Bedeutung. Sie legt die vereinbarte Beschaffenheit i. S. von § 633 Abs. 2 Satz 1 BGB derart fest, dass selbst unerhebliche Abweichungen nicht gestattet sind und Mängelrechte des Auftraggebers auslösen können.

Prozessualer Hinweis

Vortrags- und beweispflichtig für eine streitige Beschaffenheitsvereinbarung ist im Rechtsstreit diejenige Partei, die sich auf die streitige Vereinbarung beruft und daraus Rechte herleitet. Dies kann auch der Auftragnehmer sein, wenn er eine die Leistungsqualität mindernde Vereinbarung behauptet.

An die Substantiierung des Vortrags zum Zustandekommen der Vereinbarung stellt der BGH insoweit keine hohen Anforderungen, als er keinen exakten Vortrag zu Zeit und Ort eines behaupteten Gesprächs verlangt. Diese Einzelheiten sind durch das Gericht von den Zeugen in der Beweisaufnahme zu erfragen, wenn es auf diese Angaben ankommt. Die Beweiserhebung kann vom Gericht nicht davon abhängig gemacht werden, dass die beweispflichtige Partei diese Einzelheiten bereits im Beweisantrag vorträgt.

BGH, Urteil vom 21.1.1999 – VII ZR 398/97 – BauR 1999, 648

2.3.3 Leistungsbeschreibung in formbedürftigen Verträgen

70 Grundsätzlich bedarf die Leistungsbeschreibung keiner besonderen Form, auch mündliche Absprachen sind wirksam. Bedarf allerdings der Vertrag nach dem Gesetz einer bestimmten Form (wie z. B. der gem. § 311 b BGB notariell zu beurkundende Bauträgervertrag mit Grundstückskauf des Erwerbers) oder haben die Parteien für den Vertrag eine bestimmte Form (z. B. Schriftform) vereinbart, so bedarf auch die Leistungsbeschreibung dieser Form. Im Fall des Bauträgervertrags bedarf somit auch die Baubeschreibung der notariellen Beurkundung.

Eine vertraglich vereinbarte Schriftform ist gewahrt, wenn die Parteien ein Schriftstück gemeinsam unterzeichnen oder übereinstimmende, jeweils von einer Partei unterzeichnete Schriftstücke austauschen. Dagegen genügt nicht eine einseitige, z. B. nur vom Auftragnehmer unterzeichnete Erklärung. Allerdings ist ein stillschweigender Verzicht der Parteien auf die vereinbarte Schriftform anzunehmen, wenn feststeht, dass die Parteien die Absprache verbindlich treffen wollten. Andernfalls sind formlose Absprachen unwirksam

71 Ist eine Beschaffenheitsvereinbarung unwirksam, so stellt sich die Frage, ob der Vertrag im Übrigen wirksam bleibt. Dies ist davon abhängig, welches Gewicht der formlosen Abrede innerhalb des Vertrags zukommt. Die fehlende Beurkundung führt zur Unwirksamkeit des gesamten Vertrags, wenn anzunehmen ist, dass der Vertrag nicht ohne die unwirksame Vereinbarung geschlossen worden wäre.

Leitsatz

Nicht beurkundete Vereinbarungen oder Änderungen eines notariellen Bauträgervertrags mit Grundstückserwerb sind nichtig. Nach § 139 BGB wird dadurch die Wirksamkeit des Vertrags im Übrigen nicht berührt, wenn es sich um einen unwesentlichen Nebenpunkt handelt, bei dem nicht angenommen werden kann, dass eine Gesamtnichtigkeit des Vertrags dem Parteiwillen entspricht.

OLG Stuttgart, Urteil v. 17.10.2002 – 2 U 37/02 – BauR 2003, 1394, 1395

Ist die formlose Vereinbarung nicht von erheblichem Gewicht und hätten die Parteien daher den Vertrag auch ohne die unwirksame Vereinbarung geschlossen, so beschränkt sich die Unwirksamkeit auf den formlosen Vertragsteil. Der Erwerber kann aus der unwirksamen Vereinbarung zunächst keine Mängelrechte ableiten. Erst wenn der Formfehler geheilt und die formlose Vereinbarung wirksam wird, erwachsen dem Auftraggeber Mängelrechte aus der formlosen Vereinbarung. Dies ist der Fall, wenn der Erwerber des notariell zu beurkundenden Bauträgervertrags als Eigentümer in das Grundbuch eingetragen wird.

Fall

Die Baubeschreibung des notariellen Bauträgervertrags enthielt keine Aussage über Kanalanschluss, Garagendachentwässerung und eine zwischen den Parteien streitige Fahrspur. Kanalanschluss, Entwässerung und Fahrspur waren dagegen in den Architektenplänen enthalten, die der Bauträger den Erwerbern vor Vertragsschluss überlassen hatte, die aber bei Vertragsschluss nicht mitbeurkundet wurden. Die Erwerber forderten eine Bauausführung nach den Architektenplänen. Dies lehnte der Bauträger mit dem Argument ab, die Pläne seien nicht Bestandteil des notariellen Vertrags.

Entscheidung

Nach dem Urteil des OLG Hamm können Pläne die vertraglich geschuldete Ausführung auch dann näher festlegen, wenn sie im notariellen Vertrag nicht ausdrücklich als Vertragsbestandteil aufgeführt sind. Dies traf hier zu, nachdem sich die Parteien bei Vertragsschluss einig waren, dass entsprechend den Plänen gebaut werden sollte. Zwar hätten die Pläne beurkundet werden müssen, weil sie den Inhalt der geschuldeten Bauausführung festlegten und nicht nur zur näheren Beschreibung einer bereits im Vertragstext enthaltenen Bauverpflichtung dienten. Der Formmangel war jedoch zwischenzeitlich durch die Eintragung der Erwerber als Eigentümer geheilt worden, wobei die Parteien noch zu diesem Zeitpunkt am Vertrag festhielten.

OLG Hamm, Urteil vom 4.3.2003 – 21 U 80/02 – BauR 2003, 1398

Fallen/Praxishinweis

Eine Heilung des Formmangels kann der Käufer beim Erwerb vom Bauträger letztlich nur dadurch erreichen, dass er zunächst den vollen Kaufpreis bezahlt, da er nur dann die Eintragung als Eigentümer im Grundbuch erreicht. Ein Leistungsverweigerungsrecht gegenüber dem Bauträger steht dem Erwerber vor seiner Eintragung als Eigentümer aus der formunwirksamen Vereinbarung nicht zu, sondern – wenn ein Kaufpreisrest noch offen sein sollte – erst dann, wenn sie (die Eintragung) wirksam geworden ist. In der Regel ist der Käufer gezwungen, sich den zu viel gezahlten Betrag im Wege der Minderung oder des Schadensersatzes wieder zurückzuholen, wenn er vom Bauträger keine Mangelbeseitigung erreichen sollte.

72 Einer Beurkundung bedarf es auch beim Bauträgervertrag mit Grundstückserwerb nicht, wenn die Parteien nach Abschluss des notariellen Vertrags Vereinbarungen treffen, um zwischenzeitlich entstandene Streitigkeiten zu regeln. Die nachfolgende Entscheidung des BGH kann wohl auf nachträgliche Absprachen zur Beschaffenheit der Leistung entsprechend angewandt werden, wenn sie geringfügige, für Wert und Tauglichkeit der Leistung nicht entscheidende Leistungsmerkmale betreffen.

Fall

Im notariellen Vertrag über den Kauf einer neu zu errichtenden Eigentumswohnung war nur der Fertigstellungstermin, nicht jedoch der Baubeginn geregelt. Im Nachhinein war der Erwerber aus persönlichen Gründen darauf angewiesen, eine feste Zusage für den Baubeginn zu erhalten. Deshalb trafen die Parteien die Vereinbarung, dass der Erwerber die Rückabwicklung des Kaufvertrages „einleiten“ könne, wenn ihm nicht bis zu einem bestimmten Zeitpunkt verbindlich der Baubeginn mitgeteilt wird. Diese Vereinbarung wurde nicht notariell beurkundet.

Entscheidung

Nach dem Urteil des BGH war die Vereinbarung wirksam. Zwar bedürfen grundsätzlich nachträgliche Vereinbarungen zu einem beurkundungsbedürftigen Vertrag ebenfalls der Beurkundung, auch soweit bereits bestehende Verpflichtungen geändert werden. Davon auszunehmen sind jedoch solche Vereinbarungen, mit denen die Parteien auf nach Vertragsschluss entstandene Umstände reagieren, insbesondere nachträglich entstandene Streitigkeiten bereinigen. Jedenfalls sind solche Vereinbarungen wirksam, die nicht unmittelbar die Hauptpflichten der Parteien aus dem notariellen Vertrag regeln.

BGH, Urteil vom 5.4.2001 – VII ZR 119/99 – BauR 2001, 1099

Fallen/Praxishinweis

Entsteht zwischen den Parteien Streit über die Auslegung der Baubeschreibung, so bedarf die den Streit beilegende Vereinbarung der Parteien auch beim Bauträgervertrag mit Grundstückserwerb keiner Beurkundung, sofern die vereinbarte Änderung nicht einen zentralen Punkt der Leistungsverpflichtung des Bauträgers betrifft. Werden dagegen umfangreiche Änderungen vereinbart, die den Vertragsgegenstand erheblich umgestalten, empfiehlt sich in aller Regel eine Nachtragsbeurkundung.

2.3.4 Leistungsbeschreibung und Allgemeine Geschäftsbedingungen

73 Die Beschaffenheit der Leistung kann auch durch Allgemeine Geschäftsbedingungen beeinflusst werden. Unwirksam sind allerdings Allgemeine Geschäftsbedingungen des Auftragnehmers, die diesem das Recht einräumen, nach eigenem Gutdünken von der vereinbarten Leistungsbeschreibung abzuweichen.

Fall

Nach der Baubeschreibung war der Bauträger verpflichtet, ein „geschlossenes" Treppenhaus zu errichten. Tatsächlich erstellte er eine offene Treppenhausanlage. Der Bauträger berief sich unter anderem darauf, dass der Kaufvertrag ihm das Recht einräume, eine Änderung der Ausführung vorzunehmen, soweit ihm dies technisch oder wirtschaftlich zweckmäßig erscheine und keine Wertminderung damit verbunden sei.

Entscheidung

Nach dem Urteil des OLG Stuttgart war die Änderungsklausel in dem vom Bauträger verwendeten Vertragsformular unwirksam. Der Bauträger war daher verpflichtet, das Treppenhaus entsprechend der Baubeschreibung als „geschlossenes" Treppenhaus herzustellen, selbst wenn durch die geänderte Ausführung objektiv u. U. keine Wertminderung eingetreten sein sollte oder die offene Bauweise sogar mit Vorteilen verbunden war.

OLG Stuttgart, Urteil vom 17.10.2002 – 2 U 37/02 – BauR 2003, 1394

Fallen/Praxishinweis

Steht bei Abschluss des Vertrags noch nicht fest, welche Ausführung erfolgt, so kann bei unwichtigeren Details von einer Beschreibung abgesehen werden. Der Bauträger ist dann verpflichtet, diese Details entsprechend der üblichen Erwartung und abgestimmt auf den Qualitätsstandard der gesamten Leistung zu erbringen. Hinsichtlich zentraler Leistungspunkte muss jedoch der Leistungsumfang im Vertrag eindeutig festgelegt sein.

Möglich dürfte es aber sein, im Vertrag zum Beispiel zwei Varianten der Ausführung vorzusehen und dem Bauträger die Auswahl unter diesen Varianten zu überlassen. Die Varianten müssen aber ganz konkret geschrieben sein, sodass beim Erwerber keine Unklarheit darüber bestehen kann, was er in dem einen oder anderen Fall erwarten kann.

74 Allgemeine Geschäftsbedingungen des Auftraggebers, wonach alle Angaben in der Leistungsbeschreibung derart vereinbart sein sollen, dass jede noch so unbedeutende Abweichung zu Mängelrechten des Auftraggebers führen soll, verstoßen in der Regel gegen § 307 Abs. 1 BGB. Denn sie schneiden dem Auftragnehmer den Einwand der Unverhältnismäßigkeit ab und benachteiligen den Auftraggeber unbillig.

2.3.5 Leistung nach Probe/Muster

75 Für den **VOB-Vertrag** enthält § 13 Nr. 2 VOB/B die ausdrückliche Regelung, dass bei Leistung nach Probe die Eigenschaften der Probe als vereinbart gelten, soweit nicht Abweichungen nach der Verkehrssitte bedeutungslos sind. Das gilt auch dann, wenn die Probe erst nach Vertragsschluss gefertigt, von den Parteien jedoch „als solche", d.h. als vertraglich maßgebend, anerkannt wird.

Das **gesetzliche Werkvertragsrecht** enthält keine ausdrückliche Regelung für die Leistung nach Probe. Im Ergebnis entspricht die Rechtslage jedoch derjenigen des VOB-Vertrags. Legt der Auftragnehmer vor Ausführung der Leistung Proben oder Muster vor und werden diese vom Auftraggeber gebilligt, so ist in der Regel davon auszugehen, dass die erkennbaren Eigenschaften von Probe und Muster nach dem Willen der Parteien verbindlich für die Vertragsausführung sein sollen.

Auf verdeckte (nachteilige) Eigenschaften der vom Auftragnehmer vorgelegten Probe muss dieser hinweisen. Der Auftragnehmer ist für verdeckte Mängel seiner Probe bzw. seines Musters nur dann von der Mängelhaftung frei, wenn der Auftraggeber die Mangelhaftigkeit der Probe bei Vertragsschluss erkannte oder sie ihm infolge grober Fahrlässigkeit unbekannt geblieben sind.

Bedeutungslose Abweichungen der ausgeführten Leistungen von Probe bzw. Muster sind hinzunehmen (vgl. § 13 Nr. 2 Satz 1 VOB/B). Bei der Entscheidung, ob es sich um eine bedeutungslose Abweichung handelt, ist auf das im Vertrag zum Ausdruck gekommene Leistungsinteresse des Auftraggebers abzustellen. Daher kann auch einer objektiv bedeutungslosen Abweichung unter Umständen auf Grund der besonderen Vertragsgestaltung wesentliche Bedeutung zukommen.

2.3.6 Eignung für die vertraglich vorausgesetzte Verwendung

Die Leistung muss sich nach § 633 Abs. 2 Satz 2 BGB für die nach dem Vertrag vorausgesetzte Verwendung eignen. Vertraglich vorausgesetzt ist die im Vertrag vereinbarte oder von den Parteien bei Vertragsschluss übereinstimmend zum Inhalt oder zur Grundlage dieses Vertrags gemachte Nutzungsabsicht des Auftraggebers, zum Beispiel die Nutzung eines Gebäudes als Wohn-, Lager- oder Geschäftshaus. Einseitige Vorstellungen der Parteien werden Inhalt bzw. Grundlage des Vertrags, wenn die andere Partei den erkannten Erwartungen nicht widerspricht. **76**

Fall

Dem Auftragnehmer wurde die Errichtung einer Produktions- und Lagerhalle übertragen. Nach Fertigstellung zeigte sich, dass bei Regen Wasser durch das Hallendach eindrang. Die Halle hielt einer starken Regenbelastung mit Windeinfall nicht stand. Der Auftraggeber machte Mängelansprüche geht.

Entscheidung

Landgericht und Oberlandesgericht, die zunächst mit der Sache befasst waren, wiesen die Mängelklage des Auftraggebers mit der Begründung ab, der Auftraggeber habe bei Vertragsschluss nicht darauf hingewiesen, dass das Dach einer stärkeren Regenbelastung standhalten müsse. Der BGH verwarf diese Argumentation. Dass das Dach einer stärkeren Regenbelastung standhalten musste, ergab sich auch ohne besonderen Hinweis des Auftraggebers aus der gewöhnlichen Funktion einer Lagerhalle. Die Nutzung einer Halle als Lager oder zur Produktion fordere einen sicheren Schutz auch bei stärkerem Regen und Wind.

BGH, Urteil vom 11.11.1999 – VII ZR 403/98 – BauR 2000, 411

In der Regel wird die Verwendungsabsicht des Auftraggebers im Vertrag selbst festgehalten. Sie kann sich aber auch aus den Umständen ergeben. Ist der Auftragnehmer z.B. mit dem Umbau einer Lagerhalle beauftragt, dann steht auch ohne ausdrückliche Abrede fest, dass seine Leistung so beschaffen sein muss, dass die Nutzung der umgebauten Räume zu Lagerzwecken weiterhin möglich sein muss, wenn nichts Gegenteiliges vereinbart ist oder sich aus den Umständen ergibt. **77**

Leitsatz

Eine Beeinträchtigung des nach dem Vertrag vorausgesetzten Gebrauchs liegt vor, wenn die mit der geschuldeten Ausführung erreichbaren technischen Eigenschaften, soweit sie für die Funktion des Werks von Bedeutung sind, nicht erreicht werden.

Fall

Der Auftragnehmer war mit Erd-, Maurer- und Betonarbeiten für ein größeres Bauvorhaben beauftragt. Gegenstand des VOB/B-Vertrags war u. a. die Errichtung einer Betondecke für ein Parkhaus. Der Auftragnehmer erstellte die Betondecke in Beton der Güteklasse B 25 an Stelle der vereinbarten Güteklasse B 35. Der Auftraggeber verlangte aus diesem Grund Minderung.

Entscheidung

Nach dem Urteil des BGH lag eine Beeinträchtigung des nach dem Vertrag vorausgesetzten Gebrauchs vor, da die mit der geschuldeten Ausführung erreichbaren technischen Eigenschaften, die für die Funktion des Werks von Bedeutung waren, nicht erreicht wurden und damit die Funktion des Werks gemindert war. Die bei Ausführung in der Güteklasse B 35 erreichbare Nutzlastreserve hätte es dem Auftraggeber für die Lebensdauer des Objekts ermöglicht, die Nutzung zu ändern. Diese dem Auftraggeber eingeräumte Option begründe eine entsprechend vertraglich geschuldete Gebrauchstauglichkeit. Dass die Betondecke für alle nach dem derzeitigen Erkenntnisstand denkbaren Lastfälle ausreiche, sei unerheblich.

BGH, Urteil vom 9.1.2003 – VII ZR 181/100 – BauR 2003, 533

Fallen/Praxishinweis

Nach dieser Entscheidung entgeht der Auftragnehmer bei vertragswidriger Ausführung seiner Haftung nicht bereits dann, wenn die Leistung der bei Abschluss des Vertrags oder bei Abnahme in Aussicht genommenen Nutzung durch den Auftraggeber entspricht. Allein der Umstand, dass bei vertragsgerechter Ausführung eine geänderte Nutzung möglich wäre, reicht aus, eine Funktionsbeeinträchtigung anzunehmen.

Der Auftragnehmer hätte im entschiedenen Fall nach neuem Recht ohnehin für die vertragswidrige Ausführung deshalb gehaftet, weil seine Leistung infolge der geänderten Betongüte nicht die vereinbarte Beschaffenheit aufwies. Bei der Entscheidung nach früherem Gewährleistungsrecht konnte man wohl davon ausgehen, dass die vertraglich vereinbarte Betongüte zugesichert war. Dann war schon aus diesem Grund jede Überlegung unerheblich, ob die in abweichender Form erstellte Decke für bisher noch nicht in Aussicht genommene Nutzungsmöglichkeiten brauchbar sein musste. Die Frage der Beeinträchtigung des Gebrauchs war in diesem Fall nur insoweit von Bedeutung, als ein rechtsmissbräuchliches Verhalten des Auftraggebers auszuschließen war.

Eine Beeinträchtigung des vertraglich vorausgesetzten Gebrauchs liegt auch vor, wenn infolge einer geänderten Leistungsausführung dem Auftraggeber nicht alle Nutzungsmöglichkeiten zur Verfügung stehen, die bei der vereinbarten Ausführung bestanden hätten. Welche Nutzung der Auftraggeber konkret beabsichtigt, ist nicht erheblich.

Leitsatz

Eine Beeinträchtigung des nach dem Vertrag vorausgesetzten Gebrauchs liegt vor, wenn die mit der vertraglich geschuldeten Ausführung erreichbaren technischen Eigenschaften, die für die Funktion des Werks von Bedeutung sind, durch die vertragswidrige Ausführung nicht erreicht werden und damit die Funktion des Werks gemindert ist.

Fall

Der Auftragnehmer war mit der Errichtung einer Betondecke für ein Parkhaus beauftragt, die Geltung der VOB/B war vereinbart. Der Auftragnehmer führte die Betondecke der Tiefgarage in Beton der Güteklasse B 25 statt in der vereinbarten Güteklasse B 35 aus. Der Auftraggeber minderte deswegen den Werklohn.

Entscheidung

Während das Berufungsgericht darauf abgestellt hatte, dass die Änderung der Güteklasse lediglich theoretische Möglichkeiten der Nutzung entfallen lasse, und dies eine Minderung nicht rechtfertige, stellte der BGH darauf ab, dass die Verwendung des Betons der Güteklasse B 25 einen Mangel i. S. von § 13 Nr. 1 VOB/B begründet. Die tatsächliche Beschaffenheit des Werks weicht zum einen von der vertraglich vereinbarten Beschaffenheit ab. Zum anderen liegt eine Beeinträchtigung des nach dem Vertrag vorausgesetzten Gebrauchs deshalb vor, weil die mit der vertraglich geschuldeten Ausführung erreichbaren technischen Eigenschaften, die für die Funktion des Werks von Bedeutung sind, durch die vertragswidrige Ausführung nicht erreicht wurden. Im vorliegenden Falle war auf Grund der vertragswidrigen Ausführung die Nutzlast gemindert. Eine mit der Ausführung in Güteklasse B 35 erreichbare Nutzlastreserve hätte dem Auftraggeber für die Lebensdauer des Objekts die Option begründet, die Nutzung zu ändern. Da durch die vertragswidrige Ausführung diese Option entfallen sei, sei die vertragliche Gebrauchstauglichkeit vermindert. Etwaige Vorstellungen des Auftraggebers, wie er in Zukunft die Decke des Objekts nutzen könnte, und die Tatsache, dass die Ausführung in der Güteklasse B 25 für alle nach derzeitigem Erkenntnisstand denkbaren Lastfälle ausreicht, sind unerheblich.

BGH, Urteil vom 9.1.2003 – VII ZR 18/00 – BauR 2003, 533

Fallen/Praxishinweis

Die Entscheidung erging zu einem VOB-Vertrag, der im Jahre 1992 geschlossen wurde. Sie trifft im Ergebnis aber auch für die VOB/B 2002 sowie für das gesetzliche Mängelhaftungsrecht gem. §§ 633 f. BGB n.F. zu. Der Auftragnehmer ist danach verpflichtet, die Leistung in der vertraglich vereinbarten Beschaffenheit auszuführen. Ob die vom Auftraggeber derzeit in Betracht gezogenen Nutzungen durch die geänderte Ausführung noch erreichbar sind, ist unerheblich.

Nach der Neufassung des Mängelbegriffs bedarf es von vornherein keiner Prüfung mehr, ob durch die vertragswidrige Beschaffenheit der Leistung die vertraglich vorausgesetzte oder übliche Verwendung eingeschränkt ist. Ohne Rücksicht hierauf ist die Leistung bereits dann mangelhaft, wenn ihr die vereinbarte Beschaffenheit fehlt. Dies ist bei einer geänderten Güteklasse unzweifelhaft der Fall. Dass eine geänderte Ausführung unter Umständen die Verwendungseignung der Leistung nicht beeinträchtigt, kann nur insoweit eine Rolle spielen, als dadurch unter Umständen der Aufwand der Mangelbeseitigung für den Auftragnehmer unverhältnismäßig wird. In diesem Fall kann der Auftragnehmer die Nacherfüllung ablehnen, dem Auftraggeber stehen dann nur die sonstigen Mängelrechte zu.

78 Dafür, dass die Leistung für die vertraglich vorausgesetzte Verwendung geeignet ist, muss der Auftragnehmer unabhängig von der Höhe seiner Vergütung einstehen. Auch ein geringer Preis lässt nicht den Schluss darauf zu, dass der Auftraggeber ein Mangelrisiko in Kauf nehmen wollte, insbesondere das Risiko der vereinbarten Konstruktion für die Verwendungstauglichkeit der Leistung erkannt und gebilligt hat (BGH, Urteil vom 24.9.1992 – VII ZR 213/91 – BauR 1993, 79).

2.3.7 Gewöhnliche Verwendung, übliche Beschaffenheit

79 Soweit die Parteien nichts Abweichendes vereinbaren, hat die Leistung gem. § 633 Abs. 2 BGB und § 13 Nr. 1 VOB/B der gewöhnlichen Verwendung zu entsprechen und die Beschaffenheit aufzuweisen, „die bei Werken der gleichen Art üblich ist und die der Besteller nach der Art des Werks erwarten kann". Maßgebend sind die Erwartungen des Geschäftsverkehrs zum Zeitpunkt der Abnahme.

Der Auftraggeber darf erwarten, dass die Leistung bei Fertigstellung und Abnahme diejenigen Qualitäts- und Komfortstandards erfüllt, die auch andere vergleichbare und zeitgleich fertiggestellte und abgenommene Bauwerke erfüllen. Der Unternehmer sichert üblicherweise die Einhaltung dieses Standards bei Vertragsschluss stillschweigend zu.

BGH, Urteil vom 14.5.1998 – VII ZR 184/97 – BauR 1998, 872

80 Mit der Frage, welche Schadstoffbelastung der Raumluft nach Parkettlegearbeiten in einer Wohnung hingenommen werden muss, hatte sich das OLG Oldenburg in der nachfolgenden Entscheidung zu befassen.

Fall

Noch 5 Monate nach Beendigung von Parkettlegearbeiten kam es in der Wohnung der Kläger zu einer überdurchschnittlich hohen Belastung der Raumluft mit Schadstoffen (Ethylacetat und n-Butanol). Der Auftraggeber führte im Wege der Ersatzvornahme Mangelbeseitigungsarbeiten durch und verlangte Ersatz der ihm entstandenen Kosten. Der Auftragnehmer bestritt, dass eine gesundheitsschädliche Konzentration von Schadstoffen vorliege und bereits gesundheitliche Schäden eingetreten seien. Außerdem argumentierte er damit, dass die Schadstoffkonzentration durch häufiges Lüften herabgesetzt werden könne.

Entscheidung

Nach dem Urteil des OLG Oldenburg war die Leistung des Parkettlegers mangelhaft, selbst wenn der Nachweis fehlte, dass durch die Schadstoffe Gesundheitsschäden verursacht wurden. Der Auftraggeber muss nach dieser Entscheidung zwar für eine gewisse Zeit nach Beendigung von Parkettlegearbeiten eine gewisse Schadstoffbelastung hinnehmen, nicht jedoch auf Dauer und nicht in dieser Konzentration. Der Auftraggeber kann erwarten, dass jedenfalls fünf Monate nach dem Verlegen des Parketts keine Schadstoffbelastung mehr vorliegt, bei der ein nicht ausgeräumtes Gesundheitsrisiko besteht. Dass die Konzentration der Schadstoffe durch häufiges Lüften herabgesetzt werden kann, steht dem nicht entgegen.

OLG Oldenburg, Urteil vom 14.10.1998 – 2 U 179/98 – BauR 1992, 502

Die Anforderungen an die gewöhnliche Verwendung und die übliche Beschaffenheit können im Einzelfall aus dem Gesichtspunkt der Verwendungstauglichkeit von den anerkannten Regeln der Technik abweichen. Die Leistung des Auftragnehmers hat qualitätsmäßig höheren Anforderungen zu entsprechen, wenn nur dadurch die Gebrauchsfähigkeit gewährleistet ist. **81**

Dementsprechend hat das OLG Hamm in der Entscheidung vom 1.4.1998 (12 U 146/94 – BauR 1998, 1019) bei der Frage, ob das Material einer Kerndämmung wasserabweisend sein muss, zu Recht die Frage dahingestellt sein lassen, ob dies nach den anerkannten Regeln der Technik erforderlich ist. Es hat allein auf die Funktionsfähigkeit der Dämmschicht abgestellt. Es leuchte nämlich unabhängig von einer Regelung nach einer DIN-Norm ein, so die Entscheidung, dass wegen der fehlenden Luftschicht zwischen Kerndämmung und Mauerwerk und der daraus resultierenden Benässung des Dämmmaterials, dieses wasserabweisende Eigenschaften haben muss.

Eine entgegen den Verarbeitungsrichtlinien des Herstellers ausgeführte Leistung entspricht nicht der üblichen Beschaffenheit (OLG Brandenburg, Urteil vom 11.1.2000 – 11 U 197/98 – BauR 2001, 283). Der Auftraggeber kann erwarten, dass die Verarbeitung von Baustoffen entsprechend den Verarbeitungsvorschriften des Herstellers erfolgt. **82**

Die Anforderungen an die übliche Beschaffenheit und Verwendungsfähigkeit der Leistung sind in aller Regel nicht davon abhängig, in welcher Rechtskonstruktion der Auftraggeber Eigentum und Besitz an der Leistung erhält. So sind die Anfor- **83** derungen an den Schallschutz der Trennwände von Reihenhäusern unabhängig davon, ob die Reihenhäuser rechtlich im Gemeinschaftseigentum einer Wohnungseigentümergemeinschaft stehen bzw. stehen werden oder im Einzeleigentum des jeweiligen Erwerbers.

Für Haustrennwände von Reihenhäusern, die nicht als Einzeleigentum, sondern als Wohnungseigentum verkauft werden, gelten die Anforderungen an den Luftschallschutz für Reihenhäuser und nicht diejenigen für Wohnungseigentum im Geschossbau. Dass die Reihenhäuser in der Rechtskonstruktion des Wohnungseigentums verkauft werden, ändert nichts daran, dass hinsichtlich der Haustrennwände üblicherweise eine Schalldämmung wie bei den im Sondereigentum stehenden Reihenhäusern erwartet wird.

OLG München, Urteil vom 3.2.1998 – 9 U 3922/97 – BauR 1999, 399

84 Will der Auftragnehmer eine Leistung anbieten, die von der üblichen Beschaffenheit zum Nachteil des Auftraggebers abweicht, so muss er dies unmissverständlich zum Ausdruck bringen. Der nicht fachkundige Auftraggeber ist ohne Hinweis nicht gehalten, ihm ausgehändigte Pläne zu überprüfen, ob die angebotene Leistung von der üblichen Beschaffenheit abweicht.

Beispiel

Liegt eine Eigentumswohnung in unmittelbarer Nähe eines Spielplatzes, der im Eigentum einer Wohnungseigentümergemeinschaft steht, so stellt nach einer Entscheidung des OLG Düsseldorf die davon ausgehende Lärmbelästigung einen Mangel dar (wobei das OLG Düsseldorf zu Recht bei der Frage, ob es sich um einen Mangel im Sondereigentum oder im Gemeinschaftseigentum handelte, auf die Lärmquelle abstellte und daher einen Mangel im Gemeinschaftseigentum annahm).

OLG Düsseldorf, Urteil vom 1.9.1999 – 5 U 264/98 – BauR 2000, 286

85 Beim **Erwerb sanierter Altbauten** kann nicht davon ausgegangen werden, dass das Bauwerk in seiner Qualität einem Neubau gleichsteht. Allerdings kann der Erwerber davon ausgehen, dass der Veräußerer nahe liegende Instandsetzungsarbeiten durchführt und die für Bestand und Nutzbarkeit des Bauwerks wesentlichen Bauwerksteile auf einen evtl. Sanierungsbedarf untersucht hat, so dass im Ergebnis eine der gewöhnlichen Verwendung entsprechende Nutzung und eine dauerhafte Funktionsfähigkeit des Altbaus sichergestellt ist. (Vgl. Rdn. 50, wobei das Problem in der u. a. dort erörterten Entscheidung des OLG Düsseldorf vom 25.7.2003 – 22 U 6/03 – BauR 2003, 1911 – nicht zweifelsfrei beurteilt wurde.)

2.3.8 Verstoß gegen anerkannte Regeln der Technik

Nach § 13 Nr. 1 Satz 2 VOB/B muss die Leistung anerkannten Regeln der Technik entsprechen. Die anerkannten Regeln der Technik stellen für den VOB-Vertrag einen eigenständigen Prüfungsmaßstab für die Mangelfreiheit der Leistung dar. **86**

Für den **BGB-Vertrag** fehlt es an einer entsprechenden ausdrücklichen Regelung, in welcher Form anerkannte Regeln der Technik zu berücksichtigen sind. Dies bedeutet aber keine inhaltliche Abweichung gegenüber der VOB/B. Für das gesetzliche Werkvertragsrecht sind die anerkannten Regeln der Technik auch ohne besondere Erwähnung Prüfungsmaßstab für die Mangelfreiheit der Leistung, da sie das wiedergeben, was als übliche Beschaffenheit allgemein erwartet wird und vom Auftraggeber erwartet werden kann. Der Auftragnehmer schuldet auch ohne besondere Vereinbarung eine Leistung, die hinsichtlich Konstruktion, Materialbeschaffenheit und Ausführung den Anforderungen der anerkannten Regeln der Technik entspricht (OLG Brandenburg, Urteil vom 11. 1. 2000 – 11 U 197/98 – BauR 2001, 283). **87**

Soweit dem Vertrag Angaben zu Konstruktion, Material und Arbeitsmethoden nicht zu entnehmen sind, ist die Sollbeschaffenheit der Leistung nach den anerkannten Regeln der Technik bestimmen. Die anerkannten Regeln der Technik geben den Mindeststandard der vom Auftragnehmer geschuldeten Leistung wieder (BGH, Urteil vom 14. 5. 1998 – VII ZR 184/97 – BauR 1998, 872). Ist zum Beispiel vertraglich kein bestimmter Schalldämmwert vereinbart, so hat der Auftragnehmer die nach den anerkannten Regeln der Technik zur Zeit der Abnahme maßgebenden Schalldämmwerte sicherzustellen (BGH, Urteil vom 28. 10. 1999 – VII ZR 115/97 – BauR 2000, 261).

Anerkannte Regeln sind solche bautechnischen Regeln, die in der Wissenschaft als theoretisch richtig anerkannt sind und sich in der Baupraxis als zutreffend bewährt haben (OLG Brandenburg BauR 2001, 283). Mit den anerkannten Regeln der Technik nicht gleichzusetzen ist der „Stand der Technik“. Darunter sind diejenigen Standards zu verstehen, die technisch nach neuestem Stand machbar sind, sich aber in der Praxis noch nicht derart hinreichend bewährt haben, dass sie bereits zu anerkannten Regeln der Technik geworden sind. **88**

Hinweise auf anerkannte Regeln der Technik geben Regelwerke, wie z. B. die Bestimmungen des Verbandes Deutscher Elektrotechniker (VDE) oder die Flachdachrichtlinien des Zentralverbandes des Dachdeckerhandwerks e. V. Öffentlichrechtliche Bauvorschriften sowie DIN-Normen sind als solche keine anerkannten Regeln der Technik. Die DIN-Normen enthalten jedoch eine (widerlegbare) Vermutung für das Vorliegen entsprechender Regeln der Technik (BGH, Urteil vom 14. 5. 1998 – VII ZR 184/97 – BauR 1998,872), können im Einzelfall aber von den anerkannten Regeln der Technik auch abweichen. Die bloße Beachtung der DIN-Normen besagt daher nicht, dass den anerkannten Regeln der Technik genügt ist.

So ist nach dem Urteil des OLG München vom 3.2.1998 (9 U 3922/97 – BauR 1999, 399) die Ausführung zweischaliger Trennwände bei Reihenhäusern anerkannte Regel der Technik mit der Folge höherer Schalldämmwerte als nach DIN 4109. Die Beweislast dafür, dass eine DIN-Norm nicht den anerkannten Regeln der Technik entspricht, trägt im Rechtsstreit diejenige Partei, die sich auf ein Abweichen der DIN-Norm von den anerkannten Regeln der Technik beruft.

89 Abzustellen ist auf die anerkannten Regeln der Technik zum Zeitpunkt der Abnahme, dagegen kommt es auf den Zeitpunkt der Planung und Herstellung der Leistung nicht an (BGH Urteil vom 14.5.1998 – VII ZR 184/97 – BauR 1998, 872). Vgl. hierzu Rdn. 91 f. Wann DIN-Normen öffentlich-rechtlich eingeführt und in der Bauverwaltung angewendet werden, ist unerheblich. Maßgebend für die Leistungspflicht des Auftragnehmers ist nicht das Inkrafttreten von DIN-Normen, sondern das Entstehen und Bestehen anerkannter Regeln der Technik.

Fall

Die Kläger hatten von der Beklagten Eigentumswohnungen erworben, die in den Jahren 1988 und 1989 geplant und errichtet sowie 1990 abgenommen wurden. Sie verlangten von der Beklagten Mangelbeseitigung und Ersatz von Gutachterkosten mit der Begründung, dass der Mindest-Luftschallschutz bei Wohnungstrennwänden und Wohnungstrenndecken nicht eingehalten sei. Gespräche aus den umliegenden Wohnungen seien als störendes Gemurmel zu hören. Nach Ansicht der Beklagten waren die Wohnungen ausreichend schallisoliert, da sie den Anforderungen der DIN 4109 Ausgabe 1984 entsprachen.

Entscheidung

Das zunächst mit dem Fall befasste OLG München hielt die DIN 4109 in der Fassung 1984 für anwendbar, weil die Ausgabe November 1989 der DIN 4109 nicht maßgebend sei. Diese habe erst mit ihrer verbindlichen Einführung, die nach der Abnahme lag, zu einer anerkannten Regel der Technik geführt. Gemäß dem Einführungserlass des Bayerischen Staatsministeriums des Innern sei der Schallschutznachweis nach DIN 4109 Ausgabe 1989 erst ab dem 15.5.1991 zu fordern gewesen.

Demgegenüber war nach dem Urteil des BGH der Stand der anerkannten Regeln der Technik bei Abnahme (1990) maßgebend ohne Rücksicht darauf, wann die einschlägige DIN-Norm nach dem Bauordnungsrecht Verbindlichkeit erlangte. Auf den Einführungserlass des Bayerischen Staatsministeriums des Innern war nicht abzustellen, weil für die vertraglich geschuldete Leistung nicht eine öffentlich-rechtlich festgelegte Anforderung, sondern ausschließlich der privatrechtlich zu beurteilende Stand der anerkannten technischen Regeln maßgeblich ist.

BGH, Urteil vom 14.5.1998 – VII ZR 184/97 – BauR 1998, 872

Die anerkannten Regeln der Technik sind nicht davon abhängig, in welcher Rechtsform ein Bauwerk errichtet oder veräußert wird. Auch für Reihenhäuser, die als Wohnungseigentum veräußert werden, bestimmt sich der Luftschallschutz für Haustrennwände nach den Anforderungen bei Reihenhäusern und nicht nach den Anforderungen für Wohnungen im Geschossbau. Zweischalige Haustrennwände sind anerkannte Regel der Technik, auch wenn damit höhere Schallschutzwerte erreicht werden, als nach DIN 4109 (OLG München, Urteil vom 3.2.1998 – 9 U 3922/97 – BauR 1999, 399). **90**

Ändern sich anerkannte Regeln der Technik nach Abschluss des Bauvertrags und vor Abnahme der Bauleistung, so hat der Auftraggeber seine Leistung den geänderten technischen Regeln anzupassen, soweit dies nach dem Bautenstand noch möglich ist. Gegebenenfalls ist dem Bauherrn die Entscheidung zu überlassen, ob bereits erstellte Leistungsteile den geänderten technischen Regeln angepasst werden sollen. Durch die geänderte oder zusätzliche Leistung dem Auftragnehmer entstehende Aufwendungen führen zu einem zusätzlichen Vergütungsanspruch des Auftragnehmers, wenn dieser nicht das Risiko solcher Leistungsänderungen vertraglich übernommen hat. Eine Risikoübernahme kommt für vorhersehbare Änderungen beim Pauschalvertrag in Betracht, ebenso wenn es dem Auftragnehmer überlassen war, die für die Funktionsfähigkeit des Werks erforderliche Ausführung zu bestimmen und den dafür erforderlichen Werklohn zu kalkulieren (BGH, Urteil vom 16.7.1998 – VII ZR 350/96 – BauR 1999, 37). **91**

Nach Abnahme (bzw. Annahmeverzug des Auftraggebers) eingetretene Änderungen der anerkannten Regeln der Technik bleiben unberücksichtigt. Entspricht die Leistung des Auftragnehmers bei Abnahme den zu dieser Zeit geltenden technischen Regeln, dann wird sie durch nachfolgende Änderungen nicht mangelhaft. Anders ist es freilich, wenn anerkannte Regeln der Technik im Nachhinein als unzutreffend erkannt werden und das nach diesen Regeln erstellte Bauwerk nicht funktionsfähig ist. In diesem Fall ist die Leistung des Auftragnehmers zwar nicht wegen Verstoßes gegen allgemein anerkannte Regeln der Technik mangelhaft, aber wegen fehlender Gebrauchsfähigkeit. **92**

> Das LG Mannheim (Urteil vom 29.6.1999 – 1 O 14/99, BauR 2000, 451 LS) bejahte zutreffend einen Mangel, wenn die ausgeführte Leistung zwar im Zeitpunkt der Abnahme den Regeln der Technik entsprach, sich aber später infolge neuer wissenschaftlich-technischer Erkenntnisse die Korrosions- und Schadensanfälligkeit dieser Ausführung zeigte (hier: Hartlöten von Kaltwasserleitungen aus Kupfer).

Ist der Auftragnehmer zur Nacherfüllung verpflichtet, so hat er bei der Mangelbeseitigung die zum Zeitpunkt der Nacherfüllung geltenden technischen Regeln zu beachten. Ein Vergütungsanspruch des Auftragnehmers kommt in diesem Fall in Betracht, wenn die Nacherfüllung zu einer ungerechtfertigten Bereicherung des Auftraggebers führt, dieser zum Beispiel durch die Mangelbeseitigung eine qualitativ höherwertige Leistung erhält, als er nach dem Vertrag beanspruchen kann.

93 Verstößt die Leistung gegen anerkannte technische Regeln, so ist sie mangelhaft, auch wenn sie uneingeschränkt verwendungstauglich ist. Dem Begehren des Auftraggebers nach Mangelbeseitigung (Nacherfüllung) kann der Auftragnehmer allerdings den Einwand der Unverhältnismäßigkeit entgegen halten. Ein Rücktrittsrecht des Auftraggebers scheidet auf Grund der Unerheblichkeit der Pflichtverletzung aus (§ 634 Nr. 3, 323 Abs. 5 Satz 2 BGB). Denkbar bleibt ein Minderungsrecht oder ein Schadensersatzanspruch des Auftraggebers, wenn ein Schaden des Auftraggebers z.B. in Form eines merkantilen Minderwerts bei Verkauf oder Beleihung des Bauwerks vorliegt.

94 Andererseits ist das Vorliegen eines Mangels nicht bereits dann zu verneinen, wenn anerkannte Regeln der Technik eingehalten sind. Die Bauleistung muss unabhängig von den anerkannten Regeln der Technik die vertraglich vereinbarte Beschaffenheit aufweisen und zum vertraglich vorausgesetzten oder üblichen Gebrauch tauglich sein. Entspricht die Leistung nicht diesen Anforderungen, so ist sie unabhängig davon fehlerhaft, ob die anerkannten Regeln der Technik eingehalten sind (BGH, Urteil vom 15.10.2002 – X ZR 69/01 – BauR 2003, 236/238). Die anerkannten Regeln der Technik geben nur den Mindeststandard der geschuldeten Leistung wieder, wie er ohne vertragliche Leistungsbeschreibung geschuldet wird (BGH, Urteil vom 14.5.1998 – VII ZR 184/97 – BauR 1998, 872).

Beispiel

Der Auftragnehmer muss unabhängig von den anerkannten Regeln der Technik für diejenige Schalldämmung einstehen, die ausdrücklich vereinbart ist oder die mit der vertraglich geschuldeten Ausführung bei ordnungsgemäßer Ausführung erreicht werden kann.

OLG Hamm, Urteil vom 8.3.2001 – 21 U 24/00 – BauR 2001, 1262

95 **Beweispflichtig** für das Bestehen anerkannter Regeln der Technik ist im Rechtsstreit die Partei, die sich darauf beruft und hieraus günstige Folgen für sich ableitet. Dies ist z.B. der Auftraggeber, wenn er Nacherfüllung (Mangelbeseitigung) fordert und dies mit einem Verstoß des Unternehmers gegen anerkannte Regeln der Technik begründet. Beweisbelastet kann aber auch der Unternehmer sein, wenn er sich gegen eine Schadensersatzforderung des Auftraggebers damit verteidigt, der Mangel sei nicht verschuldet, da die Leistung den anerkannten Regeln der Technik entspreche.

96 Es steht den Beteiligten frei, die Ausführung der Leistung abweichend von den anerkannten Regeln der Technik zu vereinbaren und insbesondere neuartige Baustoffe sowie Konstruktions- und Ausführungsmethoden einzusetzen, für die noch keine anerkannten Regeln der Technik bestehenden. Dies bedarf einer entsprechenden (unzweideutigen) Vereinbarung, wobei der nicht sachkundige Auftraggeber durch den Auftragnehmer auf die hieraus folgenden Risiken hinzuweisen ist. Ohne hinreichende Aufklärung des Auftraggebers kann sich der Auftragnehmer nicht darauf zurückziehen, dass seine Leistung zwar gegen anerkannte Regeln der Technik verstoße, jedoch der vertraglichen Leistungsbeschreibung entspreche. Für eine entsprechende Aufklärung des Auftraggebers ist der Auftragnehmer beweispflichtig.

97 Bauunternehmer sowie Architekt und Ingenieur, die dem Auftraggeber den Einsatz neuer, nicht regelgerechter Produkte oder Konstruktions- und Arbeitsmethoden empfehlen, sind verpflichtet, sich zuvor über die Brauchbarkeit von Material bzw. Methode zu vergewissern. Auf bloße Herstellerangaben dürfen sie sich nicht verlassen.

Fall

Beim Neubau einer Schwimmhalle kam eine neuartige Folie zur Abdichtung von Schwimmbecken und Fußböden zum Einsatz, die nicht für den Schwimmbadbau entwickelt war und deren Brauchbarkeit für diesen Zweck auch wissenschaftlich nicht gesichert war. Die Referenzliste des Herstellers bezog sich nur auf ein Schwimmbad und ein Wasserbecken. Ein Zulassungsbescheid für die Verwendung beim Schwimmbadbau lag nicht vor. Nach Ingebrauchnahme der Schwimmhalle traten Feuchtigkeitsschäden auf, für die der mit der Planung und Überwachung beauftragte Architekt in Anspruch genommen wurde. Die Ursache für die Feuchtigkeitsschäden lag in den verwendeten Folien.

Entscheidung

Nach dem Urteil des OLG Brandenburg hatte der Architekt für den Mangel der nicht regelgerechten Folie einzustehen. Zwar steht es den Baubeteiligten im Hinblick auf die Fortentwicklung von Baustoffen und Baumethoden frei, von der Einhaltung anerkannten Regeln der Technik abzusehen. Dies ist jedoch nur dann zulässig, wenn die Brauchbarkeit der Folie für den beabsichtigten Einsatz zweifelsfrei feststeht und der Bauherr über die dennoch verbleibenden Risiken aufgeklärt wird.

Die Verpflichtung des Architekten, die Brauchbarkeit des neuartigen Materials zu prüfen und den Bauherrn auf das verbleibende Risiko hinzuweisen, entfällt nicht, wenn Bauherr oder Unternehmer die Folie bereits ausgewählt haben, bevor der Architekt beauftragt wird. Es ist nämlich gerade Aufgabe des Architekten, derartige Vorgaben auf Fehler und Widersprüche zu überprüfen.

OLG Brandenburg, Urteil vom 11.1.2000 – 11 U 197/98 – BauR 2001, 28

98 Benötigt der Auftragnehmer zur regelgerechten Ausführung seiner Leistung Informationen, z.B. über Baugrund, Grundwasserstand o. Ä., so hat er die hierfür ggf. erforderlichen Informationen selbst einzuholen. Auf ersichtlich laienhafte Angaben des Auftraggebers darf sich der Auftragnehmer nicht verlassen.

Beispiel

Der Bauunternehmer, der mit der schlüsselfertigen Errichtung eines Bauwerks einschließlich der Entwässerungsanlagen beauftragt ist, ist verpflichtet, die nach Sachlage notwendigen Informationen über den Vorfluter einzuholen, wenn er nicht bereits anderweitig gesicherte Erkenntnisse über die Vorflutung hat.

BGH, Urteil vom 10.5.2001 – VII ZR 248/00 – BauR 2001, 1254

99 Steht ein Regelverstoß des Auftragnehmers fest, so kann dies zu einer Beweiserleichterung für den Auftraggeber hinsichtlich behaupteter Folgeschäden und ihrer Verursachung durch den Auftragnehmer führen.

Verstößt der Unternehmer bei seiner Leistung gegen anerkannte Regeln der Technik und treten in engem Zusammenhang damit Schäden am Bauwerk auf, so ist es Sache des Auftragnehmers nachzuweisen, dass die eingetretenen Schäden nicht auf die Verletzung der anerkannten Regeln der Technik zurückzuführen sind.

BGH, Urteil vom 19.4.1991 – V ZR 349/89 – NJW 1991, 2021

2.3.9 Verstoß gegen Herstellerrichtlinien

100 Richtlinien des Herstellers zur Verarbeitung von Baustoffen stehen den anerkannten Regeln der Technik nicht gleich. Die Mängelhaftung eines Auftragnehmers wegen Verstoßes gegen anerkannte Regeln der Technik ist nicht dadurch ausgeschlossen, dass er sich an die Herstellerrichtlinien gehalten hat; haben sich diese in der Praxis als unzureichend erwiesen und muss dem Auftragnehmer die Notwendigkeit einer anderen Ausführung geläufig sein, handelt er schuldhaft und haftet damit sogar auf Schadensersatz (OLG Hamm, Urteil vom 18.4.1996 – 17 U 112/95 – BauR 1997, 309).

Verstößt der Auftragnehmer gegen Herstelleranweisungen, so kann dies zugleich einen Verstoß gegen anerkannte Regeln der Technik bedeuten, wenn die Verarbeitungsrichtlinien des Herstellers auf den anerkannten Regeln der Technik beruhen. Dies muss aber nicht sein, etwa wenn für das Produkt und seine Verwendung noch keine anerkannten Regeln der Technik vorliegen. In diesem Fall ist die entgegen den Herstellerrichtlinien erbrachte Leistung deshalb mangelhaft, weil sie nicht der üblichen Beschaffenheit und den berechtigten Erwartungen des Auftraggebers entspricht. Diese gehen nämlich dahin, dass Produkte vom Auftragnehmer entsprechend den Herstellervorschriften eingesetzt werden. Ohne Sanktion verbleibt damit nur der Verstoß gegen nachweislich unnötige oder sachwidrige Herstellerrichtlinien.

Fall

Der Auftragnehmer errichtete ein Dach mit geringerer Dachneigung als nach der Produktinformation des Systemherstellers zulässig. Nachdem Feuchtigkeitsschäden eingetreten waren, nahm der Auftraggeber den Auftragnehmer hierfür in Anspruch und begründete dies unter anderem mit der von den Produktvorgaben des Herstellers abweichenden Ausführung der Arbeiten.

Entscheidung

Der BGH verurteilte den Auftragnehmer und stützte sich dabei unter anderem auf die von den Herstellervorschriften abweichende Leistungsausführung Nachdem sich die Gefahr des Wassereintritts mit abnehmender Neigung des Daches erhöht, ist die gegen die Produktinformationen des Herstellers verstoßende Leistung mangelhaft. Denn es muss davon ausgegangen werden, dass der Hersteller in seiner Produktinformation die Grenze der Dachneigung aufweist.

BGH, Urteil vom 11.11.1999 – VII ZR 403/98 – BauR 2000, 411

Fallen/Praxishinweis

Steht fest, dass die Schäden auch bei einer der Herstelleranweisung entsprechenden Ausführung entstanden wären, haftet der Auftragnehmer dann, wenn er das fehlerhafte Material bzw. Konstruktionssystem vorgegeben oder seiner Prüfungs- und Hinweispflicht nicht genügt hat. Sind Material oder Konstruktion vom Auftraggeber vorgegeben und kann der Auftragnehmer deren Regelwidrigkeit, Verwendungsrisiko oder Fehlerhaftigkeit nach dem von ihm zu verlangenden Fachwissen nicht erkennen, so ist er von der Mängelhaftung frei.

101 Mit einem ähnlichen Fall, in dem sich der Auftragnehmer damit verteidigte, er habe die Herstellervorschriften eingehalten, hatte sich das OLG Hamm in nachfolgender Entscheidung zu befassen.

Fall

Der Auftragnehmer hatte die Dacheindeckung auf einer von einem anderen Unternehmer erstellten Aufdachdämmung aufzubringen. Diese war in den Kehlbereichen nicht ausreichend, wodurch Feuchtigkeit durch die Dacheindeckung und die Aufdachdämmung in andere Bauteile gelangen konnte. Der hierfür in Anspruch genommene Bauunternehmer berief sich zu seiner Entlastung auf Verarbeitungsvorschriften des Herstellers.

Entscheidung

Nach dem Urteil des OLG Hamm hatte der Auftragnehmer für den Mangel einzustehen und konnte sich nicht durch den Hinweis auf die Verlegeanleitung des Herstellers entlasten. Die Abdichtung in den Kehlbereichen entsprach nicht den anerkannten Regeln der Technik. Dem Auftragnehmer musste geläufig sein, dass es baupraktisch unmöglich war, die Vorgaben des Herstellers für eine dauerhafte Abdichtung einzuhalten, und dass nach den anerkannten Regeln der Technik die Verlegung einer Unterspannbahn geboten war.

OLG Hamm, Urteil vom 18.4.1996 – 17 U 112/95 – BauR 1997, 309

2.3.10 Vorrang der Verwendungstauglichkeit vor den übrigen Leistungskriterien

102 Widersprechen sich Leistungsbeschreibung und vertraglich vorausgesetzte Verwendung, so stellt sich die Frage, welchem Kriterium der Vorrang zukommt. Diese Frage beantwortet sich aus dem offenkundig vorrangigen Interesse des Auftraggebers an einer funktionsfähigen Leistung. Selbst wenn der Auftraggeber bestimmte Eigenschaften der Leistung fordert, so geht er in aller Regel davon aus, dass diese dem Verwendungszweck nicht entgegenstehen. Dementsprechend hat der Auftragnehmer ungeachtet einer konkret vereinbarten oder sogar vom Auftraggeber vorgegebenen Leistungsbeschaffenheit für die Gebrauchstauglichkeit seiner Leistung zu sorgen und einzustehen. Der Haftung kann er bei widersprüchlichen Vorgaben nur durch einen entsprechenden Hinweis an den Auftraggeber entgehen.

Fall

Die Bauherren beabsichtigten, zwei Mehrfamilienhäuser zu sanieren. Der mit dem Bauunternehmer geschlossene Vertrag enthielt u.a. eine ins Einzelne gehende Beschreibung der vom Auftragnehmer an Wänden, Decken und Böden zu erbringenden Leistungen. Der Bauunternehmer führte die Arbeiten entsprechend der vertraglichen Leistungsbeschreibung aus. Im Ergebnis entsprach seine Leistung jedoch nicht den Schall- und Brandschutzvorschriften. Die Bauherren verweigerten deshalb die Zahlung des Restwerklohns.

Entscheidung

Nach dem Urteil des BGH war die Zahlungsverweigerung der Auftraggeber berechtigt. Denn der Auftragnehmer schuldet ein funktionstaugliches und für die vertraglich vorausgesetzte bzw. gewöhnliche Verwendung geeignetes Werk, auch wenn die Parteien eine bestimmte Ausführung vereinbart haben. Ist die geschuldete Verwendungsfähigkeit nicht mit der vereinbarten Ausführung zu erreichen, hat der Auftragnehmer anstelle der vereinbarten Ausführung die für die Funktionsfähigkeit erforderlichen Arbeiten vorzunehmen und gegebenenfalls eine gegenüber dem Vertrag geänderte Leistung zu erbringen.

BGH, Urteil vom 16.7.1998 – VII ZR 53/96 – BauR 1999, 37

103 Steht fest, dass der Auftragnehmer unabhängig von der vertraglichen Leistungsbeschreibung dazu verpflichtet ist, ein funktionstaugliches Werk zu erstellen, so ist damit noch nicht die Frage beantwortet, ob er dies auf der Grundlage der vertraglich vereinbarten Vergütung leisten muss oder ob ihm für Leistungen, die über den vereinbarten Leistungsumfang hinaus erforderlich sind, eine Zusatzvergütung zusteht. Bei der Beantwortung dieser Frage ist darauf abzustellen, was nach dem erkennbaren Willen der Parteien jeweils mit der vereinbarten Vergütung abgegolten sein soll.

Soweit für die Funktionsfähigkeit Leistungen erforderlich sind, die im Vertragspreis noch nicht berücksichtigt sind, sind die Aufwendungen als Sowiesokosten zu berücksichtigen und vom Auftraggeber zusätzlich zu vergüten. Der Auftragnehmer hat Anspruch auf die Übernahme derjenigen Kosten, um die das Werk bei ordnungsgemäßer Ausführung von vornherein teurer geworden wäre. Der Berechnung der Sowiesokosten ist die Ursprungskalkulation des Vertrags zugrunde zu legen. (Rechtsprechungshinweise: BGH, Urteil vom 11.11.1999 – VII ZR 403/98 – BauR 2000, 411; BGH, Urteil vom 16.7.1998 – VII ZR 350/96 – BauR 1999,37; OLG Nürnberg, Urteil vom 9. 11. 2000 – 4 U 2053/99 – BauR 2001, 961)

Ein Anspruch auf Zusatzvergütung steht dem Auftragnehmer nicht zu, wenn es ihm überlassen war, auf eigenes Risiko die für die Funktionsfähigkeit der Leistungen erforderliche Ausführung zu bestimmen und den hierfür erforderlichen Werklohn zu kalkulieren. Im Regelfall geht der Wille der Vertragsparteien aber dahin, dass mit der vereinbarten Vergütung nur die vertraglich beschriebenen Leistungen abgegolten sein sollen.

Ob der Auftragnehmer verpflichtet ist, vor Beginn der Mangelbeseitigungsarbeiten auf eine anfallende Zusatzvergütung hinzuweisen, wie dies z.B. nach § 2 Nr. 6 VOB/B grundsätzlich für Zusatzaufträge vorgesehen ist, kann nicht allgemein beantwortet werden. Für den Regelfall ist allerdings davon auszugehen, dass die zur Verhinderung von Mängeln notwendigen Leistungsänderungen und zusätzlichen Maßnahmen und damit der Anfall zusätzlicher Kosten für den Auftraggeber auch bei einem rechtzeitigen Hinweis des Auftragnehmers nicht zu vermeiden sind. Trifft dies zu, so steht der Zusatzvergütung des Auftragnehmers auch ein unterlassener Hinweis nicht entgegen.

104 Der Anspruch des Auftragnehmers auf zusätzliche Vergütung wird erst nach Durchführung der Mangelbeseitigungsarbeiten fällig. Der Auftragnehmer kann daher die Nacherfüllung nicht von der vorangehenden Bezahlung einer Zusatzvergütung abhängig machen, wohl aber die Sicherstellung seines Anspruchs auf Zusatzvergütung verlangen. Verweigert der Auftraggeber die geforderte Sicherheit, kann der Auftragnehmer seinerseits die Nacherfüllung (Mangelbeseitigung) verweigern.

2.3.11 Falschleistung (Aliud-Leistung)

105 Gem. § 633 Abs. 2 Satz 3 BGB steht es einem Sachmangel gleich, wenn der Auftragnehmer eine andere als die beauftragte Leistung (aliud-Leistung) erbringt. Die aliud-Leistung wird so behandelt, wie wenn der Leistung vereinbarte Eigenschaften fehlen.

Beispiel

Nach der Baubeschreibung ist der Bauträger verpflichtet, die Wohnung des Käufers mit Holzparkett auszustatten. Tatsächlich wird ein Teppichboden verlegt. Dem Käufer stehen Mängelhaftungsrechte nach §§ 634 f. BGB zu.

Anders ist dies nach dem vor der Schuldrechtsreform geltenden Recht, d. h. für die bis 31.12.2001 abgeschlossenen Verträge. Für diese ist die Unterscheidung zwischen Falschleistung und mangelhafter Leistung von wesentlicher Bedeutung. Ein vom OLG Düsseldorf nach früherem Gewährleistungsrecht (§§ 633 f. BGB a.F.) entschiedener Fall verdeutlicht die Problematik.

Fall

Die Parteien vereinbarten die Lieferung von Dachziegeln anhand eines bei den Vertragsverhandlungen vorliegenden Musterziegels. Die Oberflächenglasur des Musters wies bei Tageslicht eine gleichmäßig azurblaue Farbe auf, ohne dass der rotbraune Farbton der Tonscherbe durchschimmerte; Risse in der Glasur waren nur in geringfügigem Umfang und lediglich bei genauem Hinsehen aus nächster Nähe zu erkennen. Die tatsächlich gelieferten Ziegel wiesen in der Glasur auffällige Risse auf. Teilweise schien die rote Farbe der Tonscherbe durch die Glasur, so dass die Ziegel einen ins Bräunliche changierenden Farbton hatten. Die Farbunterschiede waren auch aus großer Entfernung deutlich sichtbar, so dass die Dachfläche, von der Seite betrachtet, einen bräunlichen Farbton aufwies.

Entscheidung

Nach dem Urteil des OLG Düsseldorf erfüllten die gelieferten Ziegel nicht die vertraglich vereinbarten Gattungsmerkmale, es handelte sich um eine Aliud-Leistung. Die gelieferten Ziegel wichen von der Vorgabe des Vertrags, wonach azurblaue Ziegel zu liefern waren, so stark ab, dass sie nicht als die geschuldeten Ziegel anzusehen waren. Ob das allgemeine Erscheinungsbild des Dachs aus Sicht eines unvoreingenommenen Betrachters beeinträchtigt war, war nach der Entscheidung des OLG Düsseldorf unerheblich. Ebenso ließ es das Gericht dahingestellt, ob die Glasurrisse im Laufe der Zeit infolge der Bewitterung verschwinden würden.

OLG Düsseldorf, Urteil vom 25.2.2000 – 22 U 144/99 – BauR 2000, 1347

Fallen/Praxishinweis

Der entschiedene Fall zeigt die Schwierigkeiten, zwischen Falschleistung und der mangelhaften Leistung zu unterscheiden, wie dies nach §§ 633 f. BGB a.F., d. h. bei Vertragsschluss bis zum 31.12.2001, erforderlich ist. Ob eine Farbabweichung als so krass zu bezeichnen ist, dass sie als Falschlieferung gilt, oder die Leistung noch als mangelhafte Sache anzusehen ist, ist eine für die Beteiligten nur unsicher zu entscheidende Frage. Davon ist aber die weitere Vorgehensweise abhängig. Liegt nämlich eine Falschlieferung vor, weil es sich um eine extreme Farbabweichung handelt oder die Farbgebung von besonderer Bedeutung ist, kann der Auftraggeber nicht nach Gewährleistungsrecht (§§ 633 f. BGB a.F.) sondern nur nach § 326 BGB a.F. vorgehen. Ist die Farbabweichung dagegen nicht derart krass oder nur von geringerer Bedeutung, so ergeben sich die Rechte des Auftraggebers ausschließlich aus dem Gewährleistungsrecht.

Der Schwierigkeit, die Frage der Falschlieferung oder Mangelhaftigkeit der Sache richtig zu entscheiden, kann der Auftraggeber letztlich nur dann entgehen, wenn er die Sache behalten will. Er kann die Falschlieferung (unter Vorbehalt der vertragswidrigen Beschaffenheit der Sache) annehmen. Mit Abnahme wird nach hier vertretener Ansicht die Falschleistung zu einer mangelhaften Leistung, sodass jetzt in jedem Fall Gewährleistungsrecht zur Anwendung kommt.

Nach der Neufassung des Mängelbegriffs ist die vom OLG Düsseldorf festgestellte Farbabweichung in jedem Fall als Leistungsmangel zu behandeln. Das Mängelhaftungsrecht gem. §§ 634 f. BGB findet somit in jedem Fall Anwendung, unabhängig von Intensität und Bedeutung der Farbabweichung. Der Auftraggeber kann Minderung und (kleinen) Schadensersatz verlangen, ohne den Umweg über eine Abnahme wählen zu müssen. Dies ist insbesondere dann von Vorteil, wenn die Sache noch weitere Mängel aufweist und der Auftraggeber wegen dieser Mängel die Abnahme verweigern, gleichzeitig aber den kleinen Schadensersatzanspruch wegen der Farbabweichung in Anspruch nehmen will.

106 Im Gegensatz zur Neufassung von § 633 Abs. 2 Satz 3 BGB enthält die **VOB/B** i.d.F. 2002 keinen Hinweis auf die Aliud-Leistung. Daraus ergibt sich jedoch keine unterschiedliche Rechtslage. Nach Abnahme ist die Aliud-Leistung, nachdem sie der Auftraggeber als Vertragsleistung entgegengenommen hat, wie eine mangelhafte Leistung zu behandeln, die Mängelrechte ergeben sich für den Auftraggeber aus § 13 VOB/B. Vor Abnahme ist zwar zwischen der Falschleistung und der mangelhaften Leistung zu unterscheiden, diese Unterscheidung ist aber nur für das Verzugsrecht (§ 5 Nr. 4 VOB/B) von Bedeutung. Hinsichtlich der Anwendbarkeit des Mängelhaftungsrechts ist die Unterscheidung unerheblich. Auch die Aliud-Leistung ist eine vertragswidrige Leistung im Sinne von § 4 Nr. 7 Satz 1 VOB/B. Der Auftraggeber kann daher auch bei der Falschleistung nach § 4 Nr. 7 VOB/B vorgehen, also in derselben Weise wie bei einer mangelhaften Leistung.

2.3.12 Leistung in zu geringer Menge

107 **Erbringt der Auftragnehmer seine Leistung in zu geringer Menge,** ist dies gem. § 633 Abs. 3 BGB bei den ab 1.1.2002 abgeschlossenen BGB-Verträgen als Sachmangel zu behandeln. Der Auftraggeber kann die Rechte nach §§ 634 f. BGB geltend machen. Der Auftraggeber kann Nacherfüllung verlangen und nach erfolgloser Fristsetzung gem. §§ 634 f. BGB den Mangel auf Kosten des Auftragnehmers selbst beseitigen, die Vergütung mindern, vom Vertrag zurücktreten oder Schadensersatz verlangen. (Anmerkung: Die Anwendbarkeit der §§ 634 f. BGB vor Abnahme ist streitig. Soweit die Ansicht vertreten wird, dass §§ 634 f. BGB erst nach Abnahme Anwendung finden, kann der Auftraggeber vor Abnahme die Rechte aus §§ 280 f. BGB sowie §§ 323 f. BGB geltend machen.)

Wann eine Leistung in zu geringer Menge vorliegt, ist umstritten. Nach hier vertretener Ansicht ist es unerheblich, ob die Leistung in der Fläche nicht vollständig ausgeführt ist oder – bei mehreren Bauteilen, wie z. B. Fenstern – nicht in der nötigen Anzahl erstellt wird.

108 Für die bis zum 31.12.2001 abgeschlossenen BGB-Verträge muss dagegen für die Leistung in zu geringer Menge zwischen Nichterfüllung und mangelhafter Erfüllung unterschieden werden. Ist die Leistung des Auftragnehmers in größerem Umfang oder jedenfalls für örtlich gesonderte Flächen bzw. Räume oder hinsichtlich einzelner Leistungsgegenstände nicht erbracht, muss von einer teilweisen Nichterfüllung ausgegangen werden. Der Auftraggeber kann nicht nach Gewährleistungsrecht vorgehen. Seine Rechte richten sich vielmehr nach § 326 BGB a.F. Sind dagegen nur Randbereiche der Leistung nicht bearbeitet, handelt es sich also um eine „unsaubere" Ausführung, liegt ein Sachmangel vor und richten sich die Rechte des Auftraggebers nach § 633 f. BGB a.F.

109 Für **VOB-Verträge** ist § 633 Abs. 3 BGB wohl nicht anwendbar, auch nicht, soweit die VOB/B i.d.F. 2002 gilt. Eine Leistung in zu geringer Menge kann auch nicht als „vertragswidrige" Leistung i. S. von § 4 Nr. 7 VOB/B angesehen werden. Die Leistung in zu geringer Menge unterliegt daher nicht den Regeln der Mängelhaftung. Die Rechtsfolgen ergeben sich vielmehr aus § 5 Nr. 4 VOB/B.

3 Mängel der Architekten- und Ingenieurleistung

3.1 Überblick

Grundsätzlich gilt für den Architekten- und Ingenieurvertrag derselbe Mangelbegriff, wie für den Bauvertrag nach BGB. Grundlegende Voraussetzung, um die Mangelfreiheit oder Mangelhaftigkeit der Architektenleistung bzw. Ingenieurleistung zu klären, ist die Klärung des Auftragsumfangs. (Zur Haftung des Architekten bei Leistungen, zu denen sie vertraglich nicht verpflichtet sind vgl. BGH BauR 2001, 983.) Die vertraglichen Pflichten von Architekt und Ingenieur lassen sich nicht aus der HOAI entnehmen, sie ergeben sich aus den Vereinbarungen der Parteien. **110**

Was zu den vertraglichen Aufgaben des Architekten bzw. des Ingenieurs gehört, ist durch Auslegung des Architektenvertrags und nicht ohne weiteres aus dem einschlägigen Leistungsbild nach § 15 Abs. 1, Abs. 2 HOAI abzuleiten.

BGH, Urteil vom 19.12.1966 – VII ZR 233/95 – BauR 1997, 488

Architekt und Ingenieur schulden nicht das Bauwerk als solches, sondern einen durch den Vertrag konkretisierten Leistungsbeitrag. Mängel des Bauwerks sind nicht automatisch Mängel der Leistung des Architekten bzw. des Ingenieurs, sondern nur dann, wenn der Mangel durch fehlerhafte Planung, Bauüberwachung oder in anderer Weise durch den Architekten bzw. Ingenieur verschuldet ist.

Ein Mangel der Architektenleistung/Ingenieurleistung liegt z. B. vor, wenn

- der Eingabeplan nicht genehmigungsfähig ist,
- die Planung nicht den anerkannten Regeln der Technik entspricht,
- die Planung den Grundwasserstand nicht berücksichtigt,
- der Architekt die Planung nicht hinreichend an der Nutzungsabsicht des Bauherrn ausrichtet,
- auf Grund der Planung des Architekten eine mit dem Bauherrn vereinbarte Obergrenze für die Baukosten überschritten wird,
- der Architekt die finanziellen Möglichkeiten des Bauherrn nicht abklärt und seine Planung hierauf nicht einrichtet,
- der Sonderfachmann die erforderliche Wärmedämmung falsch berechnet,
- der Statiker die Bodenverhältnisse nicht berücksichtigt oder trotz erkennbar problematischer Bodenverhältnisse keine Bodenuntersuchung durchführen lässt.

Ein Mangel der Leistung des planenden Architekten liegt auch vor, wenn eine notwendige Planung nicht oder nur lückenhaft erstellt wird. **111**

Fall

Die beklagten Architekten waren mit Ausnahme der Leistungsphasen 1 bis 3, die ein anderer Architekt bereits erbracht hatte, mit den Grundleistungen nach § 15 HOAI für den Umbau und die Modernisierung eines mehrstöckigen Wohn- und Geschäftshauses beauftragt. Unter anderem sollten die im Haus vorhandenen Innenwände begradigt werden sowie Putze ausgebessert, durch Spachteln und Grundieren vorbereitet und anschließend tapeziert werden. Zu Beginn der Arbeiten wurde versucht, die Wände nach Entfernen von Farben und Klebstoffresten durch Spachteln auszugleichen. Da dies nicht Erfolg versprechend war, wurde der gesamte alte Putz entfernt und ein teurer, schnell trocknender Gipsputz aufgetragen. Die Bauherrn verlangen von den Architekten Schadensersatz mit dem Argument, diese hätten die Altbausanierung nicht richtig geplant, so dass auf Grund der dadurch verursachten Zeitnot nur noch eine bestimmte, teure Ausführung in Betracht gekommen sei.

Entscheidung

Nach dem Urteil des BGH waren die Architekten verpflichtet, die notwendige Sanierung zur Begradigung der Wände ausführungsreif zu planen und dann die erforderlichen Arbeiten auszuschreiben. Da sie dies unterlassen hatten, waren sie zum Schadensersatz verpflichtet. Auf die fehlerhafte Vorplanung konnten sie sich zu ihrer Entlastung nicht berufen. Sie schuldeten die Ausführungsplanung als eigene Leistung und durften die zuvor erstellte Planung nicht unbesehen übernehmen.

Wird eine von Anfang an ungeeignete Maßnahme geplant und ausgeschrieben und kommt als Ersatzmaßnahme infolge der Zeitnot später nur eine teurere als ursprünglich erforderliche Maßnahme in Betracht, so muss der Architekt Schadensersatz leisten. Der Schaden errechnet sich aus dem Unterschied der ursprünglich möglichen und preiswerteren Ausführung und der später erforderlichen teuren Ausführung. Ein in der Vorplanung liegender Mangel entlastete die Architekten nicht.

BGH, Urteil vom 18.5.2000 – VII ZR 436/98 – BauR 2000, 1217

3.2 Fehlende Genehmigungsfähigkeit der Planung

112 Der Architekt schuldet eine genehmigungsfähige Planung (BGH, Urteil vom 21. 12.2000 – VII ZR 488/99 – BauR 2001, 667). Sind in der Planung die nach Bauordnungsrecht erforderlichen Abstandsflächen zu Nachbargrundstücken nicht eingehalten, so haftet der planende Architekt dem Bauherrn selbst dann, wenn seine Planung zunächst von der Baubehörde genehmigt wird, sodann aber aufgrund eines Nachbarwiderspruchs ein Baustopp verhängt wird und Umbauarbeiten erforderlich werden (OLG Hamm, Urteil vom 26.11.1999 – 25 U 56/99 – Baurecht 2000, 1361). Der planende Architekt hat für die Genehmigungsfähigkeit seiner Planung auch insoweit einzustehen, als der Baubehörde bei der Prüfung der Genehmigungsfähigkeit ein Beurteilungsspielraum eingeräumt ist.

Eine Genehmigungsplanung für ein Vorhaben i.S.v. § 34 BauGB ist so zu erstellen, dass sie innerhalb des behördlichen Beurteilungsspielraums liegt.

BGH, Urteil vom 25.3.1999 – VII ZR 397/97 – BauR 1999, 1195

113 Bei bauplanungsrechtlichen oder bauordnungsrechtlichen Zweifelsfragen ist der Architekt gehalten, eine Bauvoranfrage einzureichen und die hierfür erforderlichen Leistungen zu erbringen. Will der Planer ohne Voranfrage eine weitergehende Planung erstellen, so ist der Bauherr zuvor eingehend auf die Bedenken hinsichtlich der Genehmigung, auf zu erwartende Schwierigkeiten, über die Möglichkeit, Zweifelsfragen durch Vorbescheid abzuklären sowie auf das andernfalls bestehende Risiko hinzuweisen, Entwurfs- und Genehmigungsplanung vergüten zu müssen, ohne eine genehmigungsfähige Planung zu erhalten, (OLG Düsseldorf Baurecht 2000, 1515). Erbringt der Architekt ohne Aufklärung und ohne Hinweis auf die Möglichkeit einer Bauvoranfrage die Genehmigungsplanung in nicht genehmigungsfähiger Form, kann das Vertrauen des Bauherrn in die Zuverlässigkeit des Architekten derart erschüttert sein, dass dem Bauherrn die Fortsetzung des Vertragsverhältnisses nicht mehr zugemutet werden kann (OLG Düsseldorf Baurecht 2000, 1515, 1517).

Das Einverständnis des Bauherrn mit einer objektiv fehlerhaften Planung entlastet den Architekten nur dann, wenn er den Bauherrn über das Risiko der Planung ausreichend aufgeklärt hat (OLG Hamm BauR 2003, 276) Dafür, dass eine ausreichende Aufklärung des Bauherrn erfolgt ist, ist vor Gericht der Architekt beweispflichtig.

Soll hinsichtlich der Eingabeplanung der Versuch unternommen werden, die Grenzen des Möglichen „auszureizen", muss der Architekt das Einverständnis des Bauherrn einholen, eine derart unsichere Planung zur Genehmigung einzureichen (BGH, Urteil vom 25.3.1999 – VII ZR 397/97 – BauR 1999, 1195). Ein entsprechendes Einverständnis des Bauherrn liegt noch nicht in der Unterzeichnung des Bauantrags (OLG Düsseldorf, Urteil vom 20.6.2000 – 21 U 162/99 – BauR 2000, 1515, 1516).

3.3 Technische Planungsmängel

114 Ein Planungsfehler liegt vor, wenn ihre Ausführung durch den Unternehmer notwendigerweise zu einem Mangel am Bauwerk führen muss (BGH NJW 1971, 92). Die Planung des Architekten muss sowohl den anerkannten Regeln der Technik als auch den geltenden bauordnungsrechtlichen und bauplanungsrechtlichen Vorschriften entsprechen (OLG Düsseldorf, Urteil vom 20.6.2000 – 21 U 162/99 – BauR 2000, 1515, 1516).

Wird aus Kostengründen anstelle einer sicheren, tauglichen Planung eine „Behelfslösung“ in Betracht gezogen, so ist der Architekt verpflichtet, dem Bauherrn umfassend und eingehend alle Risiken und Folgen darzulegen, die mit einer solchen Ausführung verbunden sind. Hätte die Behelfslösung zur Folge, dass andere Teile des Bauwerks nicht regelgerecht ausgeführt werden können, so darf der Architekt/Ingenieur eine solche Behelfslösung nicht zur Diskussion stellen (OLG Düsseldorf, Urteil vom 31.10.1996 – 5 U 33/96 – BauR 1998, 810).

115 Zu einer funktionstauglichen und mangelfreien Planung gehört, die Bodenverhältnisse und den Grundwasserstand zu berücksichtigen. In Gebieten mit relativ hohem Grundwasserstand gehört die Berücksichtigung der Grundwasserverhältnisse zu den zentralen Aufgaben des Planers Die Planung ist nach dem zu erwartenden höchsten Grundwasserstand auszurichten, dabei ist auch ein Grundwasserstand zu berücksichtigen, der nach langjähriger Beobachtung nur gelegentlich erreicht wurde (BGH, Urteil v. 14.2.2001 – VII ZR 176/99 – BauR 2001, 823).

Fall

Bei seiner Planung für die Errichtung eines Gebäudes berücksichtigte der Architekt den Grundwasserstand nicht. Die Kellersohle sowie die Brüstungshöhe der im Kellergeschoss gelegenen Fenster lagen unterhalb des höchsten Grundwasserstandes. Mangels Informationen über den Grundwasserstand hatte der Statiker die Bodenplatte in zu geringe Stärke berechnet. Schutzmaßnahmen gegen das Eindringen von Wasser wurden nicht getroffen. Aus diesem Grunde verlangte der Bauherr Schadensersatz vom Architekten.

Entscheidung

Nach der Entscheidung des OLG Düsseldorf war die Planungsleistung mangelhaft. Der Architekt war verpflichtet, den Grundwasserstand zu ermitteln und dem Statiker die entsprechenden Informationen für dessen Berechnungen zur Verfügung zu stellen. Allgemeine Regelungen in der Baugenehmigung und den Ausschreibungsunterlagen, was bei einem im Grundwasser stehenden Gebäude zu geschehen hat, ersetzen die dem Statiker zu gebenden Informationen nicht. Dem Kläger hätte bei seiner weiteren Planung auf Grund der Berechnungen des Statikers selbst auffallen müssen, dass die Bodenplatte nicht stark genug war. Dem Bauherrn stand daher ein Schadensersatzanspruch zu.

OLG Düsseldorf, Urteil vom 12.5.2000 – 22 U 191/99 – BauR 2001, 277

Rechtsprechungshinweis

Vgl. OLG Düsseldorf, Urteil vom 17. 3. 2000 – 22 U 142/99 – BauR 2000, 1358 (Bei der 1996 erstellten Planung war auch ein letztmals 1960 aufgetretener Grundwasserhöchststand zu berücksichtigen.)

116 Ist eine Abdichtung gegen drückendes Wasser erforderlich, so muss die Abdichtung mittels Dickbeschichtung grundsätzlich im Detail geplant werden. Die Planung muss dem ausführenden Unternehmer verdeutlichen, dass eine Abdichtung gegen drückendes Wasser vorzunehmen ist und sie muss die wichtigsten Maßnahmen verdeutlichen. Hiervon kann der Planer nur absehen, wenn er sich darauf verlassen kann, dass die notwendigen Maßnahmen auch ohne Hinweis ordnungsgemäß ausgeführt werden, dem Unternehmer insbesondere die Risiken der Ausführung bekannt sind (BGH, Urteil vom 15.6.2000 – BauR 2000, 1330, 1331).

3.4 Fehler bei der Auswahl der ausführenden Unternehmer

117 Grundsätzlich ist der Architekt verpflichtet, nur solche Firmen zur Vergabe auszuwählen, die hinreichend zuverlässig und leistungsfähig sind (BGH, Urteil vom 13.7.2000 – VII ZR 139/99 – Baurecht 2000, 1764). Für die fachliche Qualifikation ist nach der Rechtsprechung des BGH nicht entscheidend, ob ein Bauunternehmer für das zu vergebende Gewerk in die Handwerksrolle eingetragen ist. Die Auswahl eines Unternehmens, das für das betreffende Gewerk nicht in die Handwerksrolle eingetragen ist, begründet keine Pflichtverletzung des Architekten/Ingenieurs, wenn ausreichende Referenzen vorliegen, welche die fachliche Eignung des Unternehmens für die in Frage stehenden Arbeiten belegen. Maßgebend ist die Qualifikation des Bauunternehmens für die gerade zu vergebenden Arbeiten.

Wird der Ausbau von Dachgeschosswohnungen vergeben, so reicht es als Eignungsnachweis nicht aus, dass das für die Vergabe ausgewählte Unternehmen Dachdeckerarbeiten bei Einfamilienhäusern ausgeführt hat. Daraus kann nicht auf eine hinreichende Sachkunde des Unternehmens für einen Dachgeschossausbau geschlossen werden.

BGH, Urteil vom 13.7.2000 – VII ZR 139/99 – BauR 2000, 1762

118 Das Auswahlverschulden des Architekten bzw. Ingenieurs, der einen fachlich ungeeigneten Unternehmer auswählt, wird nicht dadurch beseitigt, dass der beauftragte Unternehmer im Nachhinein einen hinreichend fachkundigen Subunternehmer mit der Ausführung der Arbeiten beauftragt. (BGH, Urteil vom 13.7.2000 – VII ZR 139/99 – BauR 2000, 1762.) Allerdings wird in diesem Fall die Ursächlichkeit des

Vergabefehlers des Architekten für einen später aufgetretenen Mangel ausgeschlossen sein.

Leitsatz

Der Architekt ist bereits bei der Vergabe von Bauleistungen verpflichtet, die Leistungsfähigkeit der ausführenden Unternehmer daraufhin zu überprüfen, ob sie zur fristgerechten Leistung in der Lage sind.

Entscheidung

In dem vom BGH entschiedenen Fall hatte der Bauherr vorgetragen, die vom Baubetreuer mit Bauleistungen beauftragte Firma sei auf Grund ihres Personalbestandes von acht Mitarbeitern von vornherein nicht in der Lage gewesen, die Arbeiten fristgerecht auszuführen. Das mit der Beurteilung des Falles zunächst befasste KG Berlin war diesem Vortrag nicht nachgegangen und hatte keinen Beweis darüber erhoben. Nach seiner Meinung ist der Personalstand eines Unternehmens kein ausreichendes Indiz dafür, dass es die Arbeiten nicht fristgerecht ausführen kann.

Der BGH ging dagegen davon aus, dass sich der Architekt über die Mitarbeiterzahl der beauftragte Firma hätte vergewissern müssen. Eine Haftung des Architekten kam daher in Betracht, wenn die Mitarbeiterzahl nicht zur fristgerechten Erbringung der Leistung ausreichte. Hierüber war im entschiedenen Fall noch Beweis zu erheben.

BGH, Urteil vom 13.7.2000 – VII ZR 139/99 – BauR 2000, 1762

3.5 Fehler in der Zusammenarbeit mit dem Sonderfachmann

119 Fehlen dem Architekten die erforderlichen Fachkenntnisse, um Wasser- oder Bodenverhältnisse zutreffend zu beurteilen, muss der Architekt den Bauherrn darauf hinweisen, dass ein Sonderfachmann zu beauftragen ist. Der Architekt hat bei der Auswahl des Sonderfachmanns mitzuwirken und im Umfang, der von einem Architekten zu verlangenden allgemeinen Kenntnisse, die vom Sonderfachmann erbrachte Leistung zu überprüfen (BGH, Urteil vom 14.2.2001 – VII ZR 176/99 – BauR 2001, 823, 824).

Sonderfachleute, die vom Bauherrn eingeschaltet werden, hat der Architekt im Rahmen seiner Fachkenntnisse zu überwachen. Der Architekt hat für Fehler des vom oder für den Bauherrn beauftragten Sonderfachmanns einzustehen, wenn er einen ungeeigneten Sonderfachmann auserwählt oder vorschlägt, sowie Fehler nicht beanstandet und verhindert, die nach den von einem Architekten zu erwartenden Kenntnissen erkennbar sind (BGH, Urteil vom 19.12.1996 – VII ZR 233/95 – BauR 1997,488).

Der Architekt haftet für die fehlerhafte Tragwerksplanung des von ihm für den Bauherrn beauftragten Statikers, wenn der Fehler auf seinen unzureichenden Vorgaben beruht, wenn er einen unzuverlässigen Statiker ausgewählt hat oder wenn er Mängel der Statik nicht beanstandet, die für ihn nach den von ihm zu erwartenden Kenntnissen erkennbar waren.

BGH, Urteil vom 8. 5. 2003 – VII ZR 407/01 – BauR 2003, 1247/1248

Ein fehlerhaftes Verhalten des Architekten liegt vor, wenn er den Auftrag an den Sonderfachmann nicht hinreichend klar formuliert oder dem Sonderfachmann nur unzureichende Unterlagen und Informationen gibt. Der Architekt ist zu Rückfragen verpflichtet, wenn Pläne oder Berechnungen des Sonderfachmanns für den Architekten erkennbare Unrichtigkeiten oder auch nur Unklarheiten enthalten.

Fall

Der beklagte Architekt war mit Leistungen der Phasen 1 bis 7 nach § 15 Abs. 2 HOAI für ein Einkaufs- und Logistikzentrum mit zugehörender Tiefgarage beauftragt. Er wies im Zuge der Vorplanung auf die Notwendigkeit hin, einen Bodengutachter hinzuzuziehen und nannte den Bauherrn mehrere in Betracht kommende Gutachter. Nach dem Gutachten des vom Bauherrn ausgewählten Bodengutachters war kein drückendes Grundwasser zu erwarten, die vom Architekten gefertigte Baubeschreibung sah daher weder eine weiße noch schwarze Wanne vor. Nach Fertigstellung der Tiefgarage trat jedoch Wasser ein, das selbstständige Beweisverfahren ergab, dass die Bodenplatte wegen des vorhandenen drückenden Grundwassers nicht ausreichte. Der Bauherr machte hierfür auch den Architekten verantwortlich.

Entscheidung

Nach dem Urteil des BGH muss die Planung des Architekten grundsätzlich den notwendigen Schutz gegen drückendes Wasser vorsehen, die Planung der Abdichtung eines Bauwerks muss bei einwandfreier Ausführung zu einer fachlichen wichtigen, vollständigen und dauerhaften Abdichtung führen. Da die Planung des Architekten keine Abdichtung durch eine schwarze oder weiße Wanne enthielt, obwohl dies wegen des drückenden Grundwassers erforderlich war, war die Planung mangelhaft. Dass der Bauherr auf Anraten des Architekten einen Bodengutachter hinzugezogen hatte, entband den Architekten nicht von seiner eigenen Verantwortung. Eine Haftung des beklagten Architekten kam in Betracht, weil er nicht beanstandet hatte, dass vom Bodengutachter nur Bohrungen bis zu 3,2 m Tiefe trotz einer Gebäudetiefe von bis zu 4,8 m vorgenommen worden waren.

BGH, Urteil vom 14.2.2001 – VII ZR 176/99 – BauR 2001, 823

120 Dem mit der Planung beauftragten Architekten obliegt es, dem Statiker die für dessen Berechnung erforderlichen Angaben, z. B. über die Bodenverhältnisse und den Grundwasserstand, zur Verfügung zu stellen (OLG Düsseldorf, Urteil vom 12.5. 2000 – BauR 2001, 277, 279). Vom Statiker erstellte Berechnungen und Pläne hat der Architekt im Rahmen seines Fachwissens zu überprüfen, ob sie den Bodenverhältnissen hinreichend Rechnung tragen und mit den Vorgaben der Architektenpläne übereinstimmen.

121 Der Architekt darf von der Planung einer notwendigen Dampfbremse nicht allein deswegen absehen, weil diese vom Sonderfachmann für Wasser- und Entlüftungstechnik wegen einer vorgesehenen Querbelüftung der abgehängten Deckenkonstruktion für unnötig gehalten wird. Der Architekt muss sich vielmehr eine diffusionstechnische Berechnung des Sonderfachmanns vorlegen lassen und überschlägig prüfen, ob die örtliche Situation hinreichend berücksichtigt ist, ob die zu erwartende Feuchtigkeitsbelastung hinreichend quantifiziert ist und ob zudem eine ausreichende Entlüftung belegt ist (OLG Koblenz, Urteil vom 17.12.1996 – 3 U 1058/95 – BauR 1997, 502).

122 Sind die Abstandsflächen zu Nachbargrundstücken aufgrund eines Fehlers des Vermessungsingenieurs nicht eingehalten, so entlastet dies den Architekten nicht, wenn er den Vermessungsfehler hätte erkennen können. In diesem Fall besteht eine gesamtschuldnerische Haftung von Architekt und Vermessungsingenieur gegenüber dem Bauherrn (OLG Hamm, Urteil vom 26.11.1999 – 25 U 56/99 – BauR 2000, 1361).

3.6 Kostenüberscheitung

123 Aufgrund seiner Beratungspflicht ist der Architekt verpflichtet, den Bauherrn auf die Kosten der geplanten Maßnahmen hinzuweisen und ihn über die Entwicklung der Kosten zu informieren (OLG Braunschweig, Urteil vom 7.2.2002 – 8 U 10/01 – BauR 2003, 1066). Überschreitet das Bauvorhaben den vom Bauherrn geplanten Kostenrahmen, kommt eine Haftung des Architekten auf Schadensersatz in Betracht, wenn er eine **Kostengarantie** übernommen hat, einen verbindlichen Kostenrahmen schuldhaft nicht einhält oder schuldhaft seiner Verpflichtung zur Kostenkontrolle nicht nachgekommen ist.

124 Kostenangaben im Baugesuch sowie in den Abschlagsrechnungen des Architekten als „vorläufig" angegebene Kosten geben keinen zuverlässigen Hinweis auf die Vereinbarung eines verbindlichen Kostenrahmens.

Ist ein bestimmter Kostenrahmen vereinbart, steht dem Architekten nicht ohne weiteres ein Toleranzbereich zur Überschreitung der vereinbarten Bausumme zu. Vielmehr bedarf es hierfür besonderer Anhaltspunkte, dass die vereinbarte Bausumme keine strikte Grenze sein soll (BGH, Urteil vom 13.2.2003 – VII ZR 395/01 – BauR 2003, 1061, 1062).

Leitsatz

Die Planung des Architekten ist mangelhaft, wenn eine mit dem Besteller vereinbarte Obergrenze für die Baukosten überschritten wird. Ein Toleranzrahmen für die Planung kommt zu Gunsten des Architekten nur in Betracht, wenn sich im Vertrag hierfür Anhaltspunkte finden. Ist im Bauantrag eine Bausumme genannt, wird diese dadurch nicht zur Baukostenobergrenze.

Fall

Der Bauherr vereinbarte mit den Architekten eine Baukostenobergrenze von 2 Millionen DM. Im später erstellten Bauantrag, den der Bauherr unterzeichnete, waren die Baukosten dagegen mit 2.509.690,60 DM angegeben. Der Bauherr unterzeichnete den vom Architekten vorgelegten Bauantrag und leitete ihn an die Baubehörde weiter. Tatsächlich hätte die Verwirklichung der Planung Gesamtbaukosten in Höhe von 2.745.500 DM verursacht. Der Bauherr entzog dem Architekten den Auftrag mit der Begründung, die Planung sei mit den ihm zur Verfügung stehenden finanziellen Mitteln nicht zu realisieren. Die Planung sei daher unbrauchbar.

Entscheidung

Das mit dem Fall zunächst befasste Berufungsgericht hatte aus der Unterzeichnung des Bauantrags durch den Bauherrn gefolgert, dass die ursprüngliche Bauobergrenze von 2 Mio. DM auf die im Bauantrag angegebenen 2,5 Mio. DM angehoben worden sei. Dieser Betrag sei auch nicht als absolute Grenze zu verstehen. Daher liege die vom Sachverständigen errechnete Überschreitung von 9,4 Prozent innerhalb des Toleranzrahmens, der dem Architekten zuzubilligen sei. Aus der Sicht des Berufungsgerichts war die außerordentliche Kündigung des Bauherrn somit nicht gerechtfertigt.

Der BGH ist dieser Meinung nicht gefolgt. Dass ein Betrag von 2,5 Millionen DM im Bauantrag genannt war, führte nicht zu einer Anhebung der Baukostenobergrenze. Denn der vom Architekten erstellte Bauantrag diente nicht der Bestimmung der Kostenobergrenze. Der Bauantrag enthält regelmäßig keine für den Bauherrn bestimmte Willenserklärung des Architekten, auch nicht hinsichtlich der von ihm im Bauantrag eingetragenen Bausumme.

Der BGH billigte dem Architekten auch keinen Toleranzrahmen hinsichtlich der Baukosten zu. Die Planung des Architekten muss sich vielmehr strikt an eine vereinbarte Kostenobergrenze halten. Ein Toleranzrahmen kommt nach der Entscheidung des BGH nur in Betracht, wenn sich im Vertrag Anhaltspunkte dafür finden, dass die vereinbarte Bausumme keine strikte Obergrenze sein soll. Ohne solche Anhaltspunkte ist für einen Toleranzrahmen kein Raum.

BGH, Urteil vom 13.2.2003 – VII ZR 395/01 – BauR 2003, 1061

Fallen/Praxishinweis

Eine Kostenobergrenze bedarf der ausdrücklichen Vereinbarung der Parteien. Fehlt eine solche Vereinbarung, hat der Architekt allerdings bereits im Rahmen der Grundlagenermittlung die finanziellen Vorstellungen des Bauherrn zu ermitteln. Weiterhin muss er bei der Durchführung des Bauvorhabens die Kostenentwicklung im Auge behalten und den Bauherrn über die Kostenentwicklung informieren. Eine fehlende Fortschreibung der Baukosten begründet einen Anspruch des Bauherrn auf Schadensersatz, wenn der Bauherr rechtzeitige Information das Bauvorhaben nicht oder in kostengünstiger Form ausgeführt hätte (OLG Braunschweig Urteil vom 7.2.2002 – 8 U 10/01 – BauR 2003, 1066).

Dies ist insbesondere dann von Bedeutung, wenn der Bauherr im Laufe der Baudurchführung zusätzliche Wünsche oder Änderungswünsche äußert. Der Architekt ist verpflichtet, die Auswirkungen der Wünsche des Bauherrn auf die Kostenentwicklung zu untersuchen und den Bauherrn hierüber zu unterrichten. Der Bauherr muss die Gelegenheit haben, rechtzeitig zu entscheiden, ob er trotz einer Überschreitung des ursprünglich vorgesehenen Kostenrahmens Änderungs- und Zusatzwünsche ausführen lassen will.

Unterlässt der Architekt die rechtzeitige Kostenklärung oder Information des Bauherrn, kann dem Bauherrn ein Schadensersatzanspruch auch dann zustehen, wenn keine bestimmte Kostenobergrenze vereinbart ist. Ein erheblicher Verstoß gegen die Verpflichtung zur Kostenklärung oder Kostenüberwachung kann ein außerordentliches Kündigungsrecht des Bauherrn rechtfertigen.

125 Selbst wenn keine verbindliche Obergrenze der Baukosten vereinbart ist, ist der Architekt zur fortlaufenden Kostenkontrolle und Information des Bauherrn verpflichtet (OLG Braunschweig, Urt. vom 7.2.2002 – 8 U 10/01 – BauR 2003, 1066). Dem Architekten ist, wenn eine Kostenobergrenze nicht vereinbart ist, hinsichtlich der Kostenprognose ein gewisser Spielraum zuzugestehen. Diese verengt sich mit fortschreitendem Bauvorhaben umso mehr, je exakter die Baukosten jeweils vorausgeschätzt oder festgestellt werden können. Vom Bauherrn gewünschte Änderungen der Baumaßnahmen mit der Folge kostenträchtiger Zusatzarbeiten fallen dem Architekten nicht zur Last, wenn er den Bauherrn auf das absehbare Risiko der Baukostenüberschreitung infolge der Änderungsmaßnahmen hinweist.

126 Ein Schaden des Bauherrn liegt nur vor, wenn den aufgewendeten Baukosten kein entsprechender Gegenwert gegenübersteht (BGH, Urteil vom 25.3.1993 – X ZR 17/92 – NJW-RR 1993, 986). Wird das Bauwerk eigengenutzt oder steht die Eigennutzung des Bauwerks jedenfalls im Vordergrund, ist der dem Bauherrn zugewachsene Wert des Bauwerks nicht nach dem Ertragswertverfahren zu ermitteln. Maßgebend ist vielmehr der Sachwert des Bauwerks (OLG Stuttgart BauR 2000, 1893, 1895 m.w.N.). Dabei ist auch zu berücksichtigen, wenn ein Bauwerk nach dem Willen des Bauherrn derart individuell und aufwendig erstellt wurde, dass von vornherein nicht damit zu rechnen ist, dass der Kaufpreis die aufgewendeten Kosten erreichen wird.

Die Schadensersatzpflicht des Architekten bzw. Ingenieurs bei Kostenüberschreitung führt auch zu einer Begrenzung ihres Honoraranspruchs.

Leitsatz

Vereinbaren die Parteien eines Architekten- oder Ingenieurvertrags hinsichtlich der Bausumme eine Kostenobergrenze, dann bildet diese Summe auch die Obergrenze der anrechenbaren Kosten für die Honorarberechnung des Architekten.

BGH, Urteil vom 23.1.2003 – VII ZR 362/01 – BauR 2003, 566

127 Soweit eine drohende Baukostenüberschreitung noch verhindert werden kann, hat der Bauherr dem Architekten eine Frist zu setzen, um durch Planungsänderungen oder sonst geeignete Maßnahmen der drohenden Kostenüberschreitung zu begegnen. Für Verträge vor Inkrafttreten des Schuldrechtsmodernisierungsgesetzes, also vor dem 1.1.2002, bedarf es einer Frist mit Ablehnungsandrohung gem. § 634 BGB a.F. Hält der Bauherr trotz Kenntnis der Kostenentwicklung an der bisherigen Planung des Bauvorhabens fest oder verursacht er sogar noch weitere unnötige Kosten, so kann ein Schadensersatzanspruch des Bauherrn an der Ursächlichkeit der mangelhaften Kostenkontrolle für die erhöhten Kosten scheitern (OLG Stuttgart, Urteil vom 19.10.1999 – 10 U 89/97 – BauR 2000, 1893, 1895).

128 Den Bauherrn trifft die Darlegungs- und Beweislast für die Voraussetzungen des Schadensersatzanspruchs. (OLG Stuttgart, Urteil vom 19.10.1999 – 10 U 89/97 – BauR 2000, 1893.) Er trägt die Beweislast dafür, dass er infolge fehlender oder unzureichender Aufklärung über die Kostenentwicklung einen Schaden erlitten hat (OLG Braunschweig, Urteil vom 7.2.2002 – 8 U 10/01 – BauR 2003, 1066, 1068).

3.7 Bauaufsichtsfehler

129 Der Bauüberwacher ist nicht zu einer lückenlosen Überwachung der Bauarbeiten verpflichtet. Er muss sich nicht ständig auf der Baustelle aufhalten, die Arbeiten jedoch in angemessener und zumutbarer Weise überwachen (BGH, Urteil vom 9.11.2000 – VII ZR 362/99 – BauR 2001, 273). Er muss sich durch angemessene Kontrollen vergewissern, dass seine Anweisungen sachgerecht erledigt werden.

Bei wichtigen, für die Funktionsfähigkeit und den Bestand des Bauwerks wesentlichen Baumaßnahmen sowie bei Maßnahmen mit erfahrungsgemäß hohem Mängelrisiko ist der Bauüberwacher zu erhöhter Aufmerksamkeit und zu intensiver Wahrnehmung der Bauaufsicht verpflichtet (BGH, Urteil vom 18.5.2000 – VII ZR 125/99 – BauR 2000, 1514). Dies gilt besonders dann, wenn das Bauwerk nicht nach der eigenen Planung des Architekten, sondern nach den Plänen eines Dritten ausgeführt wird (BGH, Urteil vom 6.7.2000 – VII ZR 82/98 – BauR 2000, 1513).

Einer besonderen Überwachung bedürfen insbesondere

- Abdichtungs- und Isolierarbeiten,
- Arbeiten an der Dachkonstruktion und deren Verankerung,
- das Einbringen der Wärmedämmung bei Trockenbauarbeiten im Rahmen eines Dachausbaus,
- Beton- und Bewehrungsarbeiten,
- Fundamentarbeiten,
- schwierige Unterfangungsarbeiten.

130 Der mit der Bauüberwachung beauftragte Architekt hat bereits während der Ausführung dafür zu sorgen, dass das Bauwerk fachgerecht und mängelfrei errichtet wird. Der Bauüberwacher hat sich von der Ordnungsgemäßheit der Bauleistung frühzeitig zu vergewissern.

So ist vom OLG Celle (Urteil vom 23.5.2000 – 16 U 182/99 – BauR 2000, 1897) eine Pflichtverletzung des Bauleiters angenommen worden, weil der Bauüberwacher den Zustand einzubauender Fenster nicht bereits vor dem Einbau überprüfte. (Allerdings handelte es sich um den Einbau nicht unkompliziert konstruierter Fenster, wobei der Unternehmer zudem auf Zahlungsschwierigkeiten hingewiesen hatte und die Gefahr nachteiliger Konsequenzen für die Qualität der Arbeiten nicht fern lag.)

131 Auch wenn im Vertrag eine fachtechnische Abnahme vorgesehen ist, darf sich der Bauüberwacher nicht darauf verlassen, dass Mängel bei der noch ausstehenden fachtechnischen Abnahme erkannt werden (BGH, Urteil vom 23.10.1998 – VII ZR 91/97 – Baurecht 1999, 187, 189).

Rechtsprechungshinweis

Ist dem Architekten die Objektüberwachung übertragen, so ist er auch zur Überwachung solcher Baumaßnahmen verpflichtet, deren Planung und Überwachung der Bauherr einem Fachplaner überträgt. Dies gilt jedenfalls dann, wenn die Objektüberwachung hinsichtlich dieser Leistungen die vom Architekten zu verlangende Fachkenntnis nicht überschreitet.

OLG München, Urteil vom 19.6.2002 – 27 U 951/01 – BauR 2003, 278

132 Sind an Bauteilen bereits Mängel aufgetreten, so hat der Bauüberwacher den entsprechenden Arbeiten zukünftig besondere Aufmerksamkeit zu widmen. Kann die Mangelfreiheit einer Leistung nicht durch stichprobenartige Überprüfung sichergestellt werden, so muss der Architekt bei der Ausführung eines schwierigen Leistungsteils u. U. längere Zeit oder gar vollständig anwesend sein (OLG Düsseldorf, Urteil vom 31.10.1996 – 5 U 33/96 – BauR 1998, 810).

133 Bei Umbauten und Modernisierungen eines Gebäudes ist regelmäßig eine intensivere Bauaufsicht als bei Neubauten erforderlich, da häufig Probleme auftreten, die bei Beginn der Arbeiten nicht voraussehbar sind.

Leitsatz

Treten bei Bauarbeiten an einer Stelle der vorhandenen Altbausubstanz Probleme auf, so muss der Architekt den Bauherrn unverzüglich hierüber unterrichten und aufklären, inwieweit vergleichbare Probleme an anderen Stellen auftreten können, und ihn über mögliche Lösungen beraten.

Fall

Die beklagten Architekten waren mit den Grundleistungen der Leistungsphasen 1–9 nach § 15 HOAI für den Umbau und die Modernisierung eines Lohn- und Geschäftshauses beauftragt. Unter anderem waren Heizungsrohre zu verlegen. Bei der Verlegung der Heizungsrohre im Erdgeschoss stellten die Architekten fest, dass der Fußbodenaufbau mangelhaft war. Sie entschlossen sich zur Herausnahme des Fußbodenaufbaus im Erdgeschoss, nicht aber in den weiteren Geschossen, wo dies ebenfalls veranlasst gewesen wäre. Bei der Sanierung der Fußböden in den Obergeschossen ließ der Bauherr aus Zeitnot einen teuren Trockenestrich verlegen. Die durch den Einsatz des Trockenestrichs entstandenen Mehrkosten verlangte er von den Architekten ersetzt.

Entscheidung

Nach dem Urteil des BGH waren die Architekten verpflichtet, bei Auftreten der Probleme hinsichtlich des Fußbodenaufbaus im Erdgeschoss den Bauherrn unverzüglich über die nahe liegende Möglichkeit zu unterrichten, dass auch in den Obergeschossen der Fußbodenaufbau mangelhaft sein könnte. Da sie dies unterließen, waren sie dem Bauherrn für den daraus entstandenen Schaden, nämlich für Mehrkosten auf Grund einer erforderlichen Verwendung von Trockenestrich, ersatzpflichtig.

BGH, Urteil vom 18.5.2000 – VII ZR 436/98 – BauR 2000, 1217

134 Erweist sich ein Handwerker als zuverlässig und geschickt, so reduziert dies die Aufsichtspflicht des Architekten nicht. Hat sich ein Bauunternehmer als unzuverlässig erwiesen, so bedarf es einer besonders sorgfältigen Überwachung. Dies gilt auch dann, wenn der Architekt von vornherein vor der Beauftragung des Unternehmers wegen seiner Unzuverlässigkeit abgeraten hatte. Beauftragt der Bauherr den ausführenden Unternehmer mit einer von der Planung des Architekten abweichenden Ausführung der Leistung, so hat der Architekt auf die Risiken der Planabweichung hinzuweisen (BGH, BauR 1999, 681).

Im Rahmen der Bauaufsicht gem. § 15 Abs. 1 Nr. 8 HOAI hat der Architekt bzw. Ingenieur die technischen Unterlagen auf ihre Vollständigkeit und Richtigkeit sowie die Leistungen des ausführenden Unternehmers auf ihre Übereinstimmung mit den Plänen und den anerkannten Regeln der Technik zu überprüfen.

135 Soll der bauüberwachende Architekt nur auf besondere Anforderung des Bauherrn eine Tätigkeit entfalten, so muss er den Bauherrn dennoch darauf hinweisen, dass hinsichtlich der vorgesehenen Bitumendickbeschichtung besondere handwerkliche Fähigkeiten und Spezialkenntnisse des Bauunternehmers erforderlich sind, über die nicht jeder Bauunternehmer verfügt und die nicht immer zuverlässig angewendet werden. (OLG Hamm, Urteil vom 23.4.2002 – 21 U 56/01 – BauR 2003, 273)

136 Kommen neuartige, in der Praxis noch nicht hinreichend erprobte Materialien zum Einsatz, ist der Architekt im Rahmen der Bauüberwachung verpflichtet, sich umfassend über die Tauglichkeit des Materials zu informieren und den Bauherrn über ein verbleibendes Risiko aufzuklären. Die von einem Unternehmer behaupteten Spezialkenntnisse darf der Architekten nicht einfach unterstellen, sondern hat diese zu überprüfen, z. B. durch Anforderung von Referenzen (Brandenburgisches OLG, Urteil vom 11. 1. 2000 – 11 U 197/98 – BauR 2001, 283). Von einer Spezialfirma oder einem Sonderfachmann erstellte Planunterlagen und Anordnungen hat der Architekt insoweit zu prüfen, als ihm dies auf Grund der von ihm zu verlangenden Sachkenntnis möglich ist.

Fall

Dem Architekten war die Bauüberwachung gemäß Leistungsphase 8 nach § 15 Abs. 2 HOAI für einen Schwimmbadbau übertragen. Für Schwimmbecken und Fußböden kam eine Abdichtungsfolie zum Einsatz, deren Tauglichkeit zu diesem Zweck wissenschaftlich nicht gesichert und deren Einsatzfähigkeit in der Praxis nicht erprobt war. Daher kann es zu Durchfeuchtungsschäden, für welche der Bauherr den Architekten in Anspruch nahm. Dieser berief sich darauf, dass für den Schwimmbadbau eine Spezialfirma eingesetzt war.

Entscheidung

Nach dem Urteil des OLG Brandenburg hatte der Architekt seine Überwachungspflicht nicht hinreichend wahrgenommen. Da die Folie nicht den anerkannten Regeln der Technik entsprach, hätte sich der Architekt über die Brauchbarkeit der Folie, ihrer allgemeinen Anerkennung in der Praxis und ihren dortigen Einsatz, vergewissern müssen und zwar mit höchster Sorgfalt. Die Sorgfaltsanforderungen bei der Bauüberwachung sind umso höher, je wichtiger der Bauabschnitt für das Gelingen des Werkes sind. Den Isolierungs- und Abdichtungsarbeiten muss der Überwacher besondere Aufmerksamkeit widmen. Das grundsätzlich berechtigte Vertrauen in die Kompetenz eines Spezialisten nimmt dem Architekten nicht die Verpflichtung zur eigenverantwortlichen Kontrolle im Rahmen seiner Bauüberwachung.

OLG Brandenburg, Urteil vom 11.1.2000 – 11 U 197/98 – BauR 2001, 283

137 Tritt ein Baumangel auf, ist der Unternehmer unverzüglich zur Mängelbeseitigung zu veranlassen. Kommt der Unternehmer der Aufforderung zur Mängelbeseitigung nicht nach, so darf der Bauüberwacher dies nicht tatenlos hinnehmen. Er ist verpflichtet, die zur Begründung von Mängelrechten des Bauherrn erforderliche Frist zur Nacherfüllung zu setzen, ggf. – nämlich im Fall von § 4 Nr. 7 VOB/B – verbunden mit einer Kündigungsandrohung, Die Entscheidung darüber, welche Mängelrechte bei erfolglosem Ablauf der Frist ausgeübt werden, steht allerdings allein dem Bauherrn zu. Der Architekt hat ihn hierbei über die zur Verfügung stehenden Maßnahmen und deren Auswirkung insbesondere auf den Bauablauf zu beraten. Bei erheblicher Unzuverlässigkeit oder bei schwerwiegenden Mängeln, die eine ordnungsgemäße Vertragsabwicklung in Frage stellen, kann der Rat, den Vertrag zu kündigen (§ 4 Nr. 7 VOB/B) geboten sein (OLG Düsseldorf BauR 1988, 810).

Leitsatz

Zu Anordnungen, durch welche die vertraglich vereinbarte Leistung des Bauunternehmers nicht nur unerheblich geändert wird, ist der Bauleiter nur auf Grund besonderer Vollmacht berechtigt.

Fall

Der Bauunternehmer war im Rahmen von Sanierungsmaßnahmen beauftragt, im Keller eine waagerechte Abdichtung gegen Feuchtigkeit herzustellen. Der vom Bauherrn mit der Bauleitung beauftragte Ingenieur ordnete an, von der zunächst vereinbarten Abdichtung abzusehen und vereinbarte mit dem Bauunternehmer, lediglich Vliese auf dem Kellerboden zu verlegen. Nach Abschluss der Arbeiten rügte der Bauherr gegenüber dem Bauunternehmer das Fehlen der vereinbarten Feuchtigkeitsabdichtung. Er machte geltend, der Bauleiter sei zu einer Abänderung der vertraglich vereinbarten Arbeiten nicht bevollmächtigt gewesen.

Entscheidung

Nach der Entscheidung des BGH hätte der Bauleiter einer besonderen Vollmacht bedurfte, um den mit dem Bauunternehmer vereinbarten Leistungsumfang zu ändern. Da eine solche Vollmacht nicht vorlag, war der Bauleiter nicht zur Vertragsänderung berechtigt. Seine Anordnung, die Feuchtigkeitsabdichtung nicht auszuführen, führte zu keiner Änderung der Leistungsverpflichtung des Bauunternehmers. Der Bauunternehmer war nach wie vor verpflichtet, die vertraglich vereinbarte Abdichtung herzustellen. Der Unternehmer war daher zur Nachbesserung verpflichtet.

BGH, Urteil vom 18.1.2001, VII ZR 457/98, BauR 2001, 622, 623

Fallen/Praxishinweis

Selbst wenn der Architekt im Bauvertrag als „Vertreter des Bauherrn" bezeichnet wird, ist er nicht bevollmächtigt, die Leistungsverpflichtung des Auftragnehmers zu Lasten des Bauherrn in wesentlichem Umfang zu ändern. Anordnungen des Architekten, die zu einer erheblichen Leistungsänderung führen, sind in der Regel unwirksam. Vergewissert sich der Auftragnehmer vor Ausführung der Arbeiten nicht beim Bauherrn, dass dieser die Leistungsänderung genehmigt, so gerät er in Gefahr, dass ihn der Bauherr in Mängelhaftung nimmt.

Infolge der geänderten Ausführung fehlte in dem vom BGH entschiedenen Fall der Leistung des Bauunternehmers die vertraglich vereinbarte Beschaffenheit, seine Leistung war mangelhaft. In einem solchen Fall kann der Auftragnehmer vom Bauherrn im Wege der Mängelhaftung dahin in Anspruch genommen werden, dass er nachträglich (auf seine eigenen Kosten) den ursprünglich geschuldeten Leistungszustand herstellt. Allerdings kann der Bauunternehmer für die aufgewendeten Kosten Rückgriff beim Architekten nehmen. Beide haften nämlich dem Bauherrn als Gesamtschuldner gem. § 426 BGB. Im Innenverhältnis zwischen Bauunternehmer und Architekt trifft in der Regel den Architekten die Alleinschuld.

138 Muss der Architekt hinsichtlich eines von ihm festgestellten Mangels damit rechnen, dass er unter Umständen selbst für den Mangel verantwortlich ist, so hat er den Bauherrn hierauf hinzuweisen (BGH, Urteil vom 6.7.2000 – VII ZR 82/98 – BauR 2000, 1513, 1515; OLG Stuttgart, Urteil vom 20.6.2002 – 2 U 209/01 – BauR 2003, 1062 – rechtskräftig durch Zurückweisung der Nichtzulassungsbeschwerde des BGH mit Beschluss vom 27.3.2003 – VII ZR 268/02).

139 Behauptet der Bauherr eine ungenügende Bauüberwachung, so ist es Aufgabe des Architekten/Ingenieurs bzw. Baubetreuers den Umfang der durchgeführter Bauüberwachung darzulegen. In einem vom BGH mit Urteil vom 13.7.2000 (VII ZR 139/99 – BauR 2000, 1762) entschiedenen Fall hatte der Bauherr gerügt, dass die ausführende Firma die anerkannten Regeln der Technik nicht beachtet habe, wodurch es zu einem erheblichen Wasserschaden gekommen sei. Der Baubetreuer habe erst nach Schadenseintritt den ausführenden Unternehmer zur Mangelbeseitigung aufgefordert, obwohl die Mangelhaftigkeit der Arbeiten bereits Monate vorher erkennbar gewesen sei. Aus diesem Grund nahm der Bauherr den überwachenden Baubetreuer auf Schadensersatz in Anspruch. Nach der Entscheidung des BGH musste der Baubetreuer im Einzelnen darlegen, welche Überwachungsmaßnahmen er an welchen Tagen durchgeführt und wann er die Mangelhaftigkeitsarbeiten festgestellt hatte.

3.8 Objektbetreuung

140 Ist der Architekt mit der Leistung gemäß Leistungsphase 9 des § 15 HOAI beauftragt, so hat er während der Gewährleistungszeit des Auftragnehmers das Vorliegen von Mängeln festzustellen und deren Beseitigung zu veranlassen und zu überwachen. Ist der Architekt in der Beurteilung unsicher, muss er veranlassen, dass vom Bauherrn ein Sonderfachmann oder Sachverständiger beigezogen wird, oder dem Bauherrn die Durchführung eines selbstständigen Beweisverfahrens anraten (OLG Stuttgart, Urteil vom 20.6.2002 – 2U 209/01 – BauR 2003, 1062).

Nach einer Entscheidung des OLG Hamm (Urteil vom 9.1.2003 – 17 U 91/01 – BauR 2003, 567) ist der mit der Objektbetreuung gem. § 15 Abs. 2 Nr. 9 HOAI beauftragte Architekt nicht verpflichtet, während der Gewährleistungszeit der Unternehmer laufend oder wiederholt Begehungen durchzuführen, sondern nur einmal kurz vor Ablauf der Verjährungsfrist.

Droht die Verjährung von Mängelansprüchen, so hat der mit den Leistungen gemäß Leistungsphase 9 des § 15 HOAI beauftragte Architekt den Bauherrn auf die erforderliche Prüfung (durch einen Rechtsanwalt) hinzuweisen.

Soweit hinsichtlich der Gewährleistungsfristen Rechtsfragen auftreten, muss der Architekt nicht selbst in schwierige rechtliche Prüfungen eintreten, den Auftraggeber aber auf Zweifel hinsichtlich des Verjährungsbeginns oder des Ablaufs der Verjährung hinweisen. Zweifel an der Auslegung von Vertragsbestimmungen und bei der rechtlichen Bewertung von Tatsachen sind dem Bauherrn zur Kenntnis zu bringen und ihm anzuraten, sich anwaltlicher Hilfe zu bedienen.

Hat der Architekt die Verjährungsfristen für Mängelansprüche nicht aufgelistet und/oder hierüber den Bauherrn nicht aufgeklärt, so trägt er die Beweislast dafür, dass der Bauherr auch bei rechtzeitigem Hinweis die Verjährung hätte eintreten lassen.

OLG Stuttgart, Urteil vom 20.6.2002 – 2 U 209/01 – BauR 2003, 1062

3.9 Gutachterliche Tätigkeit

141 Der als Privatgutachter eingeschaltete Architekt und Ingenieur haftet nicht nur für ein unrichtiges Gutachten, sondern bereits dann, wenn er beweiserhebliche Tatsachen nicht beweissicher festhält. Die Befundtatsachen, die einem Privatgutachten zu Grunde liegen, sind entsprechend nachfolgender Entscheidung des OLG Celle eindeutig zu dokumentieren, insbesondere wenn das Privatgutachten erkennbar zur Vorbereitung eines Prozesses erstellt wird.

Fall

Als während eines Bauvorhabens auf dem Nachbargrundstück Risse am Gebäude des Auftraggebers auftraten, bestellte der Geschädigte bei dem Beklagten ein Privatgutachten. Als drei Jahre später ein gerichtliches Gutachten zur Frage eingeholt werden sollte, ob die Gebäuderisse auf die Bauarbeiten zurückzuführen waren, konnte der Gerichtsgutachter keine ausreichenden eigenen Feststellungen mehr treffen. Die im Privatgutachten unzulänglich dokumentierten Befundtatsachen reichten für die gerichtliche Begutachtung nicht aus. Die vom Geschädigten erhobene Klage wurde daher abgewiesen.

Entscheidung

Für den Privatgutachter lag es nahe, dass sich die Beweislage hinsichtlich der Ursächlichkeit der Bauarbeiten für die aufgetretenen Gebäuderisse im Laufe der Zeit erheblich verschlechtern würde. Er war daher verpflichtet, die maßgeblichen Befundtatsachen beweiskräftig zu dokumentieren. Da er dies unterlassen hatte, war das Gutachten mangelhaft mit der Folge, dass der Privatgutachter die Kosten des von seinem Auftraggeber erfolglos geführten Zivilprozesses zu tragen hatte.

OLG Celle, Urteil vom 29.5.2000 – 4 U 45/100 – BauR 2000, 1898

4 Die Haftung des Auftragnehmers für fremde Mangelursachen

Der Auftragnehmer ist grundsätzlich für die Vertragsgemäßheit seiner Leistung verantwortlich. Er haftet für Ausführungsfehler, die er selbst begangen hat oder die seine Subunternehmer begangen haben. Für Fehler des zur Ausführung verwendeten Materials hat er im Rahmen seiner verschuldensunabhängigen Haftung selbst dann einzustehen, wenn er den Fehler nicht erkennen konnte. Dass Lieferanten nicht Erfüllungsgehilfen des Auftragnehmers sind, begrenzt seine Haftung für Materialfehler nur insoweit, als es den verschuldensabhängigen Schadensersatzanspruch betrifft. **142**

Die Haftung für eingesetzte Subunternehmer trägt der Auftragnehmer insoweit, als sie in Ausführung seines Auftrags tätig werden. Führen Subunternehmer an einem Bauwerk Arbeiten auch für den Auftraggeber aus, so können dabei verursachte Mängel dem Auftragnehmer nicht angelastet werden. Dies ist insbesondere von Bedeutung beim Erwerb vom Bauträger, wenn Käufer einen Handwerker des Bauträgers mit der Ausführung von Sonderwünschen im eigenen Namen beauftragen.

Fall

Der Käufer einer schlüsselfertig zu errichtenden Eigentumswohnung beauftragte den Fliesenleger des Bauträgers im eigenen Namen und auf eigene Rechnung mit der Ausführung eines Sonderwunsches. Statt der im Kaufvertrag vorgesehenen Fliesen sollten andere Fliesen verlegt werden. Bei der Endabrechnung berechnete der Bauträger dem Käufer unverändert den vollen Kaufpreis, ohne eine Gutschrift für die Fliesenarbeiten zu erteilen, und rechnete auch mit der Fliesenlegerfirma unverändert den Grundpreis für die Fliesenarbeiten ab. Der Käufer entrichtete an den Fliesenleger nur die Differenz zwischen neuem und ursprünglichem Materialpreis. Als sich Mängel am verlegten Fliesenbelag zeigten, nahm der Käufer den Bauträger auf Mängelhaftung in Anspruch. Dieser bestritt seine Haftung unter anderem mit dem Hinweis auf den vom Käufer im eigenen Namen erteilten Sonderwunschauftrag.

Entscheidung

Nach dem Urteil des OLG Celle hat der Bauträger bei Sonderwünschen für Mängel der geänderten Leistung insoweit einzustehen, als die Mangelursache nicht allein in der Leistungsänderung liegt. Liegt die Mangelursache z. B. in der Materialbeschaffenheit der vom Käufer als Sonderwunsch ausgewählten Fliesen, so trifft den Bauträger keine Verantwortung. Liegt die Mangelursache jedoch z. B. in der durch den Sonderwunsch nicht veränderten Art der Verlegung des Bodens, so wird die Haftung des Bauträgers durch den Sonderwunsch nicht berührt. In dem vom OLG Celle entschiedenen Fall waren für die aufgetretenen

Mängel fehlerhafte Vorarbeiten anderer Subunternehmer des Bauträgers ursächlich, die Materialwahl des Käufers war auf die Entstehung der Mängel nicht von Einfluss. Der Bauträger hatte daher die Haftung für die aufgetretenen Mängel zu übernehmen.

OLG Celle, Urteil vom 10.12.1997 – 6 U 208/96 – BauR 1998, 802

Fallen/Praxishinweis

Den Bauträger würde keine Mängelhaftung treffen, wenn im Rahmen des Sonderwunsches die gesamten Fliesenarbeiten einschließlich der Verlegearbeiten und der Vorarbeiten aus dem Vertragsverhältnis zwischen Bauträger und Käufer herausgenommen und in vollem Umfang vom Käufer als Sonderwunsch im eigenen Namen an die Handwerker beauftragt worden wären. Dies hatte im entschiedenen Fall der Bauträger auch behauptet, jedoch nicht beweisen können. Das OLG Celle schloss unter anderem aus der trotz des Sonderwunsches unveränderten Abrechnung des Bauträgers mit Käufer und Fliesenleger, dass Gegenstand des Sonderwunsches nur die Wahl teurerer Materialien war.

Soweit der Fliesenleger u. U. seine Verpflichtung verletzte, die Vorarbeiten anderer Subunternehmer auf ihre Ordnungsgemäßheit zu überprüfen, ging dies nach der Entscheidung des OLG Celle nicht zu Lasten des Käufers. Denn die Prüfungspflicht des Fliesenlegers hatte nichts damit zu tun, dass der Käufer sich für einen teureren Bodenbelag als im Vertrag vorgesehen entschieden hatte.

Eine Besonderheit stellt nachfolgender Fall der Haftung des Bauträgers für Eigenleistungen der Erwerber dar. Ergeben sich aus Eigenleistungen bzw. Sonderwünschen einzelner Erwerber Mängel am Gemeinschaftseigentum oder dem Sondereigentum anderer Erwerber, so stellt sich die Frage, inwieweit der Bauträger hierfür einzustehen hat.

Fall

Nach den Feststellungen des gerichtlichen Sachverständigen waren Luftschall- und Trittschallschutz der Haustrennwand in dem von den Klägern erworbenen Reihenhaus mangelhaft. Der Bauträger berief sich darauf, die Schallmängel seien durch Eigenleistungen der Erwerber des Nachbarhauses verursacht worden, nämlich durch eine fehlerhafte Ausführung von Bodenbelagsarbeiten und eine fehlerhafte Montage der Innentreppe im Nachbarhaus. Dafür hafte er nicht.

Entscheidung

Das OLG Hamm folgte der Argumentation des Bauträgers nicht und begründete dies wie folgt: Bei einer vom Bauträger errichteten Reihenhausanlage können die zum Erreichen des erforderlichen Schallschutzes notwendigen Baumaßnahmen nicht getrennt für jedes Haus beurteilt werden. Ein ordnungsgemäßer

Schallschutz im Verhältnis zu den angrenzenden Nachbarhäusern ist bei Reiheneigenheimen nur dann gewährleistet, wenn auch in den angrenzenden Bauteilen die notwendigen Anforderungen an den Schallschutz eingehalten werden. Ist dies nicht der Fall, so liegt dies noch in der Verantwortung des Bauträgers, der auch die angrenzenden Gebäude errichtet. Dass die Beeinträchtigung des Schallschutzes durch Eigenleistungen der Erwerber des benachbarten Reihenhauses hervorgerufen ist, entlasse den Bauträger nicht aus seiner Haftung. Im Verhältnis zu den beeinträchtigten Erwerbern in einer Reihenhaus- oder Wohnungseigentumsanlage sei es unerheblich, ob der Bauträger seine Vertragspflichten zur Herstellung eines mangelfreien Bauwerks selbst, durch Subunternehmer oder dadurch erfüllt, dass er den Erwerbern angrenzender Gebäude oder Gebäudeteile bestimmte Leistungen in Eigenregie durchführen lässt.

OLG Hamm, Urteil vom 8.3.2001 – 21 U 24/100 – BauR 2001, 1262, 1265

Fallen/Praxishinweis

Für fehlerhafte Eigenleistungen eines Erwerbers (Käufers) in einer Reihenhausanlage oder Wohnungseigentumsanlage, haftet der Bauträger gegenüber den beeinträchtigten Erwerbern. Der Bauträger hat für ein mangelfreies Werk einzustehen. Diese Verpflichtung trifft ihn auch, wenn der Leistungserfolg vom Verhalten Dritter (hier vom Verhalten einzelner Erwerber) abhängt. Der Bauträger muss sich bei genehmigten Eigenleistungen von Erwerbern darum kümmern, ob diese sachgerecht ausgeführt werden, so dass keine Beeinträchtigungen der anderen Erwerber entstehen können. Seine Mängelhaftung ist insoweit verschuldensunabhängig. Er haftet gegenüber den geschädigten Erwerbern somit auch für nicht offenkundige, sondern erst bei einer näheren Untersuchung erkennbare Fehler der Eigenleistung.

Der Bauträger haftet auch für einen ungenehmigten, ohne sein Wissen erfolgten Eingriff von Erwerbern in das Gemeinschaftseigentum, solange er seine Herstellungsverpflichtung hinsichtlich des Gemeinschaftseigentums noch nicht erfüllt hat. Seine Herstellungspflicht endet erst mit Abnahme des Gemeinschaftseigentums.

143 Die Mängelhaftung des Auftragnehmers wird nicht dadurch ausgeschlossen, dass ein Mangel auf die Leistungsbeschreibung oder auf Anordnungen des Auftraggebers, auf die von diesem gelieferten oder vorgeschriebenen Stoffe oder Bauteile oder auf die Beschaffenheit der Vorleistung eines anderen Unternehmers zurückzuführen ist. Der Auftragnehmer ist im Rahmen seiner Mängelhaftung verpflichtet, alles zu unternehmen, um schädliche Einflüsse dieser Art von seiner Leistung fernzuhalten. Er hat daher die Vorleistung anderer Unternehmern, die Anordnungen des Auftraggebers und die von dem Auftraggeber vorgeschriebenen oder beigestellten Materialien auf ihre Tauglichkeit zu überprüfen. Dies ist Teil seiner Herstellungspflicht.

Aus diesem Grund entfällt die Mängelhaftung des Auftragnehmers hinsichtlich solcher vom Auftraggeber oder anderen Baubeteiligten gesetzten Mangelursachen nur dann, wenn der Auftragnehmer die außerhalb seiner Leistung liegenden Mangelursachen nicht abwehren kann, weil er sie nicht erkennen kann, oder wenn er bei erkennbaren Mängelrisiken seiner Prüfungs- und Hinweispflicht gegenüber seinem Auftraggeber genügt. Diese Haftungsfreistellung des Auftragnehmers folgt bei vereinbarter VOB/B aus § 13 Nr. 3 VOB/B. Das gesetzliche Werkvertragsrecht enthält keine entsprechende Bestimmung. Im Ergebnis entspricht die Rechtslage für den BGB-Vertrag jedoch der in § 13 Nr. 3 VOB/B enthaltenen Regelung. Dies wird für den BGB-Vertrag aus allgemeinen Rechtsgrundsätzen abgeleitet, insbesondere unter Berücksichtigung von § 645 BGB.

Kommt der Auftragnehmer seiner Prüfungs- und Hinweispflicht nicht nach, haftet er für den dadurch entstehenden Mangel. Allerdings kann er dem Auftraggeber seine Mitverantwortung entgegenhalten. Dies hat zur Folge, dass der Auftragnehmer für Mangel und Mangelfolgen nur in Höhe der Quote haftet, die seinem Mitverantwortungsanteil entspricht. Dem Bauherrn sind jedoch die vom Vorunternehmer gesetzten Mangelursachen nicht als Mitverschulden zuzurechnen (OLG Bremen, Urteil vom 15.2.2001 – 5 U 69/00 c – BauR 2001, 1599, 1602).

144 Vorleistungen i. S. v. § 13 Nr. 3 VOB/B sind solche Leistungen anderer Unternehmer, auf die der Auftragnehmer mit seiner Leistung notwendigerweise aufbaut.

Beispiel

Für den Fliesenleger ist der von einem anderen Unternehmer eingebrachte Estrich, auf dem der Fliesenleger den Belag zu verlegen hat, Vorleistung i. S. v. § 13 Nr. 3 VOB/B. Der Fliesenleger ist daher verpflichtet, den Estrich auf notwendige Dehnungsfugen zu untersuchen.

BGH, Urteil vom 7.6.2001 – VII ZR 491/99 – BauR 2001, 1414

Beispiel

Wird bei moorigem Untergrund ein Bodenaustausch durchgeführt, sind die hierfür erforderlichen Arbeiten Vorleistungen für den Unternehmer, der die Fundamentarbeiten ausführt. Er ist verpflichtet zu überprüfen, ob der neu eingebrachte Boden ordnungsgemäß verdichtet ist.

OLG Bremen, Urteil vom 15.2.2001 – 5 U 69/100 c – BauR 2001, 1599/1601

§ 13 Nr. 3 VOB/B sowie die entsprechenden Grundsätze für den BGB-Vertrag können nicht erweiternd ausgelegt werden. Der Auftragnehmer ist daher insbesondere nicht verpflichtet, für Schadensursachen einzustehen, die durch zeitlich nachfolgende Bauunternehmer gesetzt werden, die ihrerseits auf der Leistung des Auftragnehmers aufbauen.

145 Anordnungen des Auftraggebers gem. § 13 Nr. 3 VOB/B sind verbindliche Vorgaben des Auftraggebers zur Leistungsausführung. Sie können sich auf Material, Konstruktion oder auf sonstige Umstände der Leistungsausführung beziehen. Die Anordnung des Auftraggebers kann auf verschiedenste Weise erfolgen, z.B. durch die Vorlage von Plänen, im Leistungsverzeichnis, durch die vertragliche Baubeschreibung, technische Berechnungen u.Ä. Dem Auftraggeber wird auch die Planung seines Architekten als Anordnung zugerechnet. Der fehlerhaften Anordnung bzw. Planung des Auftraggebers steht die lückenhafte Planung gleich.

Beispiel

Dem Auftragnehmer war die Herstellung einer Schneefanganlage übertragen. In der Planung war nicht angeben, wieviele Stützen pro laufendem Meter Schneefanggitter angebracht werden mussten, ebenso war der Abstand der Stützen nicht angegeben. Der Auftragnehmer legte die Zahl der Stützen selbst fest, jedoch fehlerhaft. In dem gegen ihn geführten Rechtsstreit verteidigte er sich mit der Lückenhaftigkeit des Leistungsverzeichnisses.

Entscheidung

Nach der Entscheidung des OLG Dresden lag eine fehlerhafte, weil lückenhafte Planung vor. § 13 Nr. 3 VOB/B war daher im Grundsatz anzuwenden. Der Bauherr musste sich die Lückenhaftigkeit des Leistungsverzeichnisses als Mangelursache zurechnen lassen. Dies entlastete jedoch den ausführenden Unternehmer nicht in vollem Umfang, da dieser die Lückenhaftigkeit der Planung erkennen konnte, auch tatsächlich erkannt hatte, und verpflichtet gewesen wäre, dem Auftraggeber die Lückenhaftigkeit des Leistungsverzeichnisses mitzuteilen, um eine Ergänzung der Planangaben herbeizuführen. Da er stattdessen die fehlenden Planungsangaben selbst und zwar in fehlerhafter Weise ergänzt hatte, haftete er für die Mangelhaftigkeit seiner Leistung. Das Mitverschulden des Auftraggebers wurde vom OLG Dresden mit 1/3 angesetzt.

OLG Dresden, Urteil vom 29.11.1999 – 17 U 1606/99 – BauR 2000, 1341

Fallen/Praxishinweis

Im entschiedenen Fall hatte der Auftragnehmer mehr geleistet, als er verpflichtet gewesen wäre. Gerade dadurch ist er in die Haftung geraten. Die Lückenhaftigkeit der Planung führte nicht zur Verpflichtung des Auftragnehmers, selbst planerisch tätig zu werden. Ihm oblag nur die Hinweispflicht entspr. § 4 Nr. 3 VOB/B.

Die Hinweispflicht des Auftragnehmers besteht nur darin, dass der Auftragnehmer auf fehlende oder fehlerhafte Planungsvorgaben hinweisen muss. Vorschläge zur Behebung der Planungsmängel muss er nicht vorlegen. Macht er aber Vorschläge oder ergänzt bzw. korrigiert er den Plan, so haftet er für die Richtigkeit seiner Ergänzung bzw. Korrektur.

146 Nach § 13 Nr. 3 VOB/B sind ausschließlich verbindliche Vorgaben des Auftraggebers, auch Änderungsanordnungen zu berücksichtigen, die der Auftragnehmer entsprechend § 4 Nr. 1 Abs. 3 VOB/B zu befolgen hat. Bloße Vorschläge, Anregungen und Wünsche des Auftraggebers reichen nicht aus. Kommt der Auftragnehmer unverbindlichen Anregungen oder Wünschen des Auftraggebers nach und erweisen sich diese als fehlerhaft, ist der Auftragnehmer für dadurch entstehende Mängel verantwortlich. Ob er dem Auftraggeber in diesem Fall eine Mitverantwortung an dem Entstehen des Mangels entgegenhalten kann, ist nach den jeweiligen Umständen zu beurteilen. Eine Mitverantwortung des Auftraggebers auf Grund unverbindlicher Wünsche und Anregungen scheidet jedenfalls dann aus, wenn der Auftraggeber auch für den Auftragnehmer ersichtlich nicht fachkundig ist.

§ 13 Nr. 3 VOB/B findet auch keine Anwendung, wenn Auftraggeber und Auftragnehmer einvernehmlich die Art und Weise der Ausführung festlegen oder wenn die Leistungsbeschreibung allein vom Auftragnehmer erstellt und vom Auftraggeber nur übernommen wird. In beiden Fällen liegt keine „ Anordnung" des Auftraggebers gem. § 13 Nr. 3 VOB/B vor.

Vom Auftraggeber vorgeschrieben sind diejenigen Stoffe und Bauteile, die er bindend vorgibt, so dass dem Auftragnehmer keine Wahl hinsichtlich des Materials verbleibt.

Bindend vorgeschrieben sind im Leistungsverzeichnis enthaltene Material- und Leistungsangaben, soweit dem Auftragnehmer kein Wahlrecht (z.B. durch den Zusatz: „oder gleichwertig") eingeräumt ist. Vorgeschrieben sein können exakt bezeichnete Produkte oder einzelne Eigenschaften des Materials. Nicht vorgeschrieben sind solche Stoffe und Bauteile, deren Verwendung der Auftragnehmer selbst vorschlägt, oder deren Verwendung der Auftraggeber dem Auftragnehmer freigestellt hatte.

147 Die Haftung des Auftragnehmers ist entsprechend § 13 Nr. 3 VOB/B soweit eingeschränkt, wie die bindende Vorgabe des Auftraggebers reicht und kann nur in diesem Umfang Grundlage einer Haftungsbegrenzung entsprechend § 13 Nr. 3 VOB/B sein. Eine Anordnung des Auftraggebers, einen exakt bezeichneten Baustoff zu verwenden, verlagert nach der Rechtsprechung des BGH das Mangelrisiko aus der Verwendung dieses Stoffes nicht auf den Auftraggeber, wenn der vorgeschriebene Baustoff generell zur Verwendung geeignet ist, im Einzelfall jedoch ein Ausreißerfehler vorliegt. (Vgl. hierzu kritisch Kleine-Möller/Merl, Handbuch des privaten Baurechts, § 12 Rdn. 123.)

Fall

Der Bauunternehmer war beauftragt, den Rohbau für ein Wohn- und Geschäftshaus zu erstellen. An der Fassade aus Sichtbetonsteinen zeigten sich später Verfärbungen, die durch eisenhaltigen, oxydierenden Kies in den Betonsteinen entstanden sind. Der Unternehmer hatte die Steine entsprechend dem Leistungsverzeichnis des Bauherrn von der dort bezeichneten Firma bezogen. Der Bauherr nahm den Unternehmer wegen der Fassadenmängel in Anspruch.

Entscheidung

Die Mängelhaftung des Bauunternehmers war nach der Entscheidung des BGH nicht eingeschränkt, wenn die im LV vorgeschriebenen Sichtbetonsteine generell für die Bauausführung geeignet waren. Für Ausreißerfehler verbleibe die Haftung beim Bauunternehmer, da der Auftraggeber gezwungen sei, die Leistung in ihrer wesentlichen Gestalt zu beschreiben. Da der Auftraggeber im entschiedenen Fall das zu verwendende Material nur allgemein bestimmt hatte, übernahm er das Mangelrisiko nur für die generelle Eignung des Materials.

BGH, Urteil vom 15.3.1996 – VII ZR 34 /95 – BauR 1996, 702

148 Vom Auftraggeber entsprechend § 13 Nr. 3 VOB/B geliefert sind solche Stoffe und Bauteile, die der Auftraggeber zur Verwendung an die Baustelle verbringt oder für den Auftragnehmer in anderer Weise bereitstellt. Hinsichtlich der vom Auftraggeber gelieferten Stoffe und Bauteile ist unerheblich, ob der Auftraggeber zur Lieferung vertraglich verpflichtet ist oder aus freien Stücken liefert. § 13 Nr. 3 VOB/B ist nicht nur dann einschlägig, wenn der Auftraggeber die Verwendung des gelieferten Materials verlangt, sondern auch dann, wenn er dem Auftragnehmer die Verwendung des gelieferten Materials freigestellt hat.

Von § 13 Nr. 3 VOB/B nicht erfasst werden die Fälle, in denen Dritte die Leistung des Auftragnehmers beschädigen.

Beispiel

Bei der Durchführung von Schlosserarbeiten entsteht Funkenflug, dadurch werden vom Auftragnehmer bereits gesetzte Fenster beschädigt.

Durch **Dritte verursachte Schäden** an der Leistung des Auftragnehmers (auch durch andere Handwerker), fallen unter die Risikohaftung des Auftragnehmers, wenn seine Leistung zum Zeitpunkt des Schadenseintritts noch nicht vom Auftraggeber abgenommen ist. Schäden, die der Bauleistung des Auftragnehmers vor Abnahme zugefügt werden, sind Mängel nach § 633 Abs. 2 BGB bzw. § 13 Nr. 1 VOB/B. Der Auftraggeber kann vom Auftragnehmer Beseitigung der Schäden verlangen und sonstige Mängelrechte geltend machen, auch wenn der Auftragnehmer am Schadenseintritt völlig unbeteiligt ist und ihn nicht verhindern konnte. Erst nach Abnahme trägt der Auftraggeber das Risiko der Beschädigung der Leistung durch Dritte. Denn durch die Abnahme ist die Leistungsgefahr auf ihn übergegangen.

150 Die Mängelhaftung des Auftragnehmers beschränkt sich auch in den vorangehend erörterten Fällen in jedem Fall auf seine eigene Leistung. Der Auftragnehmer hat ausschließlich für die Ordnungsgemäßheit seiner eigenen Leistung einzustehen. Ist diese z. B. dadurch mangelhaft, dass die Vorleistung fehlerhaft war, und haftet der Auftragnehmer wegen unterlassenen Hinweises, so geht seine Mängelhaftung nur dahin, die an seinem eigenen Gewerk aufgetretenen Schäden zu beheben. Den Fehler der Vorleistung zu beheben, ist der Auftragnehmer nicht verpflichtet.

Fall

Der Auftragnehmer war mit der Verlegung von Fliesen beauftragt. Diese hatte er auf einem von einem anderen Unternehmer eingebauten Estrich zu verlegen. Nach Fertigstellung der Arbeiten zeigten sich Mängel. Diese beruhten auf einem nicht ausreichenden Gefälle des Estrichs. Der Auftraggeber verlangte vom Fliesenleger Schadensersatz und zwar (auch) für den nachträglichen Einbau eines Estrichs mit ausreichendem Gefälle.

Entscheidung

Nach der Entscheidung des BGH war der Fliesenleger verpflichtet, auf das unzureichende Gefälle des Estrich hinzuweisen, wenn er dies vor Beginn seiner Fliesenlegerarbeiten erkennen konnte, um dem Auftraggeber die Möglichkeit zu geben, vom Estrichleger Nachbesserung zu verlangen. Da er diesen Hinweis unterlassen hatte, war er gewährleistungspflichtig.

Der vom Fliesenleger zu ersetzende Schaden bestand in den Kosten für das Abschlagen und die Neuverlegung der Fliesen. Nur wenn der Estrich durch das Abschlagen der Fliesen derart beschädigt würde, dass ein Gefälle nicht mehr hergestellt werden kann, muss der Fliesenleger auch die Kosten der Neuverlegung des Estrichs tragen. Lassen sich die Fliesen entfernen, ohne den Estrich zu zerstören, so haftet der Fliesenleger nur für die Kosten der neu zu verlegenden Fliesen.

BGH, Urteil vom 7. 6. 2001 – VII ZR 491/99 – BauR 2001, 1414

Fallen/Praxishinweis

Da im entschiedenen Fall die Mangelursache im fehlenden Gefälle des Estrichs und damit im Gewerk des Estrichlegers lag, war für den Mangel in erster Linie der Estrichleger verantwortlich. Der Estrichleger haftete dabei in einem wesentlich weiteren Umfang als der Fliesenleger. Der Estrichleger müsste sowohl die Kosten für die Arbeiten am Estrich wie auch für das Entfernen und Neuverlegen des Fliesenbelags tragen. Denn eine Mangelbeseitigung am Estrich ist nur nach Entfernen der Fliesen möglich. Der Bauherr konnte beide Unternehmer als Gesamtschuldner verklagen, wobei es ihm hinsichtlich der Kosten der Mangelbeseitigung am Fliesenbelag freistand, welchen der Gesamtschuldner er in Anspruch nahm.

5 Prüfungs- und Hinweispflicht des Auftragnehmers

5.1 Übersicht

151

Nach §§ 4 Nr. 3, 13 Nr. 3 VOB/B trifft den Auftragnehmer eine Prüfungs- und Hinweispflicht hinsichtlich der Leistungsbeschreibung und sonstiger Anordnungen des Auftraggebers, hinsichtlich der vom Auftraggeber gelieferten und vorgeschriebenen Stoffe sowie Bauteile, außerdem hinsichtlich der Beschaffenheit von Vorleistungen anderer Unternehmer, soweit die Beschaffenheit der Vorleistungen für den darauf aufbauenden Auftragnehmer von Bedeutung ist. Das gesetzliche Werkvertragsrecht kennt keine dem § 4 Nr. 3 VOB/B entsprechende Norm. Die Prüfungs- und Hinweispflicht für das gesetzliche Werkvertragsrecht folgt aus allgemeinen Rechtsgrundsätzen und entspricht derjenigen des VOB-Vertrags (vgl. Kleine-Möller/Merl, Handbuch des privaten Baurechts, 3. Aufl., § 12 Rdn. 131 f.).

Die Prüfungs- und Hinweispflicht des Auftragnehmers dient dazu, eine mangelfreie Leistung des Auftragnehmers sicherzustellen. Zu prüfen hat der Auftragnehmer daher nur das, was für die ordnungsgemäße Ausführung seiner Leistung erforderlich ist. Dies betrifft insbesondere die Prüfung der vom Auftraggeber vorgegebenen Planung sowie die Vorleistungen anderer Unternehmer. Der Auftragnehmer muss Pläne, Anordnungen des Auftraggebers und die Leistungen anderer Unternehmer nur daraufhin überprüfen, ob seine eigene Leistung und der von ihm vertraglich geschuldete Leistungserfolg in Frage gestellt sind.

Beispiel 1

Der Fliesenleger ist verpflichtet, vor Durchführung seiner Arbeiten den von einem anderen Unternehmer verlegten Estrich auf das erforderliche Gefälle und notwendige Dehnungsfugen zu untersuchen. Fehlt in einem Nassraum das erforderliche Gefälle eines Estrichs, so ist der Unternehmer, dem Fliesenarbeiten übertragen sind, zu einem entsprechenden Hinweis an den Bauherrn verpflichtet, damit dieser den Estrichleger zur Nachbesserung veranlassen kann. Unterlässt der Fliesenleger den Hinweis, so ist (auch) seine Leistung (das Fliesengewerk) mangelhaft.

BGH, Urteil vom 7.6.2001 – VII ZR 491/99 – BauR 2001, 1414

Beispiel 2

Bei einem Bodenaustausch muss nach einer Entscheidung des OLG Bremen der nachfolgend die Fundamentarbeiten durchführende Unternehmer die ordnungsgemäße Ausführung der Verdichtung des neu eingebrachten Bodens überprüfen.

OLG Bremen, Urteil vom 15.2.2001 – 5 U 69/100 c – BauR 2001, 1599, 1601

Beispiel 3

Bei Verlegung von Parkett über einer Fußbodenheizung muss der Parkettleger die Aufheizprotokolle des Heizestrichs überprüfen. Ergibt sich hieraus die Gefahr überhöhter Oberflächentemperaturen beim Betrieb der Fußbodenheizung, ist der Parkettleger hinweispflichtig.

OLG Hamm, Urteil vom 13.12.2000 – 25 U 148/98 – Baurecht 2001, 1120

5.2 Prüfungspflicht

152 Umfang und Intensität der Prüfungspflicht sind in erster Linie abhängig von Art und Umfang der jeweiligen Leistung sowie von der Sachkunde der Beteiligten. Hinsichtlich des Auftragnehmers ist diejenige Sachkunde zu unterstellen, die von ihm für die Ausführung des Auftrags erwartet werden kann. Verfügt der Auftragnehmer subjektiv nicht über diese Kenntnisse, so entlastet ihn dies nicht. Berühmt sich der Auftragnehmer bei den Vertragsverhandlungen einer besonderen Sachkunde, ist diese auch bei der Beurteilung seiner Prüfungs- und Hinweispflicht zugrunde zu legen. Soweit in der Rechtsprechung teilweise (vgl. nachfolgende Entscheidung des OLG Hamm) eine Abstufung der Prüfungspflicht nach dem jeweiligen Prüfungsgegenstand vorgenommen wird, ist dies mit Vorsicht zu betrachten. Maßgebend sind die Umstände des Einzelfalls.

Die Prüfungspflicht des Unternehmers ist am stärksten hinsichtlich der vom Auftraggeber bereitgestellten Stoffe und Bauteile. Geringer ist der Umfang der Prüfungspflicht hinsichtlich der Vorleistungen anderer Unternehmer. Am geringsten ist die Prüfungspflicht hinsichtlich der Planung des Architekten bzw. Ingenieurs.

OLG Hamm, Urteil vom 28.1.2003 – 34 U 37/02 – BauR 2003, 1052

Zutreffend ist, dass in der Rechtsprechung dem ausführenden Unternehmer ein besonderes Sachwissen hinsichtlich der Geeignetheit von Baustoffen zugesprochen wird, während hinsichtlich der Baukonstruktionen ein höheres Fachwissen des Architekten beziehungsweise Ingenieurs angenommen wird. Besonderes Sachwissen wird dem Bauunternehmer auch hinsichtlich der Vorleistung anderer Unternehmer zukommen, wobei die insoweit bestehende Prüfungspflicht kaum schwächer ist als die Prüfungspflicht hinsichtlich der Geeignetheit von Materialien.

153 Hinsichtlich der Materialprüfung kann sich der Auftragnehmer im Regelfall zunächst auf eine Prüfung ohne materialzerstörenden Eingriff beschränken, also auf eine Untersuchung durch Besichtigen, Befühlen, Nachmessen, einfache Belastungsproben usw. (Brandenburgisches OLG, Urteil vom 5.7.2000 – 7 U 276/99 – BauR 2001, 102, 105). Soweit sich allerdings hierdurch Zweifel an der Tauglichkeit des Materials ergeben, ist der Auftragnehmer zu einer weitergehenden Untersuchung verpflichtet, soweit seine Fachkunde reicht und soweit ihm eine solche Untersuchung nach Aufwand und Kosten zuzumuten ist. Im Einzelfall kann die Untersuchung einen Eingriff in Vorleistungen anderer Unternehmer oder in die vom Bauherrn gelieferten Baustoffe und Bauteile erfordern. Einen mehr als geringfügigen Eingriff kann man vom Unternehmer in aller Regel aber nicht verlangen. Sind weitergehende, insbesondere materialzerstörende Untersuchungen in größerem Umfang erforderlich, hat diese der Auftraggeber selbst (auf entsprechenden Hinweis des ausführenden Unternehmers) durchzuführen.

Fall

Der Auftragnehmer verlegte in einem Alten- und Pflegeheim 1100 m^2 Parkett. Nach geraumer Zeit traten Feuchtigkeitsschäden am Parkett auf, die darauf beruhten, dass der Estrich bei Aufbringen des Bodenbelags nicht fest genug und zu feucht war. Der Auftragnehmer berief sich darauf, er habe zur Feststellung des Feuchtezustands an drei verschiedenen Stellen des Estrichs Bohrungen durchgeführt. Nach dem Ergebnis dieser Bohrungen sei der Estrich hinreichend trocken gewesen. Dies bestritt der Auftraggeber, der Schadensersatz in Höhe der Kosten der Neuverlegung des Parketts verlangte.

Entscheidung

Nach der Entscheidung des OLG Celle ist es die Pflicht des Fußbodenverlegers, sich unter Beachtung der DIN 18356 von der ausreichenden Austrocknung des Estrichs zu überzeugen, bevor er den Bodenbelag verlegt. Daher war der Auftragnehmer verpflichtet, an zwei oder drei Stellen Feuchtigkeitsmessungen durchzuführen, dabei Löcher bis in die mittlere und untere Estrichschicht zu bohren und das ausgebohrte Material mit dem Messgerät zu testen. Da er den Nachweis nicht führen konnte, dass der diese Prüfung vorgenommen hatte, war er gem. § 4 Nr. 7 VOB/B schadensersatzpflichtig.

OLG Celle, Urteil vom 10.12.2002 – 16 U 119/02 – BauR 2003, 912

154 Die Prüfungspflicht des Auftragnehmers kann erheblich eingeschränkt sein, wenn der davon ausgehen kann, dass der Auftraggeber selbst fachkundig ist und eine ausreichende Materialprüfung selbst vorgenommen hat.

Fall

Der Auftraggeber lieferte für Pflasterarbeiten Sand mit fehlerhafter Körnung. Der ausführende Unternehmer führte vor Ort eine optische und sensorische Prüfung durch, wobei der Materialfehler allerdings nicht festgestellt werden konnte. Lieferscheine für den Sand, aus denen sich seine Ungeeignetheit hätte erkennen lassen, hatte der Auftragnehmer nicht eingesehen. Der Materialfehler wurde erst durch eine Sichtprüfung im Labor nach Ausführung der Arbeiten festgestellt.

Entscheidung

Das OLG Brandenburg sah keine Verpflichtung des Auftragnehmers, weitere Untersuchungen durchzuführen, auch nicht, die Lieferscheine einzusehen. Da der Unternehmer von der Sachkunde des Auftraggebers ausgehen konnte, bestand nach der Entscheidung des Brandenburgischen OLG kein Anlass, die Lieferscheine einzusehen oder noch weitere als vor Ort durchführbare optische und sensorische Untersuchungen vorzunehmen.

OLG Brandenburg, Urteil vom 5.7.2000 – 7 U 276/99 – BauR 2001, 102, 105

155 Bedient sich der Auftraggeber eines fachkundigen Bauleiters, so berührt dies allein die Prüfungs- und Hinweispflicht des Auftragnehmers nicht. Denn die Hinweis- und Prüfungspflicht des Auftragnehmers dient dem Schutz des Bauherrn auch vor einem fehlerhaften Verhalten des Bauleiters.

Fall

Der Bauunternehmer war im Rahmen umfangreicher Arbeiten unter anderem mit dem Einbau einer Feuchtigkeitsabdichtung beauftragt. Während der Bauausführung ordnete der den Bau überwachende Ingenieur an, die Abdichtung wegzulassen. Später zeigten sich Feuchtigkeitsschäden, weswegen der Bauherr den Unternehmer in Anspruch nahm. Die verlangte Mangelbeseitigung lehnte der Unternehmer mit der Begründung ab, seine eigene Leistung sei mangelfrei. Er habe den Bauherrn nicht auf die Notwendigkeit der Feuchtigkeitsabdichtung hinweisen müssen, weil dieser durch einen sachkundigen Bauleiter vertreten war, der aber gerade eine Ausführung ohne Feuchtigkeitsabdichtung angeordnet hatte.

Entscheidung

Der BGH verpflichtete den Auftragnehmer zur Nachbesserung: Auch wenn der Bauherr durch einen fachkundigen Bauleiter vertreten ist, muss der Unternehmer die Anordnungen des Bauleiters auf ihre Richtigkeit überprüfen. Kann er bei ordnungsgemäßer Prüfung erkennen, dass die Anordnungen unrichtig sind, so muss er den Bauleiter und für den Fall, dass dieser dem Hinweis nicht Rechnung trägt, den Bauherrn selbst auf den drohenden Mangel hinweisen. Dass die

Anordnung durch einen sachkundigen Bauleiter erging, stand der Prüfungs- und Hinweispflicht des Bauunternehmers nicht entgegen.

BGH, Urteil vom 18.1.2000, VII ZR 457/98 – BauR 2001, 622

Fallen /Praxishinweis

Zu beachten ist, dass der Bauleiter im Regelfall nicht zu Vertragsänderungen bevollmächtigt ist. Dies bedeutete, dass aufgrund der nicht eingebauten Feuchtigkeitsabdichtung der Leistung des Auftragnehmers eine vereinbarte Eigenschaft fehlte. Daher wäre die Leistung des Auftragnehmers selbst dann mangelhaft gewesen, wenn die Feuchtigkeitsabdichtung aus technischer Sicht nicht erforderlich gewesen wäre.

156 Dementsprechend ändert auch der Umstand, dass der Bauherr einen Architekten zur Bauüberwachung und/oder Koordination einschaltet, nichts an der Verpflichtung des Auftragnehmers, die für ihn maßgebenden Vorleistungen anderer Unternehmer auf ihre Tauglichkeit zu überprüfen (OLG Bremen, Urteil vom 15.2.2001 – 5 U 69/00 – BauR 2001, 1599, 1602).

Ausnahmsweise entfällt die Prüfungs- und Hinweispflicht des Auftragnehmers, wenn der Auftraggeber einen Fachplaner oder Bauleiter bestellt hat, bei dem ein gegenüber dem Kenntnisstand des Unternehmers erheblich höheres Fachwissen vorauszusetzen ist.

OLG Hamm, Urt. vom 28.1.2003 – 34 U 37/02 – BauR 2003, 1052, 1053

5.3 Hinweispflicht

157 Auf die bei der Prüfung erkennbaren Mängel oder Mängelrisiken hat der Auftragnehmer hinzuweisen. Der Hinweis hat gegenüber dem jeweiligen Auftraggeber zu erfolgen. D. h. der Subunternehmer ist zum Hinweis an den Hauptunternehmer verpflichtet, der Hauptunternehmer zum Hinweis an den Bauherrn entsprechend nachfolgendem Schema.

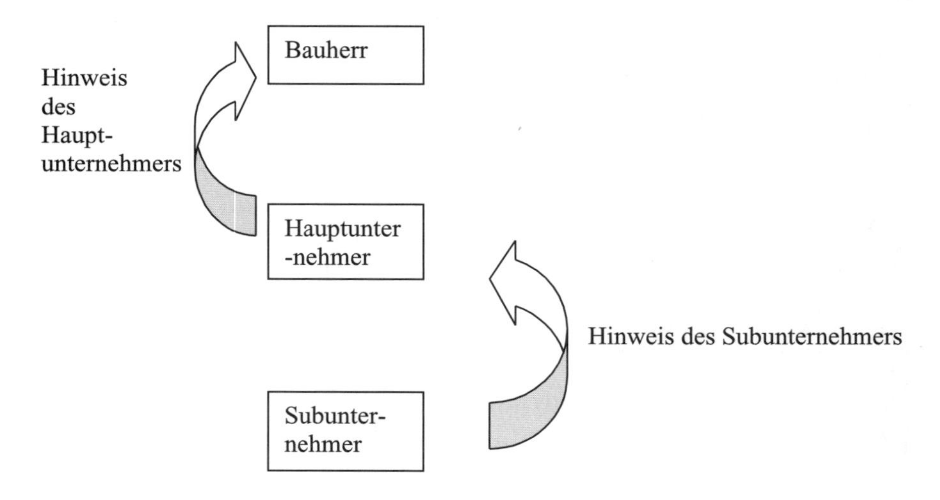

Ein Bedenkenhinweis des Subunternehmers gegenüber dem Bauherrn führt weder für den Subunternehmer im Verhältnis zum Hauptunternehmer noch für den Hauptunternehmer im Verhältnis zum Bauherrn zur Freistellung von der Mängelhaftung.

Von einem Subunternehmer gegenüber dem Bauherrn geäußerte Bedenken stehen im Verhältnis von Bauherr und Hauptunternehmer nicht einem Hinweis des Hauptunternehmers selbst gleich. So hat das OLG Düsseldorf (Urteil vom 10. 11. 2000 – 22 U 78/00 – BauR 2001, 638) dem Bedenkenhinweis des Subunternehmers an den Architekten des Bauherrn keine Bedeutung beigemessen, da der Hauptunternehmer sich die Bedenken nicht zu eigen machte und nicht seinerseits Bedenken gegenüber dem Bauherrn zum Ausdruck brachte.

Allerdings wird dem Bauherrn ein erhebliches Mitverschulden zuzurechnen sein, wenn er einem nachhaltigen Hinweis des Subunternehmers nicht nachgeht. Unter Umständen kann aus dem Verhalten des Bauherrn gegenüber dem Hinweis des Subunternehmers sogar geschlossen werden, dass er auch einem entsprechenden Hinweis des Hauptunternehmers nicht Rechnung getragen hätte. In diesem Falle wäre das Unterlassen des Hinweises durch den Hauptunternehmer nicht ursächlich für den betreffenden Mangel geworden. Hauptunternehmer und Subunternehmer wären dann – ausnahmsweise – von der Mängelhaftung frei und zwar im Umfang des vom Subunternehmer an den Bauherrn gegebenen Hinweises.

158 Wird der Bauherr durch einen Bauleiter vertreten, so kann der Hinweis zwar zunächst an diesen erfolgen. Trägt der Bauleiter den berechtigten Einwänden des Bauunternehmers jedoch nicht Rechnung oder handelt es sich um einen vom Bauleiter selbst zu verantwortenden Fehler, ist der Hinweis unmittelbar an den Bauherrn zu richten. Der Bauleiter ist nicht Vertreter und nicht Empfangsbevollmächtigter des Bauherrn. Der nur an den Bauleiter gegebene Bedenkenhinweis entlastet den Auftragnehmer weder ganz noch teilweise, wenn der Bauleiter dem Hinweis nicht Rechnung trägt.

Leitsatz

Der vom Bauherrn eingesetzte Bauleiter ist nicht bevollmächtigt, für den Bauherrn Bedenkenhinweise des Bauunternehmers entgegenzunehmen.

Fall

Der Auftragnehmer war mit Rohbau- und Kanalarbeiten beauftragt. Die Parteien vereinbarten die Geltung der VOB/B. Die vom Auftragnehmer erbrachten Leistungen waren mangelhaft Die Hallenböden wiesen Spannungsrisse auf. Ursache der Spannungsrisse war eine fehlerhafte Planung des vom Bauherrn eingesetzten Architekten. Der Auftragnehmer berief sich unter anderem darauf, dass er den Bauleiter des Bauherrn auf die bedenkliche Planung hingewiesen und dies mit dem Bauleiter im Einzelnen erörtert habe. Dieser war jedoch bei der Planung verblieben und hatte deren Ausführung angeordnet.

Entscheidung

Der Bauunternehmer war gewährleistungspflichtig. Dass er eine fehlerhafte Planung des vom Bauherrn eingesetzten Architekten ausführte, befreit ihn gem. § 13 Nr. 3 VOB/B nur dann in vollem Umfang von der Mängelhaftung, wenn er auf seine Bedenken rechtzeitig und richtig hinwies. Ein Bedenkenhinweis an den Bauleiter genügt dann nicht den Anforderungen des § 4 Nr. 3 VOB/B, wenn der Bauleiter sich den Bedenken des Unternehmers verschließt. Der Bauleiter ist grundsätzlich nicht Vertreter des Bauherrn zur Entgegennahme von Bedenkenhinweisen. Auch die Vollmacht des Bauleiters, für den Bauherrn Aufträge zu erteilen und Stundenlohnarbeiten anzuerkennen, ändert hieran nichts.

BGH, Urteil vom 11.9.2003 – VII ZR 116/02 – BauR 2004, 78/82

Fallen/Praxishinweis

Gemäß § 4 Nr. 3 VOB/B ist der Auftraggeber alleiniger Adressat von Bedenkenhinweisen des Auftragnehmers. Erst wenn der Hinweis dem Auftraggeber zugegangen ist, tritt die Befreiung des Auftragnehmers von der Mängelhaftung gem. § 13 Nr. 3 VOB/B ein. Planer und Bauüberwacher wie auch Sonderfachleute sind in aller Regel nicht bevollmächtigt, Bedenkenhinweise des Bauunternehmers mit Wirkung gegen den Bauherrn entgegenzunehmen. Hierzu bedarf es einer besonderen Vollmacht, die nicht bereits dann vorliegt, wenn der Architekt bzw. Ingenieur im Bauvertrag als „Vertreter" des Bauherrn bezeichnet wird. Bevollmächtigt der Bauherr den Architekten bzw. Ingenieur, für ihn wirksam Zusatzaufträge zu erteilen oder Stundenlohnarbeiten auch größeren Ausmaßes anzuordnen, so kann diese Vollmacht nicht erweiternd dahin ausgelegt werden, dass der Architekt bzw. Ingenieur zum Empfangsbevollmächtigten des Bauherrn für sonstige Erklärungen und Mitteilungen des Bauunternehmers wird. Dies gilt auch für den BGB-Vertrag und unabhängig davon, ob die Mängelrisiken auf Leistungen von Vorunternehmern, auf fehlerhafter Planung oder auf anderen in

§ 13 Nr. 3 VOB/B genannten Ursachen beruhen. Daher wird der Bauunternehmer, der z.B. auf Fehler oder Risiken der Planung hinweist, erst dann von der Mängelhaftung frei, wenn er diesen Hinweis gegenüber dem Auftraggeber selbst erklärt. Äußert der Bauunternehmer Bedenken gegenüber dem Architekten/Ingenieur, und leitet der Architekt/Ingenieur diese Bedenken nicht an den Bauherrn weiter, verbleibt es bei der uneingeschränkten Mängelhaftung des Auftragnehmers, wenn der von ihm vorausgesehene Mangel eintritt.

159 Seinem Inhalt nach muss der Hinweis des Auftragnehmers erkennen lassen, dass und worin ein Mangelrisiko besteht. Es reicht nicht aus, wenn der Auftragnehmer zu einer qualitativ besseren Ausführung rät, ohne auf den andernfalls drohenden Mangel hinzuweisen. Dagegen ist der Auftragnehmer nicht verpflichtet, dem Auftraggeber auch bestimmte Maßnahmen vorzuschlagen, um dem Mangelrisiko zu begegnen. Ein entsprechender Vorschlag des Auftragnehmers zur Behebung des Mangelrisikos führt im Gegenteil dazu, dass er für die Richtigkeit des Vorschlags einzustehen hat.

Leitsatz

Geht der Auftragnehmer über seine Hinweispflicht hinaus, indem er dem Auftraggeber zugleich mit dem Bedenkenhinweis auch Änderungsvorschläge zur Bauausführung vorlegt, so übernimmt er für die Tauglichkeit der Vorschläge die Haftung.

OLG Celle, Urteil vom 23.12.1999 – 22 U 15/99 – BauR 2000, 1073

Ob der Auftragnehmer seinen Vorschlag als notwendig oder nur als empfehlenswert bezeichnet, ändert an der Haftung des Auftragnehmers für die Richtigkeit seines Vorschlags bzw. seiner Empfehlung nichts.

Beispiel

Für ein neu zu errichtendes Wohnhaus war vom Architekten des Bauherrn eine Drainage und für das Kellergeschoss ein Isolierputz ausgeschrieben. Ob die ausgeschriebenen Maßnahmen nach den örtlichen Verhältnissen in Anbetracht des Grundwassers ausgereicht hätten, stand nicht fest. Der Bauunternehmer schlug vor, die Ausführung zu ändern und den Keller ausschließlich durch eine spezielle Beschichtung von außen abzudichten. Da sich der Architekt diesem Vorschlag ungeprüft anschloss, wurde der Unternehmer mit diesen Arbeiten beauftragt. Nach Ausführung der Arbeiten zeigte sich, dass die ausgeführte Abdichtung unzureichend war. Die Kelleraußenwände waren insbesondere bei hohem Grundwasser, das hin und wieder auftrat, nicht dicht.

Entscheidung

Der Bauunternehmer haftete auf Grund seines Änderungsvorschlags für die dadurch verursachten Mängel und hatte für den Schaden an der baulichen Anlage einzustehen. Er hätte sich über die konkreten Bodenverhältnisse vergewissern müssen, ehe er seinen Änderungsvorschlag machte. Der Unternehmer war nicht dadurch von der Mängelhaftung frei, dass der Architekt des Bauherrn den Vorschlag ungeprüft übernahm. Dies führte nicht zu einer Anordnung des Architekten i. S. v. § 13 Nr. 3 VOB/B. Allerdings wurde zu Gunsten des Auftragnehmers das Mitverschulden des Architekten berücksichtigt. Denn der Architekt hatte durch seine Ausschreibung den Eindruck erweckt, dass nur nichtdrückendes Wasser zu erwarten sei.

OLG Celle, Urteil vom 23.12.1999 – 22 U 15/99 – BauR 2000, 1073

160 Umfang und Intensität des Hinweises können auch von der Sachkunde des Auftraggebers abhängen. Bei einem sachkundigen Auftraggeber kann unter Umständen und im Ausnahmefall ein Hinweis unterbleiben, wenn der Auftragnehmer auf Grund der besonderen Sachkunde des Auftraggebers davon ausgehen darf, dass Mangel und Mangelrisiko dem Auftraggeber ohnedies klar sind.

Leitsatz

Kann der Auftragnehmer davon ausgehen, dass der vom Auftraggeber eingeschaltete Fachmann den Auftraggeber über das Mangelrisiko so aufgeklärt hat, dass dieser in der Lage ist, das Risiko zu überblicken, besteht keine eigene Hinweispflicht des Auftragnehmers mehr.

OLG Düsseldorf, Urteil vom 13.3.2003 – 5 U 71/01 – BauR 2004, 99/100

Auf Risiken hinsichtlich der erforderlichen Baugenehmigung muss der Bauunternehmer nicht hinweisen, wenn er nicht zur Einholung der Baugenehmigung verpflichtet ist und dem Auftraggeber die Problematik der Baugenehmigung bekannt ist (OLG Hamm, Urt. vom 21.2.2002 – 21 U 23/01 – BauR 2003, 1042 – Revision vom BGH nicht angenommen).

161 Der Hinweis bedarf keiner bestimmten Form, er kann auch mündlich erteilt werden. Zwar könnte aus dem Wortlaut von § 4 Nr. 3 VOB/B gefolgert werden, dass der Auftragnehmer zu einem schriftlichen Hinweis verpflichtet ist, dies trifft jedoch im Ergebnis nicht zu. Für die Haftungsbefreiung des Auftragnehmers reicht auch für den VOB-Vertrag ein mündlicher Hinweis, wenn er nach Inhalt und Form so eindeutig ist, wie das auch von einem schriftlichen Hinweis verlangt werden muss.

Leitsatz

Ein mündlicher Hinweis des Auftragnehmers über Mängelrisiken kann ausreichend sein, wenn daraus eindeutig und für den Auftraggeber unmissverständlich die Konsequenzen hervorgehen, die bei einer Nichtbeachtung des Hinweises zu erwarten sind. Die Tragweite einer Nichtbefolgung der Bedenken muss aus dem Hinweis unmissverständlich hervorgehen.

OLG Düsseldorf, Urt. v. 13.3.2003 – I – 5 U 71/01 – BauR 2004, 99/100

Die Parteien können freilich vereinbaren, dass der Bedenkenhinweis in einer besonderen Form erfolgen muss. Hält der Auftragnehmer die vereinbarte Form nicht ein, macht dies den Hinweis nicht wirkungslos. Jedoch liegt eine Pflichtverletzung des Auftragnehmers vor, für die er schadensersatzpflichtig ist. Kann der Auftraggeber zum Beispiel nachweisen, dass der Hinweis gerade wegen der fehlenden Form unberücksichtigt geblieben ist, so muss sich der Auftragnehmer so behandeln lassen, als hätte er keinen Bedenkenhinweis erteilt.

Vereinbaren die Parteien, dass der Auftragnehmer zu einem schriftlichen Hinweis verpflichtet ist, so reicht dennoch ein mündlicher Hinweis des Auftragnehmers aus, wenn feststeht, dass der Auftraggeber auch einem schriftlichen Hinweis nicht gefolgt wäre. Zumindest trifft den Auftraggeber ein Mitverschulden, wenn er einen mündlichen Hinweis nicht beachtet.

BGH, Urteil vom 10.4.1975 – VII ZR 183/74 – BauR 1975, 278

162 Ist im Rechtsstreit streitig, ob der Auftragnehmer seiner Prüfungs- und Hinweispflicht nachgekommen ist, so trifft die Beweislast den Auftragnehmer. Behauptet der Auftragnehmer einen mündlichen Bedenkenhinweis, so ist sein Vortrag auch ohne präzise Angaben zu Ort und Zeit des Hinweises solange hinreichend substantiiert, als der Vortrag von der Gegenpartei ohne nähere Konkretisierung bestritten wird. Zeitlich ist der Vortrag des Auftragnehmers allerdings so zu konkretisieren, dass die Rechtzeitigkeit des Bedenkenhinweises beurteilt werden kann.

Dass die Gegenpartei mangels genauer Zeit- und Ortsangabe nicht zu einer detaillierten Entgegnung in der Lage ist, rechtfertigt es nicht, den Vortrag des Auftragnehmers als unsubstantiiert zurückzuweisen. Vom Gericht für erforderlich gehaltene nähere Angaben sind bei der Vernehmung der Zeugen zu erfragen.

Spezifizierter Vortrag des Auftragnehmers ist allerdings erforderlich, wenn die Gegenpartei den Vortrag des Auftragnehmers substantiiert angreift.

BGH, Urteil vom 21.1.1999 – VII ZR 398/97 – BauR 1999, 649

6 Mängelrechte des Auftraggebers nach BGB bei Vertragsschluss ab 1.1.2002

6.1 Mängelrechte vor und nach Abnahme

163 Ob dem Auftraggeber Mängelrechte nach §§ 634 f. BGB bereits vor Gefahrübergang zustehen, d. h. vor Abnahme, Annahmeverzug und endgültiger Ablehnung der Abnahme durch den Auftraggeber ist streitig. Nach hier vertretener Ansicht kann der Auftraggeber vor Abnahme sowohl die allgemeinen Leistungsstörungsrechte (§§ 280 f., 323 BGB) als auch die Mängelrechte der §§ 634 f. BGB geltend machen (so auch Kniffka, IBR-Online-Kommentar Bauvertragsrecht § 634 BGB Rdn. 9; Kleine-Möller/Merl, Handbuch des privaten Baurechts, 3. Aufl., § 12 Rdn. 312 f.; a.A. Sprau/Palandt, 63. Aufl., vor § 633 Rdn. 6).

Vor Abnahme kann der Auftraggeber die Erfüllung des Vertrags verlangen und dem durch eine Fristsetzung oder durch Klage auf Erfüllung Nachdruck verleihen. Nach erfolglosem Ablauf der gesetzten Frist kann der Auftraggeber gemäß § 323 BGB vom Vertrag zurücktreten oder/und Schadensersatz statt der Leistung verlangen. Die Fristsetzung ist im Regelfall unabdingbare Voraussetzung für das Entstehen des Rücktrittsrechts. Das Rücktrittsrecht ist insofern eingeschränkt, als der Rücktritt nicht auf unwesentliche Mängel gestützt werden kann **(§ 323 Abs. 5 Satz 2 BGB).**

Rechtlicher Hinweis

Welches Recht der Auftraggeber nach Fristablauf in Anspruch nimmt, ob er weiterhin Erfüllung verlangt (und gegebenenfalls eingeklagt), vom Vertrag zurücktritt oder Schadensersatz verlangt, steht ihm zur freien Wahl. Entscheidet er sich für den Rücktritt vom Vertrag, bleibt sein Recht unberührt, Schadensersatz zu verlangen (§ 325 BGB).

164 Daneben stehen dem Auftraggeber nach hier vertretener, aber strittiger Ansicht bereits vor Abnahme, in jedem Fall aber nach Abnahme die sich aus §§ 634 f. BGB ergebenden Mängelrechte zu. Diese decken sich vor Abnahme hinsichtlich des Rücktrittsrechts (§§ 634 Nr. 2, 636, 323, 326 Abs. 5 BGB) und des Schadensersatzanspruchs (§§ 634 Nr. 4, 636, 280, 281, 283, 311a BGB) bzw. des Rechts auf Ersatz vergeblicher Aufwendungen (§ 284 BGB) mit den entsprechenden Rechten des allgemeinen Leistungsstörungsrechts. Der Anspruch des Auftraggebers auf Nacherfüllung (§§ 634 Nr. 1, 635 BGB) ist mit dem vor Abnahme bestehenden Erfüllungsanspruch inhaltsgleich, so dass auf Grund von §§ 634 f. BGB als zusätzliche Rechte das Recht auf Selbstvornahme (§§ 634 Nr. 2, 637 BGB), das Rücktrittsrecht und das Minderungsrecht (§§ 634 Nr. 3, 638 BGB) hinzutreten.

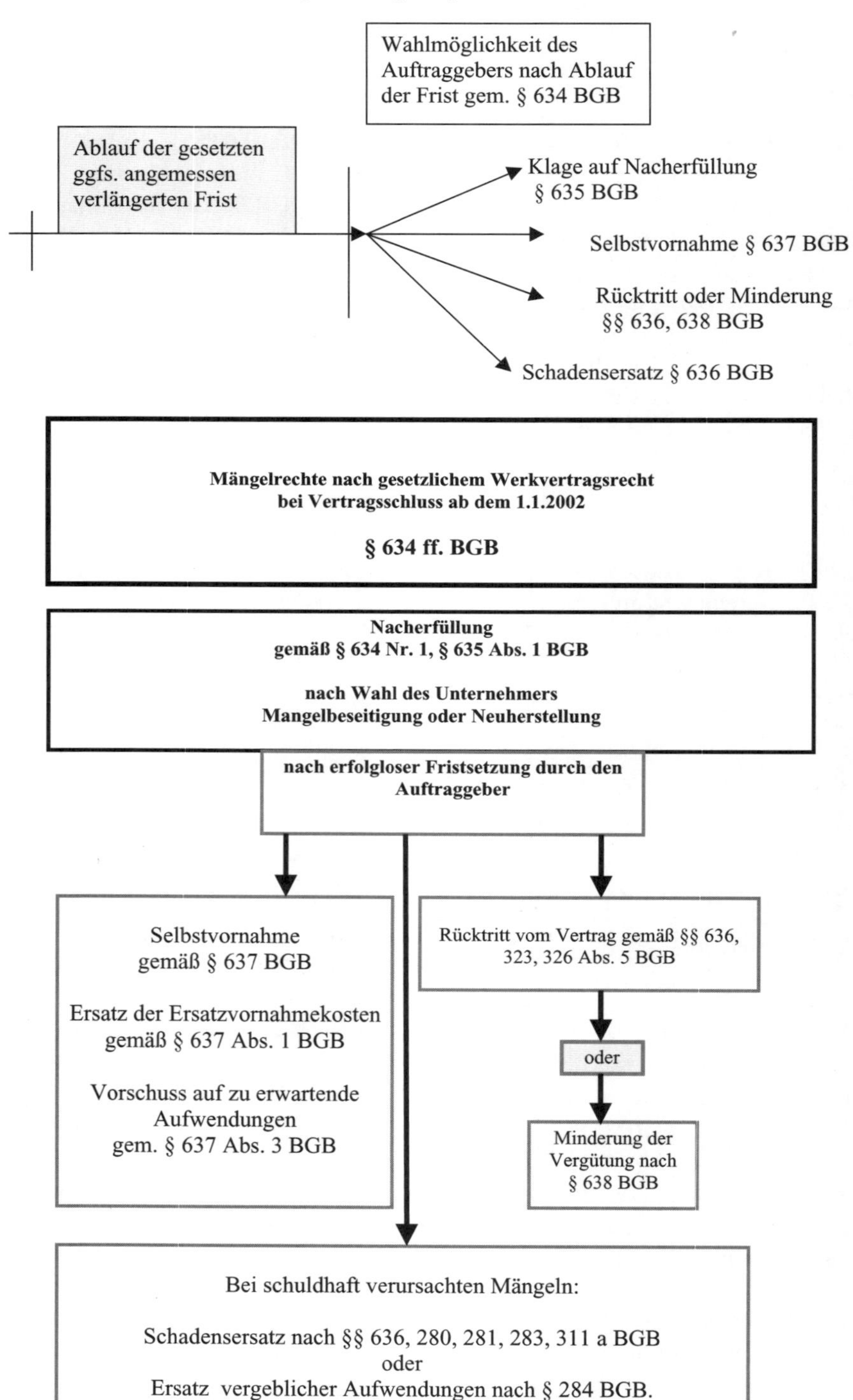
Mängelrechte gem. § 634 f. BGB
Wahlmöglichkeit des Auftraggebers nach Ablauf der Frist gem. § 634 BGB
Ablauf der gesetzten ggfs. angemessen verlängerten Frist
Klage auf Nacherfüllung § 635 BGB
Selbstvornahme § 637 BGB
Rücktritt oder Minderung §§ 636, 638 BGB
Schadensersatz § 636 BGB
Mängelrechte nach gesetzlichem Werkvertragsrecht bei Vertragsschluss ab dem 1.1.2002
§ 634 ff. BGB
Nacherfüllung gemäß § 634 Nr. 1, § 635 Abs. 1 BGB
nach Wahl des Unternehmers Mangelbeseitigung oder Neuherstellung
nach erfolgloser Fristsetzung durch den Auftraggeber
Selbstvornahme gemäß § 637 BGB
Ersatz der Ersatzvornahmekosten gemäß § 637 Abs. 1 BGB
Vorschuss auf zu erwartende Aufwendungen gem. § 637 Abs. 3 BGB
Rücktritt vom Vertrag gemäß §§ 636, 323, 326 Abs. 5 BGB
oder
Minderung der Vergütung nach § 638 BGB
Bei schuldhaft verursachten Mängeln:
Schadensersatz nach §§ 636, 280, 281, 283, 311 a BGB
oder
Ersatz vergeblicher Aufwendungen nach § 284 BGB.

6.2 Anspruch auf Nacherfüllung

165 Gemäß § 634 Nr. 1 BGB steht dem Auftraggeber das Recht auf Nacherfüllung zu, d. h. er kann Beseitigung vorliegender Mängel verlangen. Fällig wird der Anspruch auf Nacherfüllung mit der entsprechenden Aufforderung durch den Auftraggeber. Die Nacherfüllung kann der Auftraggeber in aller Regel frühestens zum vertraglich vereinbarten Fertigstellungstermin fordern. Zu einer vorgezogenen Mangelbeseitigung ist der Auftragnehmer verpflichtet, wenn eine spätere Mangelbeseitigung nicht oder nicht sicher möglich ist, oder für den Auftraggeber aus besonderen Gründen nicht zumutbar wäre. Zur erforderlichen Beschreibung des Mangels wird auf die entsprechenden Ausführungen zur Mängelrüge und Fristsetzung bei Selbstvornahme verwiesen, vgl. im Einzelnen Rdn. 170.

Der Auftragnehmer ist zur Durchführung sämtlicher Arbeiten verpflichtet, die zur Beseitigung der Mängel erforderlich sind. Gem. § 635 Abs. 2 BGB hat er die zum Zweck der Nacherfüllung erforderlichen Aufwendungen, insbesondere Transport-, Wege-, Arbeit- und Materialkosten zu tragen.

Die Nacherfüllung kann gem. § 635 Abs. 1 BGB entweder durch Mangelbeseitigung erfolgen (= Bearbeitung des mangelhaften Leistungsgegenstands) oder durch Neuherstellung. Dem Auftragnehmer steht das Wahlrecht zwischen Mangelbeseitigung und Neuherstellung zu. Dies ist insbesondere bei einer Klage auf Nacherfüllung zu berücksichtigen.

Prozessualer Hinweis

Bei Klage auf Nacherfüllung kann der Klageantrag in der Regel nur dahin gehen, den Auftragnehmer „zur Nacherfüllung hinsichtlich des Mangels ... zu verurteilen". Unbegründet und, wenn der Klageantrag auch auf Hinweis des Gerichts nicht geändert wird, abzuweisen ist in der Regel eine Nacherfüllungsklage, wenn dem Auftragnehmer eine bestimmte Art der Mangelbeseitigung vorgegeben werden soll. Ein derartiger Klageantrag kann nur dann in Betracht kommen, wenn die Nacherfüllung technisch auf andere Art und Weise nicht möglich ist oder für den Auftraggeber unzumutbar wäre.

Der Auftraggeber hat im Regelfall weder einen Anspruch auf bestimmte Mangelbeseitigungsmaßnahmen noch auf Information, welche Maßnahmen vom Auftragnehmer beabsichtigt sind (OLG Düsseldorf, Urteil vom 17.3.2000 – 22 U 64/99 – BauR 2000, 1532 LS).

Nur bei Vorliegen besonderer Umstände kommt ein Informationsanspruch des Auftraggebers in Betracht, z. B. wenn die Mangelbeseitigung erheblich in die Nutzung des Bauwerks eingreift und bei einem Fehlschlag dem Auftraggeber erhebliche Schäden drohen, etwa durch Produktions- oder Mietausfall. Ein Informationsanspruch kommt auch in Betracht, wenn bei sehr erheblichen Mängeln oder sehr umfangreichen oder risikoreichen Mangelbeseitigungsmaßnahmen erhebliche

Zweifel an der Sachkunde des Auftragnehmers bestehen. Verlangt der Auftraggeber im Einzelfall berechtigt Auskunft über die geplante Mangelbeseitigungsmaßnahme, und wird die verlangte Auskunft vom Auftragnehmer nicht erteilt, so kann der Auftraggeber die angebotene Mangelbeseitigung zurückweisen, ohne in Annahmeverzug zu geraten.

166 Der Unternehmer kann die Nacherfüllung verweigern, wenn sie unverhältnismäßig ist. Vgl. hierzu im Einzelnen Rdn. 186 f. Ist der Auftraggeber verpflichtet, einen Teil der Mangelbeseitigungskosten als Sowiesokosten zu tragen (dies betrifft Kosten, die bei ordnungsgemäßer Ausführung der Leistung dem Auftraggeber von Anfang an entstanden wären) oder weil ihn ein Mitverschulden am Mangel trifft, kann der Auftragnehmer Sicherheit in Höhe des Kostenanteils des Auftraggebers verlangen. Leistet der Auftraggeber die verlangte Sicherheit nicht, kann der Auftragnehmer die Mangelbeseitigung verweigern (OLG Düsseldorf, Urteil vom 10. 11.2000 – 22 U 78/100 – BauR 2001, 638, 643).

Ein fehlerhaftes Verhalten des Architekten oder Ingenieurs begründet nur insoweit einen Anspruch auf Nacherfüllung, als sich der Leistungsfehler noch nicht in einem Mangel des Bauwerks verkörpert hat. Ist dies jedoch bereits der Fall und kann der Leistungsmangel des Architekten bzw. Ingenieurs folglich nicht mehr durch Nachbesserung der Planung, durch eine nachgeholte Überwachungsleistung oder durch eine sonstige, nach dem Vertrag geschuldete Tätigkeit beseitigt werden, ist der Auftraggeber hinsichtlich entstandener Bauwerkschäden auf den Schadensersatzanspruch gem. § 634 Nr. 4 BGB zu verweisen (OLG Hamm, Urteil vom 22.6.1999 – 21 U 115/98 – BauR 2000, 293). Nur hinsichtlich der noch nicht in Bauleistungen umgesetzten Planungsleistung steht dem Auftraggeber ein Nacherfüllungsanspruch zu (BGH, Urteil vom 25.6.1987 – VII ZR 251/86 – BauR 1987, 689).

Der Anspruch auf Nacherfüllung steht beim Kauf vom Bauträger den einzelnen Wohnungseigentümern zu und zwar auch insoweit, als es sich um Mängel am Gemeinschaftseigentum handelt. Die Wohnungseigentümergemeinschaft kann die Geltendmachung des Nacherfüllungsanspruchs jedoch an sich ziehen, soweit es sich um Mängel am Gemeinschaftseigentum handelt. Vgl. im Einzelnen zum Konkurrenzverhältnis von Gemeinschaft und einzelnen Wohnungseigentümern Kleine-Möller/Merl, Handbuch des privaten Baurechts, 3. Aufl., § 12 Rdn. 1037.

6.3 Aufforderung zur Nacherfüllung mit Fristsetzung als Voraussetzung von Mängelrechten

167 Die Mängelrechte setzen voraus, dass der Anspruch des Auftraggebers auf Nacherfüllung fällig ist und dem Auftragnehmer kein Leistungsverweigerungsrecht zusteht. Fällig wird der Anspruch auf Mangelbeseitigung beim BGB-Vertrag durch die Aufforderung des Auftraggebers zur Mangelbeseitigung. Ein Leistungsverweigerungsrecht kann dem Auftragnehmer zustehen, wenn der Auftragnehmer über einen fälligen Gegenanspruch verfügt, z.B. eine fällige Vergütungsforderung des Auftragnehmers nicht erfüllt wird.

Prozessualer Hinweis

Klagt der Auftraggeber auf Mangelbeseitigung und beruft sich der Auftragnehmer zu Recht auf ein Leistungsverweigerungsrecht, erfolgt eine Zug-um-Zug-Verurteilung. Der Auftragnehmer wird zur Mangelbeseitigung Zug um Zug gegen Zahlung der Vergütung durch den Auftraggeber verurteilt.

Ein Leistungsverweigerungsrecht kann dem Auftragnehmer auch aus § 648 a BGB zustehen.

Leitsatz

Setzt der Auftragnehmer Frist zur Sicherheitsleistung gem. § 648a BGB unter der Ankündigung der Leistungsverweigerung, so kann er die Mangelbeseitigungsarbeiten nach erfolglosem Fristablauf einstellen. Der Auftraggeber kann jedoch weiterhin die Zahlung der Vergütung in Höhe der Mängelbeseitigungskosten zuzüglich des Druckzuschlags verweigern.

Dem kann der Auftragnehmer dadurch begegnen, dass er Nachfrist zur Sicherheitsleistung mit der Erklärung setzt, die Mangelbeseitigung nach fruchtlosem Fristablauf abzulehnen. Nach ergebnislosem Ablauf der Nachfrist erlischt der Mangelbeseitigungsanspruch des Auftraggebers und wird der Anspruch des Unternehmers auf Schlusszahlung unter Abzug des sich aus dem Mangel ergebenden Minderwerts fällig.

Fall

Die Parteien schlossen einen Bauvertrag u.a. über Mauer-, Beton- und Stahlbetonarbeiten unter Einbeziehung der VOB/B. Nach Abnahme verlangte der Auftragnehmer Zahlung des Restwerklohns. Der Auftraggeber rügte erhebliche Mängel, unter anderem Ausblühungen des Mauerwerks, Schwind- und Rissverformungen des Fachwerks und eine fehlerhafte Lage der Sickerwasserdichtung. Der Auftragnehmer forderte daraufhin unter Fristsetzung Sicherheit gem. § 648a BGB und kündigte an, nach Fristablauf die Leistung zu verweigern. Der Auftraggeber leistete keine Sicherheit, sondern machte wegen der Mängel seinerseits ein Leistungsverweigerungsrecht gegenüber der Werklohnforderung des Auftragnehmers geltend. Der Auftragnehmer war der Auffassung, der Auftraggeber könne die Zahlung nicht verweigern, weil er keine Sicherheit gem. § 648 a BGB stellte.

Entscheidung

Der BGH gestand dem Auftraggeber das von diesem geltend gemachte Leistungsverweigerungsrecht zu. Es war nicht dadurch untergegangen, dass er die vom Auftragnehmer zu Recht geforderte Sicherheit nach § 648 a BGB nicht geleistet hatte.

Grundsätzlich kann der Unternehmer auch nach Abnahme Sicherheit gem. § 648 a Abs. 1 BGB verlangen, wenn er noch zu Leistungen verpflichtet ist, die einen Vergütungsanspruch auslösen. Der Auftragnehmer kann daher auch Sicherheit nach § 648 a BGB verlangen, wenn seine Vergütungsforderung hinsichtlich der Fälligkeit oder Einredefreiheit von Mangelbeseitigungsarbeiten abhängt. Leistet der Auftraggeber die zu Recht geforderte Sicherheit nicht fristgemäß, kann der Unternehmer die Mangelbeseitigung verweigern. Andernfalls wäre der Unternehmer nach Abnahme gezwungen, ohne Absicherung eine – wirtschaftlich gesehen – Vorleistung in Form der Mangelbeseitigung zu erbringen. Denn ohne vorangehende Mangelbeseitigung kann er faktisch seinen Vergütungsanspruch nicht durchsetzen.

Damit stehen sich das aus der Mangelhaftigkeit der Leistung resultierende Leistungsverweigerungsrecht des Auftraggebers und das sich aus § 648a BGB ergebende Leistungsverweigerungsrecht des Auftragnehmers gegenüber. Diesen Schwebezustand kann der Auftragnehmer dadurch beenden, dass er dem Auftraggeber zur Nachholung der Sicherheitsleistung eine angemessene Nachfrist setzt, mit der Erklärung, dass er bei fruchtlosem Fristablauf die Leistung (Mangelbeseitigung) ablehne. Mit Fristablauf entfällt die Mangelbeseitigungsverpflichtung des Auftragnehmers und seine Vergütungsforderung wird nach Maßgabe des § 645 Abs. 1 BGB fällig, nämlich reduziert um den mangelbedingten Minderwert der Leistung. Die Höhe der Minderung bemisst sich regelmäßig nach den zu erwartenden Kosten der Mangelbeseitigung. Sofern eine Mangelbeseitigung nicht möglich ist oder vom Auftragnehmer wegen unverhältnismäßig hoher Kosten verweigert werden kann und wird, ist die Vergütung um den mangelbedingten Minderwert des Bauwerks zu kürzen.

BGH, Urteil vom 22.1.2004 – VII ZR 183/02 – NJW 2004, 1525

Fallen/Praxishinweis

Der Auftragnehmer kann kein Leistungsverweigerungsrecht aus § 648 a BGB für sich in Anspruch nehmen, wenn er zugleich die Mängel oder seine Mängelhaftung bestreitet (OLG München, Urteil vom 12.6.2003 – 28 U 4242/02 – BauR 2004, 94). Der Schutzzweck des § 648a BGB ist nicht erreichbar, wenn der Auftragnehmer von vornherein eine weitere Leistung (hier die Mangelbeseitigung) verweigert.

Geht der Auftragnehmer so vor, wie vom BGH aufgezeigt, muss er eine unter Umständen nicht unerhebliche Minderung seiner Vergütung hinnehmen. Bei beseitigbaren Mängeln muss sich der Auftragnehmer einen Abzug in Höhe der Kosten gefallen lassen, „die notwendig sind, um den Mangel beseitigen zu lassen“. Nach der Diktion der Entscheidung des BGH kommt es auf die Kosten an, die erforderlich sind, um den Mangel beseitigen zu „lassen“, also auf die Kosten der Selbstvornahme. Dies erscheint jedoch unbillig. Nachdem der Auftraggeber sich nicht vertragstreu verhält, sollte er nach Treu und Glauben eine Minderung der Vergütung nur in der Höhe erreichen, in der sich der Auftragnehmer Kosten erspart hat. Dies trägt dem Recht des Auftragnehmers, Mängel selbst zu beseitigen, Rechnung und kann bei einer Mangelbeseitigung durch Eigenleistung des Auftragnehmers erheblich unter den Kosten der Selbstvornahme durch Drittunternehmer liegen.

Zur Fälligkeit des Nacherfüllungsanspruchs hinzutreten muss als Voraussetzung für die Rechte des Auftraggebers nach § 634 Nr. 2 bis 4 BGB dessen Fristsetzung zur Nacherfüllung (Beseitigung des Mangels). Die Frist ist vom Auftraggeber gegenüber dem Auftragnehmer des jeweiligen Vertragsverhältnisses zu setzen. So bedarf es im Verhältnis von Hauptunternehmer und Subunternehmer der Fristsetzung durch den Hauptunternehmer, während eine Fristsetzung des Bauherrn an den Subunternehmer ohne rechtliche Wirkung bleibt. Dadurch wird weder im Verhältnis von Hauptunternehmer zum Bauherrn noch im Verhältnis des Subunternehmers zum Hauptunternehmer ordnungsgemäß Frist gesetzt.

Fristsetzung im Verhältnis Bauherr – Hauptunternehmer – Subunternehmer

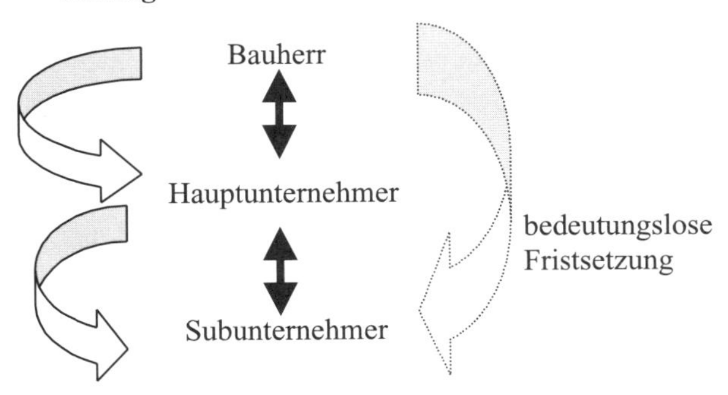

168 Zu berücksichtigen ist, dass der Auftraggeber nach gesetzlichem Werkvertragsrecht die Mängelbeseitigung erst zu dem vereinbarten Fertigstellungstermin verlangen kann. Vor dem vereinbarten Fertigstellungstermin steht es in der Entscheidung des Auftragnehmers, wann er auftretende Mängel beseitigen will. Die angemessene Frist zur Mangelbeseitigung ist also so zu bemessen, dass sie nicht vor dem vertraglichen Fertigstellungstermin endet.

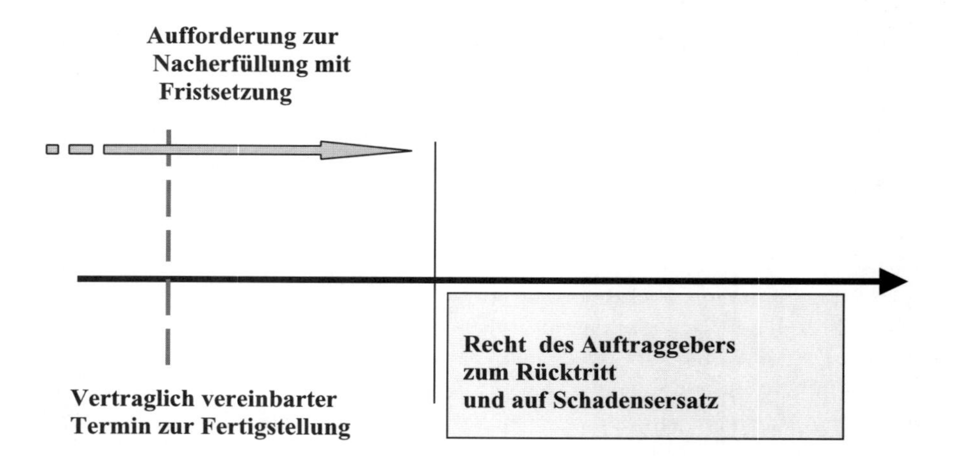

169 Dies bedeutet für den Regelfall, dass der Auftraggeber die Frist zur Nacherfüllung bereits vor dem vertraglich vereinbarten Fertigstellungstermin setzen kann, die Frist aber nicht vor dem vereinbarten Fertigstellungstermin enden kann. Eine vom Auftraggeber zu kurz gesetzte, weil vor dem vereinbarten Fertigstellungstermin ablaufende Frist verlängert sich automatisch derart, dass sie erst mit Ablauf des vertraglichen Fertigstellungstermins endet. Erst dann kann der Auftraggeber seine Mängelrechte geltend machen. Die Fristdauer ist unabhängig von der Abnahmefähigkeit und der Abnahme der Leistung.

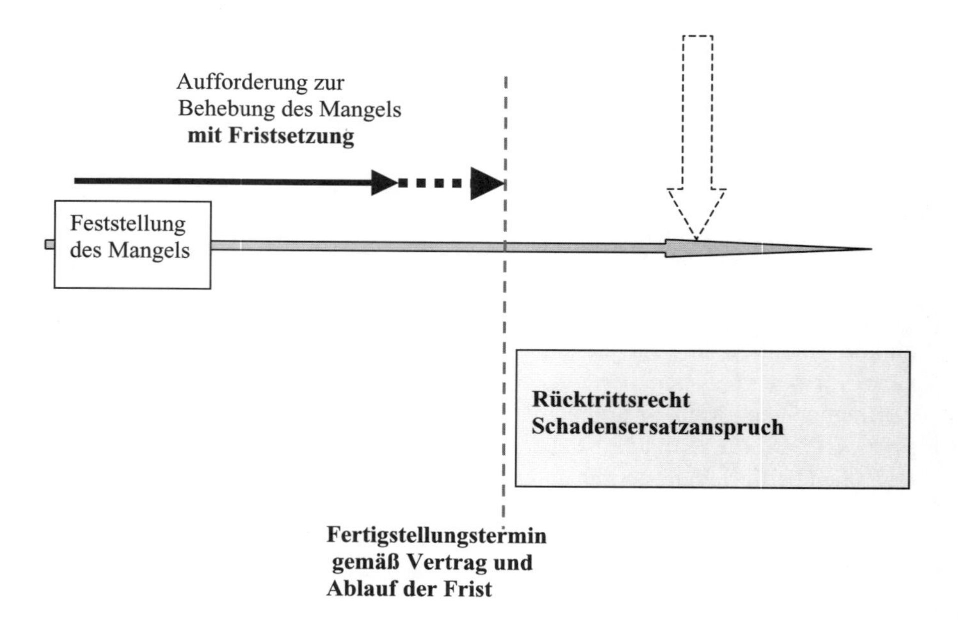

Eine weit vor dem vereinbarten Fertigstellungstermin gesetzte und endende Frist ist wirkungslos, wenn sie derart weit zurückliegt, dass der Auftragnehmer zum Zeitpunkt des Fertigstellungstermins mit der früheren Fristsetzung nicht mehr rechnen muss.

Fallen/Praxishinweis

Endet die vom Auftraggeber gesetzte Frist zur Nacherfüllung erheblich verfrüht, nämlich weit vor dem vertraglich vereinbarten Fertigstellungstermin, ist im Zweifel eine erneute Fristsetzung anzuraten.

In Ausnahmefällen kann der Auftraggeber die Beseitigung von Mängeln bereits vor dem vertraglichen Fertigstellungstermin fordern, wenn nämlich besondere Umstände das Verlangen des Auftraggebers rechtfertigen. Dies kommt in Betracht, wenn

- der Unternehmer seine Leistung bereits vor dem vereinbarten Endtermin beendet,
- der Mangel später nicht mehr oder nicht mehr sicher beseitigt werden kann,
- eine spätere Mangelbehebung die Fortführung der Bauarbeiten ernsthaft gefährdet,
- der Auftragnehmer endgültig und bestimmt die Beseitigung des Mangels verweigert.

Unabhängig vom Fertigstellungstermin muss die Frist zur Nacherfüllung angemessen sein. Diese richtet sich nach der Dauer der Mangelbehebungsarbeiten und hierfür erforderlichen Vorbereitungsmaßnahmen. Das Beschleunigungsbedürfnis des Auftraggebers ist zu berücksichtigen, insbesondere wenn diesem im Zuge der Mängelbeseitigung erhebliche Folgeschäden (zum Beispiel durch Produktionsausfall) drohen.

Die Frist muss derart bemessen sein, dass es einem erfüllungsbereiten Schuldner möglich ist, die Mangelbeseitigung bis Fristende zu erbringen. Setzt der Auftraggeber eine zu kurze Frist, so verlängert sich diese entsprechend. Die Fristverlängerung muss vom Auftragnehmer nicht beantragt werden, sie tritt automatisch ein. Liegen allerdings fristverlängernde Umstände auf Seiten des Auftragnehmers vor, die für den Auftraggeber nicht erkennbar sind, hat der Auftragnehmer hierauf rechtzeitig hinzuweisen.

Zeitablauf bei zu kurz gesetzter Frist

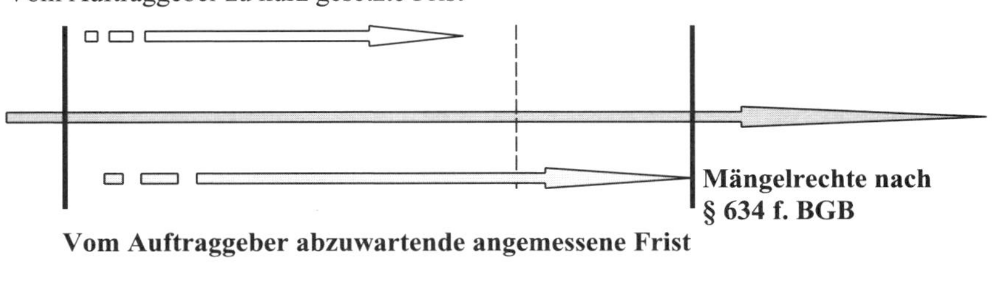

Vom Auftraggeber zu kurz gesetzte Frist

Mängelrechte nach § 634 f. BGB

Vom Auftraggeber abzuwartende angemessene Frist

Setzt der Auftraggeber eine objektiv überlange Frist, ist er hieran gebunden. Er kann die Frist nachträglich nur verkürzen, wenn nachträglich besondere Umstände eintreten, die dies rechtfertigen. Dies kann dann der Fall sein, wenn Mangelfolgen auftreten, die eine unverzügliche Mangelbeseitigung nötig machen.

6.4 Beschreibung der Mängel

170 Bei Fristsetzung hat der Auftraggeber die zu beseitigenden Mängel konkret zu beschreiben. Der Auftraggeber kann die von ihm vermuteten Mangelursachen oder die Mangelerscheinungen (Symptome) beschreiben.

Leitsatz

Der Auftraggeber genügt den Anforderungen an die Bezeichnung des Mangels, wenn er die Mangelerscheinungen rügt. Er ist nicht verpflichtet, die Mangelursachen und die Verantwortlichkeit der am Bau beteiligten Unternehmer für die Mängel vorprozessual zu klären.

BGH, Urteil vom 27.2. 2003 – VII ZR 338/01 – BauR 2003, 123

Rechtsprechungshinweis

Vgl. BGH, Urteil vom 8.5.2003 – VII ZR 407/01 – BauR 2003, 1247, sowie Urteil vom 28.10.1999 – VII ZR 115/97 – BauR 2000, 261.

Beispiel 1: Beschreibung des Mangels anhand der Mangelerscheinung:

„Sie werden hiermit aufgefordert, die im Keller des Anwesens … an den Wänden auftretende Feuchtigkeit bis zum … zu beseitigen.“

Beispiel 2: Beschreibung des Mangels anhand der Mangelursache:

„Sie werden hiermit aufgefordert, die undichte Bodenfuge im Keller des Anwesens … bis zum … abzudichten.“

Für die Praxis ist die Beschreibung des Mangels nach der Mangelursache (s. o. Beispiel 2) nicht zu empfehlen. Treffen die vom Auftraggeber angegebenen Mangelursachen nicht zu, so geht die hierauf gestützte Aufforderung zur Mangelbeseitigung ins Leere. Der tatsächlich vorliegende Mangel ist in der Aufforderung zur Mangelbeseitigung nicht beschrieben, der beschriebene Mangel liegt dagegen nicht vor.

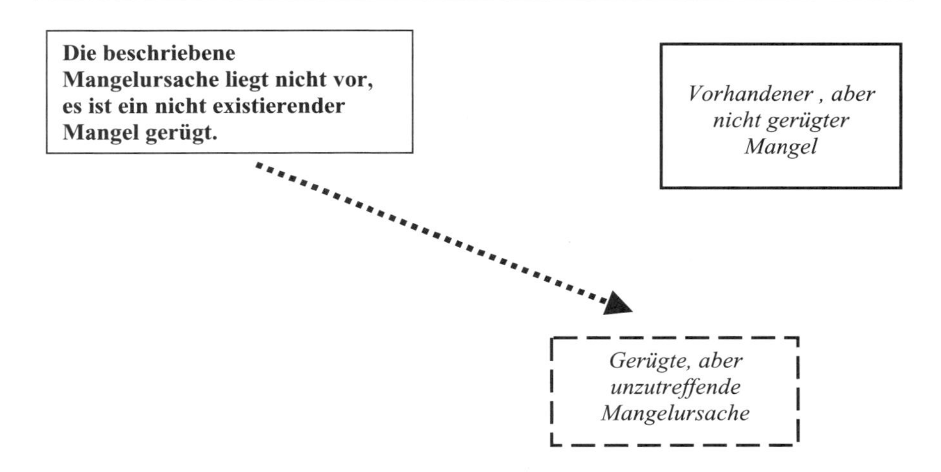

Ein Selbstvornahmerecht oder sonstiges Mangelrecht kann auf eine solche unzutreffende Beseitigungsaufforderung nicht gestützt werden. Führt der Auftraggeber in diesem Fall nach Fristablauf die Mangelbeseitigung durch, so hat er keinen Kostenerstattungsanspruch. Er trägt die Kosten der Mangelbeseitigung selbst, da die Voraussetzungen der Selbstvornahme fehlen.

Beschreibt der Auftraggeber die Mangelerscheinungen, so werden alle den beschriebenen Mangelerscheinungen zu Grunde liegenden Ursachen erfasst. Rügt der Auftraggeber zum Beispiel bei seiner Fristsetzung, dass Farbe an einem Fenster abblättert, so muss der Auftragnehmer die Mangelursachen selbst ermitteln und Mangelursachen und aufgetretene Mangelerscheinungen (abgeblätterte Farbe) beseitigen.

171 Hinsichtlich gerügter Schallmängel bedarf es im Rechtsstreit keiner technisch spezifizierten Angaben, insbesondere muss nicht vorgetragen werden, welche Schallschutzwerte geschuldet und inwieweit sie nicht eingehalten sind. Der Auftraggeber ist nicht verpflichtet, vorprozessual etwa ein Schallgutachten einzuholen, um seine Rüge spezifizieren zu können. Es reicht auch hier die Beschreibung der Mangelerscheinung, d.h. der Umstände, aus denen auf einen Schallmangel geschlossen wird (z. B., dass bei Reihenhäusern Gespräche in üblicher Lautstärke durch die Hauswand deutlich oder gar „Wort für Wort“ mitgehört werden können). Der BGH hielt in seiner Entscheidung vom 28.10.1999 (VII ZR 115/97 – BauR 2000, 261) sogar den nicht näher konkretisierten Vortrag eines Bauherrn für ausreichend, dass die Schallschutzwerte hinsichtlich des Trittschalls in sämtlichen Räumen „deutlich unterschritten“ seien, was auf einer unzureichenden Trennung von Fliesen und Estrich beruhe.

172 Der Auftraggeber muss insbesondere nicht vortragen, worauf der Mangel beruht, ob auf einem Konstruktions-, Material- oder Verarbeitungsfehler oder auf welchem Fehler auch immer. Er braucht weder Mangelursachen benennen, noch denkbare Mangelursachen ausschließen. Behauptet allerdings der Auftragnehmer seinerseits konkret Mangelursachen, die von ihm nicht zu verantworten wären, so ist der nach Abnahme beweispflichtige Auftraggeber gezwungen, die Behauptung des Auftragnehmers zu widerlegen.

Prozessualer Hinweis

Im Rechtsstreit muss der Auftraggeber nur die Mangelerscheinung vortragen mit der Behauptung, dass diese vom Auftragnehmer zu verantworten ist. Durch den Vortrag der Mangelerscheinung werden Mängel und Mängelursachen Gegenstand des Vortrags und des Verfahrens. Der Auftraggeber ist nicht gezwungen, zur Mangelursache vorzutragen oder gar denkbare Mangelursachen außerhalb des Verantwortungsbereichs des Auftragnehmers auszuschließen.

BGH, Urteile vom 8.5.2003 – VII ZR 407/01 – BauR 2003, 1247 und vom 14.1.1999 – VII ZR 185/97 – BauR 1999, 899

173 Beschreibt der Auftraggeber die Mängel anhand ihrer Symptome, so werden alle für die beschriebenen Symptome tatsächlich maßgebenden Ursachen erfasst. Auch soweit die vom Auftraggeber geschilderten Symptome nur an einer oder einigen Stellen des Bauwerks auftreten, so ist der Mangel als solches und sind die zu Grunde liegenden Mangelursachen im Ganzen erfasst, an welcher Stelle des Bauwerks oder der Bauleistung sie auch vorliegen. Dass der Auftraggeber die Aufforderung zur Mangelbeseitigung auf den Bereich der sichtbaren Mangelerscheinung eingrenzt, schränkt die Verpflichtung des Auftragnehmers zur Nacherfüllung nicht auf diese Mängelstelle ein. Vielmehr ist der Auftragnehmer verpflichtet, den Mangel insgesamt, an sämtlichen Teilen des Bauwerks zu beseitigen, auch soweit er noch nicht zu Tage getreten sein sollte (BGH, Urteil vom 3.7.1997 – VII ZR 210/96 – BauR 1997, 1029). Von Bedeutung wird eine örtlich begrenzte Mängelrüge, wenn an verschiedenen Teilen des Bauwerks gleiche Mangelerscheinungen auftreten, denen aber unterschiedliche Ursachen zugrunde liegen. Die Fristsetzung des Auftraggebers bezieht sich nur auf den gerügten Mangel, d. h. auf die Ursachen der Mangelerscheinung, auf die sich der Auftraggeber bezieht. Gleichartige Mangelerscheinungen an anderen Stellen des Bauwerks, die auf anderen Ursachen beruhen, als die Mangelerscheinung im gerügten Bereich, bedürfen einer eigenen Beseitigungsaufforderung des Auftraggebers.

Falle/Praxishinweis

Treten die Mangelerscheinungen nur in bestimmten Bereichen auf und setzt der Auftraggeber dementsprechend Frist zur Beseitigung des Mangels in diesen Bereichen, so muss der Auftragnehmer mit dem Auftreten des gerügten Mangels auch an anderen Stellen seiner Leistung rechnen und seine Leistung insgesamt auf das Vorliegen des gerügten Mangels untersuchen. Beseitigt er den Mangel nur an den vom Auftraggeber angegebenen Stellen, liegt der gerügte Mangel jedoch auch an anderen Stellen vor, so muss der Auftraggeber nicht nochmals Frist zur Mangelbeseitigung setzen.

174 Dem Auftraggeber bleibt es unbenommen, **zusätzlich** zur Beschreibung der Mangelerscheinungen auch auf vermutete Ursachen des Mangels hinzuweisen. Treffen die beschriebenen Ursachen der Mangelerscheinung nicht zu, so schadet dies dem Auftraggeber nicht. Weist der Auftraggeber bei seiner Beseitigungsaufforderung zusätzlich zur gerügten Mangelerscheinung auf die von ihm vermuteten Mangelursachen hin, so beschränkt sich die Beseitigungsaufforderung nicht auf die vom Auftraggeber angegebenen Mangelursachen. Vorrangig ist die Beschreibung der Mangelerscheinung. Vom Auftragnehmer zu beseitigen sind daher auch in diesem Fall alle für die angegebene Mangelerscheinung maßgebenden Ursachen an allen objektiv vorhandenen Mangelstellen.

175

Der Auftragnehmer darf sich in aller Regel nicht auf die vom Auftraggeber genannten Mangelursachen verlassen, sondern hat die tatsächlichen Ursachen der Mangelerscheinung selbst zu erforschen. Dies gilt selbst dann, wenn der Auftraggeber fachkundig ist oder sich auf ein Gutachten bezieht, indem bestimmte Mangelursachen genannt werden (BGH, Urteil vom 3.7.1997 – VII ZR 210/96 – Baurecht 1997, 1029). Nur im Ausnahmefall kann sich der Auftragnehmer auf die ihm vom Auftraggeber gemachten Angaben zu den Mangelursachen verlassen, wenn z.B. der Auftraggeber über ein überlegenes Fachwissen verfügt.

Dem Auftraggeber steht es frei, zur Bezeichnung von Mängeln auf frühere Mängelrügen Bezug zu nehmen, wenn diese hinreichend konkret waren und die Bezugnahme auf diese hinreichend konkret erfolgt. Der Auftraggeber ist nicht gezwungen, bei jeder Mängelrüge bzw. Mangelbeseitigungsaufforderung den beanstandeten Mangel zu wiederholen, wenn für den Auftragnehmer nicht zweifelhaft sein kann, welcher Mangel gemeint ist. Die Bezugnahme muss allerdings zweifelsfrei zugeordnet werden können.

Fall

Zwischen den Parteien fand am 1.2.1996 eine gemeinsame Besprechung an der Baustelle statt, bei welcher dem Auftragnehmer die zu beseitigenden Mängel aufgezeigt wurden. In mehreren nachfolgenden Schreiben forderte der Auftraggeber zur Mangelbeseitigung auf, ohne die zu beseitigenden Mängel im Einzelnen nochmals zu beschreiben. Der Auftragnehmer wandte ein, die Aufforderungen zur Mangelbeseitigung seien nicht hinreichend konkretisiert gewesen.

Entscheidung

Das Brandenburgische OLG folgte dem Einwand des Auftragnehmers nicht. Auf Grund der dem Schreiben vorangehenden Baustellenbesprechung war dem Auftragnehmer bereits bekannt, welche Mängel der Auftraggeber beseitigt haben wollte. Aus diesem Grund bedurfte es keiner nochmaligen Schilderung der Mängel. Der Auftragnehmer konnte Art und Umfang des Mängelbeseitigungsbegehrens des Auftraggebers ohne weiteres erkennen.

Brandenburgisches OLG, Urteil v. 5.7.2000 – 7 U 276/99 – BauR 2001, 102

Fallen/Praxishinweis

Der Entscheidung ist uneingeschränkt zuzustimmen, sie sollte jedoch in der Praxis nicht dazu verleiten, bei wiederholter Fristsetzung vorschnell auf eine erneute Mängelbeschreibung zu verzichten. Unklarheiten hinsichtlich der Mängelrüge gehen nämlich zu Lasten des Auftraggebers. Eine unklare Mangelbeschreibung führt zur Unwirksamkeit der Fristsetzung, sodass eine notwendige Voraussetzung für die Mängelrechte nach § 634 Nr. 2 bis 4 BGB nicht vorläge, eine durchgeführte Selbstvornahme verfrüht wäre, und der Auftraggeber die hierfür aufgewendeten Kosten selbst tragen müsste. Besonders wenn vom Auftragnehmer zwischenzeitlich erhebliche Nachbesserungsarbeiten ausgeführt wurden, ist bei neuerlicher Fristsetzung klarzustellen, hinsichtlich welcher verbliebener oder neu aufgetretener Mängel die Beseitigung verlangt wird.

Der Auftragnehmer ist nicht verpflichtet, bei unklarer Mängelrüge Erkundigungen einzuholen, welche Mängel gemeint sein können. Es ist Sache desjenigen, der die Beseitigung von Mängeln fordert, die zu beseitigenden Mängel eindeutig anzugeben. Es empfiehlt sich daher für den Auftraggeber, die zu beseitigenden Mängel bei jeder Fristsetzung in konkreter Weise zu beschreiben, insbesondere wenn Mängel vorher nur mündlich gerügt waren.

6.5 Fristsetzung zur Nacherfüllung

176 Die für die Mängelrechte nach § 634 f. BGB erforderliche Fristsetzung muss sich auf die Durchführung der Nacherfüllung, also auf die Vornahme und Beendigung der Mangelbeseitigungsleistung beziehen.

Normalfall der Fristsetzung zur Mangelbeseitigung

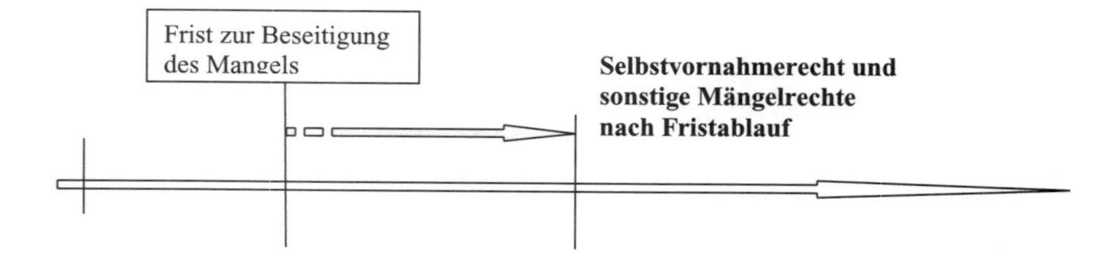

Setzt der Auftraggeber nur Frist zum Beginn der Arbeiten oder dazu, die Bereitschaft zur Vornahme der Arbeiten mitzuteilen, so reicht dies in aller Regel nicht.

Leitsatz

Eine dem Auftragnehmer gesetzte Frist, um die Bereitschaft zur Mangelbeseitigung zu erklären oder Lösungsvorschläge zu unterbreiten, ist nicht geeignet, die

Voraussetzungen der Selbstvornahme oder anderer Mängelrechte herbeizuführen.

OLG Düsseldorf, Urteil vom 15.1.1999 – 22 U 120/98 – BauR 1999, 1030

Nur ausnahmsweise kann eine Fristsetzung ausreichen, die zum Arbeitsbeginn oder zur Mitteilung auffordert, dass Bereitschaft zur Mangelbeseitigung besteht. Dies kommt z.B. in Betracht, wenn einerseits die Bereitschaft des Auftragnehmers zur Mangelbeseitigung fraglich ist, andererseits dem Auftraggeber nicht zugemutet werden kann, erst den Ablauf einer für die Mangelbeseitigung erforderlichen längeren (z.B. mehrmonatigen) Ausführungsfrist abzuwarten, um dann festzustellen, dass der Auftragnehmer zur Durchführung der Arbeiten von vornherein nicht gewillt war. Es kann sich insoweit jedoch nur um Ausnahmefälle handeln, in denen ein besonderes Interesse des Auftraggebers anerkannt werden muss, alsbald Klarheit über die Bereitschaft des Auftragnehmers zur Mangelbeseitigung zu gewinnen.

177 In der Rechtsliteratur wird mitunter empfohlen, eine doppelte Frist zu setzen, nämlich einerseits eine Frist zum Arbeitsbeginn bzw. zur Erklärung der Nacherfüllungsbereitschaft, und andererseits – zugleich – eine Frist zur Durchführung (= Beendigung) der Nacherfüllungsarbeiten. Rechtlich gesehen steht einer solchen „doppelten Fristsetzung" nichts entgegen, wenn der Auftraggeber sich bewusst bleibt, dass er den Ablauf der Frist zur Ausführung der Arbeiten abwarten muss, also Mängelrechte noch nicht bei Verstreichen der (1.) Frist zum Arbeitsbeginn bzw. zur Erklärung der Nacherfüllungsbereitschaft geltend machen kann.

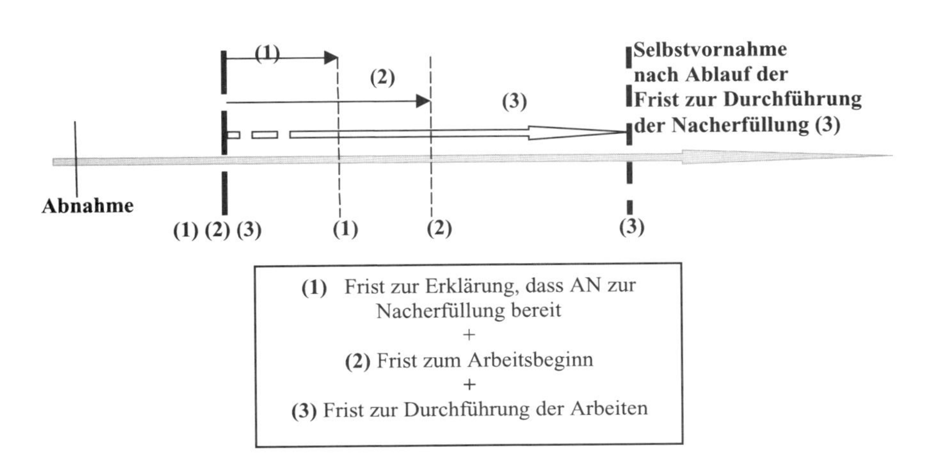

Im Einzelfall kann eine solche doppelte Fristsetzung durchaus von praktischem Nutzen sein. Lehnt nämlich der Auftragnehmer bereits auf Grund der gesetzten Erklärungsfrist die Vornahme von Nacherfüllungsarbeiten bestimmt und endgültig ab, so bedarf es keines weiteren Abwartens durch den Auftraggeber. Die endgültige und bestimmte Ablehnung der Nacherfüllung macht ein Abwarten der gesetzten Frist zur Durchführung der Arbeiten unnötig (§ 323 Abs. 2 Nr. 1 BGB). Dass der Auftragnehmer die Mangelbeseitigung endgültig und bestimmt ablehnt, muss jedoch zweifelsfrei und beweiskräftig feststehen. Ein bloßes Schweigen des Auftragnehmers auf die Aufforderung, seine Bereitschaft zur Mangelbeseitigung zu erklären, stellt keine endgültige und bestimmte Verweigerung der Mangelbeseitigung dar. Ebenso ist allein aus dem Umstand, dass der Auftragnehmer die Frist zur Aufnahme der Arbeiten nicht einhält, im Regelfall nicht zu schließen, dass er die Mangelbeseitigung verweigert.

" Doppelte Fristsetzung " mit vorzeitiger Ablehnungserklärung des Auftragnehmers

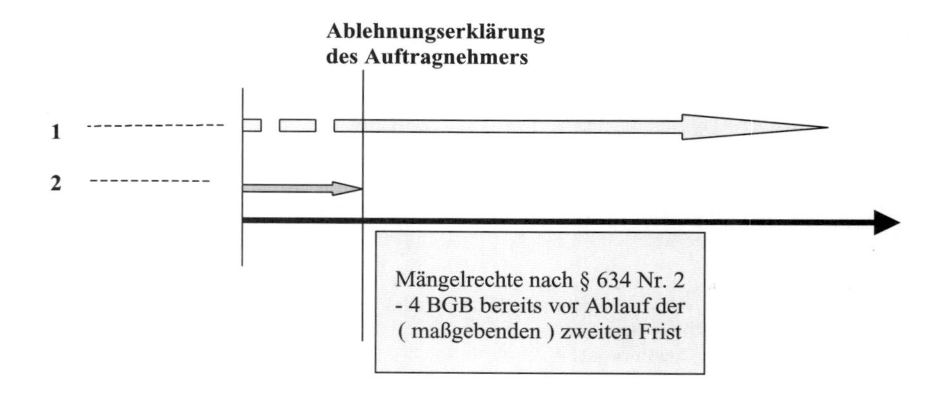

1 = Frist zur Durchführung, d. h. zur Beendigung der Mangelbeseitigungsarbeiten

2 = Frist zum Beginn der Mangelbeseitigungsarbeiten

Für den Regelfall empfiehlt sich, die Frist ausschließlich zur „Nacherfüllung“ bzw. zur „Beseitigung des Mangels“ zu setzen, und dadurch eine sichere Grundlage für das Entstehen von Mängelrechten zu schaffen.

Die Art und Weise der Mangelbeseitigung ist dem Auftragnehmer freigestellt. Der Auftraggeber hat damit keine Veranlassung, mit der Fristsetzung Angaben zu Art und Umfang der Mangelbeseitigungsmaßnahmen zu machen. Solche Angaben sind nicht nur überflüssig, sie können auch für den Auftraggeber schädlich sein, wenn sie sachlich nicht zutreffend sind und den Eindruck erwecken können, der Auftraggeber werde keine andere als die von ihm beschriebene Mangelbeseitigung annehmen. Zwar ist der Auftragnehmer verpflichtet, unabhängig von den Angaben des

Auftraggebers die tatsächlichen Mangelursachen zu ermitteln und die richtige Art und Weise der Mangelbeseitigung festzulegen. Wird er aber vom Auftraggeber in die Irre geleitet und entstehen ihm daraus Mehrkosten, so kann dies bei schuldhaftem Verhalten des Auftraggebers einen Schadensersatzanspruch des Auftragnehmers auslösen. Erweckt der Auftraggeber den Eindruck, als ob er nur eine bestimmte Maßnahme der Mangelbeseitigung anzunehmen gewillt sei, so kann er hierdurch in Annahmeverzug geraten.

Falle/Praxishinweis

Fordert der Auftraggeber unter Missachtung des Entscheidungsrechts des Auftragnehmers ausschließlich zur Vornahme exakt bezeichneter Mangelbeseitigungsarbeiten auf und lehnt er zugleich andere taugliche und zumutbare Mangelbeseitigungsmaßnahmen ab, so gerät er in Annahmeverzug. Die Voraussetzungen der Mängelrechte nach § 634 Nr. 2–4 BGB treten nicht ein.

6.6 Folgen des Fristablaufs

178 Bei ergebnislosem Fristablauf geht der ursprüngliche Erfüllungsanspruch des Auftraggebers nicht unter, der Auftraggeber kann nach wie vor Nacherfüllung, d.h. Beseitigung des Mangels, verlangen und Klage auf Nacherfüllung erheben. Er kann jedoch auch Schadensersatz wegen Nichterfüllung verlangen gem. §§ 280 f. BGB bzw. §§ 634 Nr. 4, 280 f. BGB, vom Vertrag zurücktreten gem. § 323 BGB bzw. § 634 Nr. 3, §§ 636, 323 BGB, den gerügten Mangel im Wege der Selbstvornahme gem. §§ 634 Nr. 2, 637 BGB beseitigen oder die Vergütung des Auftragnehmers nach §§ 634 Nr. 3, 638 BGB mindern.

Rechte des Auftraggebers nach Fristablauf

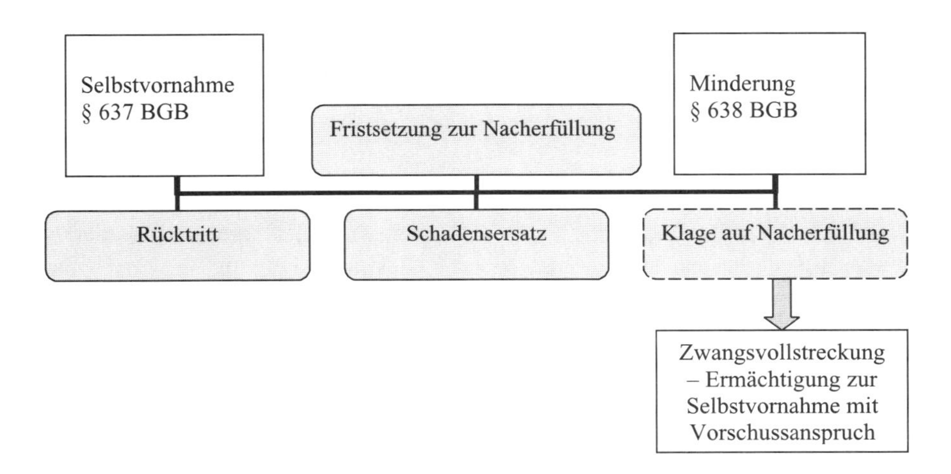

Eine weitere Folge der Fristversäumung besteht darin, dass der Auftragnehmer seine Befugnis verliert, von ihm zu verantwortende Mängel selbst zu beseitigen.

Leitsatz

Nach Ablauf der Frist zur Mangelbeseitigung (§§ 636, 323 Abs. 1, 637 Abs. 2 BGB n.F., § 633 Abs. 3 BGB a.F. bzw. gemäß § 13 Nr. 5 Abs. 2 VOB/B) ist der Auftragnehmer nicht mehr berechtigt, ohne Zustimmung des Auftraggebers nachzubessern.

Fall

Die Beklagte war zur schlüsselfertigen Errichtung einer Wohnungseigentumsanlage verpflichtet. Die VOB/B war vereinbart. Nach Fertigstellung und Abnahme des Bauwerks leiteten Bauträger und Wohnungseigentümer, denen die Gewährleistungsansprüche gegen die Beklagte abgetreten waren, ein selbstständiges Beweisverfahren ein und forderten nach Eingang des Gutachtens unter Fristsetzung die Beseitigung der Mängel. Die Beklagte ließ die gesetzte Frist verstreichen, ohne Nachbesserungsarbeiten durchzuführen. Nachdem die Wohnungseigentümergemeinschaft die Verwalterin bevollmächtigt hatte, einen Rechtsstreit „zur Durchsetzung der Mängelbeseitigung/zur Erlangung der Aufwendungen für die Mängelbeseitigung“ zu führen, begann die Beklagte, Balkonbeläge nachzubessern. Sie wurde daraufhin von der Baustelle gewiesen und ihr jede weitere Nachbesserung verboten. Die Wohnungseigentümer verlangten aufgrund der Mängel Kostenvorschuss zur Mängelbeseitigung sowie Minderung und Schadensersatz.

Entscheidung

Der BGH gab der Wohnungseigentümergemeinschaft Recht. Nach Ablauf der von ihr zur Nachbesserung gesetzten Frist hatte der Auftragnehmer sein Recht auf Beseitigung der Mängel verloren. Nach Ablauf der gem. § 13 Nr. 5 Abs. 2 VOB/B gesetzten Frist war er gehindert, ohne Zustimmung des Auftraggebers nachzubessern. Die Eigentümer waren nicht verpflichtet, das verspätete Angebot der Beklagten zur Mangelbeseitigung noch anzunehmen. Dieser Grundsatz gilt nach der Entscheidung des BGH auch für den BGB-Vertrag, wenn eine zur Nachbesserung gesetzte Frist ergebnislos abgelaufen ist.

Der Auftraggeber ist, so der BGH, nach Ablauf der Frist nicht verpflichtet, eine verspätet angebotene Nachbesserung anzunehmen. Es wäre mit dem berechtigten Interesse des Auftraggebers, nach Fristablauf zu entscheiden, welche Ansprüche er gegen den Auftragnehmer geltend machen will, unvereinbar, wenn der Auftragnehmer gegen den Willen des Auftraggebers nach Fristablauf noch Mängel nachbessern könnte. Der Auftragnehmer wird nach Ansicht des BGH dadurch nicht unangemessen benachteiligt, da er zweifach gegen seine Vertragspflichten verstoßen hat. Zum einen hat er die geschuldete Leistung vertragswidrig ausgeführt, zum anderen hat er trotz Aufforderung und Fristsetzung die geschuldete Mängelbeseitigung nicht vorgenommen.

BGH, Urteil vom 27.2.2003 – VII ZR 338/01 – BauR 2003, 693

Fallen/Praxishinweis

Der Entscheidung des BGH liegt die Aufforderung zur Mängelbeseitigung unter Fristsetzung zu Grunde. Nur eine solche Fristsetzung (und nicht die bloße Aufforderung zur Mängelbeseitigung) führte zum Rechtsverlust des Auftragnehmers, soweit die VOB/B vereinbart ist oder auf den Vertrag das ab 1.1.2002 geltenden Mängelhaftungsrecht nach §§ 634 f. BGB n.F. Anwendung findet.

Dagegen ist nach dem Gewährleistungsrecht der §§ 633 f. BGB a.F. (das auf die bis zum 31.12.2001 abgeschlossenen Verträge Anwendung findet) ein Verlust des Mängelbeseitigungsrechts des Auftragnehmers nicht in jedem Fall eine Fristsetzung zur Mängelbeseitigung gebunden. Denn auch das Ersatzvornahmerecht nach § 633 Abs. 3 BGB a.F. kann ohne Fristsetzung entstehen. Voraussetzung ist nach § 633 Abs. 2 BGB a.F. entweder eine Aufforderung zur Mängelbeseitigung mit Fristsetzung oder eine wiederholte Aufforderung zur Mängelbeseitigung (also eine Mahnung). Auf eben diese unterschiedliche Art kann einerseits das Recht auf Ersatzvornahme nach § 633 Abs. 3 BGB a.F. vom Auftraggeber erreicht werden, wie auch andererseits das Recht des Auftragnehmers, von ihm verursachten Mängel selbst zu beseitigen, damit untergeht. Voraussetzung ist allerdings nach § 633 Abs. 3 BGB a.F., dass der Auftragnehmer die gesetzte Frist oder die nach Mahnung laufende Frist schuldhaft versäumt. Dies müsste man konsequent auch als Voraussetzung dafür sehen, dass der Auftragnehmer sein Recht auf Mängelbeseitigung verliert. Nur bei Verzug des Auftragnehmers sollte es im Ermessen des Auftraggebers stehen, ob er eine verspätet angebotene Mängelbeseitigung noch annimmt. Der Wortlaut der Entscheidung des BGH spricht aber eher dafür, als sollte auf den bloßen Fristablauf abgestellt werden.

Bereits vor Fristablauf verliert der Auftragnehmer seine Befugnis, von ihm verursachte Mängel selbst zu beseitigen, wenn er die Nacherfüllung ernsthaft und bestimmt verweigert. In diesem Fall muss der Auftraggeber keine Frist zur Mängelbeseitigung setzen und muss eine bereits zur Mängelbeseitigung gesetzte Frist nicht mehr abwarten. Der Auftraggeber kann sofort nach Zugang der Erklärung Kostenvorschuss für die Selbstvornahme (Ersatzvornahme) verlangen oder von den sonstigen Mängelrechten Gebrauch machen. Auch ein unzweifelhaft ernsthaftes Angebot des Auftragnehmers, Mängel nachzubessern, muss der Auftraggeber nicht annehmen. Darauf, ob der Auftraggeber bei Zugang des Nachbesserungsangebots bereits Schritte unternommen hat, die Selbstvornahme durchzuführen, ob er insbesondere bereits andere Unternehmer mit der Mängelbeseitigung beauftragt hat, kommt es nicht an.

Wichtiger Hinweis

Fordert der Auftraggeber nach abgelaufener Frist den Auftragnehmer erneut zur Nacherfüllung bzw. Mangelbeseitigung auf, kann er sich nicht auf den früheren Fristablauf berufen. Durch die erneute Aufforderung zur Mangelbeseitigung entsteht die Befugnis des Auftragnehmers neu, von ihm zu verantwortende Mängel selbst zu beseitigen. Der Auftraggeber kann erst nach Ablauf einer neuerlich gesetzten Frist zur Selbstvornahme übergehen bzw. die sonstigen Mängelrechte geltend machen (BGH, Urteil vom 27.11.2003 – VII ZR 93/01 – BauR 2004, 501/503).

179 Der Auftragnehmer kann die Folgen der Fristsetzung nur dadurch vermeiden, dass er innerhalb der gesetzten bzw. angemessenen Frist die Mangelbeseitigung vornimmt. Dass bloße Angebot der Mangelbeseitigung reicht zur Fristwahrung, wenn der Auftraggeber die Annahme ablehnt.

Der Auftragnehmer muss seine Leistung rechtzeitig dem richtigen Beteiligten anbieten, dies ist ausschließlich sein Auftraggeber. Im Verhältnis von Hauptunternehmer und Subunternehmer hat letzterer seine Leistung dem Hauptunternehmer anzubieten, der Hauptunternehmer wiederum hat seine Leistung dem Bauherrn anzubieten. Ein Leistungsangebot des Subunternehmers unmittelbar gegenüber dem Bauherrn, ohne dass er den Hauptunternehmer davon in Kenntnis setzt, ist rechtlich ohne Bedeutung. Weder wahrt der Subunternehmer damit eine ihm durch den Hauptunternehmer gesetzte Frist noch kommt der Hauptunternehmer in Verzug mit der Annahme der Mangelbeseitigung, wenn der Bauherr das Angebot des Subunternehmers zurückweist.

Leitsatz

Im Verhältnis von Hauptunternehmer und Subunternehmer muss der Subunternehmer seine Nachbesserungsleistung dem Hauptunternehmer in einer den Annahmeverzug begründenden Weise so anbieten, dass der Hauptunternehmer den Bauherrn zur Entgegennahme dieser Leistung anhalten kann.

Bietet der Subunternehmer die Nacherfüllung (Mangelbeseitigung) nur gegenüber dem Bauherrn an und verweigert dieser die Annahme, so wirkt die Annahmeverweigerung des Bauherrn nicht zu Lasten des Hauptunternehmers.

OLG Düsseldorf, BauR 1998, 1263

Die Folgen des Fristablaufs treten nicht ein, wenn der Auftragnehmer die Mangelbeseitigung zu Recht verweigert. Hiermit befasst sich nachfolgende Entscheidung des OLG Düsseldorf.

Leitsatz

Weist der Auftragnehmer im Rahmen seiner Mangelbeseitigung zu Recht auf fehlende bauseitige Vorarbeiten hin, besteht der Auftraggeber jedoch auf der Ausführung, ohne bauseitig die erforderlichen Voraussetzungen zu schaffen, ist der Auftragnehmer berechtigt, die Leistung zu verweigern.

Fall

Der Auftragnehmer war mit Sanierungsarbeiten an Betonteilen von Balkonen beauftragt. Die Sanierung schlug fehl. Zur Mangelbeseitigung aufgefordert, verwies der Auftragnehmer auf erforderliche bauseitige Voraussetzungen, um eine Betonsanierung erfolgreich durchführen zu können: Das Gefälle war unzureichend, an den Balkonen fehlten Hohlkehlen, ebenso fehlten die erforderliche Horizontalsperre und ein Feuchtigkeitsschutz des Verblendmauerwerks. Da der Auftraggeber bauseitige Vorleistungen nicht erbrachte, verweigerte der Auftragnehmer die Mangelbeseitigung.

Entscheidung

Das OLG Düsseldorf gab dem Auftragnehmer Recht, er durfte die Mangelbeseitigung wegen der fehlenden bauseitigen Voraussetzungen verweigern. Der Auftragnehmer sei zwar grundsätzlich verpflichtet, die Leistung in der angeordneten Weise auszuführen, wenn der Auftraggeber hierauf besteht. Dies gelte allerdings nicht uneingeschränkt bei Mangelbeseitigungsarbeiten. Bei Arbeiten zur Mangelbeseitigung sei der Unternehmer einem höheren Beweisrisiko ausgesetzt. Denn er müsse notfalls beweisen, dass seine Nacherfüllungsleistung zur Beseitigung des Mangels geführt hat oder nur aus Gründen fehlgeschlagen ist, auf die er hingewiesen hatte.

OLG Düsseldorf, Urteil vom 13.3.2003 – I – 5 U 71/01 – BauR 2004, 99/101

Fallen/Praxishinweis

Ob der Ansicht des OLG Düsseldorf gefolgt werden kann, ist fraglich. Grundsätzlich ist davon auszugehen, dass der Auftragnehmer zur Leistungsausführung auch dann verpflichtet ist, wenn der Auftraggeber einem Bedenkenhinweis nicht Rechnung trägt und auf der fehlerhaften Ausführung besteht.

Der Auftragnehmer hat ein berechtigtes Interesse, die Leistung zu verweigern. Er wird allein aufgrund seines Bedenkenhinweises von der Mängelhaftung frei. Das trifft auch im Rahmen der Nacherfüllung zu. Hier trägt nämlich der Auftraggeber das Risiko, nachweisen zu müssen, dass eine fehlgeschlagenen Nacherfüllung nicht auf Umstände zurückzuführen ist, für die der Auftragnehmer auf Grund seines Bedenkenhinweises von der Haftung frei ist. Kann nicht ausgeschlossen werden, dass die Mangelbeseitigung aus Gründen fehlgeschlagen ist, auf die der Auftragnehmer rechtzeitig hingewiesen hatte, so wird der Auftragnehmer von seiner Mangelbeseitigungsverpflichtung frei, wenn es dem Auftraggeber nicht zugleich gelingt, weitere und vom Auftragnehmer zu vertretende Ursachen für das Fehlschlagen der Mangelbeseitigung nachzuweisen.

Ein Leistungsverweigerungsrecht des Auftragnehmers kann sich auch aus § 648 a BGB ergeben.

Leitsatz

Grundsätzlich kann der Unternehmer auch nach Abnahme Sicherheit gem. § 648 a Abs. 1 BGB fordern, wenn ihm nach Mangelbeseitigung ein Vergütungsanspruch zusteht. Denn der Unternehmer ist nach Abnahme gezwungen, wirtschaftlich eine Vorleistung in Form der Mangelbeseitigung zu erbringen, um den Zahlungsanspruch durchsetzen zu können. Setzt der Auftragnehmer Frist zur Sicherheitsleistung gem. § 648a BGB mit der Ankündigung der Leistungsverweigerung, so kann er nach erfolglosem Fristablauf die Mangelbeseitigungsarbeiten einstellen.

BGH, Urteil vom 22. 1. 2004 – VII ZR 183/02 – NJW 2004, 1525

6.7 Kein Nacherfüllungsrecht des Auftragnehmers nach Fristablauf

180 Mit Ablauf der vom Auftraggeber gesetzten (bzw. angemessenen) Frist erlischt das Recht des Auftragnehmers, die gerügten und bei Fristablauf noch nicht beseitigten Mängel selbst zu beheben. Zugleich erwächst dem Auftraggeber gem. § 637 BGB das Recht auf Beseitigung der gerügten Mängel durch Selbstvornahme.

Für § 633 BGB a.F. war streitig, ob der Auftraggeber nach Fristablauf (bzw. Verzugseintritt) ein (verspätetes) Nachbesserungsangebot des Auftragnehmers noch annehmen muss. Dies hätte bedeutet, dass der Auftragnehmer ein bereits entstandenes Ersatzvornahmerecht des Auftraggebers nach § 633 Abs. 3 BGB a.F. dadurch hätte zu Fall bringen können, dass er nach Fristablauf bzw. nach Verzugseintritt die Mangelbeseitigung anbot. Die obergerichtliche Rechtsprechung bejahte dies zunächst. So wurde der Auftraggeber in mehreren Entscheidungen des OLG Koblenz (BauR 1996, 719; BauR 1997, 845) verpflichtet, die angebotene Mangelbeseitigung anzunehmen, wenn es sich um ein ernst gemeintes tatsächliches Angebot handelte und dem Auftraggeber die Annahme des Angebots zuzumuten war. Dem entsprach auch die Entscheidungspraxis des OLG Düsseldorf (z.B. OLG Düsseldorf BauR 1998, 1011), wonach der Verzug des Auftragnehmers hinsichtlich der Mangelbeseitigung endet, wenn er die Mangelbeseitigung in hinreichender Form anbietet. Der BGH ist dem in einer neueren Entscheidung nicht mehr gefolgt. Der BGH geht vielmehr davon aus, dass der Auftraggeber nach Eintritt der Ersatzvornahmevoraussetzungen nach § 633 Abs. 3 BGB a.F. nicht mehr verpflichtet ist, die vom Auftragnehmer angebotene Mangelbeseitigung noch anzunehmen.

Leitsatz

Nach Ablauf der Frist zur Mängelbeseitigung (gemäß § 633 Abs. 3 BGB a.F, bzw. §§ 636, 323 Abs. 1, 637 BGB n.F. bzw. § 13 Nr. 5 Abs. 2 VOB/B). ist der Auftragnehmer nicht mehr berechtigt, ohne Zustimmung des Auftraggebers nachzubessern.

Fall

Die Beklagte war zur schlüsselfertigen Errichtung einer Wohnungseigentumsanlage verpflichtet. Die VOB/B war vereinbart. Nach Fertigstellung und Abnahme des Bauwerks leiteten Bauträger und Wohnungseigentümer ein selbstständiges Beweisverfahren ein und forderten nach Eingang des Gutachtens und unter Fristsetzung die Beseitigung der Mängel. Die Beklagte ließ die gesetzte Frist verstreichen, ohne Nachbesserungsarbeiten durchzuführen. Nachdem die Wohnungseigentümergemeinschaft die Verwalterin bevollmächtigt hatte, einen Rechtsstreit „zur Durchsetzung der Mangelbeseitigung/zur Erlangung der Aufwendungen für die Mangelbeseitigung" zu führen, begann die Beklagte, Balkonbeläge nachzubessern. Sie wurde von der Baustelle gewiesen und ihr jede weitere Nachbesserung verboten. Die Wohnungseigentümer verlangten aufgrund der Mängel Kostenvorschuss zur Mangelbeseitigung, Minderung und Schadensersatz.

Entscheidung

Der BGH gab der Wohnungseigentümergemeinschaft Recht. Nach Ablauf der zur Nachbesserung gesetzten Frist hat, so die Entscheidung, der Auftragnehmer sein Recht auf Beseitigung der Mängel verloren und ist gehindert, ohne Zustimmung des Auftraggebers nachzubessern. Dieser Grundsatz gilt nach der Entscheidung des BGH sowohl für den VOB-Vertrag als auch für den BGB-Vertrag (§ 633 Abs. 3 BGB a.F., § 636 i. V. m. §§ 323 Abs. 1 BGB, 637 BGB n.F.).

Der Auftraggeber ist nach Ablauf der Frist nicht verpflichtet, eine verspätet angebotene Nachbesserung anzunehmen. Es wäre mit dem berechtigten Interesse des Auftraggebers, nach Fristablauf zu entscheiden, welche Ansprüche er gegen den Auftragnehmer geltend machen will, unvereinbar, wenn der Auftragnehmer gegen den Willen des Auftraggebers Mängel nachbessern könnte. Der Auftragnehmer wird nach Ansicht des BGH dadurch nicht unangemessen benachteiligt, da er zweifach gegen seine Vertragspflichten verstoßen hat. Zum einen hat er die geschuldete Leistung vertragswidrig ausgeführt, zum anderen hat er trotz Aufforderung und Fristsetzung die geschuldete Mangelbeseitigung nicht vorgenommen.

BGH, Urteil vom 27.2.2003 – VII ZR 338/01 – BauR 2003, 693

Fallen/Praxishinweis

Die Entscheidung befasst sich *nicht* mit dem Fall, dass der Auftraggeber zwar zur Mangelbeseitigung auffordert, hierzu jedoch *keine Frist* setzt. Für die Beantwortung der Frage, ob der Auftragnehmer sein Mangelbeseitigungsrecht verliert, wenn er auf Mängelrügen *ohne Fristsetzung* nicht reagiert, ist zu unterscheiden, welches Mängelhaftungsrecht Anwendung findet.

Ist die VOB/B vereinbart oder findet das für Verträge ab dem 1.1.2002 geltende Mängelhaftungsrecht der §§ 634 f. BGB n.F. Anwendung, verliert der Auftragnehmer seine Befugnisse zur Mangelbeseitigung nicht, wenn er zur Mangelbeseitigung ohne Fristsetzung aufgefordert wird. Denn sämtliche Mängelrechte nach § 634 Nr. 2–4 BGB setzt unabdingbar eine Fristsetzung voraus, sofern nicht ein Ausnahmefall entsprechend §§ 281 Abs. 2, 323 Abs. 2, 636 BGB vorliegt. Damit tritt auch für den Auftragnehmer der Verlust des Rechts auf Mangelbeseitigung in der Regel nur unter der Voraussetzung der zur Mangelbeseitigung gesetzten Frist ein.

Für das Gewährleistungsrecht nach §§ 633 f. BGB a.F., das auf die bis zum 31. 12.2001 abgeschlossenen Verträge Anwendung findet, kann dagegen ein Verlust des Mangelbeseitigungsrechts des Auftragnehmers auch dann eintreten, wenn der Auftraggeber zur Mangelbeseitigung auffordert, ohne zugleich eine Frist zu setzen. Denn nach § 633 Abs. 3 BGB alte Fassung kann das Ersatzvornahmerecht des Auftraggebers auch ohne Fristsetzung entstehen, nämlich wenn der Auftraggeber schuldhaft einer wiederholten (mindestens zweimaligen) Aufforderung zur Mangelbeseitigung nicht nachkommt. Die wiederholte Aufforderung (Mahnung) des Auftragnehmers zur Mangelbeseitigung ersetzt die Fristsetzung. Gerät der Auftragnehmer mit der Mangelbeseitigung in Verzug, steht es im Ermessen des Auftraggebers, ob er eine verspätet angebotene Mangelbeseitigung noch annimmt. Nach dem Wortlaut der Entscheidung bedürfte es sogar keiner schuldhaften Fristversäumung durch den Auftragnehmer. Ob die Entscheidung des BGH derart wortgetreu zu verstehen ist, erscheint jedoch fraglich.

Ohne Fristsetzung bzw. bereits vor Ablauf einer gesetzten Frist verliert der Auftragnehmer seine Befugnis zur Mangelbeseitigung, wenn er die Nacherfüllung ernsthaft und bestimmt verweigert. Der Auftraggeber kann nach endgültiger und bestimmter Verweigerung der Mangelbeseitigung Kostenvorschuss nach § 637 Abs. 3 BGB verlangen oder von sonstigen Mängelrechten Gebrauch machen. Ein späteres, selbst unzweifelhaft ernst gemeintes Nachbesserungsangebot des Auftragnehmers muss der Auftraggeber nicht mehr annehmen. Darauf, ob der Auftraggeber zu diesem Zeitpunkt die Selbstvornahme bereits eingeleitet hat, kommt es nicht an.

Fordert der Auftraggeber nach Fristablauf den Auftragnehmer erneut zur Nacherfüllung bzw. Mangelbeseitigung auf, lebt das Mangelbeseitigungsrecht des Auftragnehmers wieder auf. Der Auftraggeber kann erst nach Ablauf einer neuerlich zu setzenden Frist zur Selbstvornahme übergehen bzw. sonstige Mängelrechte geltend machen (BGH, Urteil vom 27. November 2003 – VII ZR 93/01 – BauR 2004, 501/503).

6.8 Ausnahmen: Mängelrechte ohne Fristsetzung

181 Abweichend vom Regelfall, wonach mit Ausnahme des Nacherfüllungsanspruchs sämtliche Mängelrechte des Auftraggebers eine Fristsetzung zur Nacherfüllung voraussetzen, ist gem. § 323 Abs. 2 BGB bzw. § 636 BGB ausnahmsweise eine Fristsetzung entbehrlich,

- wenn der Auftragnehmer die Leistung ernsthaft und endgültig verweigert (§ 637 Abs. 2 Satz 1, § 323 Abs. 2 BGB),
- die Nacherfüllung fehlgeschlagen ist, für den Auftraggeber mit nicht zumutbaren Folgen verbunden wäre (§ 637 Abs. 2 Satz 2 BGB) oder der Auftraggeber zu Recht das Vertrauen in die Zuverlässigkeit des Auftragnehmers verloren hat,
- die Nacherfüllung unmöglich ist, oder
- andere Umstände vorliegen, die eine Fristsetzung unzumutbar erscheinen lassen.

Ergeben sich während des Laufs einer gesetzten Frist Umstände, die eine Fristsetzung entbehrlich machen, so muss der Ablauf der Frist nicht abgewartet werden. Bedarf es keiner Fristsetzung, so ist auch eine Mängelanzeige überflüssig.

182 Einer Frist bedarf es insbesondere nicht, wenn der Auftraggeber zu Recht das Vertrauen in die Sachkunde des Auftragnehmers verloren hat und mit Recht befürchtet, dass der Auftragnehmer zur Behebung des Mangels nicht in der Lage sein wird. Eine Fristsetzung ist deshalb nicht erforderlich, wenn der Auftragnehmer die Mangelbeseitigung bereits mehrmals ergebnislos versucht hat (in der Regel bei zweimaligem Nachbesserungsversuch), wenn er völlig untaugliche Maßnahmen zur Mangelbehebung anbietet (OLG Düsseldorf, Urteil vom 15.3.2000 – 5 U 92/99 – BauR 2001, 645, 646; OLG Köln BauR 1980,77), wenn es sich aus objektiver Sicht nur um eine bloßes Experimentieren handelt (OLG Nürnberg NJW-RR 1993, 1300,1303), oder bei berechtigten schweren Zweifeln an der Fachkenntnis des Unternehmers aus anderen Gründen.

Falle/Praxishinweis

Bietet der Unternehmer eine unzureichende Nachbesserung an, schlägt er aber gleichzeitig eine gemeinsame Erörterung der notwendigen Mangelbeseitigungsmaßnahmen unter Einschaltung eines Sachverständigen vor, so rechtfertigt dies nach einer Entscheidung des OLG Düsseldorf (BauR 2000, 645, 646) nicht, von der erforderlichen Fristsetzung abzusehen.

In der Praxis von besonderer Bedeutung sind die Fälle, in denen der Auftragnehmer die Mangelbeseitigung endgültig und bestimmt verweigert. Auf den Grund seiner Leistungsverweigerung kommt es nicht an. So bedarf es auch dann keiner Fristsetzung, wenn der Auftragnehmer die Nacherfüllung zu Recht wegen Unverhältnismäßigkeit ablehnt.

Der Auftragnehmer verweigert die Mangelbeseitigung endgültig und bestimmt, wenn er den Mangel oder seine Verantwortlichkeit endgültig und bestimmt in Abrede stellt oder sich in derselben eindeutigen Weise auf Verjährung beruft.

Fall

Der Auftragnehmer war beauftragt, ein Dach neu einzudecken. Seine Leistung war mangelhaft, da die Gebindesteigung ungleichmäßig und teilweise zu steil ausgeführt wurde. Verschiedene Gebinde liefen sich „tot". Auf die Aufforderung des Auftraggebers, die Mängel zu beseitigen, erhob der Unternehmer die Einrede der Verjährung.

Entscheidung

Bestreitet der Auftragnehmer seine Verpflichtung zur Mangelbeseitigung, indem er die Einrede der Verjährung erhebt, so lässt er erkennen, dass er nicht mehr zur Mangelbeseitigung bereit ist. Damit sind die Ersatzvornahmevoraussetzungen gegeben. Der Auftraggeber kann Vorschuss auf die zu erwartenden Kosten der fachgerechten Mangelbeseitigung verlangen.

OLG Celle, Urteil vom 5.11.1998 – 22 U 39/96 – BauR 1999, 763

Nach früheren Entscheidungen des OLG Düsseldorf (vgl. Urteil vom 20.3.1998 – 22 U 159/97 – BauR 1998, 1011) sollen „bloße Meinungsverschiedenheiten" über die Verpflichtung zur Mängelhaftung nicht ausreichen, eine endgültige Erfüllungsverweigerung anzunehmen.

183 Soweit das OLG Düsseldorf in mehreren Entscheidungen (Urteil vom 29.3.2000 – 5 U 146/99 – BauR 2001, 646, 647; Urteil vom 30.6.2000 – 22 U 209/99 – BauR 2001, 1461, 1463 ; Urteil vom 15.1.1999 – 22 U 120/98 – BauR 1999, 1030) ein prozessuales Bestreiten des Auftragnehmers hinsichtlich vorliegender Mängel oder hinsichtlich seiner Verantwortlichkeit für Mängel nicht als endgültige und bestimmte Verweigerung der Mangelbeseitigung ansieht, weil es sich um prozesstaktisches Verhalten handeln könne, kann dem nicht gefolgt werden.

Leitsatz

Bestreitet der Auftragnehmer vor Gericht nachhaltig seine Haftung für Mängel, so lässt dies meist den Schluss zu, dass der Auftragnehmer die Nacherfüllung ernsthaft und endgültig verweigert.

OLG Bremen, Urteil vom 15.2.2001 – 5 U 69/100 – BauR 2001, 1599

Nach einer Entscheidung des OLG Düsseldorf (Urteil vom 29.3.2000 – 5 U 146/99 – BauR 2001, 646, 647) liegt keine ernsthafte und endgültige Verweigerung der Mangelbeseitigung vor, wenn der Auftragnehmer mehrere Nachbesserungsversuche vornimmt und bei einem Nachbesserungsversuch erklärt, dass er nicht die fachlichen Fähigkeiten habe, um die Mängel nachhaltig zu beseitigen. Wenn einem Unternehmer die fachlichen Voraussetzungen zur Beseitigung des Mangels fehle, sei er berechtigt, zur Mangelbeseitigung Dritte hinzuzuziehen, die die erforderliche fachliche Qualifikation aufweisen.

Eine Fristsetzung kann auch entfallen, wenn die Nacherfüllung unmöglich ist. Allerdings stehen dem Auftraggeber bei unmöglicher Nacherfüllung nur die Rechte des Rücktritts, der Minderung und des Schadensersatzes zu, während ein Selbstvornahmerecht naturgemäß ausscheidet.

Unmöglich ist die Nacherfüllung, wenn eine mangelfreie Leistung weder durch den Auftragnehmer noch durch einen Dritten erreicht werden kann. Die Unmöglichkeit der Nacherfüllung kann sich aus tatsächlichen oder rechtlichen Gründen ergeben. Ein Fall der rechtlichen Unmöglichkeit liegt vor, wenn zur Durchführung der Mangelbeseitigung die Zustimmung eines Dritten (z. B. des Enderwerbers) nötig ist, dies jedoch verweigert wird und auch im Klagewege nicht erreicht werden kann.

Nicht unmöglich ist die Nacherfüllung, wenn der Auftragnehmer seinen Betrieb aufgegeben hat oder in Insolvenz fällt (BGH, Urteil vom 22.11.1984 – VII ZR 287/82 – BauR 1995, 198). Möglich ist die Nacherfüllung auch dann, wenn sie zu einer gegenüber dem Vertrag geänderten Leistung führt, die geänderte Ausführung aber für den Auftraggeber zumutbar ist (z.B. eine unzureichend bewehrte Stahlbetondecke wird durch einen Unterzug tragfähig gemacht).

Einer Fristsetzung bedarf es schließlich nicht, wenn die Nacherfüllung dem Auftraggeber nicht zuzumuten ist (zum Beispiel bei damit verbundenen unverhältnismäßig hohen Folgeschäden, unzumutbarer Lärm- oder Staubentwicklung usw.). In diesem Fall stehen dem Auftraggeber die Mängelrechte zu, sobald er sich auf die Unzumutbarkeit beruft.

184 Setzt der Auftraggeber Frist zur Nacherfüllung, obwohl eine Fristsetzung nicht erforderlich wäre, so muss er die (unnötig) eingeräumte Nacherfüllungsfrist einhalten. Ein willkürlicher Widerruf der einmal zugestandenen Frist ist nicht möglich. Anders ist dies dagegen, wenn nach gesetzter Frist neue Umstände auftreten oder bekannt werden, die ein Festhalten an der gesetzten Frist als unzumutbar erscheinen lassen.

6.9 Allgemeine Geschäftsbedingungen zur Nacherfüllungsfrist

185 Durch **Allgemeine Geschäftsbedingungen des Auftraggebers** kann die nach § 634 f. BGB erforderliche Nacherfüllungsfrist nicht in Wegfall gebracht werden. Dass die Mängelrechte nach § 634 Nr. 2–4 BGB dem Auftraggeber im Regelfall erst nach Nachfristsetzung zustehen, ist ein wesentlicher Grundgedanke des gesetzlichen Mängelhaftungsrechts.

Ebenso ist es nicht möglich, durch **Allgemeine Geschäftsbedingungen des Auftraggebers** eine generelle Mangelbeseitigungsfrist (z.B. von 4 Wochen) vorzuschreiben. Der Auftraggeber ist nämlich verpflichtet, eine nach den Einzelumständen jeweils angemessene Frist zur Mangelbeseitigung einzuräumen. Welche Frist angemessen ist, kann nur konkret beurteilt werden, insbesondere nach Art und Umfang der jeweils erforderlichen Mangelbeseitigung. Eine generell bestimmte Beseitigungsfrist, wie sie in Allgemeinen Geschäftsbedingungen ohne Rücksicht auf die Umstände und Erfordernisse des Einzelfalls dem Auftragnehmer vorgegeben wird, führt zu einer unangemessenen Benachteiligung des Auftragnehmers (OLG Düsseldorf, Urteil vom 15.3.2000 – 5 U 92/99 – BauR 2000, 645). Eine in entsprechenden Allgemeinen Geschäftsbedingungen des Auftraggebers vorgesehene Frist hat daher im Einzelfall nur insoweit Gültigkeit, als sie sich zum Nachteil des Verwenders auswirkt.

6.10 Unverhältnismäßigkeit der Nacherfüllung (Mangelbeseitigung)

186 Ein Anspruch auf Nacherfüllung entfällt, wenn sie der Auftragnehmer wegen Unverhältnismäßigkeit gem. § 275 Abs. 2 BGB oder § 635 Abs. 3 BGB verweigern kann und verweigert. Kann ein Mangel auf verschiedene Art und Weise beseitigt werden, so kann der Auftragnehmer die Nacherfüllung zur Gänze nur dann verweigern, wenn sämtliche in Betracht kommenden Alternativen unverhältnismäßig sind.

Nach § 275 Abs. 2 BGB kann der Auftraggeber die Nacherfüllung verweigern, wenn der Aufwand in einem groben Missverhältnis zum Leistungsinteresse des Auftraggebers steht. Nach § 635 Abs. 3 BGB kann der Auftragnehmer die Leistung verweigern, wenn sie mit Kosten verbunden ist, die unter Berücksichtigung aller Umstände als unverhältnismäßig anzusehen ist. Für den Bauvertrag ist § 635 Abs. 3 BGB von besonderer praktischer Bedeutung, er kommt bereits vor Abnahme zur Anwendung.

187 Zur Auslegung von § 635 Abs. 3 BGB kann auf die Rechtsprechung zu § 633 Abs. 2 S. 3 BGB a.F. zurückgegriffen werden. Unverhältnismäßig ist die Mangelbeseitigung, wenn der erzielbare Erfolg unter Abwägung aller Umstände des Einzelfalls in keinem vernünftigen Verhältnis zur Höhe des zur Mangelbeseitigung erforderlichen Aufwands steht. Das Verhältnis von Mangelbeseitigungsaufwand und vertraglichem Werklohn ist nicht allein entscheidend, es sind sämtliche Umstände des Einzelfalls zu beachten, insbesondere auch das Maß des den Auftragnehmer treffenden Verschuldens.

Der Einwand der Unverhältnismäßigkeit ist regelmäßig ausgeschlossen, wenn der Mangel die Funktionsfähigkeit der Leistung bzw. des Bauwerks erheblich beeinträchtigt und durch die Mangelbeseitigung eine nicht unerhebliche Verbesserung erzielt werden kann (BGH, Urteil vom 4.7.1996 – VI ZR 24/95 – NJW 1996, 3269, 3270 = BauR 1996, 858). Schallmängel stellen in aller Regel eine erhebliche Beeinträchtigung der Nutzungsmöglichkeit eines Bauwerks dar, zur Beseitigung von Schallmängeln muss der Auftragnehmer in der Regel auch einen hohen Kostenaufwand in Kauf nehmen.

Beispiele aus der Rechtsprechung

Deutlich hörbare Trittgeräusche aus einer oberhalb gelegenen Wohnung beeinträchtigen das Wohlbefinden in der eigenen Wohnung erheblich. Eine Unverhältnismäßigkeit im Sinne von § 251 Abs. 2 Satz 1 BGB ist daher auszuschließen.

OLG Naumburg, Urteil vom 26.11.1999 – 6 U 1476/97 – BauR 2000, 274

Auf Grund der erheblichen Bedeutung einer funktionierenden Wärmedämmung (im entschiedenen Fall: Kerndämmung bei Verblendmauerwerk) sind vom Auftragnehmer auch hohe Kosten der Mangelbeseitigung in Kauf zu nehmen.

OLG Hamm, Urteil vom 1.4.1998 – 12 U 146/94 – BauR 1998, 1019

Auch hohe Mangelbeseitigungskosten sind verhältnismäßig, wenn aufgrund von Schallmängeln alltägliche Wohngeräusche wie das Sprechen und Gehen aus dem Nachbarhaus deutlich zu hören sind.

OLG Hamm, Urteil vom 8.3.2001 – 21 U 24/100 – BauR 2001, 1262

188 Allgemeine Geschäftsbedingungen des Auftraggebers, die den Auftragnehmer trotz eines unverhältnismäßigen Aufwands zur Nacherfüllung verpflichten, sind unwirksam (BGH, Urteil vom 5.6.1997 – VII ZR 54/96 – BauR 1997, 1036).

Prozessualer Hinweis

Im Prozess ist die Unverhältnismäßigkeit der Nacherfüllung nicht von Amts wegen zu berücksichtigen, sondern nur auf Einwand des Auftragnehmers. Dieser hat die Umstände, aus denen sich die Unverhältnismäßigkeit ergibt, vorzutragen und zu beweisen.

189 Auf die Unverhältnismäßigkeit des Beseitigungsaufwands kann sich der Auftragnehmer nicht berufen, soweit er Mängel vorsätzlich oder grob fahrlässig verursacht hat (OLG Düsseldorf, Urteil vom 24.2.1987 – 23 U 183/86 – NJW-RR 1987, 1167 = BauR 1987, 572; OLG Köln NJW-RR 1992, 592) oder wenn seine Leistung untauglich bzw. wertlos ist.

6.11 Recht auf Selbstvornahme, Kostenerstattung, Kostenvorschuss

6.11.1 Erstattungsanspruch des Auftraggebers

190 Nach Fristsetzung und Fristablauf ist der Auftraggeber gem. § 637 Abs. 1 BGB berechtigt, den Mangel auf Kosten des Auftragnehmers durch Selbstvornahme zu beseitigen. Die hierzu erforderlichen Aufwendungen kann er ersetzt verlangen. Der Umfang der erstattungsfähigen Kosten wird nicht durch die Höhe der vertraglichen Vergütung des Auftragnehmers begrenzt.

Erforderlich sind alle Maßnahmen, die notwendig sind, um den Mangel dauerhaft und sicher zu beseitigen. Eine Neuherstellung kommt in Betracht, wenn auf andere Weise keine dauerhafte und sichere Mangelbeseitigung erreicht werden kann. Das Risiko einer unsicheren Maßnahme braucht der Auftraggeber nicht einzugehen. Im Gegenteil geht es zu Lasten und Kosten des Auftraggebers, wenn er zunächst die Mangelbeseitigung mittels einer erkennbar unsicheren Maßnahme versucht und hiermit scheitert.

191 Dem Auftraggeber steht es frei, zur Mangelbeseitigung besonders fachkundige und zuverlässige Firmen auch dann heranzuziehen, wenn diese einen höheren Preis berechnen, solange es sich jedenfalls um einen Preis im Rahmen der üblichen Preisspanne handelt. Der Auftraggeber muss zwar das Interesse des Auftragnehmers an einer Kostenbegrenzung durchaus beachten, im Vordergrund steht aber die Sicherheit der Mangelbehebung. Dass der Auftraggeber einen billigeren Unternehmer hätte finden können, ist unerheblich, solange der tatsächlich vereinbarte Preis nicht unangemessen hoch ist.

Eine Vergabe der Arbeiten in Regie ist möglich, wenn die für die Mangelbeseitigung anstehenden Arbeiten üblicherweise in Regie beauftragt werden oder der Auftraggeber trotz zumutbarer Bemühungen keinen Unternehmer findet, der bereit ist, die Arbeiten zu Einheitspreisen oder gegen Pauschalvergütung auszuführen.

192 Ergreift der Auftraggeber Maßnahmen, die er den Umständen nach für erforderlich halten darf, und erweisen sich diese Maßnahmen später als ungeeignet, so trägt dieses Risiko der Auftragnehmer und hat auch für solche Maßnahmen Aufwendungsersatz zu leisten. Durch unsachgemäße Arbeiten, der bei der Mangelbehebung eingeschalteten Unternehmer, verursachte Schäden, sind vom Auftragnehmer zu ersetzen, wenn der Auftraggeber beim Schädiger keinen Ausgleich erlangen kann.

193 Beruht ein Bauwerksmangel sowohl auf fehlerhafter Planung des Architekten als auch auf einem Verstoß des Unternehmers gegen seine Prüfungs- und Hinweispflicht, so muss sich der Bauherr im Verhältnis zum Unternehmer das Planungsverschulden seines Architekten zurechnen lassen (OLG Düsseldorf, Urteil vom 10.11.2000 – 22 U 78/100 – BauR 2001, 638, 642). Dies führt zu einer Reduzierung des Erstattungsanspruchs des Auftraggebers und zwar entsprechend dem Mitverursachungsanteil des Bauherrn bzw. seines Architekten.

Vom nachgewiesenen Aufwand sind als Sowieso-Kosten solche Kosten abzuziehen, die der Auftraggeber auch bei ordnungsgemäßer Ausführung des Vertrags hätte tragen müssen. Dies betrifft insbesondere die Fälle, in denen von Anfang an eine geänderte Ausführung oder zusätzliche Leistungen des Auftragnehmers erforderlich gewesen wären, um eine mangelfreie Leistung zu erreichen. War der Auftragnehmer nach dem Vertrag berechtigt, für die geänderte oder zusätzliche Leistung eine höhere oder zusätzliche Vergütung zu verlangen, handelt es sich bei diesen Kosten um Sowieso-Kosten (Ohnehin-Kosten). Dies gilt sowohl für den Einheitspreisvertrag wie auch für den Pauschalpreisvertrag (fraglich OLG Karlsruhe, Beschluss vom 17.6.1998 – 14 W 83/97 – BauR 1999, 1032).

Praxisbeispiel

Der Bauunternehmer ist mit den gesamten Rohbauarbeiten beauftragt, die Vergütung erfolgt nach Einheitspreisen. Nach Fertigstellung der Arbeiten treten im Keller Feuchtigkeitsschäden auf. Sie sind auf das Fehlen einer Drainage zurückzuführen, die nach dem vom Auftraggeber erstellten Leistungsverzeichnis des Vertrags nicht geschuldet war. Verlegt der Auftragnehmer im Rahmen seiner Mängelhaftung die Drainage, so kann er die Vergütung verlangen, die hierfür bei einer entsprechenden Auftragserweiterung zum Zeitpunkt des Vertragsschlusses angefallen wäre. Die Zusatzvergütung des Auftragnehmers fällt somit unter die Sowieso-Kosten.

Für den Kostenanteil des Auftraggebers kann der Unternehmer Sicherheit verlangen und zwar bereits vor Inangriffnahme der Nacherfüllung. Solange der Auftraggeber die verlangte Sicherheit nicht leistet, kann der Unternehmer die Mangelbeseitigung verweigern (OLG Düsseldorf, Urteil vom 10.11.2000 – 22 U 78/100 – BauR 2001, 638, 643).

Prozessualer Hinweis

Fordert der Auftraggeber Ersatz von Mangelbeseitigungskosten, ist er nicht verpflichtet, von sich aus bei der Berechnung des Schadens Sowieso-Kosten zu berücksichtigen. Im Rechtsstreit richtet sich die Anrechnung dieser Kosten nach den Grundsätzen des Vorteilsausgleichs. Sowieso-Kosten sind vom Auftragnehmer darzulegen und zu beweisen.

BGH, Urteil vom 8. 5. 2003 – VII ZR 407/01 – BauR 2003, 1247

6.11.2 Vorschussanspruch des Auftraggebers bei Selbstvornahme

194 Ist der Auftraggeber zur Selbstvornahme berechtigt, so kann er vom Auftragnehmer Vorschuss in Höhe der für die Beseitigung des Mangels voraussichtlich anfallenden Aufwendungen verlangen (§ 637 Abs. 3 BGB). Der Vorschussanspruch steht dem Auftragnehmer auch ohne Vorliegen eines besonderen Sicherungsinteresses zu.

Der Vorschussanspruch setzt voraus, dass der Auftraggeber die Mangelbehebung in angemessener Zeit durchführt. Umstände, die dies in Frage stellen, hat der Auftragnehmer darzutun und zu beweisen.

Prozessualer Hinweis

Hat der Auftraggeber bei Prozessbeginn zum Ausdruck gebracht, dass er die Mängel beseitigen lassen will, wenn ihm der dazu notwendige Vorschuss zur Verfügung gestellt wird, so rechtfertigt alleine eine ungewöhnlich lange Prozessdauer nicht die Annahme, der Auftraggeber wolle nun nicht mehr nachbessern.

BGH, Urteil vom 11. 11.1999 – VII ZR 402/98 – BauR 2000, 411

195 Nicht erforderlich ist, dass der Auftraggeber mit der Vergabe der Arbeiten oder gar mit den Behebungsmaßnahmen bereits begonnen hat. Ist die Mangelbeseitigung bereits erfolgt, kann der Auftraggeber endgültig abrechnen. Daher ist ein Vorschussanspruch nach Abschluss der Mangelbeseitigungsarbeiten ausgeschlossen. Ausgeschlossen ist der Vorschussanspruch auch, wenn der Anspruch auf Nacherfüllung untergegangen ist, der Auftraggeber z.B. bereits vom Minderungsrecht Gebrauch gemacht hat.

Prozessualer Hinweis

Erklärt der Auftraggeber im Prozess vorrangig Minderung und rechnet er hilfsweise mit Kostenvorschuss auf, so rechtfertigt dies nicht die Annahme, der Auftraggeber wolle die Mängel nicht beseitigen.

BGH, Urteil vom 14.1.1999 – VII ZR 19/98 – BauR 1999, 631

Allerdings ist der Auftraggeber endgültig an sein Minderungsverlangen gebunden, wenn die Voraussetzungen des ausgeübten Minderungsrechts gegeben waren.

196 Hinsichtlich der Höhe des Vorschussanspruchs sind sämtliche für die Mangelbeseitigung zu erwartenden Kosten, einschließlich Transport-, Wege-, Arbeits- und Materialkosten (§ 635 Abs. 2 BGB), zu berücksichtigen, einschließlich der Aufwendungen für erforderliche Planungsarbeiten und einzuholende Gutachten, für Arbeitsgerüste, Schutzmaßnahmen zur Sicherung des Bauwerks vor Verschmutzungen, Reinigungs- und Wiederherstellungsarbeiten am Bauwerk und in dessen Umgebung sowie für Maßnahmen, um die Nutzung des Bauwerks während der Arbeiten aufrechtzuerhalten. Zu Grunde zu legen sind solche Mangelbeseitigungsarbeiten, die vorausschauend erforderlich sein werden, um eine sichere und dauerhafte Mangelbeseitigung zu erreichen. Der Auftraggeber darf der Bemessung der Kosten eine kostenintensive aber sichere Maßnahme zu Grunde legen, und muss sich nicht auf die Kosten einer billigeren, aber hinsichtlich ihres Erfolgs unsicheren Maßnahme verweisen lassen.

Prozessualer Hinweis

Der Vortrag des Auftraggebers zur Höhe der Mangelbeseitigungskosten ist hinreichend substantiiert, wenn er die Kosten schätzt und für den Fall, dass der Auftragnehmer die Kosten bestreitet, ein Sachverständigengutachten als Beweismittel anbietet.

BGH, Urteil vom 8. 5. 2003 – VII ZR 407/01 – BauR 2003, 1247/1248 – vgl. auch BGH BauR 2001, 789; BauR 1999, 649

197 Der Vorschuss ist nicht durch die Höhe der vertraglich vereinbarten Vergütung des Auftragnehmers begrenzt. Reicht der zunächst verlangte Vorschuss nicht aus, so kann der Auftraggeber weiteren Vorschuss nachfordern.

Kosten für erforderliche Mitwirkungshandlungen des Auftraggebers sind mit dem hierfür zu erwartenden Aufwendungsbetrag (bei gewerblichem Auftraggeber ohne Gewinnanteil) anzusetzen. Nicht zu berücksichtigen sind bei der Berechnung des Vorschussbetrags ein evtl. nach Mangelbeseitigung verbleibender merkantiler Minderwert (BGH, Urteil vom 24. 10. 1996 – VII ZR 98/94 – BauR 1997, 129) sowie Mängelfolgeschäden (etwa Schäden des Auftraggebers durch einen bei Mangelbeseitigung eintretenden Nutzungsentgang).

Leitsatz

Der Ersatzanspruch eines vorsteuerabzugsberechtigten Auftraggebers geht bei Fremdkosten nur auf den in Rechnung gestellten Netto-Betrag (ohne Mehrwertsteuer).

OLG Düsseldorf, Urteil vom 16.8.1995 – 22 U 256/93 – BauR 1996, 396

198 Von dem so berechneten Vorschussbetrag abzuziehen sind Sowieso-Kosten, also Mehrkosten, die der Auftraggeber bei ordnungsgemäßer Ausführung von vornherein hätte tragen müssen. Zu berücksichtigen ist weiterhin ein eventuelles Mitverschulden des Auftraggebers oder seiner Erfüllungsgehilfen am Entstehen des Mangels. Beruht ein Mangel auf fehlerhafter Planung des Architekten und auf einem Verstoß des Unternehmers gegen seine Prüfungs- und Hinweispflicht, so muss sich der Bauherr im Verhältnis zum Unternehmer das Planungsverschulden seines Architekten zurechnen lassen (OLG Düsseldorf, Urteil vom 10.11.2000 – 22 U 78/100 – BauR 2001, 638, 642). Dies führt zu einer Reduzierung des Vorschussanspruchs des Auftraggebers entsprechend dem Mitverursachungsanteil des Bauherrn bzw. seines Architekten.

Prozessualer Hinweis

Fordert der Auftraggeber Ersatz von Mangelbeseitigungskosten, ist er nicht verpflichtet, von sich aus bei der Berechnung des Schadens Sowieso-Kosten zu berücksichtigen. Im Rechtsstreit richtet sich die Anrechnung dieser Kosten nach den Grundsätzen der Vorteilsausgleichung. Sowieso-Kosten sind vom Auftragnehmer darzulegen und zu beweisen.

BGH, Urteil vom 8. 5.2003 – VII ZR 407/01 – BauR 2003, 1247

199 Noch offene Werklohnforderungen des Auftragnehmers für die mangelhafte Leistung sind bei der Berechnung des Vorschusses zu berücksichtigen. Als Vorschuss kann der Auftraggeber nur verlangen, was nicht durch einen noch offenen Vergütungsanspruch des Auftragnehmers abgedeckt ist. Kann der Auftraggeber in vollem Umfang auf zurückbehaltenen Werklohn zugreifen, so steht ihm kein Vorschussanspruch zu (BGH, Urteil vom 20.1.2000 – VII ZR 224/98 – BauR 2000, 881, 885).

Hinweis

Ein vereinbarter Sicherheitseinbehalt gem. § 17 VOB/B, der noch nicht fällig und daher vom Auftraggeber noch nicht auszuzahlen ist, ist auf den Vorschussanspruch nicht anzurechnen. Der Sicherheitseinbehalt dient zur Absicherung zukünftiger, möglicherweise noch auftretender Mängelansprüche des Auftraggebers.

200 Der Auftraggeber ist gehalten, die Mangelbehebung innerhalb angemessener Zeit in Angriff zu nehmen und durchzuführen. Andernfalls muss er den Vorschuss zurückzahlen. Welche Frist dem Auftraggeber im Einzelfall für die Durchführung der Mangelbeseitigung zusteht, richtet sich nicht nur nach Art und Umfang der Arbeiten. So kann es erforderlich sein, um einen drohenden Produktionsausfall zu vermeiden, die Mangelbeseitigung zurückzustellen und auf die Zeit eines Betriebsurlaubs zu verschieben. Die Frist ist in der Regel großzügig zu bemessen. Der im Regelfall angemessene Zeitrahmen, innerhalb dessen die Mangelbeseitigung durchgeführt werden muss, kann in etwa mit einem Jahr angesetzt werden. Unter Umständen kann dem Auftraggeber aber auch eine wesentlich längere Zeitspanne zustehen (vgl. BGH, Urteil vom 5.4.1984 – VII ZR 167/83 – BauR 1984,406: vier Jahre).

Leistet der Auftragnehmer den zu Recht angeforderten Vorschuss nicht rechtzeitig und gerät er in Zahlungsverzug, so kann der Auftraggeber Verzugszinsen in der gesetzlichen Höhe (§§ 288, 267 BGB) verlangen. Vom Auftragnehmer entrichtete Zinsen werden nicht mit Mangelbeseitigungskosten verrechnet und verbleiben dem Auftraggeber auch dann, wenn er den Vorschuss mangels rechtzeitiger Mangelbeseitigung zurückzahlen muss. Mit dem Vorschussanspruch kann gegen Forderungen des Auftragnehmers aufgerechnet werden, er kann an Dritte abgetreten werden.

Nach durchgeführter Mangelbehebung hat der Auftraggeber alsbald über den Vorschuss abzurechnen. Ein eventuell nicht verbrauchter Vorschuss ist an den Auftragnehmer zurückzuzahlen.

6.12 Rücktrittsrecht des Auftraggebers

201 Nach § 634 Nr. 3 VOB/B i. V. m. §§ 636, 323, 326 Abs. 5 BGB kann der Auftraggeber vom Vertrag zurücktreten, wenn der Auftragnehmer gerügte Mängel nicht innerhalb der gesetzten bzw. angemessenen Frist beseitigt. Einer Fristsetzung bedarf es unter denselben Voraussetzungen nicht, wie sie bereits allgemein in Bezug auf die Mängelrechte des Auftraggebers aus § 634 f. BGB erörtert wurden (vgl. Rdn. 181).

Entscheidung

Der Auftraggeber kann vom Vertrag ohne Fristsetzung insbesondere dann zurücktreten, wenn die vom Auftragnehmer angebotenen oder versuchten Behebungsmaßnahmen ein reines Experimentieren darstellen.

OLG Nürnberg, NJW-RR 1993, 1300

202 Kein Rücktrittsrecht besteht bei unerheblicher Pflichtverletzung, wenn der Mangel in seinen Auswirkungen unerheblich ist und den Auftragnehmer nur ein geringes Verschulden trifft (§ 323 Abs. 5 S. 2 BGB). Ausgeschlossen ist Rücktritt weiterhin, wenn der Auftraggeber selbst zum Mangel beigetragen und dadurch den Mangel überwiegend selbst verursacht hat (§ 323 Abs. 6 BGB).

Ist vom Auftragnehmer ein Teil der Leistung bereits hergestellt und vom Auftraggeber angenommen worden, so kann der Auftraggeber vom ganzen Vertrag zurücktreten, wenn er an der abgenommenen Teilleistung kein Interesse hat (§ 323 Abs. 5 S. 1 BGB).

203 Erklärt der Auftraggeber berechtigt den Rücktritt, so wird das Vertragsverhältnis in ein Abwicklungsverhältnis umgewandelt. Die Leistungspflichten aus dem Vertrag erlöschen, noch nicht erbrachte Leistungen werden nicht mehr geschuldet. Die empfangenen Leistungen sind zurückzugewähren. Der Auftraggeber kann die Rückzahlung des von ihm bezahlten Werklohns verlangen.

Erbrachte Leistungen kann der Auftragnehmer im Bauwerk belassen oder auf seine Kosten entfernen. Zum Ausbau der mangelhaften Sache ist der Auftragnehmer nach Rücktritt des Auftraggebers vom Vertrag nicht verpflichtet. Eine Ausbauverpflichtung des Auftragnehmers besteht nur als Schadensersatzpflicht, d.h. bei schuldhaft verursachtem Mangel.

Ist die Rückgewähr von Leistungen des Auftragnehmers nicht möglich oder dem Auftraggeber nicht zumutbar, so ist vom Auftraggeber ein entsprechender Wertersatz zu leisten. Der Wert beim Auftraggeber verbleibender Leistungsteile richtet sich nach dem Vertragspreis. Ist die Bauleistung für den Auftraggeber wertlos, ist kein Wertersatz zu leisten. Nimmt der Auftragnehmer die erbrachte (mangelhafte) Leistung wieder zurück und hat der Auftraggeber hierauf Verwendungen erbracht, die zu einer Wertsteigerung der Sache geführt haben, kann er entsprechenden Verwendungsersatz verlangen. Schadensersatzansprüche des Auftraggebers bleiben durch den Rücktritt unberührt (§ 325 BGB).

Anhang: Rücktritt bei Wohnungseigentum und VOB/B

204 Das Rücktrittsrecht beim Kauf vom Bauträger steht den einzelnen Wohnungseigentümern zu. Dies gilt sowohl für Mängel am Sondereigentum als auch für Mängel am Gemeinschaftseigentum (vgl. Kleine-Möller/Merl, Handbuch des privaten Baurechts, 3. Aufl., § 12 Rdn. 1060).

Die VOB/B kennt kein Rücktrittsrecht des Auftraggebers bei mangelhafter Leistung. Auf das Rücktrittsrecht des gesetzlichen Werkvertrags (bzw. auf das Wandelungsrecht nach § 634 BGB a.F.) kann der Auftraggeber nicht zurückgreifen, da die VOB/B eine abschließende Regelung des Mängelhaftungsrechts in dieser Hinsicht enthält. Den Parteien steht es allerdings frei, unter Abänderung der VOB/B ein Rücktrittsrecht des Auftraggebers zu vereinbaren. Dies gefährdet jedoch wesentliche Teile der VOB/B, wenn das Rücktrittsrecht auf Veranlassung des Auftraggebers vereinbart wird.

6.13 Minderungsrecht des Auftraggebers nach BGB

6.13.1 Voraussetzungen des Minderungsrechts

205 Nach § 638 BGB kann der Auftraggeber die Vergütung mindern, wenn die Voraussetzungen des Rücktrittsrechts vorliegen. Das Minderungsrecht besteht auch bei unerheblichen Mängeln (§ 638 Abs. 1 Satz 2 BGB). Die Minderung der Vergütung erfolgt mit Zugang der Minderungserklärung des Auftraggebers. Der Auftraggeber muss sich in seiner Minderungserklärung noch nicht auf die Höhe der von ihm beanspruchten Minderung festlegen.

206 In der Regel kann Minderung erst nach erfolgloser Fristsetzung zur Mangelbeseitigung verlangt werden. Einer Fristsetzung bedarf es unter Rdn. 181f. erörterten Voraussetzungen nicht.

Einer Fristsetzung bedarf es außerdem nicht, wenn die Mangelbeseitigung unmöglich oder für den Auftraggeber unzumutbar ist, vom Auftragnehmer zu Recht als unverhältnismäßig abgelehnt wird, oder auch nach ordnungsgemäßer Mangelbeseitigung ein Minderwert der Leistung verbleibt. Dies kommt in Betracht, wenn das nicht ausschließbare Risiko verborgener Mängel verbleibt und aus diesem oder einem anderen Grund der Wert eines Bauwerks trotz ordnungsgemäßer Mangelbeseitigung im Geschäftsverkehr niedriger veranschlagt wird.

Soweit eine Fristsetzung nicht erforderlich ist, müssen die Voraussetzungen im Zeitpunkt des Minderungsbegehrens vorliegen.

Beispiel aus der Rechtsprechung

Trotz erfolgter Nachbesserung einer nicht tragfähigen Bodenplatte kann ein zukünftiges Setzungsrisiko für das Bauwerk nicht ausgeschlossen werden, insoweit besteht ein merkantiler Minderwert der Leistung (BGH NJW 1986, 428, 429).

Allerdings wird das Verbleiben eines Minderwerts trotz ordnungsgemäßer Mangelbeseitigung in der Rechtsprechung sehr zurückhaltend angenommen.

So hat das OLG Hamm (NJW-RR 1989, 602, 603) im Fall der Nachbesserung einer mangelhaft schallgedämmten Doppelhaushälfte keinen Minderwert angenommen, soweit durch die Nachbesserung Luft- und Trittschallschalldämmaße entsprechend den Regeln der Technik erreicht waren. Es gebe, so die Entscheidung, keinen Erfahrungssatz, wonach eine nachträglich eingebrachte ordnungsgemäße Schallisolierung eines Gebäudes auf dem Grundstücksmarkt mit einem Abschlag vom Kaufpreis bewertet werde.

6.13.2 Berechnung der Minderung

207 Gem. § 638 Abs. 3 Satz 1 BGB ist bei Minderung die Vergütung in dem Verhältnis herabzusetzen, in welchem zur Zeit des Vertragsschlusses der Wert des Werks in mangelfreiem Zustand zu dem wirklichen Wert steht. Die herabgesetzte Vergütung berechnet sich somit wie folgt:

$$\text{vereinbarter Werklohn} \times \frac{\text{Wert der mangelhaften Leistung}}{\text{Wert der mangelfreien Leistung}}$$

208 Können Mängel beseitigt werden, so entspricht die Wertminderung den erforderlichen Kosten der Mangelbeseitigung, zuzüglich eines gegebenenfalls trotz ordnungsgemäßer Mangelbeseitigung verbleibenden merkantilen Minderwerts.

Leitsatz

Die Wertminderung entspricht auch dann dem zur Beseitigung des Mangels erforderlichen Mangelbeseitigungskosten, wenn der für die Vertragsleistung vereinbarte Pauschalpreis rechnerisch unter dem nach Einheitspreisen berechneten Angebotspreis liegt.

BGH, Urteil vom 24. 7. 2003 – VII ZR 99/01 – BauR 2003, 1898/1899

Im Ausnahmefall kann auch eine andere, nicht an den Kosten der Mangelbeseitigung orientierte Berechnung vorzunehmen sein, wie in nachfolgender Entscheidung des LG München I.

Fall

Der Auftragnehmer hatte eine Innentreppe aus Holz zu erstellen. Er lieferte und montierte eine Treppe aus Holzwerkstoff. Im Übrigen entsprach die Treppe den vertraglichen Vereinbarungen, sie konnte insbesondere hinsichtlich Funktion und Tragfähigkeit ohne Einschränkung genutzt werden. Eine Beseitigung des Mangels war nur durch Neuherstellung der Treppe möglich.

Entscheidung

Die Wertminderung wurde vom LG München (18 O 25963/89, unveröffentlicht) nicht in Höhe der Kosten der Neuherstellung, sondern mit 60 % dieser Kosten angesetzt. Das Landgericht München I berücksichtigte hierbei den hohen Nutzwert der Treppe, zumal diese auch optisch der vertraglich geschuldeten Qualität entsprach.

Anmerkung

Der zutreffende Ansatz zur Lösung des Falles hätte wohl darin bestanden, die Neuherstellung als unverhältnismäßig anzusehen. War dieser Einwand dem Auftragnehmer abgeschnitten, weil er etwa vorsätzlich eine vertragswidrige Treppe geliefert hatte, oder erhob der Auftragnehmer diesen Einwand nicht, so hätte der Auftragnehmer eine Minderung seiner Vergütung auf null hinnehmen müssen, andererseits die Treppe aber auch wieder entfernen können.

209 Bei nicht beseitigbaren Mängeln, wenn der Auftragnehmer die Beseitigung des Mangels zu Recht wegen Unverhältnismäßigkeit verweigert, oder wenn der Auftraggeber die Nacherfüllung als unzumutbar ablehnt, kann die Minderung naturgemäß nicht nach Mangelbeseitigungskosten berechnet werden.

Leitsatz

Die Berechnung der Minderung nach Mangelbeseitigungskosten ist in den Fällen nicht möglich, in denen die Mangelbeseitigung nicht durchführbar oder unverhältnismäßig ist.

BGH, Urteil vom 9.1.2003 – VII ZR 181/100 – BauR 2003, 533/534

In diesen Fällen berechnet sich die Minderung auf Grund der durch den Mangel hervorgerufenen verminderten Verwertbarkeit und Verwendbarkeit der Leistung. Der Wertverlust zeigt sich entweder als technischer oder merkantiler Minderwert. Zu berücksichtigen sind die technischen oder wirtschaftlichen Nachteile, die durch die verbleibenden Mängel verursacht werden, z. B. durch erhöhte Ausgaben für den Betrieb oder Unterhalt des Bauwerks oder durch eine verminderte Haltbarkeit der Leistung. Der **merkantile Minderwert** besteht in der verminderten Verwertbarkeit des Bauwerks, nämlich dem geringeren Verkaufswert oder der herabgesetzten Beleihbarkeit (BGH NJW 1986, 428, 429; OLG Köln NJW-RR 1995, 591, 592). Dass der Auftraggeber beabsichtigt, das Bauwerk zu beleihen oder zu verkaufen, ist nicht Voraussetzung.

Fall

Der Auftragnehmer war mit Erd-, Maurer- und Betonarbeiten für ein größeres Bauvorhaben beauftragt. Gegenstand des VOB-Vertrags war u. a. die Errichtung einer Betondecke für ein Parkhaus. Diese stellte der Auftragnehmer in Beton der Güteklasse B 25 statt in der vereinbarten Güteklasse B 35 her. Die Nachbesserung des Mangels war unverhältnismäßig, der Auftragnehmer verweigerte sie aus diesem Grund.

Entscheidung

Bei unverhältnismäßiger Mangelbeseitigung kann die Minderung nicht nach den Mangelbeseitigungskosten berechnet werden. Für die Berechnung maßgebend ist der technische oder wirtschaftliche (merkantile) Minderwert. Verwendet der Auftragnehmer im Vergleich zur geschuldeten Ausführung minderwertiges Material, hier Beton geringerer Güteklasse, ist zum einen die Vergütung des Auftragnehmers um den Vergütungsanteil zu mindern, der der Differenz zwischen der erbrachten und der geschuldeten Ausführung entspricht. Hierbei ist unter Berücksichtigung des Preisniveaus des Vertrags auf den Preisunterschied zwischen vertraglich geschuldeter und tatsächlich erbrachter Leistung abzustellen.

Zusätzlich kann der Auftraggeber Ausgleich für einen etwaigen technischen Minderwert verlangen. Für die Berechnung des technischen Minderwerts sind der verringerte Substanzwert sowie die Beeinträchtigung der Nutzbarkeit und damit der verringerte Ertragswert des Gebäudes maßgeblich. Hierbei kommt es nicht auf die konkrete Nutzung des Gebäudes an. Vielmehr sind alle bei vertragsgemäßer Herstellung bestehenden, infolge der vertragswidrigen Ausführung aber entfallenen oder eingeschränkten Nutzungsmöglichkeiten zu berücksichtigen.

Weiterhin kann der Auftraggeber auch Ausgleich des merkantilen Minderwerts verlangen. Dieser besteht in einer verringerten Verwertbarkeit des Bauwerks infolge der vertragswidrigen Ausführung, wenn die maßgeblichen Verkehrskreise ein im Vergleich zur vertragsgemäßen Ausführung geringeres Vertrauen in die Qualität des Gebäudes haben.

BGH, Urteil vom 9.1.2003 – VII ZR 181/100 – BauR 2003, 533/534

Fallen/Praxishinweis

Technischer und merkantiler Minderwert sind unselbstständige Berechnungsposten des aus einem Mangel folgenden Minderwerts. Verlangt z.B. der Auftraggeber Rückzahlung entrichteter Vergütung und stützt er dies auf den technischen Minderwert der Leistung, so kann er im Laufe des Prozesses seinen Anspruch hilfsweise auch damit begründen, dass der Mangel auch zu einem merkantilen Minderwert der Leistung geführt hat. Eine Klageänderung liegt darin nicht. Umgekehrt ist mit der rechtskräftigen Entscheidung über die aus einem Mangel folgende Minderung der gesamte Minderwert aus diesem Mangel erfasst, selbst wenn der Auftraggeber seinen Anspruch nur mit einer technischen Wertminderung oder nur mit der merkantilen Wertminderung begründet hat. Soll nur ein Teil des Minderwerts aus einem Mangel geltend gemacht werden, muss die Klage als Teilklage bezeichnet werden. Hat der Auftraggeber eine entsprechende Klage nicht als Teilklage bezeichnet, ist der Minderwert des zu Grunde liegenden Mangels insgesamt abgegolten.

Einer differenzierten Berechnung des Minderwerts bedarf es, wenn beim Kauf vom Bauträger die erworbene Wohnung bzw. das erworbene Gebäude nicht die vertraglich geschuldete Wohnfläche aufweist.

Leitsatz

Weist eine durch Kauf vom Bauträger erworbene Wohnung nicht die vereinbarte Wohnfläche auf, so berechnet sich der Minderwert nach der fehlenden Wohnfläche multipliziert mit dem Preis je m^2 Wohnfläche. Bei der Berechnung des m^2-Preises ist aus dem Gesamtpreis der Wohnung zunächst der Wert des Grundstücksanteils herauszurechnen. Bei verringerter Wohnfläche eines mehrstöckigen Gebäudes ist die Minderung nicht getrennt nach einzelnen Geschossen und der dort jeweils verringerten Wohnfläche zu berechnen, sondern in einer einheitlichen Berechnung für das gesamte Gebäude.

OLG Hamm, NJW-RR 1989, 602; OLG Nürnberg, BauR 1989, 740; OLG Düsseldorf NJW 1981, 1455

210 Auf welchen Zeitpunkt bei der Berechnung der Wertminderung abzustellen ist, war für den Rechtszustand vor dem Schuldrechtsmodernisierungsgesetz umstritten, ist nunmehr aber durch das Gesetz geklärt. Für die ab 1.1.2002 abgeschlossenen Verträge ist gem. § 638 Abs. 3 Satz 1 BGB die Vergütung in dem Verhältnis herabzusetzen, in welchem zur Zeit des Vertragsschlusses der Wert der Leistung in mangelfreiem Zustand zu dem wirklichen Wert steht. Soweit in der Rechtsliteratur vereinzelt die Ansicht vertreten wird, trotz des eindeutigen Gesetzeswortlauts könne (nach wie vor) auf den Zeitpunkt der Abnahme abgestellt werden, kann dem nicht gefolgt werden.

211 Ist die Leistung auf Grund des Mangels wertlos, so führt das Minderungsrecht des Auftraggebers zum Wegfall des Vergütungsanspruchs. Der Auftraggeber kann bereits bezahlten Werklohn zurückverlangen. Ein Anspruch des Auftraggebers darauf, dass der Auftragnehmer die mangelhafte Leistung entfernt, ergibt sich aus dem Minderungsrecht nicht, sondern nur, wenn der Auftragnehmer auf Schadensersatz haftet.

Prozessualer Hinweis

Der Minderungsbetrag ist von der Gesamtvergütung, also vom letztrangigen Teil der Vergütungsforderung des Auftragnehmers in Abzug zu bringen. Klagt der Auftragnehmer nur einen Teil seiner Vergütung ein, so ist dennoch eine gesamte Berechnung der Vergütung durchzuführen. Klagt z. B. der Auftragnehmer nur einen Teil seiner Vergütung ein, so wirkt sich die Minderung nur dann aus, wenn sie den nicht eingeklagten Teil der Vergütung übersteigt.

6.14 Minderung beim Architekten- und Ingenieurvertrag

212 Das Minderungsrecht des Auftraggebers besteht beim Architekten- und Ingenieurvertrag nur in dem Umfang, in dem Architekt/Ingenieur zur Nacherfüllung verpflichtet sind. Dies schränkt das Minderungsrecht erheblich ein. Denn zur Beseitigung der am Bauwerk aufgetretenen Mängel sind Architekt und Ingenieur nicht verpflichtet, selbst wenn sie zum Entstehen des Mangels durch Planungsfehler, ungenügende Bauüberwachung oder in anderer Weise beigetragen haben. Erfüllungs- und Nacherfüllungsanspruch (Mangelbeseitigungsanspruch) wegen Planungs- und Bauaufsichtsfehler stehen dem Bauherrn gegen den Architekten bzw. Ingenieur nur solange zu, als sich Planungs- bzw. Bauaufsichtsfehler noch nicht im Bauwerk verwirklicht haben (BGH, Urteil vom 25.2.1999 – VII ZR 208/97 – BauR 1999, 657, 658).

Dementsprechend kommt eine Minderung des Architektenhonorars bei fehlerhafter Leistung des Architekten bzw. Ingenieurs nur dann in Betracht, wenn die Planung noch nicht in eine Bauleistung umgesetzt ist. Haben sich Mängel der Architekten- bzw. Ingenieurleistung bereits in Mängeln des Bauwerks niedergeschlagen, so haften Architekt und Ingenieur ausschließlich auf Schadensersatz.

6.15 Minderung bei Wohnungseigentum

213 Das Minderungsrecht steht den einzelnen Wohnungseigentümern insoweit zu, als es sich um Mängel am Sondereigentum handelt. Für Mängel am Gemeinschaftseigentum ist die Wohnungseigentümergemeinschaft berufen zu entscheiden, ob Minderung verlangt wird. Der einzelne Wohnungseigentümer kann das Minderungsrecht nur mit Ermächtigung der Gemeinschaft geltend machen. Vgl. Kleine-Möller/Merl, Handbuch des privaten Baurechts, 3. Aufl., § 12 Rdn. 1049 f.

6.16 Schadensersatzanspruch

6.16.1 Allgemeine Voraussetzungen

214 Bei mangelhafter und damit nicht vertragsgemäßer Leistung steht dem Auftraggeber vor Abnahme ein Schadensersatzanspruch gem. §§ 280 f. BGB und – inhaltsgleich – aus § 634 Nr. 4 BGB zu, nach Abnahme folgt der entsprechende Schadensersatzanspruch allein aus §§ 634 Nr. 4, 636, 280 f. BGB. Das Problem der vorbehaltlosen Abnahme stellt sich beim Schadensersatzanspruch nicht. Selbst wenn der Auftraggeber bei Abnahme bekannte Mängel nicht rechtzeitig rügt, ist der Schadensersatzanspruch nicht in Frage gestellt.

Für den Schadensersatzanspruch gelten die allgemeinen Anspruchsvoraussetzungen, wie sie unter Rdn. 167 f. erörtert wurden. Voraussetzung des Schadensersatzanspruchs ist danach im Regelfall, dass dem Auftragnehmer Gelegenheit zur Nacherfüllung gegeben und hierzu erfolglos Frist gesetzt wurde.

Geht der Auftraggeber bei Klageerhebung zu Unrecht davon aus, dass ein Ausnahmefall vorliegt und es einer Fristsetzung nicht bedarf, so kann die erforderliche Fristsetzung noch im Laufe des Verfahrens nachgeholt werden. Die Fristsetzung muss nicht nachgeholt werden, wenn der Auftragnehmer die Nacherfüllung mit der Klageerwiderung endgültig verweigert. Vgl. hierzu nachfolgend die zu § 635 BGB a.F. ergangene Entscheidung des BGH vom 5.12.2002. Zur erforderlichen Fristsetzung vgl. Rdn. 167 f. sowie zum Ausnahmefall des Schadensersatzes ohne vorhergehende Fristsetzung vgl. Rdn. 181 f.

Leitsatz

Hat der Auftraggeber eine Schadensersatzklage erhoben, ohne dass eine wirksame Fristsetzung mit Ablehnungsandrohung vorliegt, so muss sie nicht nachgeholt werden, wenn der Auftragnehmer die Mangelbeseitigung mit der Klageerwiderung endgültig verweigert.

Fall

Die Kläger verlangten Schadensersatz für behauptete Mängel eines Wohnmobils, dass nach Sonderwünschen der Kläger hergestellt, auf Fundamente gestellt und mit den Versorgungsleitungen fest verbunden werden sollte. Landgericht und Oberlandesgericht hatten die Klage abgewiesen. Das Oberlandesgericht stützte seine Auffassung darauf, dass es bereits an einer wirksamen Fristsetzung gem. §§ 634 Abs. 1, 635 BGB a.F. fehle. Die von den Klägern zu Mangelbeseitigung gesetzte Frist sei zu kurz gewesen, die Kläger hätten bereits vor Ablauf der angemessenen Frist Schadensersatz verlangt und damit endgültig die Annahme weiterer Leistungen verweigert. Darin, dass die Beklagte im Rechtsstreit Klageabweisung beantragt habe, könne keine endgültige Erfüllungsverweigerung gesehen werden, weil die Klage nicht auf Erfüllung, sondern auf Schadensersatz gerichtet gewesen sei.

Entscheidung

Der BGH folgte dem nicht. Er hob das Berufungsurteil auf und verwies die Sache an das Berufungsgericht zurück. Das Berufungsgericht hatte zu Unrecht nicht berücksichtigt, dass die Beklagte in der Klageerwiderung ihre Mängelbeseitigungspflicht kategorisch bestritten hatte und unter Berufung auf ein Sachverständigengutachten behauptet hatte, es lägen keine Mängel vor. Sie hatte außerdem die Einrede der Verjährung erhoben. Daraus folge, dass die Beklagte spätestens seit der Klageerwiderung nicht mehr bereit war, die behaupteten

Mängel zu beseitigen. Von diesem Zeitpunkt an war eine weitere Fristsetzung mit Ablehnungsandrohung entbehrlich.

BGH, Urteil vom 5.12.2002 – VII ZR 360/01 – BauR 2003, 386

Falle/Praxishinweis

Das prozesstaktisch richtige Verhalten wäre für den Auftragnehmer gewesen, die Klage nur mit dem Argument der Unschlüssigkeit anzugreifen. Wenn der Auftragnehmer darüber hinausgeht und den Mangel oder seine Verantwortlichkeit für den Mangel bestreitet, schafft er damit die Grundlagen für eine bis dahin mangels Fristsetzung unschlüssige Klage; vgl. auch Rdn. 235.

215 Ein Schadensersatzanspruch ist auch bei unwesentlichen Mängeln gegeben, soweit nicht die Mängel gänzlich bedeutungslos sind (OLG Düsseldorf, Urteil vom 23.2. 1996 – 22 U 194/95 – BauR 1996, 712). Handelt es sich um Mängel, an deren Behebung der Auftraggeber vernünftigerweise kein Interesse hat, die sich auf Nutzung und Wert der Bauleistung nicht auswirken, kommt ein Schadensersatzanspruch nicht in Betracht.

Fall

Der Auftragnehmer war mit der Verlegung von Granitplatten auf einer Terrasse beauftragt. Nach Fertigstellung zeigten sich Feuchtigkeitsschäden. Der gerichtliche Sachverständige führte dies auf einen Ausführungsfehler des Auftragnehmers zurück. Dieser hatte die Platten auf einer bauseitig erstellten Betonplatte verlegt, obwohl diese kein Gefälle aufwies. Infolgedessen sammelte sich Regenwasser, das durch den Naturstein und die Fugen bis zur Betonplatte vordrang und ungelöste Salze des Unterbaus freisetzte. Die Verdunstungsrückstände zeigten sich sodann in Form von Flecken an der Oberfläche des Natursteins. Als Mangelursache kam auch in Betracht, dass der Verlegemörtel des alten Belags vor Aufbringen der Granitplatten nicht rückstandslos entfernt worden war. Der Auftraggeber verlangte Schadensersatz in Höhe der Mangelbeseitigungskosten. Der Auftragnehmer verteidigte sich u.a. damit, dass es sich nur um einen unwesentlichen Mangel handle.

Entscheidung

Das OLG Düsseldorf wies den Einwand des Auftragnehmers, es handle sich nur um einen unwesentlichen Mangel zurück. Schadensersatz könne auch bei einer nur unerheblichen Wert- oder Tauglichkeitsminderung gefordert werden. Eine Grenze sei nur durch Treu und Glauben gesetzt, sie sei in vorliegendem Fall nicht überschritten.

Zwar sei die Funktionstüchtigkeit des Plattenbelages nicht beeinträchtigt, es handle sich nur um einen optischen Mangel. Der Plattenbelag weise jedoch ein stark scheckiges Aussehen auf. Auch wenn Naturstein in seinem äußeren Erscheinungsbild niemals ganz einheitlich sei, komme dem Erscheinungsbild eines Plattenbelages einer Terrasse erhebliche Bedeutung zu.

OLG Düsseldorf, Urteil vom 23.2.1996 – 22 U/95 – BauR 1996, 7 112

Fallen/Praxishinweis

Das Urteil des OLG Düsseldorf entspricht allgemeiner Meinung, dass Schadensersatz auch bei unerheblichen, wenn auch nicht völlig bedeutungslosen Mängeln verlangt werden kann. Zu Recht wird bei der Beurteilung der Erheblichkeit des Erscheinungsbilds auf die Funktion der Leistung abgestellt. So wäre das Erscheinungsbild des Granitbelages an einem weniger exponierten Bereich des Hauses u.U. durchaus unerheblich gewesen mit der Folge, dass ein Schadensersatzanspruch nicht in Betracht gekommen wäre.

Im Urteil erörtert wird auch die Behauptung des Auftragnehmers, die Auftraggeber hätten den Belag anhand eines Musterbodens ausgesucht, der ebenso scheckig gewesen sei. Das Gericht verneinte eine daraus folgende Treuwidrigkeit der Auftraggeber, weil die Behauptung des Auftragnehmers nicht nachgewiesen war. Hätte der Auftragnehmer freilich den Nachweis geführt, wäre dies von entscheidender Bedeutung gewesen, es hätte an einem Mangel der Leistung gefehlt.

Denn bei einer Leistung nach Muster gelten die erkennbaren Eigenschaften des Musters als vereinbart. Das hätte in vorliegendem Fall bedeutet, dass die Leistung mangelfrei gewesen wäre, soweit es jedenfalls das optische Erscheinungsbild angeht. Als Leistungsmangel wären nur die Verlegefehler verblieben, die aber nach dem Gutachten des Sachverständigen die Funktion und Lebensdauer des Belags nicht in Frage stellten. Die Leistung wäre daher mangelfrei gewesen.

216 Der Schadensersatzanspruch gem. § 281 BGB wie auch nach § 634 Nr. 4 BGB setzt voraus, dass dem Auftragnehmer erfolglos Frist zur Nacherfüllung gesetzt wird (§ 281 Abs. 1 Satz 1 BGB). Vgl. zur Fristsetzung die Erörterungen Rdn. 167 f. Nach Ablauf der Frist zur Nacherfüllung kann sich der Auftraggeber zwischen den ihm zuwachsenden Mängelrechten gem. § 634 f. BGB entscheiden.

217 Für den Regelfall bedarf es auch einer Fristsetzung, soweit ein Fall der vorbehaltlose Abnahme nach § 640 Abs. 2 BGB vorliegt. Der Auftraggeber ist auch in diesem Fall verpflichtet, dem Auftragnehmer die Möglichkeit der Mangelbeseitigung einzuräumen. Denn das Recht des Auftragnehmers, von ihm verursachte Mängel selbst zu beseitigen, ist durch die vorbehaltlose Abnahme nicht weggefallen. Daher bedarf es hinsichtlich der dem Auftraggeber bei Abnahme bekannten und nicht vorbehaltenen Mängel derselben Voraussetzungen, wie wenn der Auftraggeber den Mangel vorbehalten hätte, also der Fristsetzung zur Nacherfüllung (Mangelbeseitigung). Wird dem Auftragnehmer keine Gelegenheit zur Nacherfüllung gegeben, haftet er nicht für Mangelbeseitigungskosten.

218 Keiner Fristsetzung bedarf es unter den bereits unter Rdn. 165 f. erörterten Voraussetzungen. Außerdem können solche Schadensersatzansprüche ohne Fristsetzung geltend gemacht werden, die auch bei Mangelbeseitigung nicht behoben oder vermieden werden oder durch die Mangelbeseitigung erst entstehen, wie z. B. Gutachtenskosten zur Aufklärung der Mangelursache und Ermittlung des für den Mangel Verantwortlichen (OLG Dresden, Urteil vom 7.2.2001 – 18 U 1303/100 – BauR 2001, 1276) oder Mietausfallschäden, wenn während der Mangelbeseitigungsarbeiten das Bauwerk geräumt werden muss.

Verliert der Auftraggeber auf Grund vorbehaltloser Abnahme nach § 640 Abs. 2 BGB den Anspruch auf Nacherfüllung, so kann er Schadensersatz hinsichtlich der Mangelbeseitigungskosten erst verlangen, wenn er dem Auftragnehmer hinreichend Gelegenheit zur Nacherfüllung gegeben hat. Der Auftragnehmer kann durch die vorbehaltlose Abnahme nicht schlechter gestellt sein als bei Abnahme unter Rüge des Mangels. Dies bedeutet im Ergebnis, dass der Auftraggeber nach vorbehaltlos erklärter Abnahme, auch hinsichtlich der bei Abnahme bekannten Mängel, Frist zur Nacherfüllung zu setzen hat.

6.16.2 Schuldhafte Mangelverursachung

219 Der Schadensersatzanspruch nach § 634 Nr. 4 BGB setzt eine schuldhafte Mangelverursachung durch den Auftragnehmer oder seiner Vertreter voraus.

Dem Auftragnehmer wird das Verschulden seiner Mitarbeiter zugerechnet, die er bei der Herstellung der Bauleistung einsetzt. Erfüllungsgehilfen sind insbesondere auch auf die vom Auftragnehmer beauftragten Subunternehmer, nicht dagegen Baustofflieferanten, sofern diese nicht für die jeweilige Baustelle bestimmte Bauteile oder Baumaterialien nach bestimmten Angaben des Auftragnehmers herstellen und liefern (BGH NJW 1978, 1157).

Steht die objektive Pflichtverletzung, d.h. der Mangel der Leistung des Auftragnehmers fest, muss dieser den Beweis führen, dass ihn am Eintritt des Mangels kein Verschulden trifft. (§ 280 Abs. 1 Satz 2 BGB). Dies kommt z. B. in Betracht, wenn der Mangel auf einen Materialfehler zurückzuführen ist, den der Auftragnehmer nicht erkennen konnte.

220 Der Auftragnehmer handelt schuldhaft, wenn ihm die zur Durchführung der Bauleistung erforderlichen Kenntnisse und Fähigkeiten fehlen. Der Auftragnehmer hat dafür einzustehen, dass er die für den übernommenen Auftrag erforderlichen Kenntnisse hat. Anerkannte Regeln der Technik müssen dem Auftragnehmer geläufig sein. Hält der Auftragnehmer dagegen anerkannte Regeln der Technik ein, spricht der Anschein gegen eine schuldhafte Mangelverursachung (BGH NJW 1971, 92). Ortsübliche Handelsbräuche sind im Gegensatz zu den anerkannten

Regeln der Technik kein Maßstab, an dem das Verschulden des Auftragnehmers zu messen ist.

Zur Verwendung von neuartigem, (noch) nicht den Regeln der Technik entsprechendem Material und zur Anwendung einer nicht den Regeln entsprechenden Konstruktion ist der Auftragnehmer nur mit Einverständnis des Auftragebers berechtigt, den er über das darin liegende Risiko aufzuklären hat. Die Tauglichkeit nicht regelgerechten Materials bzw. nicht regelgerechter Konstruktionen ist mit besonderer Sorgfalt zu prüfen. Auf bloße Angaben des Herstellers über die Verwendbarkeit des nicht regelgerechten Materials darf sich der Auftragnehmer nicht verlassen.

Fall

Der Architekt hatte ein Schwimmbad zu sanieren. Er verwendete zur Feuchtigkeitsabdichtung eine Folie, die in der Baupraxis noch nicht hinreichend erprobt war. Sie war nur einmal beim Bau eines Schwimmbads in Saudi-Arabien eingesetzt worden. Die Folie erwies sich später als ungeeignet.

Entscheidung

Der Architekt haftete auf Schadensersatz. Er handelte schuldhaft, da das von ihm geplante Material weder den Regeln der Technik entsprach noch tauglich war. Schuldhaft handelte der Architekt bereits deshalb, weil er die Verwendung von Material ohne hinreichende baupraktische Erprobung plante, das nicht den Regeln der Technik entsprach und daher das Risiko eines Mangels von vornherein in sich trug.

OLG Brandenburg, Urteil vom 11.1.2000 – 11 U 197/98 – BauR 2001, 283

Fallen/Praxishinweis

Das verwendete Material hätte nur mit Zustimmung des Bauherrn nach dessen entsprechender Aufklärung über das in der Verwendung liegende Risiko eingesetzt werden dürfen. Ob Herstellerangaben die Tauglichkeit des Materials nahe legten, ist nicht sicher feststellbar. Der Architekt hätte sich hierauf aber auch nicht verlassen können. In jedem Fall fehlte nämlich die baupraktische Erprobung.

221 Herstellervorschriften zur Anwendung von Baustoffen und Baumaterial hat der Auftragnehmer im Grundsatz zu beachten, darf aber auf deren Richtigkeit nicht blind vertrauen. Daher entlastet es den Unternehmer nicht, wenn er sich an Herstellerrichtlinien hält, die sich in der Praxis als unzureichend erwiesen haben, wenn dem Auftragnehmer die Notwendigkeit einer anderen Ausführung geläufig sein muss (OLG Hamm, Urteil vom 18.4.1996 – 17 U 112/95 – BauR 1997, 309).

222 Kann der Bauunternehmer davon ausgehen, dass das verwendete Produkt seiner Art nach die für eine mangelfreie Leistung erforderlichen Eigenschaften hat, so ist er ohne besonderen Anlass nicht zu einer Prüfung verpflichtet, ob die generellen Materialeigenschaften auch speziell bei dem gelieferten Material vorhanden sind (OLG Hamm, Urteil vom 1.4.1998 – 12 U 146/94 – BauR 1998, 1019).

Ein schuldhaftes Verhalten des Bauunternehmers kann sich aus einem Verstoß gegen seine Hinweis- und Prüfungspflicht ergeben. Auf die Erörterungen unter Rdn. 151 f. wird verwiesen.

6.16.3 Umfang des Schadensersatzes (großer und kleiner Schadensersatz)

6.16.3.1 Allgemein

223 Der Schadensersatzanspruch ist auf Geldersatz gerichtet. Der zum Schadensersatz berechtigte Auftraggeber kann entweder die mangelhafte Bauleistung behalten und Ersatz des durch den Mangel verursachten Schadens verlangen (kleiner Schadensersatz) oder die mangelhafte Bauleistung insgesamt zurückweisen und Schadensersatz wegen Nichterfüllung des gesamten Vertrags fordern (großer Schadensersatz). Ein Anspruch auf großen Schadensersatz besteht nicht, wenn nur ein unerheblicher Mangel vorliegt.

Falle/Praxishinweis

Die vorbehaltlose Annahme einer Bauleistung trotz Kenntnis der Mängel schließt den großen Schadensersatzanspruch hinsichtlich der bei Abnahme bekannten Mängel aus (BGH NJW 1974, 1143), ebenso ist der große Schadensersatzanspruch ausgeschlossen bei einer länger dauernden Nutzung der als mangelhaft erkannten Bauleistung (BGH NJW 1958, 1284).

224 Bei großem Schadensersatz kann der Auftraggeber u.a. verlangen, dass der Auftragnehmer die mangelhafte Leistung selbst entfernt (z.B. mangelhaften Putz abschlägt und entsorgt, mangelhafte Fenster ausbaut und von der Baustelle entfernt). Auf Kosten des Auftragnehmers können diese Arbeiten vom Auftraggeber oder durch von ihm beauftragte Dritte durchgeführt werden, wenn der Auftragnehmer dem Beseitigungsverlangen des Auftraggebers nicht nachkommt (§§ 281 Abs. 5, 346 f. BGB). Der Werklohnanspruch des Auftragnehmers entfällt.

225 Behält der Auftraggeber die mangelhafte Sache und verlangt er kleinen Schadensersatz, so bleibt der Vertrag im Übrigen aufrechterhalten. Der Vergütungsanspruch des Auftragnehmers bleibt bestehen und wird zu Gunsten des Auftragnehmers in die Schadensberechnung eingestellt.

Der Auftraggeber kann im Wege des kleinen Schadensersatzes Ausgleich des Mangelschadens, d. h. der Mangelbeseitigungskosten, einer mangelbedingten Wertminderung sowie den Ausgleich sonstiger Mängelfolgeschäden verlangen. Auszugleichen sind im Rahmen des kleinen Schadensersatzes u. a. erhöhte Betriebs- und Unterhaltskosten.

6.16.3.2 Mangelbeseitigungskosten

Der Schadensersatzanspruch umfasst auch die Mangelbeseitigungskosten. **226**

Leitsatz

Im Rahmen des Schadensersatzanspruchs kann der Auftraggeber auch Ersatz des Mangelschadens verlangen, der Schadensersatzanspruch geht auf Geldersatz, d.h. auf Ersatz der für die Mangelbeseitigung erforderlichen Aufwendungen. Unerheblich ist, ob der Auftraggeber den zur Verfügung gestellten Betrag zur Mangelbeseitigung verwendet.

BGH, Urteil vom 29.7.3003 – X ZR 160/01 – BauR 2003, 1884/1888

Hinsichtlich der bei Mangelbeseitigung entstehenden Architektenkosten ist folgendes zu beachten: **227**

War dem mit der Überwachung der Mangelbeseitigung betrauten Architekten bereits die Objektbetreuung gem. Leistungsphase 9 des § 15 HOAI übertragen, so kann er für die Überwachung von Arbeiten zur Mangelbeseitigung kein zusätzliches Honorar verlangen.

Falle/Praxishinweis

Vereinbart der Auftraggeber mit dem bereits nach § 15 Leistungsphase 9 HOAI beauftragten Architekten oder Ingenieur, dass dieser eine gesonderte Vergütung für die Überwachung der Mangelbeseitigung erhält, so verstößt er gegen seine Schadensminderungspflicht und kann diese Zusatzvergütung nicht vom dem schadensersatzpflichtigen Auftragnehmer ersetzt verlangen.

Wird für den Bauherrn die Einschaltung eines Architekten oder Sonderfachmanns erstmals im Rahmen der Mangelbeseitigung notwendig, oder war dem bisher beauftragten Architekten/Ingenieur die Lph 9 des § 15 HOAI nicht übertragen, so handelt es sich hinsichtlich seiner Zusatzvergütung für die Überwachung der Mangelbeseitigung um einen Schaden, der vom verantwortlichen Auftragnehmer zu ersetzen ist. Hinsichtlich der Höhe der Vergütung für Architekt/Ingenieur ist die Schadensminderungspflicht des Auftraggebers zu beachten. Dies gilt insbesondere bei der Vereinbarung einer Stundenlohnvergütung. **228**

Falle/Praxishinweis

Vereinbart der Auftraggeber mit dem zur Überwachung der Mangelbeseitigung beauftragten Architekten eine Vergütung nach Stundenhonorar, so verstößt er zumindest bei nicht umfangreichen Mangelbeseitigungsarbeiten nach Ansicht des OLG Celle (Urteil vom 29.3.2001 – 16 U 239/100 – BauR 2001, 1468) gegen seine Schadensminderungspflicht und hat einen Teil des anfallenden Honorars selbst zu tragen. Ein wirtschaftlich vernünftig handelnder Auftraggeber, der die Architektenkosten selbst hätte tragen müssen, hätte, so die Entscheidung, angesichts des Umfangs der Mangelbeseitigungsarbeiten und im Sinne eines kalkulierbaren Kostenrisikos keine Abrechnung auf Stundenbasis, sondern eine Abrechnung nach HOAI vereinbart. Es ist Sache des Bauherrn nachzuweisen, dass auf dieser Vergütungsbasis kein zuverlässiger Architekt verpflichtet werden kann.

229 Fraglich ist, inwieweit der Auftraggeber Ersatz verlangen kann, wenn er zur Schadensabwicklung eigenes Personal einsetzt.

Fall

Ein Architektur- und Ingenieurbüro hatte einen Teil der ihm in Auftrag gegebenen Planung an einen Subunternehmer vergeben. Dessen Planung war mangelhaft. Das Architektur- und Ingenieurbüro übernahm die Beseitigung des eingetretenen Schadens am Bauwerk selbst. Der für den Schaden verantwortliche Subunternehmer verweigerte eine Ersatzleistung insoweit, als Personal des Architekturbüros bei der Bearbeitung und Abwicklung des Schadens tätig war.

Entscheidung

Nach der Entscheidung des OLG Düsseldorf verweigerte der Subunternehmer zu Recht die Zahlung von Personalkosten, da das Architektur- und Ingenieurbüro weder zusätzliches Personal eingesetzt hatte, noch höhere Personalkosten als sonst angefallen waren. Dass die Mitarbeiter des Büros durch die Schadensbearbeitung an anderen Tätigkeiten gehindert waren und dadurch Erwerbsverluste des Architekturbüros entstanden wären, war nicht nachgewiesen. Der Umstand, dass das Architektur- und Ingenieurbüro auf Grund seiner Tätigkeit die Mangelbeseitigung zu geringeren Kosten durchführen konnte, als der Sachverständige im selbständigen Beweisverfahren veranschlagt hatte, änderte nach Ansicht des Gerichts nichts.

OLG Düsseldorf, Urteil v. 29.3.2001 – 16 U 239/100 – BauR 2001, 1468, 1469

Falle/Praxishinweis

Diese Entscheidung ist nur dann einschlägig, wenn vom Auftraggeber kein zusätzliches Personal eingesetzt wird und keine höheren Personalkosten anfallen. Solche Zusatzkosten hätten auch nach Ansicht des OLG Düsseldorf ersetzt verlangt werden können. Nicht ausgeglichen wird ein erhöhter Zeitaufwand, sofern er nicht mit Vermögenseinbußen verbunden ist. Dies kann man jedenfalls dann anders sehen, wenn der Auftraggeber Eigenleistungen in hohem Umfang erbringen muss.

Wendet der Auftragnehmer zu Recht Unverhältnismäßigkeit der Nacherfüllung (Mängelbeseitigung) ein (§ 635 Abs. 3 BGB), so können dem Ersatzanspruch nicht die bei Mängelbehebung entstehenden Kosten zugrunde gelegt werden. Denn die Unverhältnismäßigkeit der Nachbesserungskosten schließt sowohl einen Anspruch des Auftraggebers auf Beseitigung des Mangels wie auch eine Berechnung des Schadensersatzanspruchs anhand dieser Kosten aus. Für den Schadensersatzanspruch sind in diesem Fall Bemessungsgrundlage die mangelbedingten Beeinträchtigungen, also z. B. mängelbedingt erhöhte Betriebs- und Unterhaltskosten.

6.16.3.3 Ersatz von Minderwert

230 Ersetzt verlangen kann der Auftraggeber einen mangelbedingten Minderwert der Bauleistung bzw. des Bauwerks. Ein merkantiler (wirtschaftlicher) Minderwert liegt vor, wenn der Wert des Bauwerks auf Grund von Mängeln bei Verkauf und Beleihung geringer veranschlagt wird als der Wert eines mangelfreien Bauwerks. Ein merkantiler Minderwert kann aber auch nach ordnungsgemäßer Beseitigung von Mängeln verbleiben, wenn der Wert des nachgebesserten Bauwerks im allgemeinen Geschäftsverkehr geringer veranschlagt wird als der Wert eines von vornherein ordnungsgemäßen Bauwerks. Dies trifft zu bei erheblichen, risikoreichen und mit tief greifenden Eingriffen in die Substanz des Bauwerks verbundenen Nachbesserungsarbeiten. Vgl. Kleine-Möller/Merl, Handbuch des privaten Baurechts, 3. Aufl., § 12 Rdn. 850 f.

Ob der Auftraggeber einen Verkauf oder die Beleihung des Bauwerks beabsichtigt, der merkantile Minderwert sich also voraussehbar in näherer Zukunft verwirklicht, ist unerheblich (BGH, Urteil vom 19. 9. 1985 – VII ZR 158/84 – BauR 1986, 103). Die Höhe des merkantilen Minderwerts ist nach der Neuregelung des SchModG für den Zeitpunkt des Vertragsschlusses zu bestimmen. (Für die vor dem 1. 1. 2002 abgeschlossenen Verträge ist nach allerdings streitiger Ansicht auf den Zeitpunkt der Abnahme abzustellen.)

6.16.3.4 Ersatz des entgangenen Gewinns

231 Der Auftraggeber kann den Gewinn ersetzt verlangen, der ihm infolge mangelbedingter Nutzungseinschränkungen entgangen ist, z. B. Schäden durch Produktionsausfall, entgangene Mieteinnahmen – auch soweit sie nicht beim Auftraggeber, sondern erst beim Endabnehmer des Bauwerks anfallen – oder Zinsverluste aus einer zeitweiligen Unverkäuflichkeit des Bauwerks.

6.16.3.5 Ersatz entgangener Nutzungen

232 Kann der Auftraggeber das Bauwerk infolge des Mangels nicht oder nur eingeschränkt nutzen und entstehen ihm Aufwendungen für ein Ersatzobjekt, so kann er die Aufwendungen für das Ersatzobjekt erstattet verlangen. Ob bei einem selbstgenutzten Bauwerk Ersatz für entgangene Nutzungen verlangt werden kann, ist streitig, jedoch für die entgangene Nutzung von Wohnräumen, Lagerräumen, Garagen und ähnlichen Objekten zu bejahen (vgl. BGH, Urteil vom 9.7.1986 – GSZ 1/86 – BauR 1987, 312, 318).

6.16.3.6 Ersatz von Gutachterkosten

233 Zum Schaden, der nach § 634 Nr. 4 BGB ersetzt verlangt werden kann, zählen auch Gutachterkosten, die zur Feststellung von Mängeln und zur Klärung ihrer Ursachen eingeholt wurden. Entstehen solche Kosten zur Vorbereitung gerichtlicher Verfahren, so sind sie Teil der Verfahrenskosten dieses Verfahrens und nach entsprechender Kostenfestsetzung auszugleichen.

6.16.3.7 Schadensersatz bei Wohnungseigentum

234 Verlangen einzelne Wohnungseigentümer bei einem neu errichteten Bauwerk vom Bauträger Schadensersatz wegen Mängeln am Gemeinschaftseigentum, so ist der Schadensersatzanspruch nicht auf ihre jeweilige Miteigentumsquote beschränkt (BGH BauR 1999, 657). (Anders beim Kauf einer Altbauwohnung vgl. BGH, Urteil vom 22.12.1995 – V ZR 52/95 – BauR 1996, 401 = NJW 1996, 1056.)

6.16.3.8 Prozessuale Fragen

235 Die Voraussetzungen des Schadensersatzanspruchs müssen spätestens bei Schluss der mündlichen Verhandlung vorliegen. Eine Schadensersatzklage ohne vorangehende Fristsetzung zur Nacherfüllung kann dadurch schlüssig und begründet werden, dass der Auftragnehmer in seiner Erwiderung den Mangel oder seine Verantwortlichkeit für den Mangel bestreitet.

Leitsatz

Hat der Auftraggeber eine Schadensersatzklage erhoben, ohne dass eine wirksame Fristsetzung mit Ablehnungsandrohung vorliegt, so muss sie nicht nachgeholt werden, wenn der Auftragnehmer die Mangelbeseitigung mit der Klageerwiderung endgültig verweigert.

BGH, Urteil vom 5.12.2002 – VII ZR 360/01 – BauR 2003, 386

Zu Sachverhalt und Entscheidungsgründen im Einzelnen vgl. Rdn. 214.

Falle/Praxishinweis

Die Entscheidung ist in zweierlei Hinsicht von besonderer Bedeutung. Zum einen stellt sie klar, dass ein prozessuales Bestreiten auch materiellrechtliche Wirkungen auslöst. Zum anderen verdeutlicht die Entscheidung, dass eine Klage noch im Laufe eines Verfahrens schlüssig werden kann, da es letztlich auf die Sach- und Rechtslage bei Schluss der mündlichen Verhandlung ankommt.

Wird vom Auftraggeber Klage auf Schadensersatz erhoben, ohne dass die Voraussetzungen hierfür vorliegen, kann und sollte sich der Auftragnehmer aus prozesstaktischen Gründen in seiner Erwiderung zunächst auf Ausführungen zur Unschlüssigkeit der Klage beschränken. Gibt er jedoch Erklärungen ab, die als endgültige und bestimmte Leistungsverweigerung zu beurteilen sind, kann dies eine materiellrechtlich bis dahin nicht schlüssige Klage begründet machen. Ergibt sich aus dem Verhalten des Auftragnehmers im Laufe des Rechtsstreits, dass er die Mangelbeseitigung endgültig und ernsthaft verweigert, in dem er z. B. den Mangel definitiv bestreitet oder sich auf die Verjährung der Mängelrechte des Auftraggebers beruft, so bedarf es keiner Fristsetzung mehr, der Mängelanspruch ist auch ohne Fristsetzung berechtigt und eine bis dahin wegen fehlender Fristsetzung unschlüssige Klage nunmehr schlüssig. Frühere gegenteilige Entscheidungen von Oberlandesgerichten, die dem Auftragnehmer ein prozesstaktisches Bestreiten der Nacherfüllungspflicht zubilligten, ohne dass dem Auftragnehmer daraus materiellrechtliche Nachteile entstanden, sind überholt.

Für die Höhe des entstandenen Schadens trägt im Prozess der Auftraggeber die Vortrags- und Beweislast. Im Verhältnis von Haupt- und Subunternehmer kann dies zu Problemen führen, wenn der Hauptunternehmer Schadensersatzansprüchen des Bauherrn ausgesetzt ist und sich hierüber nach Verhandlungen mit dem Bauherrn einigt, ohne dass sich der Subunternehmer am Vergleich beteiligt. Verlangte der Bauherr zunächst Ersatz einzeln bezifferter Schadensposten, und einigen sich Bauherr und Hauptunternehmer auf eine pauschalierte und nicht näher aufgegliederte Zahlung, so fragt sich, ob der Hauptunternehmer den Vergleichsbetrag vom Auftragnehmer pauschal fordern kann, oder ob er den Anteil der einzelnen Schadensposten an der Vergleichssumme darlegen muss.

Entscheidung

Schließt der Generalunternehmer mit dem Bauherrn einen Vergleich über mangelbedingte Schäden, für die ein Subunternehmer einzustehen hat, so muss der Generalunternehmer im Prozess mit dem Subunternehmer nicht darlegen, in welcher Höhe der Bauherr jeweils für jeden einzelnen der geltend gemachten Mängel Schadensersatz verlangt hat.

BGH, Urteil vom 25.1.2001 – VII ZR 446/99 – BauR 2001, 793

Kann der Schaden noch nicht beziffert werden, stellt sich die Frage einer Feststellungsklage.

Leitsatz

Einer Klage auf Feststellung der Schadensersatzpflicht des Auftragnehmers steht nicht entgegen, dass der Eintritt eines Schadens sowie Art und Umfang des Schadens noch ungewiss sind, sofern der Schadenseintritt nur möglich ist.

BGH BauR 2000, 1190, 1191, BR 1991, 606 = NJW 1991, 2480

6.17 Schadensersatzanspruch beim Architekten- und Ingenieurvertrag

236 Im Grundsatz unterliegt der Schadensersatzanspruch gegen den Architekten bzw. Ingenieur denselben Voraussetzungen, wie sie bereits unter Rdn. 214 f. erörtert wurden. Einer Frist zur Mangelbeseitigung bedarf es allerdings nicht, soweit sich der Schadensersatzanspruch auf vom Architekten bzw. Ingenieur verursachte Bauwerksmängel bezieht. Hat sich der Fehler des Architekten bzw. Ingenieurs bereits im Bauwerk verkörpert, so würde er durch eine Nachbesserung der dem Architekten/Ingenieur obliegenden Planungs- oder Überwachungsleistungen nicht mehr beseitigt, der Auftraggeber kann daher die zur Mangelbeseitigung erforderlichen Kosten im Wege des Schadensersatzes ersetzt verlangen (OLG Hamm, Urteil vom 22.6.1999 – 21 U 115/98 – BauR 2000, 293).

Soweit es das Verschuldenserfordernis betrifft, ist zu berücksichtigen, dass der Bauüberwacher die einzelnen Bauleistungen nicht in vollem Umfang und unter dauernder Anwesenheit auf der Baustelle überwachen muss. Einer besonders intensiven Überwachung bedürfen allerdings risikoreiche und für Bestand und Verwendungsfähigkeit des Bauwerks bedeutsame Bauleistungen, bei deren Mangelhaftigkeit erhebliche Schäden drohen. Besonders gefahrenträchtig sind Isolierungs- und Abdichtungsarbeiten, so dass der bauaufsichtsführende Architekt diesen Arbeiten besondere Aufmerksamkeit widmen muss (Brandenburgisches OLG, Urteil vom 11.1.2000 – 11 U 197/98 – BauR 2001, 283, 285). Dies gilt insbesondere im Schwimmbadbau auf Grund der dort anfallenden erheblichen Wasserlasten.

237 Ist dem Architekten/Ingenieur nur die Bauleitung übertragen, so hat er Planungs- und Ausschreibungsunterlagen auf Fehler und Widersprüche zu prüfen (Brandenburgisches OLG, Urteil vom 11.1.2000 – 11U 197/98 – BauR 2001, 283, 285). Die Prüfungspflicht des die Bauaufsicht führenden Architekten entfällt auch nicht, wenn zur Ausführung eine Spezialfirma eingeschaltet wird. Dem bauleitenden Architekten verbleibt die Verpflichtung zur eigenverantwortlichen Kontrolle. Von einer Spezialfirma erstellte Pläne muss der Architekt prüfen, soweit ihm eine Prüfung aus seiner Sachkenntnis möglich und zumutbar ist (Brandenburgisches OLG,

Urteil vom 11.1.2000 – 11 U 197/98 – BauR 2001, 283, 286). Ist ihm eine solche Prüfung nicht möglich, muss der Architekt den Bauherrn auf die Notwendigkeit hinweisen, einen Sonderfachmann einzuschalten. Die vom Unternehmer behauptete Spezialkenntnis darf der Architekt bzw. Ingenieur nicht ohne weiteres unterstellen, sondern hat dies, etwa durch die Anforderung von Auskünften über Referenzobjekte, zu überprüfen.

Bei einer Bausummenüberschreitung liegt ein Schaden des Bauherrn nur vor, wenn den zusätzlich aufgewendeten Baukosten kein entsprechender Gegenwert in Form des erstellten Bauwerks gegenübersteht (BGH NJW-RR 1993, 986). Ein Schadensersatzanspruch des Bauherrn setzt voraus, dass der Wert des Bauwerks hinter den aufgewendeten Baukosten zurückbleibt. Wird das Bauwerk eigengenutzt, ist der dem Bauherrn zugewachsene Wert des Bauwerks nicht nach dem Ertragswert, sondern nach dem Sachwert zu ermitteln (BGH BauR 1970, 246 = NJW 1970, 2018; OLG Celle BauR 1998, 1030). Dabei ist zu Lasten des Bauherrn zu berücksichtigen, wenn das Bauwerk entsprechend seinen Wünschen derart individuell und aufwendig erstellt wird, dass von vornherein damit zu rechnen war, dass der Verkehrswert hinter den aufgewendeten Kosten zurückbleibt.

6.18 Schadensersatz bei Wohnungseigentum

238 Liegen Mängel am Sondereigentum vor, so sind ausschließlich die jeweils betroffenen Wohnungseigentümer sachbefugt. Hinsichtlich der Mängel am Gemeinschaftseigentum steht den einzelnen Wohnungseigentümern dagegen nur der große Schadensersatzanspruch zu, d.h. der Schadensersatz unter Rückgabe der erworbenen Immobilie. Hinsichtlich des kleinen Schadensersatzanspruchs bedürfen die einzelnen Wohnungseigentümer der Ermächtigung durch die Gemeinschaft. (Vgl. im Einzelnen Kleine-Möller/Merl, Handbuch des privaten Baurechts, 3. Aufl., Rdn. 1049 f.)

Entscheidung

Sind einzelne Wohnungseigentümer berechtigt, vom Bauträger Schadensersatz wegen Mängel am Gemeinschaftseigentum zu verlangen, so ist der Schadensersatzanspruch nicht auf die Miteigentumsquote der jeweiligen Wohnungseigentümer beschränkt. Der einzelne Wohnungseigentümer kann Schadensersatz in vollem Umfang des Schadens verlangen.

BGH, Urteil vom 25.2.1999 – VII ZR 208/97 – BauR 1999, 657

Gegen einen Schadensersatzanspruch der Eigentümergemeinschaft kann der Bauträger nicht mit einer Kaufpreisforderung aufrechnen bzw. verrechnen, die ihm gegen einzelne Wohnungseigentümer zusteht (OLG Nürnberg, Urteil vom 17.9.1999 – 6 U 4530/98 – BauR 1999, 1464).

7 Mängelrechte des Auftraggebers nach BGB bei Vertragsschluss bis 31.12.2001

7.1 Anspruch auf Mangelbeseitigung

239 Der Anspruch auf Mangelbeseitigung ergibt sich aus § 633 Abs. 2 BGB a.F. Er tritt vor Abnahme neben den Erfüllungsanspruch aus § 631 BGB. Vor Abnahme stehen dem Auftraggeber bei mangelhafter Leistung die Rechte aus § 631 BGB i.V.m. § 326 BGB a.F. zu, er kann somit, wenn sich der Auftragnehmer in Verzug mit der Mangelbeseitigung befindet, nach Fristsetzung mit Ablehnungsandrohung Schadensersatz wegen Nichterfüllung verlangen oder vom Vertrag zurücktreten. Nach Abnahme ergeben sich die Mängelrechte des Auftraggebers ausschließlich aus §§ 633 f. BGB a.F.

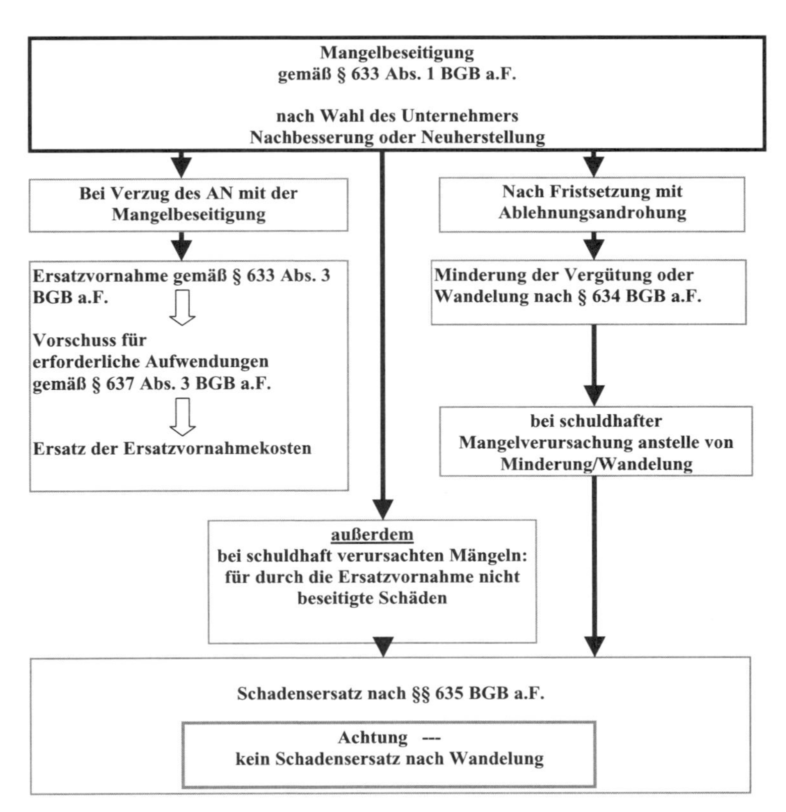

Seinem Inhalt nach entspricht der Mangelbeseitigungsanspruch in vollem Umfang dem Nacherfüllungsanspruch nach neuem Recht (§ 635 BGB). Auf die Erörterungen hierzu wird verwiesen (Rdn. 164).

7.2 Ersatzvornahmerecht

240 Das Ersatzvornahmerecht des Auftraggebers aus § 633 Abs. 3 BGB a.F. entspricht hinsichtlich seines Inhalts in vollem Umfang dem Selbstvornahmerecht nach § 637 BGB. Allerdings enthält § 633 Abs. 3 BGB keine ausdrückliche Regelung hinsichtlich des Anspruchs des Auftraggebers auf Aufwendungsersatz und Kostenvorschuss. Die von der Rechtsprechung hierzu entwickelten Grundsätze entsprechen jedoch exakt der durch die Schuldrechtsreform getroffenen gesetzlichen Regelung. Dementsprechend wird hierauf verwiesen, vgl. Rdn. 190 f. bzw. Rdn. 194 f.

241 Nicht identisch mit der Neuregelung des Selbstvornahmerechts sind allerdings die nach § 633 Abs. 3 BGB a. F. erforderlichen Voraussetzungen des Ersatzvornahmerechts. Nach § 633 Abs. 3 BGB a. F. ist der Auftraggeber zur Ersatzvornahme berechtigt, wenn der Auftragnehmer mit der Beseitigung des Mangels im Verzug ist. Der Verzugseintritt regelt sich nach allgemeinen Vorschriften. Der Auftragnehmer gerät mit der Mangelbeseitigung in Verzug, wenn der Auftraggeber den Mangelbeseitigungsanspruch durch eine entsprechende Aufforderung fällig stellt und nach Ablauf einer zur Mangelbeseitigung angemessenen Frist erneut mahnt, der Auftragnehmer seiner Verpflichtung zur Mangelbeseitigung jedoch schuldhaft nicht innerhalb angemessener Frist nachkommt. Eine Fristsetzung ist nicht unbedingt erforderlich, ersetzt jedoch, wenn sie bei der erstmaligen Aufforderung zur Mangelbeseitigung gesetzt wird, die 2. Aufforderung (Mahnung). Im Gegensatz zu § 637 Abs. 2 BGB ist für die Ersatzvornahme nach § 633 Abs. 3 BGB a. F. ein schuldhaftes Verhalten des Auftragnehmers bei Fristversäumung erforderlich.

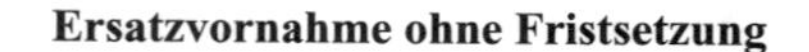

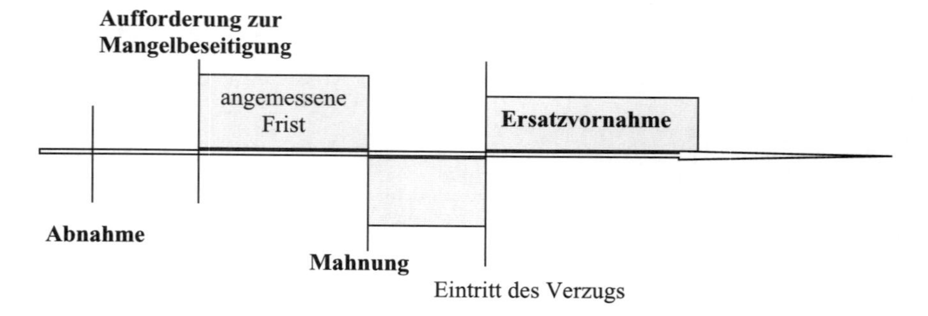

Der Auftraggeber kann jedoch bereits bei der ersten Aufforderung zur Mangelbeseitigung Frist setzen. Damit tritt nach Ablauf der Frist Verzug ein, wenn der Auftragnehmer die Frist schuldhaft nicht einhält.

Ersatzvornahme nach Aufforderung mit Fristsetzung

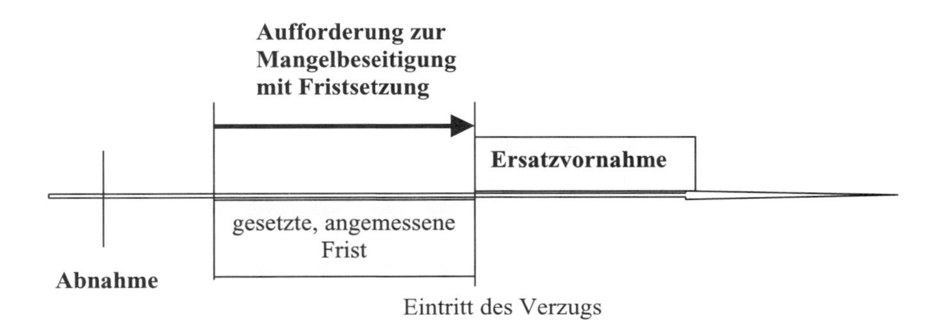

Soweit es die in beiden Fällen erforderliche Mangelbeschreibung angeht, entspricht der erforderliche Inhalt der Mangelbeschreibung derjenigen, wie sie zu § 637 BGB erörtert wurde; dies trifft auch hinsichtlich der zu setzenden Frist und hinsichtlich der Ausnahmefälle zu, in denen es keiner Fristsetzung bedarf. Vgl. Rdn. 170 f.

242 Gerät der Auftragnehmer mit der Mangelbeseitigung in Verzug, verliert er sein Recht, seine Mängel selbst zu beseitigen. Ein nachträgliches, nach Eintritt des Verzugs erklärtes Angebot des Auftragnehmers zur Mangelbeseitigung muss der Auftraggeber nicht annehmen (BGH, Urteil vom 27.11.2003 – VII ZR 93/01 – BauR 2004, 501, 503 = NJW-RR 2002, 1533, 1534), vgl. im Einzelnen Rdn. 178 f. Lässt der Auftraggeber den Auftragnehmer nach Eintritt der Ersatzvornahmevoraussetzungen freiwillig wieder zur Mangelbeseitigung zu, so ist er hieran gebunden und entfällt damit der bis dahin bestehende Verzug des Auftragnehmers. Will der Auftraggeber später die Ersatzvornahme durchführen, muss er die Ersatzvornahmevoraussetzungen erneut schaffen.

7.3 Minderung und Wandelung

243 Nach § 634 BGB a.F. kann der Auftraggeber Frist zur Mangelbeseitigung mit der Erklärung setzen, dass er die Beseitigung des Mangels nach Fristablauf ablehnt. Beseitigt der Auftragnehmer den Mangel nicht innerhalb der Frist, so kann der Auftraggeber die Wandelung (d.h. die Rückgängigmachung) des Vertrags oder die Minderung (d.h. die Herabsetzung) der Vergütung verlangen. Minderung und Wandelung setzen einen fälligen Mangelbeseitigungsanspruch des Auftraggebers voraus. Zur Fälligkeit des Mangelbeseitigungsanspruchs kann im vollem Umfang auf die Ausführungen zum Nacherfüllungsanspruch nach § 634 Nr. 1 BGB Bezug genommen werden. Vgl. Rdn. 165 f. Entsprechendes gilt für die erforderliche Fristsetzung (vgl. Rdn. 167 f.), den Ausnahmefällen, in denen es keiner Fristsetzung bedarf (vgl. Rdn. 181 f.), und schließlich auch für den Inhalt der mit der Fristsetzung zu verbindenden Mängelrüge (vgl. Rdn. 170 f.).

244 Von besonderer Bedeutung ist für § 634 Abs. 1 BGB a.F. die erforderliche Ablehnungsandrohung. Das Recht auf Minderung und Wandelung wächst dem Auftraggeber nur zu, wenn er seine Fristsetzung mit der Ankündigung verbindet, nach Ablauf der Frist die Mangelbeseitigung abzulehnen. Der Auftraggeber muss damit zum Ausdruck bringen, dass er nach Fristablauf weder die Mangelbeseitigung durch den Auftragnehmer duldet noch eine Ersatzvornahme nach § 633 Abs. 3 BGB a.F. durchführen wird. Eine Erklärung des Auftraggebers, wonach er bei fruchtlosem Ablauf der gesetzten Frist die Mangelbeseitigung durch den Auftragnehmer ablehnt und den Mangel zu Lasten des Auftragnehmers beseitigen wird, ist keine Ablehnungsandrohung nach § 634 Abs. 1 BGB a.F. Eine solche Erklärung schafft nur die Voraussetzungen für eine Ersatzvornahme nach § 633 BGB a.F.

Mit Ablauf der vom Auftraggeber gesetzten bzw. der angemessenen Frist entsteht das Recht des Auftraggebers auf Minderung und Wandelung, sofern der unter Fristsetzung und Ablehnungsandrohung gerügte Mangel nicht oder nicht in vollem Umfang beseitigt ist. Gleichzeitig geht mit Fristablauf der Anspruch des Auftraggebers auf Mangelbeseitigung unter.

245 Während Minderung auch bei unerheblichen Mängeln gefordert werden kann, kann eine Wandelung des Vertrags gem. § 634 Abs. 3 BGB a.F. nicht auf unerhebliche Mängel gestützt werden. Die Bewertung von Mängeln als erheblich richtet sich in erster Linie danach, inwieweit Wert und Funktionstauglichkeit der Leistung beeinträchtigt sind. Zu berücksichtigen ist auch die Höhe der bei Mangelbeseitigung anfallenden Kosten. Auf das Fehlen zugesicherter Eigenschaften ist § 634 Abs. 3 BGB a.F. nicht anwendbar. Ist jedoch die zugesicherte Eigenschaft für Wert und Funktionstauglichkeit der Leistung von derart geringer Bedeutung, dass sie als völlig unerheblich angesehen werden muss, so verstößt Wandelungsbegehren des Auftraggebers gegen Treu und Glauben.

246 Die Berechnung der Minderung erfolgt nach denselben Grundsätzen wie für die Minderung nach § 638 BGB. Allerdings findet sich im Gesetz keine ausdrückliche Regelung dazu, auf welchen Zeitpunkt für die Bemessung der Minderung abzustellen ist. Abzustellen ist nach überwiegender Meinung auf den Zeitpunkt der Abnahme, jedoch ist dies streitig. (Vgl. zur Berechnung der Minderung Kleine-Möller/Merl, Handbuch des privaten Baurechts, 3. Aufl., § 12 Rdn. 645 f.)

Die Wandelung lässt den Vertrag in Wegfall kommen und führt zur Rückabwicklung der bis zur Wandelung von den Parteien erbrachten Leistungen (§ 346 BGB a.F.). Ist eine Rückgewähr nicht möglich, so erfolgt ein Wertausgleich in Geld. Vgl. im Einzelnen Kleine-Möller/Merl, Handbuch des privaten Baurechts, 3. Aufl., § 12 Rdn. 649 f.)

Nach § 634 BGB a.F. steht dem Auftraggeber kein Gestaltungsrecht zu, sondern nur ein Anspruch auf Minderung und Wandelung. Die Minderungs- oder Wandelungserklärung führt nicht von selbst zur Auflösung des Vertrags. Diese tritt vielmehr ein, wenn Minderung bzw. Wandelung vom Auftragnehmer anerkannt sind oder rechtskräftig durch Urteil bestätigt werden (§§ 634 Abs. 4, 465 BGB a.F. abgekürzt).

7.4 Schadensersatz

247 Statt Wandelung oder Minderung kann der Auftraggeber nach § 635 BGB a.F. Schadensersatz wegen Nichterfüllung verlangen, wenn der Auftragnehmer den Mangel schuldhaft verursacht hat. Der Schadensersatzanspruch nach § 635 BGB a.F. setzt sämtliche Anspruchsvoraussetzungen nach § 634 BGB voraus. Insoweit wird auf die vorangehende Erörterung zu Minderung und Wandelung verwiesen.

248 Der Schadensersatzanspruch des § 635 BGB a.F. erfasst alle Schäden, die der Leistung anhaften, sowie darüber hinausgehende Schäden, die in engem Zusammenhang mit dem Mangel stehen. Entfernte Mangelfolgeschäden kann der Auftraggeber nicht nach § 635 BGB a.F., sondern aus positiver Vertragsverletzung ersetzt verlangen. Als enge Mangelfolgeschäden sind insbesondere Mangelbeseitigungskosten, der technische oder merkantile Minderwert der Bauleistung, Schäden aus entgangener Nutzung, Mieteinbußen und Gutachtenskosten zur Klärung des Mangels sowie seiner Ursachen angesehen worden. Entfernte Mangelfolgeschäden wurden nach der Rechtsprechung angenommen, soweit der Schaden nicht am Leistungsobjekt (Bauwerk), sondern an anderen Rechtsgütern des Auftraggebers eingetreten ist. So wurden z.B. als entfernte Mangelfolgeschäden angesehen: Feuchtigkeitsschäden an im Keller des Bauwerks gelagerten Teppichen (BGH NJW-RR 1990, 786), Schäden an Fußboden- und Deckenbalken auf Grund mangelhafter Heizungsarbeiten (OLG Bamberg, BauR 1995, 394), Feuchtigkeitsschäden an einer Kassettendecke auf Grund eines mangelhaft verlegten Flachdachs (OLG Hamm, NJW-RR 1990, 981).

Leitsatz

Ob es sich bei Prozesskosten um enge oder entfernte Mangelfolgeschäden nach § 635 BGB a.F. handelt, richtet sich danach, welche Schäden Gegenstand des Rechtsstreits sind. Enge Mangelfolgeschäden sind z.B. Kosten eines Prozesses um mangelbedingte Mietausfälle, die ihrerseits als enge Mangelfolgeschäden anzusehen sind. Ein enger Mangelfolgeschaden liegt auch vor, wenn der Auftraggeber vom Endabnehmer für Prozesskosten in Anspruch genommen wird, die dem Endabnehmer durch einen Rechtsstreit mit seinem Mieter entstehen, wenn dieser auf Grund des Mangels die Miete mindert.

BGH, Urteil vom 25.9.2003 – VII ZR 357/02 – BauR 2003, 1900

249 Wesentlich ist die Unterscheidung zwischen engen und entfernten Mangelfolgeschäden für die Verjährung der darauf gestützten Gewährleistungsansprüche. Die unter § 634 BGB a.F. fallenden Schäden verjähren in den Fristen gem. § 638 BGB a. F., die unter den Begriff der positiven Vertragsverletzung fallenden Schäden verjähren in der regelmäßigen, d.h. 30 Jahre betragenden Verjährungsfrist nach § 195 BGB a.F.

8 Mängelansprüche des Auftraggebers vor Abnahme beim VOB-Vertrag

8.1 Mängelrechte aus § 4 Nr. 7 Satz 3 VOB/B

Die Mängelansprüche des Auftraggebers vor Abnahme ergeben sich für den VOB-Vertrag aus § 4 Nr. 7 VOB/B. Der Auftraggeber hat Anspruch auf Beseitigung des Mangels (Nacherfüllung) gem. § 4 Nr. 7 S. 1 VOB/B, auf Schadensersatz gem. § 4 Nr. 7 S. 2 VOB/B und das Recht zur Selbstvornahme (ersatzweisen Mangelbeseitigung) gem. § 4 Nr. 7 S. 3 VOB/B. Wird die VOB/B nicht als Ganzes, sondern nur unter Abänderung oder nur das Mängelhaftungsrecht der VOB/B isoliert vereinbart, ist § 4 Nr. 7 Satz 3 VOB/B wegen Verstoßes gegen § 307 BGB nicht anwendbar, wenn der Auftragnehmer als Verwender anzusehen ist. § 4 Nr. 7 Satz 3 schränkt nämlich das Recht auf Nacherfüllung des Auftraggebers gegenüber dem gesetzlichen Werkvertragsrecht erheblich ein. **250**

8.2 Anspruch auf Mangelbeseitigung vor und nach Abnahme

Gem. § 4 Nr. 7 Satz 1 VOB/B kann der Auftraggeber beim Auftreten eines Mangels Mangelbeseitigung verlangen. Die Fälligkeit des Anspruchs auf Mangelbeseitigung tritt bei vereinbarter VOB/B wesentlich früher ein als nach gesetzlichem Werkvertragsrecht, da bei vereinbarter VOB/B der Auftragnehmer verpflichtet ist, erkannte Mängel sofort zu beseitigen, unabhängig von dem vertraglich vereinbarten Fertigstellungszeitpunkt. Damit unterscheidet sich der VOB-Vertrag vom gesetzlichen Werkvertrag, da nach gesetzlichem Werkvertragsrecht Mangelbeseitigung in aller Regel nicht vor dem vertraglich vereinbarten Fertigstellungstermin verlangt werden kann. **251**

Nach § 13 Abs. 5 Nr. 1 VOB/B ist der Auftragnehmer verpflichtet, alle während der Verjährungsfrist hervortretenden Mängel, die auf eine vertragswidrige Leistung zurückzuführen sind, auf seine Kosten zu beseitigen, wenn es der Auftraggeber vor Ablauf der Frist schriftlich verlangt.

Inhaltlich entspricht der Mangelbeseitigungsanspruch nach § 13 Nr. 5 VOB/B der Nacherfüllung gem. § 634 Nr. 1, § 635 BGB. Hierauf wird verwiesen (Rdn. 165 f.). Der Auftraggeber kann dem Auftragnehmer im Regelfall nicht vorschreiben, wie dieser den Mangel zu beseitigen hat. Ist es möglich, einen Mangel sicher, dauerhaft und ohne unzumutbare Beeinträchtigung des Auftraggebers auf verschiedene Art und Weise zu beseitigen, so steht es dem Auftragnehmer gem. § 635 Abs. 1 BGB frei, welche Maßnahme er wählt. Dem Auftragnehmer steht entsprechend § 635 Abs. 1 BGB auch das Wahlrecht zwischen Mangelbeseitigung und Neuherstellung **252** der Leistung zu. Der Auftragnehmer hat bei seiner Entscheidung berechtigte Interessen des Auftraggebers zu berücksichtigen. Für den Auftraggeber unzumutbare Mangelbeseitigungsmaßnahmen braucht dieser nicht zu dulden, z. B. wenn die vom Auftragnehmer beabsichtige Nachbesserung mit unzumutbarer Lärm- oder Staubentwicklung verbunden ist. Kann der Mangel nur in einer bestimmten Art und Weise nachhaltig beseitigt werden, so kann der Auftraggeber die Durchführung dieser Maßnahme verlangen (BGH, Urteil vom 24.4.1997 – VII ZR 110/96 – BauR 1997, 638). Hierzu wird auf die Erörterungen unter Rdn. 165 f. im Einzelnen verwiesen.

Die Kosten der Mangelbeseitigung trägt der Auftragnehmer entsprechend § 635 Abs. 2 BGB. Zum Informationsrecht des Auftraggebers über die vom Auftragnehmer geplanten Mangelbeseitigungsmaßnahmen vgl. Rdn. 163.

8.3 Selbstvornahme vor Abnahme (§ 4 Nr. 7 Satz 3 VOB/B)

8.3.1 Voraussetzungen der Selbstvornahme

253 Kommt der Auftragnehmer seiner Verpflichtung zur Mangelbeseitigung nicht nach, so kann der Auftraggeber gem. § 4 Nr. 7 Satz 3 BGB den Mangel auf Kosten des Auftragnehmers selbst beseitigen. Die Voraussetzungen der Selbstvornahme (ersatzweisen Mangelbeseitigung) sind gegenüber der gesetzlichen Regelung wesentlich erschwert. Um zur Selbstvornahme berechtigt zu sein, muss der Auftraggeber Frist zur Mangelbeseitigung setzen, die Kündigung des Vertrags androhen und nach fruchtlosem Fristablauf den Vertrag oder in sich abgeschlossene Teile des Vertrags kündigen (§ 4 Nr. 7 Satz 3 i. V. m. § 8 Nr. 3 Abs. 2 VOB/B). Liegen bei Selbstvornahme diese Voraussetzungen nicht vor, kann der Auftraggeber keine Erstattung seiner Mangelbeseitigungskosten verlangen (BGH, Urteil vom 2.10. 1997 – VII ZR 44/97 – BauR 1997, 1027). Nur ausnahmsweise, wenn nämlich die Arbeiten des Auftragnehmers bis auf die Mangelbeseitigung bereits abgeschlossen sind, oder der Auftragnehmer die Fortsetzung jeglicher Arbeiten verweigert, führt bereits die endgültige und bestimmte Verweigerung der Mangelbeseitigung durch den Auftragnehmer zum Selbstvornahmerecht nach § 4 Nr. 7 Satz 3 VOB/B, ohne dass es der Fristsetzung mit Kündigungsandrohung und der Kündigung bedarf. Dies wird im Einzelnen nachfolgend erörtert.

Regelmäßige Voraussetzungen der Selbstvornahme nach § 4 Nr. 7 Satz 3 VOB/B

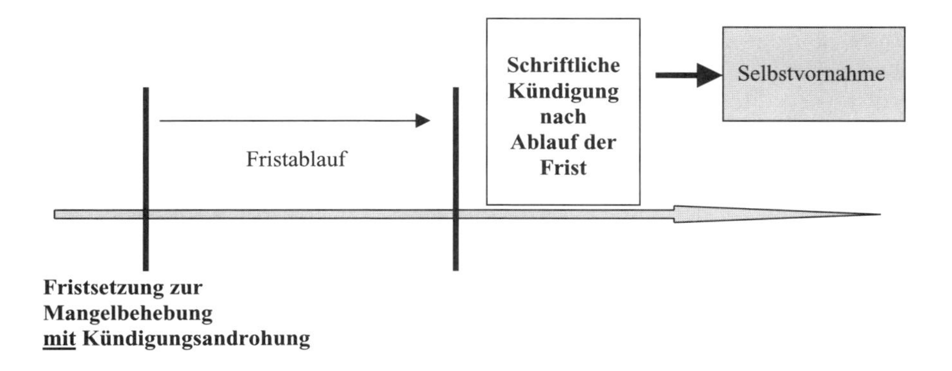

8.3.2 Fristsetzung mit Kündigungsandrohung

8.3.2.1 Mängelrüge

254 § 4 Nr. 7 Satz 3 VOB/B setzt eine (mit Fristsetzung und Kündigungsandrohung verbundene) Mängelrüge voraus. Fristsetzung und Kündigungsandrohung sind nur dann wirksam, wenn der Auftraggeber die zu beseitigenden Mängel hinreichend konkret beschreibt. Der Auftragnehmer muss wissen, welche Mängel er nach Ansicht des Auftraggebers innerhalb der gesetzten Frist beseitigen soll. Der Inhalt der Mangelbezeichnung muss den Anforderungen entsprechen, wie sie bereits für den BGB-Vertrag unter Rdn. 170 f. erörtert wurden. Danach können die zu beseitigenden Mängel entweder nach den Mangelerscheinungen oder nach den Mangelursachen beschrieben werden. Für die Praxis empfiehlt es sich in aller Regel, die Mangelbeschreibung anhand der Mangelerscheinungen vorzunehmen. Dadurch werden alle für die beschriebenen Symptome maßgebenden Ursachen erfasst und zwar an allen Stellen des Bauwerks bzw. der Bauleistung. Rügt der Auftraggeber Mängel nur für bestimmte Stellen des Bauwerks, so wird hierdurch der Mangel als Ganzes erfasst, an welchen Stellen des Bauwerks bzw. der Bauleistung er auch immer auftritt. Im Einzelnen wird auf die Ausführungen unter Rdn. 170 f. Bezug genommen.

8.3.2.2 Frist zur Mangelbeseitigung

255 Die Fristsetzung muss sich auf die Mangelbeseitigung beziehen, d.h. auf den Abschluss der Mangelbeseitigungsarbeiten, nicht aber auf deren Beginn und auch nicht auf die Abgabe einer Erklärung des Auftragnehmers, dass er zur Mangelbeseitigung bereit ist (vgl. hierzu Rdn. 176 f.). Zur Frage der „doppelten Fristsetzung", nämlich dass der Auftraggeber dem Auftragnehmer einerseits Frist setzt, seine Bereitschaft zur Mangelbeseitigung zu erklären oder mit der Mangelbeseitigung zu beginnen, und andererseits Frist zur Durchführung (= Beendigung) der Mangelbeseitigung setzt vgl. Rdn. 177. Im Grundsatz ist eine doppelte Fristsetzung nicht erforderlich und nur insoweit zu empfehlen, als dadurch ein zusätzlicher Druck auf den Auftragnehmer ausgeübt wird, sich alsbald darüber klar zu werden, ob er die Mangelbeseitigung durchführen will. Eine Gefahr steckt in dieser Vorgehensweise insofern, als vom Auftraggeber leicht übersehen werden kann, dass es rechtlich auf diese Vorschaltfrist in aller Regel nicht ankommt, er also den Ablauf der Frist zur Durchführung der Mangelbeseitigung abwarten muss.

256 Welche Maßnahmen im Einzelnen auszuführen sind, hat der Auftraggeber bei Fristsetzung nicht anzugeben. Es ist nämlich das Recht des Auftraggebers, zwischen mehreren geeigneten und dem Auftraggeber zumutbaren Maßnahmen der Mangelbeseitigung zu wählen. Fordert der Auftraggeber die Mangelbeseitigung in bestimmter Art und Weise, nimmt dies der Fristsetzung ihre rechtliche Wirkung, wenn der Auftragnehmer davon ausgehen muss, der Auftraggeber werde nur diese eine Art der Mangelbeseitigung annehmen, obwohl es auch andere Möglichkeiten zur Mangelbeseitigung gibt und er (der Auftragnehmer) den Mangel anders, als vom Auftraggeber verlangt, beseitigen will.

Falle/Praxishinweis

Fordert der Auftraggeber unter Missachtung des Entscheidungsrechts des Auftragnehmers diesen ausschließlich zur Vornahme bestimmt bezeichneter Mangelbeseitigungsarbeiten auf und erweckt er den Eindruck, andere (auch geeignete) Mangelbeseitigungsmaßnahmen nicht zuzulassen, so ist die Fristsetzung unwirksam.

8.3.2.3 Angemessene Frist

257 Welche Frist zur Nacherfüllung angemessen ist, richtet sich nach der erforderlichen Dauer der zur Mangelbehebung notwendigen Arbeiten und der hierfür erforderlichen Vorbereitungsmaßnahmen. Zu berücksichtigen ist gegebenenfalls ein besonderes Beschleunigungsbedürfnis des Auftraggebers, z. B. wenn diesem für die Dauer der Mangelbeseitigungsarbeiten erhebliche Folgeschäden, wie Produktions- oder Mietausfälle, drohen. Im Einzelfall kann ein besonderes Beschleunigungsbedürfnis des Auftraggebers dazu führen, dass der Auftragnehmer zu einem unwirtschaftlich hohen Personaleinsatz verpflichtet ist.

258 Setzt der Auftraggeber eine zu kurze Frist, so ist diese nicht wirkungslos, sondern verlängert sich entsprechend. Die Fristverlängerung tritt automatisch ein, sie muss vom Auftragnehmer nicht beantragt werden. Liegen allerdings Umstände vor, die eine längere Frist erforderlich machen, ohne dass dies für den Auftraggeber erkennbar ist, so hat der Auftragnehmer hierauf rechtzeitig hinzuweisen. Unterlässt der Auftragnehmer den gebotenen Hinweis, kann er sich auf solche Umstände nicht berufen.

Kündigungsrecht bei zu kurz gesetzter Frist

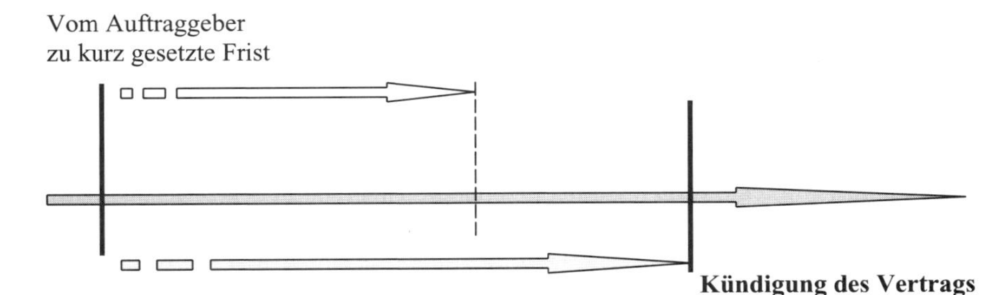

Falle/Praxishinweis

Setzt der Auftraggeber eine zu kurz bemessene Frist und kündigt er daher verfrüht den Vertrag, so ist die Kündigung als ordentliche Kündigung zu behandeln. Das hat u.a. zur Folge, dass der Auftragnehmer für den gekündigten, nicht ausgeführten Teil der Leistungen die vereinbarte Vergütung (abzüglich ersparter Aufwendungen) verlangen kann.

Die Verpflichtung des Auftragnehmers, vorhandene Mängel an dem ausgeführten Teil der Leistung zu beseitigen, bleibt durch die Kündigung unberührt. Insoweit muss der Auftraggeber erneut Frist zur Mangelbeseitigung setzen, wenn der Auftragnehmer auf Grund der verfrühten Vertragskündigung davon ausgehen muss, er werde nicht mehr zur Mangelbeseitigung zugelassen.

259 Setzt der Auftraggeber eine „überlange" Frist, so ist er hieran gebunden. Er muss die gesetzte Frist abwarten, ehe er die Kündigung des Vertrags aussprechen und die Mangelbeseitigung durch Selbstvornahme in Angriff nehmen kann. Eine nachträgliche Verkürzung der Frist kommt dann in Betracht, wenn nach Fristsetzung Umstände neu auftreten oder bekannt werden, die eine raschere Mangelbeseitigung erzwingen.

Kündigungsrecht bei unnötig langer Frist

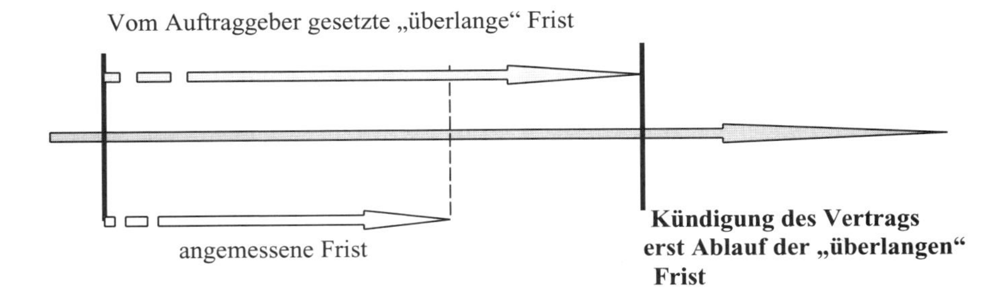

8.3.2.4 Kündigungsandrohung

260 Zugleich mit der Fristsetzung muss der Auftraggeber die Entziehung oder Kündigung des Vertrags androhen. Dabei muss sich der Auftraggeber noch nicht dazu äußern, ob er nach Fristablauf den gesamten Vertrag kündigen will oder nur einen Teil des Vertrags. Die Ankündigung „den Vertrag" bzw. den „gesamten Vertrag" zu kündigen, gibt dem Auftraggeber nach Fristablauf freie Hand, den Vertrag nach seinem Belieben ganz oder teilweise zu kündigen. Schützenswerte Interessen des Auftragnehmers werden nicht verletzt, wenn der Auftraggeber zwar eine Kündigung des gesamten Vertrags androht, von seinem Kündigungsrecht aber nur hinsichtlich eines Teils des Vertrags Gebrauch macht.

Praxishinweis

Für den Auftraggeber ist es zweckmäßig, die Kündigung „des Vertrags" anzudrohen, und die Kündigungsandrohung nicht auf einen Teil des Vertrags einzuschränken, selbst wenn er von vornherein nur eine Teilkündigung beabsichtigt. Denn dem Auftraggeber steht es bei uneingeschränkter Kündigungsandrohung frei, ob und in welchem Umfang er später eine Vertragskündigung ausspricht.

261 Die ausgesprochene Kündigung kann nicht über die Kündigungsandrohung hinausgehen. Droht der Auftraggeber nur an, den mangelhaften Leistungsteil zu kündigen, so ist er hieran gebunden. Für eine Kündigung des gesamten Vertrags bildet eine solche Ankündigung keine Grundlage. Für eine Vollkündigung braucht es eine erneute Fristsetzung mit erneuter, uneingeschränkter Kündigungsandrohung.

Falle/Praxishinweis

Droht der Aufraggeber bei der Fristsetzung an, einen genau beschriebenen Teil der Leistung zu kündigen, so erstreckt sich sein Kündigungsrecht nach Fristablauf nur auf diesen Vertragsteil. Handelt es sich bei dem in der Kündigungsandrohung beschriebenen Teil der Leistung nicht um einen in sich abgeschlossenen Leistungsteil, so ist die Kündigungsandrohung wirkungslos! Eine Kündigung des Vertrags oder von Vertragsteilen kann hierauf nicht gestützt werden.

Eine Kündigung des Auftraggebers, die auf eine solche unwirksame Kündigungsandrohung gestützt wird, wird im Regelfall als ordentliche Kündigung behandelt mit der Folge, dass der Auftragnehmer für den noch nicht ausgeführten Leistungsteil eine Vergütung entsprechend § 8 Nr. 1 VOB/B fordern kann.

8.3.3 Kündigungsrecht nach Fristablauf

262 Nach Ablauf der gesetzten bzw. angemessenen Frist ist das Vertragsverhältnis nicht automatisch beendet und es steht dem Auftraggeber noch kein Recht zur ersatzweisen Beseitigung des Mangels zu. Hierzu bedarf es im Regelfall der Kündigung des Vertrags durch den Auftraggeber (BGH, Urteil vom 2.10.1997 – VII ZR 44/97 – BauR 1997, 1027). Der Auftraggeber ist allerdings an seine Kündigungsandrohung nicht gebunden. Es steht dem Auftraggeber vielmehr frei, ob er vom Kündigungsrecht Gebrauch macht oder den Vertrag fortsetzt.

Die zur ersatzweisen Mangelbeseitigung nach § 4 Nr. 7 S. 3 VOB/B erforderliche Kündigung, die nach § 8 Nr. 5 VOB/B schriftlich zu erklären ist, kann erst nach Ablauf der gesetzten Fristen ausgesprochen werden.

Selbstvornahme nach § 4 Nr. 7 Satz 3VOB/B

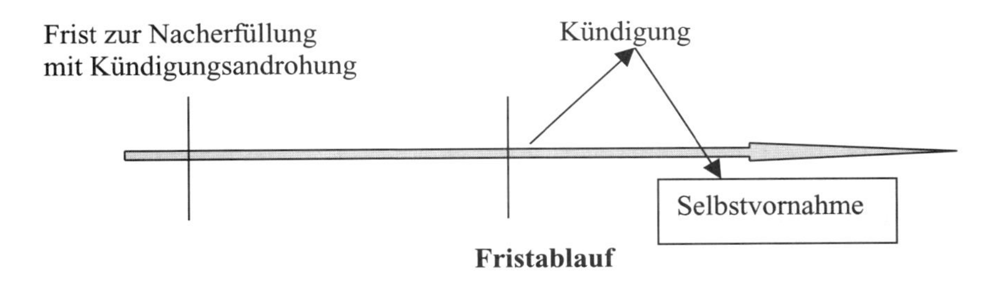

263 Die Kündigungserklärung kann nicht bereits mit der Fristsetzung (als bedingte Kündigung für den Fall der Nichtbehebung des Mangels) verbunden werden.

Falle/Praxishinweis

Die Erklärung des Auftraggebers bei Mängelrüge und Fristsetzung, der Vertrag gelte als gekündigt, wenn der Mangel bei Ablauf der Frist nicht beseitigt ist, löst den Vertrag bei Fristablauf nicht auf. Eine solche Erklärung stellt nur eine Kündigungsandrohung i. S. v. § 4 Nr. 7 S. 3 VOB/B dar. Es bedarf noch der schriftlichen Kündigungserklärung nach Fristablauf.

264 Eine Entscheidung darüber, ob das Vertragsverhältnis gekündigt oder fortgesetzt werden soll, muss der Auftraggeber alsbald nach Fristablauf treffen. Übt er sein Kündigungsrecht nicht innerhalb angemessener Zeit aus, so verwirkt er es. Fordert der Auftraggeber nach Fristablauf die Fortführung des Vertrags, so kann er im Nachhinein nicht mehr auf sein Kündigungsrecht zurückgreifen. Allerdings steht es ihm frei, erneut nach § 4 Nr. 7 S. 3 VOB/B vorzugehen, solange der Mangel nicht beseitigt ist. Dazu muss er sämtliche nach § 4 Nr. 7 S. 3 VOB/B erforderlichen Erklärungen abgeben, also erneut zur Mangelbeseitigung auffordern, Frist setzen und die Kündigung des Vertrags androhen. Nach fruchtlosem Ablauf der neu gesetzten Frist erwächst dem Auftraggeber dann erneut das Kündigungsrecht.

Voraussetzungen des Selbstvornahmerechts bei unterlassener Kündigung

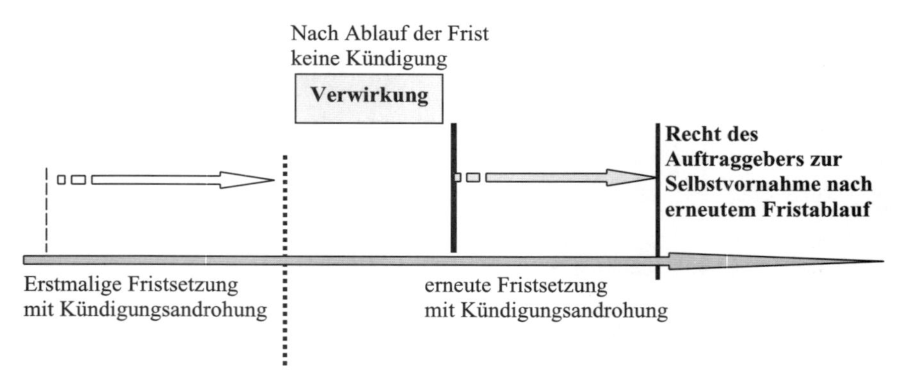

8.3.4 Kündigung

265 Der Auftrageber kann nach Fristablauf und bei uneingeschränkter Kündigungsandrohung entweder den gesamten Vertrag kündigen oder die Kündigung auf in sich abgeschlossene Leistungsteile begrenzen. In sich abgeschlossene Teile der Leistung sind solche Teile des Bauwerks bzw. der Leistung des Auftragnehmers, die in ihrer Tauglichkeit/Funktionsfähigkeit selbständig geprüft und beurteilt werden können.

Eine Teilkündigung kann insbesondere erfolgen, wenn der Auftragnehmer durch einen Vertrag mit Leistungen aus verschiedenen Gewerken beauftragt ist. Die Teilkündigung kann hinsichtlich des Gewerks erfolgen, dem der Mangel anhaftet.

Praxisbeispiel

Ist der Auftragnehmer durch einen Vertrag sowohl mit Heizungsarbeiten als auch mit Sanitärarbeiten beauftragt, so kann der Auftraggeber bei mangelhafter Sanitärleistung die Kündigung nach § 4 Nr. 7 Satz 3 VOB/B für alle Arbeiten (Sanitär und Heizung) oder nur für das Sanitärgewerk aussprechen. Eine Teilkündigung ausschließlich hinsichtlich der Heizungsarbeiten, die mangelfrei sind oder deren Mängel nicht bei Fristsetzung gerügt wurden, ist unwirksam.

266 Abgeschlossene Teilleistungen liegen auch vor, wenn der Auftragnehmer mit der Errichtung mehrerer Reihenhäuser beauftragt ist. Jedes Reihenhaus ist eine in sich abgeschlossene Teilleistung. Ist entsprechend nachfolgendem Schaubild Reihenhaus 1 mangelhaft, so kann der Auftraggeber nach fruchtlos gesetzter Frist mit Kündigungsandrohung entweder den Vertrag hinsichtlich aller Reihenhäuser kündigen oder nur hinsichtlich Reihenhaus 1.

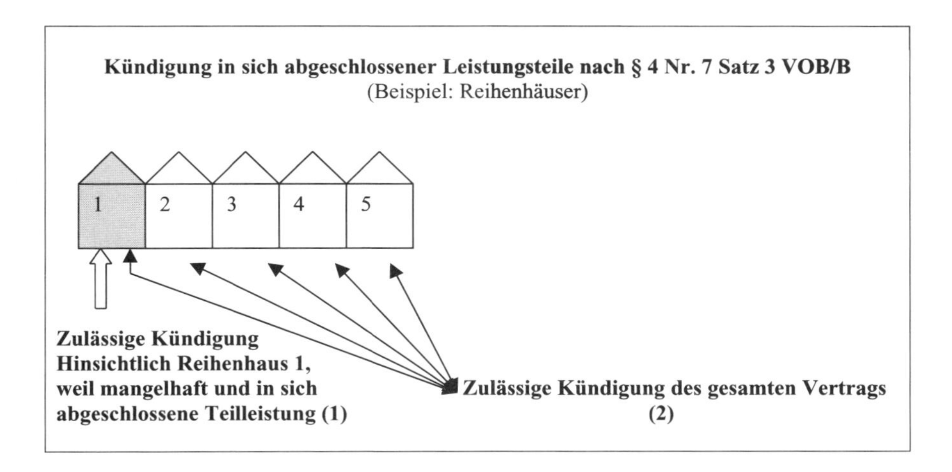

Die Arbeiten an Reihenhaus 1 sind eine in sich abgeschlossene Teilleistung, auch wenn sich dieselbe Leistung nochmals bei den übrigen Reihenhäusern wiederholt. Die Arbeiten an Reihenhaus 1 sind für sich hinsichtlich ihrer Funktionsfähigkeit prüfbar. Der Auftraggeber kann aber auch den Vertrag für sämtliche Reihenhäuser auflösen. Nicht möglich wäre es, nur hinsichtlich der Reihenhäuser Ziffer 2 bis 5 zu kündigen, aber den Vertrag hinsichtlich des mangelhaften Hauses 1 aufrecht zu erhalten.

Fallen/Praxishinweis

Nicht als abgeschlossene Leistungsteile angesehen werden z.B. bei Rohbauarbeiten die einzelnen Betondecken oder das Treppenhaus eines Gebäudes (sofern dem Auftragnehmer nicht nur diese Leistungen übertragen sind, sondern z.B. die gesamten Rohbauarbeiten). Erstellt der mit der schlüsselfertigen Errichtung eines Gebäudes beauftragte Unternehmer eine Betondecke nicht ordnungsgemäß, so hat der Auftraggeber nur die Wahl,

- entweder nach Fristablauf den Vertrag insgesamt zu kündigen und den Mangel gem. § 4 Nr. 7 Satz 3 VOB/B durch Selbstvornahme zu beseitigen, oder
- den Vertrag fortzusetzen und den Mangel gem. § 13 Nr. 5 VOB/B erst nach Abnahme (und nach erneuter Fristsetzung zur Mangelbeseitigung) durch Selbstvornahme zu beseitigen.

267 Vergibt der Bauträger in einem Vertrag die Rohbauarbeiten für mehrere Häuser und erstellt der Auftragnehmer eine Betondecke mangelhaft, so kann der Bauträger den Vertrag (nach Fristsetzung mit Kündigungsandrohung) hinsichtlich der gesamten Rohbauarbeiten für alle Häuser kündigen oder nur hinsichtlich der Rohbauarbeiten für das Haus mit der mangelhaften Zwischendecke. Nicht möglich ist es dagegen, den Vertrag nur hinsichtlich der mangelhaften Zwischendecke zu kündigen, denn die mangelhafte Zwischendecke ist keine in sich abgeschlossene Teilleistung.

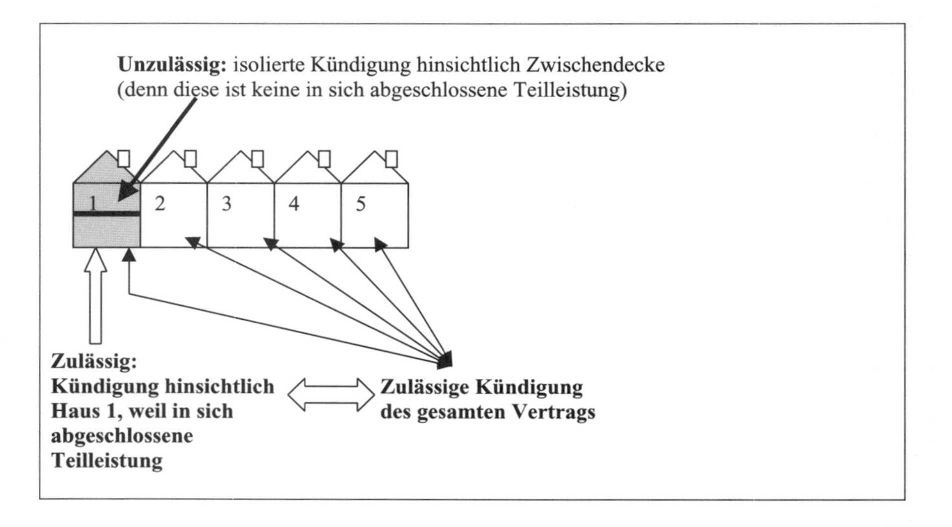

Fallen/Praxishinweis

In jedem Fall *unwirksam* ist eine Kündigung des Auftraggebers, die nicht den mangelhaften Leistungsteil erfasst, wenn der Auftraggeber also in obigem Beispiel die Kündigung nur hinsichtlich der mangelfreien Häuser ausspricht, den Vertrag hinsichtlich des mangelhaften Hauses 1 aber fortführen will. Da eine solche Kündigung unwirksam ist, wird der Vertrag insgesamt fortgeführt, also hinsichtlich aller Häuser.

Unwirksam ist nach überwiegender Meinung auch eine Kündigung nach § 4 Nr. 7 Satz 3 VOB/B nur hinsichtlich des Mangels, also nur hinsichtlich der erforderlichen Mangelbeseitigungsarbeiten.

268 Bei mehreren Verträgen steht dem Auftraggeber das außerordentliche Kündigungsrecht nach § 4 Nr. 7 S. 3 VOB/B, § 8 Nr. 3 VOB/B ausschließlich hinsichtlich des Vertrags zu, hinsichtlich dessen die Leistung mangelhaft ist. Die Mängelrechte einschließlich des Kündigungsrechts beschränken sich grundsätzlich auf das vom Mangel betroffene Vertragsverhältnis. Nur ausnahmsweise können Mängel aus einem Vertrag zugleich ein Kündigungsrecht für einen weiteren Vertrag begründen, z.B. wenn sich aus den Mängeln die fachliche Ungeeignetheit des Auftragnehmers auch hinsichtlich der Arbeiten des anderen Vertrags ergibt.

Fallen/Praxishinweis

Kündigt der Auftraggeber auf Grund der mangelhaften Leistung aus einem Vertrag sämtliche weiteren Verträge, so ist die Kündigung zwar in der Regel in vollem Umfang wirksam. D.h. sämtliche gekündigten Vertragsverhältnisse werden beendet. Die Kündigung ist jedoch nur hinsichtlich desjenigen Vertrags als außerordentliche Kündigung anzusehen, für den die Voraussetzungen nach § 4 Nr. 7 S. 3 VOB/B vorliegen.

Im Übrigen, also hinsichtlich des Vertrags, dessen Leistung nicht mit dem gerügten Mangel behaftet ist, liegt eine ordentliche Kündigung vor. Der Auftraggeber muss hinsichtlich des vom Mangel nicht betroffenen Vertrags an den Auftragnehmer die volle Vergütung abzüglich ersparter Aufwendungen entrichten und die Restfertigstellung auf eigenes Risiko durchführen.

269 Die Kündigung muss nach § 8 Nr. 5 VOB/B schriftlich erklärt werden, eine mündlich erklärte Kündigung ist unwirksam. Die formlose und daher unwirksame Kündigung wird nicht dadurch wirksam, dass der Auftragnehmer ihr (zwangsläufig) Folge leistet.

8.3.5 Folgen der Kündigung

270 Das Recht zur Selbstvornahme der Mangelbeseitigung nach § 4 Nr. 7 VOB/B entsteht (im Regelfall, siehe unten Rdn. 272) mit Kündigung des Vertrags (bzw. Vertragsteils) durch den Auftraggeber. Die wirksame Kündigung nach § 4 Nr. 7 Satz 3 i. V. m. § 8 Nr. 3 VOB/B beendet im Umfang der Kündigung das Vertragsverhältnis, soweit die vertraglich vereinbarten Leistungen noch nicht erbracht sind. Der noch nicht erbrachte Teil der Leistungen entfällt, der bereits erbrachte Leistungsteil verbleibt beim Auftraggeber, sofern er nicht völlig unbrauchbar ist und vom Auftragnehmer auf Grund seiner Schadensersatzpflicht entfernt werden muss. Die zur Kündigung führenden Mängel kann der Auftraggeber im Wege der Selbstvornahme beseitigen und Kostenerstattung vom Auftragnehmer verlangen.

Fallen/Praxishinweis

Hinsichtlich der bei Fristsetzung nicht gerügten und der Kündigung nicht zugrunde liegenden Mängel des erbrachten und beim Auftraggeber verbleibenden Leistungsteils, steht dem Auftragnehmer nach Kündigung noch kein Selbstvornahmerecht (Ersatzvornahmerecht) zu. Will der Auftraggeber die bei der Fristsetzung nicht gerügten Mängel durch Selbstvornahme beseitigen, so muss er entsprechend § 13 Nr. 5 VOB/B vorgehen, also Frist zur Mangelbehebung setzen.

271 Hinsichtlich des gekündigten Teils verliert der Auftragnehmer seinen Vergütungsanspruch. Der Auftraggeber ist gem. § 8 Nr. 3 Abs. 2 Satz 1 VOB/B berechtigt, den nicht ausgeführten Teil der Leistung des Auftragnehmers zu dessen Lasten durch einen Dritten ausführen zu lassen. Dadurch entstehende Mehrkosten kann der Auftraggeber dem Auftragnehmer in Rechnung stellen, sie werden mit dem Vergütungsanspruch des Auftragnehmers für den vor Kündigung ausgeführten Teil der

Leistung verrechnet. Die Vergütung des Auftragnehmers wird erst fällig, wenn dem Auftraggeber die Abrechnung der Ersatzvornahmekosten möglich ist.

Der Auftraggeber kann auch auf die weitere Ausführung verzichten und Schadensersatz wegen Nichterfüllung verlangen, wenn er an der Fertigstellung der Leistung, z. B. wegen des nicht rechtzeitig beseitigten Mangels, kein Interesse mehr hat. Dies kommt in Betracht, wenn es sich um zeitgebundene Arbeiten handelt (z. B. bei Messebauten, die nach Ablauf des Messetermins nicht mehr benötigt werden).

Ansprüche des Auftraggebers nach Kündigung des teilausgeführten Vertrags

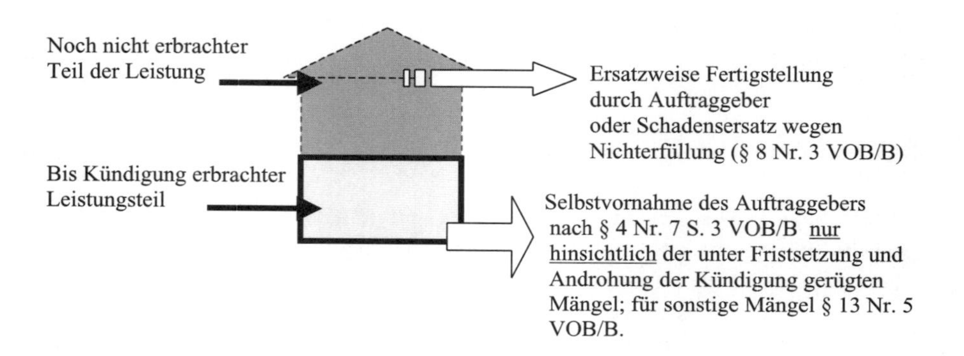

8.3.6 Ausnahme: Ersatzweise Mängelbeseitigung ohne Fristsetzung mit Kündigungsandrohung bzw. ohne Kündigung des Vertrags

272 In Ausnahmefällen bedarf es für die Selbstvornahme nach § 4 Nr. 7 Satz 3 VOB/B der Fristsetzung und Kündigung nicht, nämlich wenn von vornherein feststeht, dass der Auftragnehmer der Fristsetzung nicht nachkommen wird, und keine Gefahr besteht, dass es unter den Beteiligten ohne Kündigung zu unklaren Verhältnissen bei der weiteren Bauabwicklung kommen kann. Da der Auftragnehmer die Mängelbeseitigung ernsthaft und bestimmt verweigert, hätte es keinen Sinn, ihn nochmals zur Mängelbeseitigung aufzufordern. Der Auftragsentziehung käme keine klarstellende und Streitigkeiten verhindernde Bedeutung mehr zu.

Fall

Der Auftragnehmer war mit Außenputzarbeiten beauftragt. Er erbrachte den Außenputz derart mangelhaft, dass die Beseitigung der Mängel nur im Weg der Neuherstellung möglich war. Der Kläger bestritt seine Verantwortlichkeit für die Mängel und verweigerte eine Mängelbeseitigung. Der Auftragnehmer führte die Mängelbeseitigung durch, ohne Frist zu setzen und den Vertrag zu kündigen. Er verlangte vom Auftragnehmer Erstattung seiner Aufwendungen.

Entscheidung

Dem Auftraggeber stand nach der Entscheidung des BGH ein Anspruch auf Ersatz von Mangelbeseitigungskosten zu. Entgegen dem Wortlaut von § 4 Nr. 7 S. 3 VOB/B bedurfte es weder einer Fristsetzung zur Mangelbeseitigung noch einer Auftragsentziehung.

Denn einerseits verweigerte der Auftragnehmer endgültig und bestimmt die vertragsgemäße Fertigstellung. Damit war eine Fristsetzung zur Mängelbeseitigung mit Kündigungsandrohung entbehrlich. Andererseits konnte es unter den Beteiligten nicht zu unklaren Verhältnissen bei der weiteren Bauabwicklung kommen. Ein Nebeneinander von Auftragnehmer und Drittunternehmer, das zu Streitigkeiten auf der Baustelle führen konnte, war ausgeschlossen. Unter diesen besonderen Voraussetzungen war der Auftraggeber ohne vorherige Kündigung des Vertrags oder Benachrichtigung des Auftragnehmers berechtigt, die Mängel durch einen Drittunternehmer beseitigen zu lassen.

BGH, Urteil vom 20.4.2000 – VII ZR 164/99 – BauR 2000, 1479, 1481

Fallen/Praxishinweis

Zu beachten ist, dass es trotz endgültiger und bestimmter Verweigerung der Mangelbeseitigung durch den Auftragnehmer einer Entziehung des Auftrags immer dann bedarf, wenn sie erforderlich ist, um für die weitere Bauabwicklung unter den Beteiligten klare Verhältnisse zu schaffen und ein Nebeneinander von Auftragnehmer und Drittunternehmer zu verhindern. Dies war hier von vornherein deshalb ausgeschlossen, da im Wege der Mangelbeseitigung der gesamte Außenputz erneuert werden musste, also ausschließlich noch Mangelbeseitigungsarbeiten zu erbringen waren.

Ein Nebeneinander von Auftragnehmer und Drittunternehmer sowie daraus entstehende unklare Verhältnisse und Streitigkeiten können grundsätzlich dann nicht entstehen, wenn der Auftragnehmer nicht nur die Mangelbeseitigung verweigert, sondern auch die Fertigstellung seiner Leistung im Übrigen, er daher auf der Baustelle nicht mehr tätig wird. Ob generell in allen diesen Fällen vom Erfordernis der Kündigung abgesehen werden kann, ist aus der Entscheidung des BGH nicht eindeutig zu entnehmen. Für die Praxis zu empfehlen ist daher, den Vertrag zu kündigen, sofern neben der Mangelbeseitigung noch sonstige Restarbeiten des Auftragnehmers zur Fertigstellung der Leistung anstehen. Einer Fristsetzung mit Kündigungsandrohung bedarf es jedenfalls bei endgültiger und bestimmter Verweigerung der Mangelbeseitigung durch den Auftragnehmer nicht.

Selbstvornahme bei endgültiger und bestimmte Verweigerung der Mangelbeseitigung

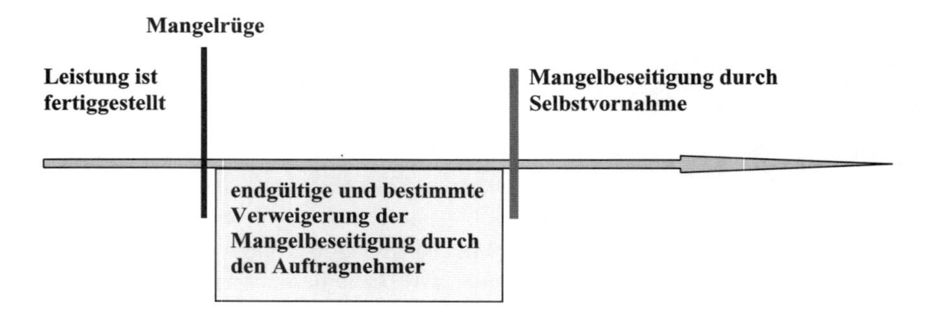

8.3.7 Vereinbarungen der Parteien zur Kündigungsvoraussetzung

273 Die Erforderlichkeit der Kündigung als Voraussetzung der Selbstvornahme nach § 4 Nr. 7 S. 3 VOB/B kann durch Einzelvereinbarung und durch Allgemeine Geschäftsbedingungen abbedungen werden, so dass bei entsprechender Vereinbarung das Recht der ersatzweisen Mangelbeseitigung bereits durch Fristablauf eintritt. Eine solche Vereinbarung ändert aber die VOB/B mit der Folge, dass sämtliche Teile der VOB/B der Überprüfung nach §§ 305 f. BGB unterliegen und wesentliche Teile der VOB/B nicht mehr zur Anwendung kommen.

Allgemeine Geschäftsbedingung

Unwirksam ist eine entsprechende Allgemeine Geschäftsbedingung des Auftraggebers, wonach bereits der Ablauf einer zur Mangelbeseitigung gesetzten Frist automatisch zur **Auflösung** des Vertrags führt. Eine solche Rechtsfolge benachteiligt den Auftragnehmer unangemessen.

8.3.8 Folgen der unberechtigten Selbstvornahme

274 Liegen die nach § 4 Nr. 7 VOB/B erforderlichen Voraussetzungen der Selbstvornahme (Ersatzvornahme) nicht vor, so trägt der Aufraggeber die Kosten einer von ihm durchgeführten Mangelbeseitigung selbst. Er kann unter keinem rechtlichen Gesichtspunkt Erstattung dieser Kosten vom Auftragnehmer verlangen. Dem Auftraggeber steht bei unberechtigter Selbstvornahme ein Kostenerstattungsanspruch auch nicht aus ungerechtfertigter Bereicherung oder aus Geschäftsführung ohne Auftrag zu.

Fallen/Praxishinweis

Bei unberechtigter Selbstvornahme kann der Auftraggeber zwar keinen Kostenersatz vom ausführenden Unternehmer verlangen. Ist der Mangel aber auch durch den Planer oder Bauüberwacher verschuldet, so sind diese zum Ausgleich der Mangelbeseitigungskosten verpflichtet und können bei einer Haftung u. U. ihrerseits wiederum Rückgriff gegen den Unternehmer (nach § 426 BGB) nehmen.

Architekt und Planer haben im Gegensatz zum ausführenden Unternehmer keinen Anspruch darauf, zur Beseitigung von ihnen verschuldeter Baumängel zugelassen zu werden. Daher müssen ihnen gegenüber die Voraussetzungen der Selbstvornahme nicht vorliegen. Architekt und Ingenieur können sich ihrer Inanspruchnahme nicht mit dem Argument widersetzen, dass es der Bauherr versäumt hat, die Voraussetzungen für eine Inanspruchnahme des Bauunternehmers herbeizuführen. Hierzu ist der Bauherr nicht verpflichtet, zumal ein evtl. Rückgriffsanspruch des Architekten/Ingenieurs gegen den ausführenden Unternehmer davon nicht abhängt.

8.4 Selbstvornahme nach Abnahme (Kostenerstattung, Kostenvorschuss)

275 Kommt der Auftragnehmer nach Abnahme der Aufforderung zur Mangelbeseitigung in einer vom Auftraggeber gesetzten angemessenen Frist nicht nach, so kann der Auftraggeber gem. § 13 Nr. 5 Abs. 2 VOB/B die Mängel auf Kosten des Auftragnehmers beseitigen lassen. Die Anforderungen an die Fristsetzung zur Mangelbeseitigung entsprechen den Anforderungen an die Fristsetzung zur Nacherfüllung nach § 637 BGB. Dementsprechend wird auf die Ausführungen hierzu unter Rdn. 167–179 verwiesen. Die Fristsetzung bedarf keiner besonderen Form, sie kann entgegen dem Wortlaut von § 13 Nr. 5 Abs. 1 Satz 1 VOB/B auch mündlich erfolgen. Zum Selbstvornahmerecht ohne Fristsetzung vgl. Rdn. 181 f. Zu Allgemeinen Geschäftsbedingungen zur Nacherfüllungsfrist vgl. Rdn. 185.

Dem Auftraggeber steht nach erfolglosem Fristablauf ein Anspruch auf Kostenvorschuss gem. § 637 Abs. 3 BGB zu (vgl. hierzu im Einzelnen Rdn. 194 f.). Nach durchgeführter Mangelbeseitigung kann er Ersatz der erforderlichen Aufwendungen gem. § 637 Abs. 1 BGB verlangen (vgl. hierzu Rdn. 190 f.).

8.5 Minderungsrecht vor und nach Abnahme

276 Für den VOB-Vertrag ist das Minderungsrecht in § 13 Nr. 6 VOB/B geregelt. Gem. § 13 Nr. 6 VOB/B kann der Auftraggeber die Vergütung mindern, wenn die Beseitigung des Mangels unmöglich ist, vom Auftraggeber zu Recht als unzumutbar abgelehnt wird, oder wenn der Auftragnehmer die Mangelbeseitigung wegen unverhältnismäßiger Mangelbeseitigungskosten zu Recht verweigert. Insoweit entsprechen die Voraussetzungen des Minderungsrechts denen des gesetzlichen Werkvertragsrechts (vgl. Rdn. 205 f.) Durch Fristsetzung (ohne oder mit Ablehnungsandrohung) kann beim VOB-Vertrag das Minderungsrecht nicht entstehen.

Soweit die VOB/B i. d. F. 2000 Geltung hat, ist das Minderungsrecht nach § 13 Nr. 6 VOB/B ein Anspruch auf Minderung. D. h. die Minderung tritt erst ein, wenn der Auftragnehmer zustimmt oder die Minderung durch rechtskräftiges Urteil festgestellt ist. Soweit die VOB/B i. d. F. 2002 zur Anwendung kommt, ist das Minderungsrecht dagegen ein Gestaltungsrecht. Erklärt der Auftraggeber berechtigt die Minderung, so ist mit Zugang der Erklärung die Minderung eingetreten. Dies bedeutet, dass der Auftraggeber durch seine Erklärung an die Minderung gebunden ist und z. B. nicht mehr vom Vertrag zurücktreten kann, soweit es den der Minderungserklärung zu Grunde liegenden Mangel betrifft.

277 § 13 Nr. 6 VOB/B ist grundsätzlich erst nach Gefahrübergang anwendbar, d. h. nach Abnahme. Er findet weiterhin nach allgemeiner Meinung Anwendung im Fall der Vertragskündigung oder wenn aus anderen Gründen feststeht, dass die Leistung vom Auftragnehmer nicht weitergeführt wird. Ob darüber hinaus eine entsprechende Anwendung von § 13 Nr. 6 VOB/B vor Abnahme in Betracht kommt, ist streitig (bejahend Kleine-Möller/Merl, Handbuch des privaten Baurechts, 3. Aufl., § 12 Rdn. 855 f.).

Die Berechnung der Minderung erfolgt in derselben Weise wie beim BGB-Vertrag, auf die entsprechenden Ausführungen wird verwiesen (vgl. Rdn. 207 f.).

8.6 Schadensersatz vor Abnahme

278 Nach § 4 Nr. 7 Satz 2 VOB/B hat der Auftragnehmer den aus einem Mangel entstehenden Schaden zu ersetzen. Stillschweigende Voraussetzung des Schadensersatzanspruchs des Auftraggebers ist eine schuldhafte Mangelverursachung oder die schuldhafte Nichtbeseitigung des Mangels. § 4 Nr. 7 Satz 2 VOB/B erfasst unterschiedslos alle Mangelfolgen aus allen Mängeln, unabhängig davon, ob es sich um wesentliche oder unwesentliche Mängel handelt. Nicht erfasst werden die Kosten der Mangelbeseitigung. Ersatz von Mangelbeseitigungskosten kann der Auftraggeber vor Abnahme nur über § 4 Nr. 7 Satz 3 VOB/B verlangen. Auf den gesetzlichen Schadensersatzanspruch nach § 634 Nr. 4 VOB/B kann der Auftraggeber nicht zurückgreifen. Dieser wird für die Zeit vor Abnahme durch § 4 Nr. 7 Satz 2 VOB/B in vollem Umfang verdrängt.

8.7 Schadensersatz nach Abnahme bei Verletzung des Lebens, des Körpers oder der Gesundheit (§ 13 Nr. 7 Abs. 1 VOB/B i. d. F. 2002)

279 Nach § 13 Nr. 7 Abs. 1 VOB/B haftet der Auftragnehmer bei schuldhaft verursachten Mängeln für Schäden aus der Verletzung des Lebens, des Körpers oder der Gesundheit. Welcher Art die Mängel sind, ist für den Haftungstatbestand unerheblich. Voraussetzung der Haftung ist weder ein Verstoß gegen anerkannte Regeln der Technik noch das Fehlen vertraglich vereinbarter Leistungsmerkmale. Die Haftung nach § 13 Nr. 7 Abs. 1 VOB/B besteht auch bei einer Abweichung der Leistung von der üblichen Beschaffenheit oder gewöhnlichen Verwendungseignung. Ob es sich um wesentliche oder unwesentliche Mängel handelt, die Ursache für die Verletzung des Lebens, des Körpers oder der Gesundheit sind, ist nicht entscheidend. Der Schaden muss nicht dem Auftragnehmer oder bei den in die Schutzwirkung des Vertrags einbezogenen Dritten eingetreten sein. § 13 Nr. 7 Abs. 1 VOB/B ist auch anwendbar, wenn der Auftraggeber von Dritten für solche Schäden berechtigt in Anspruch genommen wird. § 13 Nr. 7 Abs. 1 VOB/B eröffnet dem Auftraggeber in diesen Fällen eine Rückgriffsmöglichkeit gegen den Auftragnehmer.

8.8 Schadensersatz nach Abnahme bei vorsätzlich oder grob fahrlässig verursachten Mängeln (§ 13 Nr. 7 Abs. 2 VOB/B i. d. F. 2002)

280 Bei vorsätzlich oder grob fahrlässig verursachten Mängeln haftet der Auftragnehmer sowohl für enge wie auch für entfernte Mangelfolgeschäden. Nicht erfasst ist hier der Mangelschaden, d. h. der Kostenaufwand bei Mangelbeseitigung. Worin die Mangelursache besteht, ob insbesondere ein Verstoß gegen anerkannte Regeln der Technik vorliegt oder eine vertraglich vereinbarte Beschaffenheit fehlt, ist unerheblich. Darauf, ob der Mangel wesentlich oder unwesentlich ist, kommt es nicht an. Grob fahrlässig handelt der Auftragnehmer, wenn er bei seiner Leistung das außer Acht lässt, was jedem einleuchtet. Vgl. im Übrigen Kleine-Möller/Merl, Handbuch des privaten Baurechts, § 12 Rdn. 922 f.

8.9 Schadensersatz nach Abnahme (§ 13 Nr. 7 Abs. 3 VOB/B)

8.9.1 Ersatz für Schäden an der baulichen Anlage

281 Nach § 13 Nr. 7 Abs. 3 Satz 1 VOB/B kann der Auftraggeber bei wesentlichen Mängeln Ersatz des Schadens an der baulichen Anlage verlangen, zu deren Herstellung, Instandhaltung oder Änderungen die Leistungen erbracht sind. Voraussetzung ist, dass ein wesentlicher Mangel vorliegt, der die Gebrauchsfähigkeit erheblich beeinträchtigt und der Mangel auf ein Verschulden des Auftragnehmers zurückzuführen ist. Bei Geltung der VOB/B i. d. F. 2000 waren hier auch die nun von § 13 Nr. 7 Abs. 2 VOB/B 2002 erfassten vorsätzlich und grob fahrlässig verursachten Schäden mit umfasst.

8.9.1.1 Anspruchsvoraussetzung: wesentlicher Mangel

282 Wesentlich sind Mängel, die nach Art, Umfang und Auswirkungen ganz erheblich vom vertraglichen Leistungsziel abweichen. Die Beurteilung, ob ein wesentlicher Mangel vorliegt, entspricht denselben Kriterien, die nach § 640 Abs. 1 Satz 2 BGB hinsichtlich der Abnahmeverpflichtung des Auftraggebers anzuwenden sind. Zu berücksichtigen ist danach insbesondere, inwieweit der vertraglich vorausgesetzte Verwendungszweck der Leistung eingeschränkt ist und ob der Leistung, nach dem im Vertrag zum Ausdruck gekommenen Willen der Parteien, erhebliche vereinbarte Eigenschaften fehlen. Nicht jede Abweichung von der Beschaffenheitsvereinbarung führt automatisch zum Vorliegen eines wesentlichen Mangels. Auch insoweit kommt es auf die Umstände des Einzelfalls an, nämlich auf das Gewicht der vereinbarten und fehlenden Eigenschaft, wobei zu berücksichtigen ist, welches Gewicht der fehlenden Eigenschaft nach dem Willen der Parteien zukommen sollte.

Beispiele aus der Rechtsprechung

Erhebliche Schallmängel liegen vor, wenn zwar die Mindestanforderungen der DIN 4109 erreicht werden, jedoch alltägliche Wohngeräusche, wie das Gehen und Sprechen im Nachbarhaus wahrgenommen werden.

OLG Hamm, Urteil vom 8.3.2001 – 21 U 24/100 – BauR 2001, 1757

Erheblicher Mangel: Setzung der Bodenplatte mit Rissbildungen am Gebäude innen und außen, u. a. war auf Grund der Risse bereits eine Ganzglastür zu Bruch gegangen.

OLG Bremen, Urteil vom 15.2.2001 – 5 U 69/00 c – BauR 2001, 1599

Kein wesentlicher Mangel liegt vor, wenn Haustürschwellen an Stelle einer üblichen maximalen Dreiteilung aus mehreren Teilstücken verlegt und unnötig viele, klein geschnittene Restplatten eingesetzt werden, ohne sichtbares Bemühen, einen gleichmäßigen Bahnenverlauf herzustellen. (Es handelte sich um einen optischen Mangel ohne technische Nachteile, insbesondere waren keine nennenswerte erhöhten Instandhaltungsarbeiten – z.B. infolge Nachverfugung – und keine verkürzte Lebensdauer zu erkennen.)

OLG Hamm, Urteil vom 24.3.2003 – 17 U 88/02 – BauR 2003, 1403

Unwesentlicher Mangel: Bei 11 von 46 Wohnungseingangstüren lag die zweite Türdichtung nicht am Türblatt an, sondern wies einen Spalt von vier Millimeter auf. Die Beseitigung des Mangels erfolgte dadurch, dass die angebrachte Aufdoppelung auf dem Türfutter entfernt und eine Aufdoppelung neu angesetzt wurde, bei Mangelbeseitigungskosten von 3000,– DM.

OLG Dresden, Urteil vom 8.2.2001 – 16 U 2057/00 – BauR 2001, 949

Unwesentlicher Mangel: Plattenlegearbeiten bei fünf Häusern; farblich nicht einheitliche Platten im Bad, Kosten für die Verlegung neuer Platten 400,– DM.

BGH, Urteil vom 13.7.1970 – VII ZR 176/68 – BauR 1970, 237

Als wesentlicher Mangel wurde angesehen, die Verwendung einer von den Vereinbarungen erheblich abweichenden Holzart.

BGH NJW 1962, 1569

8.9.1.2 Anspruchsvoraussetzung: erhebliche Beeinträchtigung der Gebrauchsfähigkeit

283 Nach § 13 Nr. 7 Abs. 3 VOB/B setzt der Schadensersatzanspruch weiterhin voraus, dass durch den Mangel die Gebrauchsfähigkeit der Leistung erheblich beeinträchtigt ist. Eine Bedeutung kommt dem insofern kaum zu, als wesentliche Mängel in aller Regel die Gebrauchsfähigkeit der Leistung beeinträchtigen, so wie umgekehrt bei erheblicher Beeinträchtigung der Gebrauchsfähigkeit nur selten die Wesentlichkeit eines Mangels verneint werden kann.

Unter Gebrauchsfähigkeit i. S. v. § 13 Nr. 7 Abs. 3 VOB/B ist die verminderte Verwendungsmöglichkeit der Bauleistung und der durch den Mangel verursachte Wertverlust zu verstehen. Abzustellen ist auf den vertraglich vorausgesetzten Verwendungszweck, hilfsweise auf den gewöhnlichen Verwendungszweck. Maßgebend sind in erster Linie die zum Vertragsinhalt gewordenen subjektiven Vorstellungen der Parteien. Eine Beeinträchtigung der Gebrauchsfähigkeit ist unerheblich, wenn sie sich auch unter Berücksichtigung der Vertragsziele als nur geringfügig herausstellt, insbesondere wenn sie nur kurzzeitig und vorübergehend auftritt. Vgl. zur Eignung für die vertraglich vorausgesetzte Verwendung Rdn. 76 f., zur gewöhnlichen Verwendung Rdn. 79 f.

8.9.1.3 Schuldhafte Mangelverursachung

284 Der Schadensersatzanspruch nach § 13 Nr. 7 Nr. 3 VOB/B setzt voraus, dass der Mangel auf ein schuldhaftes Verhalten des Auftragnehmers zurückzuführen ist. Es genügt leichte Fahrlässigkeit. Das Verschulden kann auch auf einem Verstoß gegen die Prüfungs- und Hinweispflicht beruhen (vgl. hierzu Rdn. 151 f.). Dem Auftragnehmer wird ein Verschulden seiner Erfüllungsgehilfen (z. B. Subunternehmer) zugerechnet. Baustofflieferanten sind in der Regel nicht Erfüllungsgehilfen des Auftragnehmers, soweit sie nicht Bauteile und Baustoffe nach besonderer Anweisung des Auftragnehmers für eine bestimmte Baustelle herstellen. Der Verschuldensmaßstab entspricht dem nach § 634 Nr. 4 BGB, auf die Ausführungen hierzu wird verwiesen (vgl. Rdn. 219 f.).

8.9.1.4 Schäden an der baulichen Anlage

285 Als bauliche Anlage ist das Bauwerk zu verstehen, für das oder an dem der Auftragnehmer seine Leistung erbringt. § 13 Nr. 7 Abs. 3 Satz 1 VOB/B gewährt dem Auftraggeber nur den kleinen Schadensersatzanspruch. Der Auftraggeber kann die Leistung nicht insgesamt zurückweisen, sondern seinen Schaden nur nach den Nachteilen berechnen, die sich für ihn ergeben, wenn er die mangelhafte Sache behält.

Erfasst werden sämtliche Schäden an der Substanz des Bauwerks sowie Schäden, die in einem engen Zusammenhang mit der baulichen Anlage stehen. Schäden an der baulichen Anlage sind insbesondere **Mangelbeseitigungskosten** (BGH NJW 1982, 1524; BauR 1981, 345; OLG Celle BauR 1996, 263). Vgl. hierzu im Einzelnen Rdn. 226 f. Der Anspruch auf Ersatz von Mangelbeseitigungskosten setzt allerdings voraus, dass dem Auftragnehmer zunächst die Möglichkeit eingeräumt wurde, den Mangel selbst zu beseitigen (BGH NJW 1982, 1524). Dies gilt auch, wenn der Auftraggeber hinsichtlich ihm bekannter Mängel bei vorbehaltloser Abnahme den Anspruch auf Mangelbeseitigung verloren hat. Einer Fristsetzung bedarf es nicht unter den Voraussetzungen nach §§ 281 Abs. 2, 323 Abs. 2, 636 BGB (vgl. hierzu Rdn. 181 f.).

Falle/Praxishinweis

Ersatz von Mangelbeseitigungskosten nach § 13 Nr. 7 VOB/B kann entsprechend § 13 Nr. 5 Abs. 2 VOB/B grundsätzlich erst nach erfolgloser Aufforderung zur Mangelbeseitigung verlangt werden.

Eine Fristsetzung bedarf es ausnahmsweise nicht, wenn sich der Auftragnehmer bei der Bauausführung derart unzuverlässig gezeigt hat, dass dem Auftraggeber die Mangelbeseitigung durch ihn nicht mehr zumutbar ist.

OLG Düsseldorf, Urteil vom 13.8.1996 – 22 U 42/96 – BauR 1997, 312

286 Werden der Schadensberechnung Mangelbeseitigungskosten zu Grunde gelegt, sind zu Gunsten des Auftragnehmers Sowieso-Kosten zu berücksichtigen. Sowieso-Kosten sind Kosten für solche Maßnahmen, die dem Auftragnehmer von Anfang an und gegen zusätzliche Vergütung hätten beauftragt werden müssen, um einen ordnungsgemäßen Leistungserfolg zu erreichen.

Ein Anspruch auf Erstattung von Sowieso-Kosten steht dem Auftragnehmer nicht zu, wenn er sich gegen eine bestimmte Vergütung zu einem bestimmten Leistungserfolg ohne Rücksicht auf die hierfür erforderlichen Maßnahmen verpflichtet hat (z.B. zur schlüsselfertigen Erstellung eines Gebäudes in vermietungsfähigem Zustand). Stellt sich die vertraglich beschriebene Ausführung als unzureichend heraus, so hat der Auftragnehmer sämtliche anfallenden Aufwendungen zu tragen, die erforderlich sind, um das Leistungsziel zu erreichen, eine Zusatzvergütung kann ihm nicht zustehen.

Fall

Die Kläger bestellten auf der Grundlage der VOB/B ein schlüsselfertig zu errichtendes Fertighaus gem. Bau- und Ausstattungsbeschreibung. Vorgesehen waren danach für die Fassade der Außenwände hinterlüftete Asbestzementplatten mit Kunststoffstrukturputz auf Putzträger. Nach Abnahme zeigten sich zahlreiche Risse im Außenputz. Nach dem Gutachten des gerichtlich bestellten Sachverständigen war eine Umkleidung des Hauses mit einer Wärmedämmschicht, einem elastischen Seidengitter und Kunststoffputz erforderlich, um Bewegungen des Baukörpers ohne Rissbildung aufzufangen.

Entscheidung

Nach der Entscheidung des BGH hatten die Kläger Anspruch auf die zur Mangelbeseitigung erforderlichen Maßnahmen ohne Aufpreis. Denn der Bauträger schuldete eine dauerhaft rissfreie Hausfassade. Ließ sich eine solche nicht mit der in der Baubeschreibung vorgesehenen Konstruktion erreichen, so musste der Bauträger weitere, aufwendigere Maßnahmen treffen, ohne dass er einen Aufpreis beanspruchen konnte.

BGH, Urteil vom 20.11.1986 – VII ZR 360/85 – BauR 1987, 207

287 Ist die Mangelbeseitigung unverhältnismäßig entsprechend § 281 Abs. 3, § 635 Abs. 3 BGB und beruft sich der Auftragnehmer hierauf, können für die Höhe des Schadensersatzanspruchs nicht die Kosten einer unterstellten Mangelbeseitigung zu Grunde gelegt werden. Bei unmöglicher Mangelbeseitigung fehlt ohnehin jeder Ansatzpunkt für Mangelbeseitigungskosten. In diesen Fällen bemisst sich der Ersatzanspruch des Auftraggebers nach den technischen und wirtschaftlichen Beeinträchtigungen, die sich auf Grund des Mangels ergeben.

288 Nach § 13 Nr. 7 Abs. 3 Satz 1 VOB/B kann weiterhin geltend gemacht werden:

- entgangener Gewinn z.B. einer durch den Mangel verursachte Produktionsausfall, entgangene Mieteinnahmen (auch soweit sie beim Endabnehmer des Bauwerks anfallen) oder Zinsverluste auf Grund der zeitweiligen Unverkäuflichkeit des Bauwerks (vgl. Rdn. 231);
- Nutzungsentgang (z.B. Aufwendungen für ein Ersatzobjekt), vgl. Rdn. 232; ob bei einem selbstgenutzten Bauwerk Ersatz für entgangene Nutzungen verlangt werden kann, ist streitig, jedoch für die entgangene Nutzung von Wohnräumen, Lagerräumen, Garagen und ähnlichen Objekten zu bejahen, vgl. Kleine-Möller/Merl, Handbuch des privaten Baurechts, 3. Aufl., Rdn. 944;
- mangelbedingte Gutachterkosten und Prozesskosten (vgl. Rdn. 233 sowie Kleine-Möller/Merl a. a. O. Rdn. 947).

Ein merkantiler Minderwert liegt vor, wenn der Wert des Bauwerks trotz ordnungsgemäßer Mangelbeseitigung bei Verkauf oder Beleihung im Geschäftsverkehr geringer angesetzt wird als der Wert eines von vornherein mangelfreien Bauwerks. Dies trifft bei Maßnahmen zu, die tief in die Substanz des Bauwerks eingreifen und das Risiko verborgen gebliebenen Mängel mit sich bringen. Die Berechnung der Minderung ist gem. § 638 Abs. 3 BGB nach den Verhältnissen zum Zeitpunkt des Vertragsschlusses abzustellen. Vgl. zur Berechnung des Minderwerts Rdn. 207 f.

289 Von einer Fristsetzung zur Mangelbeseitigung unabhängig sind von vornherein solche Schäden, die auch durch die Mangelbeseitigung nicht verhindert werden (z.B. die Kosten der zur Schadensfeststellung notwendigen Gutachten; vgl. OLG Rostock, Urteil vom 16.12.1996 – 4 U 292/95 – BauR 1997, 654). Im Rahmen des Schadensersatzanspruchs kann unter den Voraussetzungen des § 13 Nr. 6 VOB/B der Minderwert der Leistung geltend gemacht werden.

Zum Schadensumfang im Einzelnen vgl. Rdn. 226 f. (Ersatz von Mangelbeseitigungskosten), Rdn. 230 (Ersatz von Minderwert), Rdn. 231 (Ersatz von entgangenem Gewinn), Rdn. 232 (Ersatz entgangener Nutzungen), Rdn. 331 (Ersatz von Gutachterkosten). Zur Frage des erhöhten Zinsaufwands vgl. Kleine-Möller/Merl, Handbuch des privaten Baurechts, 3. Aufl. § 12 Rdn. 949.

8.9.2 Ersatz von Schäden außerhalb der baulichen Anlage (§ 13 Nr. 7 Abs. 3 Satz 2 VOB/B)

Für den Ersatz des außerhalb der baulichen Anlage liegenden Schadens ist Anspruchsgrundlage § 13 Nr. 7 Abs. 3 Satz 2 VOB/B. Dieser lautet wie folgt: **290**

§ 13 Nr. 7 Abs. 3 Satz 2 VOB/B

Einen darüber hinausgehenden Schaden hat der Auftragnehmer nur dann zu ersetzen,
a) wenn der Mangel auf einem Verstoß gegen die anerkannten Regeln der Technik beruht,
b) wenn der Mangel in dem Fehlen einer vertraglich vereinbarten Beschaffenheit besteht oder
c) soweit der Auftragnehmer den Schaden durch Versicherung seiner gesetzlichen Haftpflicht gedeckt hat oder durch eine solche zu tarifmäßigen, nicht auf außergewöhnliche Verhältnisse abgestellten Prämien und Prämienzuschlägen bei einem im Inland zum Geschäftsbetrieb zugelassenen Versicherer hätte decken können.

Für § 13 Nr. 7 Abs. 3 Satz 2 VOB/B gelten sämtliche Anspruchsvoraussetzungen, wie sie oben für Schäden an der baulichen Anlage erörtert wurden. Es bedarf somit der schuldhaften Mangelverursachung, eines wesentlichen Mangels und einer daraus folgenden erheblichen Beeinträchtigung der Gebrauchsfähigkeit der Leistung bzw. des Bauwerks. Hinzutreten die besonderen Anspruchsvoraussetzungen des Regelverstoßes, des Fehlens der vereinbarten Beschaffenheit oder der möglich, geschuldeten oder tatsächlich bestehenden Haftpflichtversicherung des Schadens. Zum Verstoß gegen anerkannte Regeln der Technik vgl. Rdn. 86 f.; zur Beeinträchtigung der Gebrauchsfähigkeit vgl. Rdn. 76 f. und Rdn. 79 f. zum Fehlen der gewöhnlichen Verwendungseignung; zur Frage der Versicherungsfähigkeit vgl. Kleine-Möller/Merl, Handbuch des privaten Baurechts, 3. Aufl., § 12 Rdn. 956 f. **291**

In der Fassung der VOB/B 2000 waren unter § 13 Nr. 7 Abs. 2 VOB/B auch die nun unter § 13 Nr. 7 Abs. 1 VOB/B 2002 geregelten Schäden aus der Verletzung des Lebens, des Körpers und der Gesundheit erfasst. Bei Geltung der VOB/B 2000 sind die nachfolgenden Anspruchsvoraussetzungen (wesentlicher Mangel, erhebliche Beeinträchtigung der Gebrauchsfähigkeit, Verstoß gegen anerkannte Regeln der Technik, Fehlen der vertraglich vereinbarten Beschaffenheit, mögliche oder tatsächliche Haftpflichtversicherung) auch für diese Schäden zu prüfen.

Der Auftraggeber kann sowohl kleinen Schadensersatz als auch großen Schadensersatz (unter Rückgabe der Leistung) verlangen. Dass das Interesse des Auftraggebers an der Bauleistung infolge des Mangels entfallen ist, ist für den großen Schadensersatzanspruch nicht erforderlich. Großer Schadensersatz ist jedoch hinsichtlich solcher Mängel ausgeschlossen, die dem Auftraggeber bereits bei Abnahme bekannt waren, von ihm jedoch bei Abnahme nicht vorbehaltenen wurden. Großer Schadensersatz ist außerdem dann ausgeschlossen, wenn der Auftraggeber in **292**

Kenntnis des Mangels zu erkennen gegeben hat, dass er die mangelhafte Leistung behalten will. Benutzt er zum Beispiel die Leistung trotz Kenntnis des Mangels über längere Zeit, ohne den großen Schadensersatzanspruch geltend zu machen, so ist er hieran gebunden.

293 Von § 13 Nr. 7 Abs. 3 Satz 2 VOB/B i. d. F. 2002 erfasst werden die über den Schaden an der baulichen Anlage hinausgehenden Schäden mit Ausnahme der Schäden aus der Verletzung des Lebens, des Körpers oder der Gesundheit, die bereits in § 13 Nr. 7 Abs. 1 VOB/B enthalten sind. In Betracht kommen allgemeine Vermögensschäden, Schäden an den in das Bauwerk eingebrachten Gegenständen (z.B. Einrichtungsgegenstände), Aufwendungen für beweissichernde Maßnahmen und Prozesskosten bei Rechtsstreitigkeiten, die sich auf Schäden außerhalb der baulichen Anlage beziehen.

294 Soweit es sich nicht um Vermögensnachteile handelt, ist der Schadensersatzanspruch entsprechend § 249 Abs. 1 BGB zunächst auf die Beseitigung des Schadens in Natur gerichtet. Schadensersatz in Geld kann unter den Voraussetzungen der §§ 250 f. BGB geltend gemacht werden, also nach Fristsetzung (zur Schadensbeseitigung), soweit die Herstellung nicht möglich oder nicht genügend ist und hinsichtlich des entgangenen Gewinns. In der Verwendung des erhaltenen Schadensersatzes ist der Auftraggeber frei, er muss den erhaltenen Geldbetrag nicht zur Beseitigung des Schadens verwenden. Ein Vorschussanspruch auf einen z. B. noch unsicheren Schaden besteht für den Auftraggeber nicht. Kann ein Schaden noch nicht sicher beziffert werden, ist prozessual eine Teilklage über den bereits bezifferbaren Schadensteil und eine Feststellungsklage im Übrigen zu erheben.

> **Leitsatz**
>
> Einer Klage auf Feststellung der Schadensersatzpflicht des Auftragnehmers steht nicht entgegen, dass der Eintritt eines Schadens sowie Art und Umfang des Schadens noch ungewiss sind, sofern der Schadenseintritt nur möglich ist.
>
> **BGH BauR 2000, 1190, 1191, BR 1991, 606 = NJW 1991, 2480**

295 Trifft den Auftraggeber ein Mitverschulden am Mangel oder am Entstehen des Schadens, so hat er in Höhe seines Mitverursachungsanteils keinen Ersatzanspruch.

> Beauftragt der Bauherr einen Unternehmer trotz der vom Architekten geäußerten Bedenken gegen die Fachkunde und Zuverlässigkeit dieses Unternehmers und kommt es zu Ausführungsmängeln, so kommt ein Mitverschulden des Bauherrn in Betracht, wenn er den Architekten wegen unzureichender Bauaufsicht belangt.
>
> **BGH, Urteil vom 11.3.1999 – VII ZR 465/97 – BauR 1999, 680**

Der Auftraggeber ist allerdings nicht grundsätzlich verpflichtet, Leistungen des Subunternehmers auf ihre Tauglichkeit zu überprüfen.

Fall

Ein Architekturbüro war als Generalplaner mit der Planung und Überwachung eines Bauvorhabens beauftragt. Die Tragwerksplanung wurde an einen Subunternehmer vergeben. Aufgrund fehlerhafter Planung des Subunternehmers zeigten sich Bruchschäden an den Rinnenkanten von Entwässerungsrinnen einer Stahlbetonbodenplatte. Der hierfür verantwortliche Subunternehmer berief sich darauf, dass den Generalplaner ebenfalls ein Mitverschulden treffe, da dieser seine – des Subunternehmers – Arbeiten nicht auf ihre Richtigkeit überprüft habe.

Entscheidung

Nach der Entscheidung des OLG Celle bestanden Kontrollpflichten des Generalplaners nur im Verhältnis zum Bauherrn, nicht jedoch im Verhältnis zum Subunternehmer. Auf die Richtigkeit der Planung des Subunternehmers durfte sich der Auftraggeber verlassen, nachdem der Subunternehmer über die spezielleren Fachkenntnisse verfügte und gerade aus diesem Grund mit der Ausführungsplanung beauftragt war.

Der Generalplaner durfte sich darauf verlassen, dass der Subunternehmer die für die Entwässerungsrinnen geltenden Einbauvorschriften bei seiner Planung berücksichtigte. Ein eigenes Mitverschulden des Generalplaners wäre in Betracht gekommen, wenn der Planungsfehler des Subunternehmers für ihn offenkundig gewesen wäre.

OLG Celle, Urteil vom 29.3.2001 – 16 U 239/00 – BauR 2001, 1469

Bei der Schadensberechnung ist ggf. ein Vorteilsausgleich vorzunehmen, mit der Folge, dass sich die Schadensersatzverpflichtung des Auftragnehmers der Höhe nach entsprechend verringert. Ein Vorteilsausgleich ist veranlasst, wenn dem Auftraggeber im Zusammenhang mit dem Schadenseintritt Vorteile zuwachsen, auf die er nach dem Vertrag keinen Anspruch hat. Dies kommt z.B. in Betracht, wenn durch eine Mangelbeseitigung, deren Kosten der Auftraggeber im Wege des Schadensersatzes zugesprochen erhält, eine Wertverbesserung des Bauwerks eintritt, die der Auftraggeber nach dem Vertrag nicht beanspruchen könnte.

296 Ein Vorteilsausgleich kommt nicht in Betracht, wenn dies zu unbilligen Ergebnissen führt. Unbillig ist eine Anrechnung von Vorteilen, soweit diese auf einer vom Auftragnehmer verzögerten Mangelbeseitigung beruhen. Verweigert z.B. der Auftragnehmer jahrelang die Mangelbeseitigung, kann er sich weder auf eine durch die verspätete Mangelbeseitigung verursachte verlängerte Nutzbarkeit der Leistung noch darauf berufen, dass der Auftraggeber über die zurückliegenden Jahre hinweg die Leistung des Auftragnehmers nutzen konnte. Dem Auftragnehmer kann nicht zum Vorteil gereichen, dass er seiner Verpflichtung zur Mangelbeseitigung nicht nachgekommen ist.

Fall

Bei der Sanierung eines Schwimmbads war eine untaugliche Folie als Feuchtigkeitsabdichtung verwendet worden. Eine Mangelbeseitigung war nur durch Neuausführung der mangelhaften Leistung möglich. Der Bauherr nahm den Architekten wegen schuldhafter Verletzung seiner Planungsaufgaben in Anspruch. Dieser verlangte u.a. einen Ausgleich des Vorteils, der dem Bauherrn dadurch erwachse, dass durch die Neuherstellung der Leistung deren Lebenszeit verlängert werde.

Entscheidung

Trotz der durch die Neuherstellung der Feuchtigkeitsabdichtung verlängerten Nutzungszeit, lehnte das OLG Brandenburg einen Vorteilsausgleich zu Lasten des Bauherrn ab. Der wegen Verletzung der Bauaufsicht schadensersatzpflichtige Architekt habe keinen Anspruch auf Vorteilsausgleich. Aus der verzögerten Erfüllung der Mängelansprüche des Auftraggebers könne der haftende Architekt keinen Vorteil derart ziehen, dass er umso weniger Schadensersatz leisten müsse, je länger er seine Verpflichtung hinauszögere. Dass der Bauherr das mangelhafte Werk zwischenzeitlich nutze, könne nicht berücksichtigt werden, da es sich um ein schadensminderndes Verhalten des Bauherrn handle.

OLG Brandenburg , Urteil vom 11.1.2001 – 11 U 197/98 – BauR 2001, 283

Falle/Praxishinweis

Ein Vorteilsausgleich kommt auch nicht in Betracht, wenn sich der Auftraggeber entschließt, den Mangel nicht zu beseitigen und den erhaltenen Schadensersatzbetrag anderweitig zu verwenden. Entstehen allerdings aus dem nicht beseitigten Mangel weiterhin Schäden, so hat diese der Auftraggeber selbst zu tragen. Mit Zahlung des Schadensersatzes für Mangelbeseitigungskosten wird der Auftragnehmer so behandelt, als habe er den Mangel beseitigt.

Keine Anrechnung von Vorteilen erfolgt, wenn der Vorteil nur theoretischer Art ist, weil er nach der vom Auftraggeber beabsichtigten und durchgeführten Nutzung nicht zum Tragen kommt.

So hat das OLG Düsseldorf (NJW-RR 1994, 719) einen Vorteilsausgleich durch eine im Zug der Mangelbeseitigung an einer ungeheizten Kraftfahrzeughalle anzubringende stärkere Wärmedämmung abgelehnt, nachdem dem Auftraggeber durch die erhöhte Wärmedämmung tatsächlich kein Vorteil zugeflossen ist.

297

Ein Vorteilsausgleich erfolgt im gerichtlichen Verfahren nicht von Amts wegen, sondern bedarf des Vortrags des Auftragnehmers. Den Auftragnehmer trifft auch die Beweislast für die von ihm behaupteten Vorteile. Ist ein Vorteil nachgewiesen, so muss der Auftraggeber Tatsachen vortragen und beweisen, wonach die Anrechnung des Vorteils unbillig ist.

9 Leistungsverweigerungsrecht des Auftraggebers

9.1 Grundsatz

Gem. § 641 Abs. 3 BGB kann der Auftraggeber bis zur Mangelbeseitigung die Zahlung eines angemessenen Teils der Vergütung verweigern und zwar mindestens in Höhe des Dreifachen der für die Beseitigung des Mangels erforderlichen Kosten. Dadurch wird der Auftragnehmer dazu angehalten, seiner Verpflichtung zur Nacherfüllung bzw. Mangelbeseitigung nachzukommen. **298**

Macht der Auftraggeber gegenüber der Werklohnklage des Auftragnehmers erfolgreich ein Leistungsverweigerungsrecht geltend, so führt dies nach Abnahme zur Verurteilung des Auftraggebers zur Zug-um-Zug-Zahlung gegen Beseitigung der geltend gemachten Mängel.

Stützt der Auftraggeber sein Leistungsverweigerungsrecht auf mehrere Mängel, so wird im Urteilstenor das Leistungsverweigerungsrecht in aller Regel mit seinem Gesamtbetrag angesetzt. Bei mehreren voneinander abgrenzbaren Mängeln kann es angemessen sein, für jeden Mangel ein gesondert bemessenes Leistungsverweigerungsrecht auszusprechen.

OLG Nürnberg, Urteil vom 9.10.1998 – 6 U 1414/97 – BauR 2000, 273

9.2 Höhe des Leistungsverweigerungsrechts

Der Einbehalt ist abhängig von der Höhe der zur Mangelbeseitigung erforderlichen Kosten zuzüglich eines Druckzuschlags. Das Gesetz gibt nur den Mindestbetrag vor, der zurückbehalten werden kann. In welcher Höhe das Leistungsverweigerungsrecht angemessen ist, ist nach Treu und Glauben nach den Umständen des Einzelfalles zu bestimmen. Insbesondere bei geringen Mangelbeseitigungskosten ist ein erheblich höherer Druckzuschlag anzusetzen. In der Rechtsprechung werden Einbehalte bis zum 12-fachen der Mangelbeseitigungskosten zuerkannt. Die Regel ist ein dreifacher Einbehalt. Das Leistungsverweigerungsrecht des Auftraggebers kann im Einzelfall den gesamten Vergütungsanspruch des Auftragnehmers erfassen. **299**

Der in § 641 Abs. 3 BGB enthaltene Mindestsatz in Höhe des Dreifachen der Mangelbeseitigungskosten wird mit Inkrafttreten des Forderungssicherungsgesetzes wieder entfallen. Im Einzelfall, nämlich bei außerordentlich hohen Mangelbeseitigungskosten, kann auch ein geringerer Druckzuschlag in Betracht kommen.

Prozessualer Hinweis

Das Leistungsverweigerungsrecht des Auftraggebers erfasst im Ausgangspunkt den gesamten Werklohn. Es ist daher Sache des Unternehmers vorzutragen und nachzuweisen, dass der vom Auftraggeber einbehaltene Betrag auch unter Berücksichtigung des Druckzuschlags unverhältnismäßig hoch ist.

BGH, Urteil vom 4.7.1996 – VII ZR 125/95 – BauR 1997, 133

Führt der Auftragnehmer während des Rechtsstreits Arbeiten zur Mangelbeseitigung durch, muss das Leistungsverweigerungsrecht mit dem Fortgang der Mangelbeseitigungsarbeiten angepasst und entsprechend dem sich verringernden Beseitigungsaufwand reduziert werden.

Falle/Praxishinweis

Beseitigt der Auftragnehmer während eines laufenden Vergütungsprozesses nach und nach Mängel, so muss der Auftraggeber sein Leistungsverweigerungsrecht entsprechend reduzieren und bei einer Werklohnklage den Klageanspruch entsprechend dem Fortgang der Mangelbeseitigung nach und nach anerkennen. Erklärt der Auftraggeber das (teilweise) Anerkenntnis nicht rechtzeitig, trägt er anteilig Kosten des Rechtsstreits.

OLG Dresden, Urteil vom 6.2. 2001 – 7 U 313/00 – BauR 2001, 1261

Steht dem Auftraggeber nach dem Vertrag ein Sicherheitseinbehalt zu, so schließt dies das Leistungsverweigerungsrecht nicht aus. Der Auftraggeber darf einen weiteren Betrag zurückbehalten, dessen Höhe nach Treu und Glauben unter Berücksichtigung der jeweiligen Umstände des Einzelfalles zu bestimmen ist.

9.3 Leistungsverweigerungsrecht und Annahmeverzug des Auftraggebers

300 Befindet sich der Auftraggeber in Verzug mit der Annahme der angebotenen Mangelbeseitigung (z.B. weil er die angebotenen Beseitigungsmaßnahmen irrtümlich für unzureichend hält), so lässt dies sein Leistungsverweigerungsrecht derzeit nicht nicht in vollem Umfang entfallen, sondern nur hinsichtlich des Druckzuschlags. Ob der in § 641 Abs. 3 BGB genannte Mindestsatz in Höhe des Dreifachen der für die Beseitigung des Mangels erforderlichen Kosten unterschritten werden kann, ist fraglich.

Leitsatz

Gerät der Auftraggeber in Annahmeverzug mit der vom Auftragnehmer angebotenen Mangelbeseitigung, bleibt er dennoch zur Leistungsverweigerung gem. § 320 BGB berechtigt.

OLG Düsseldorf, Urteil vom 25.7.2003 – 23 U 78/02 – BauR 2004, 514

Leitsatz

Die Höhe des Leistungsverweigerungsrechts bestimmt sich auch dann nach § 641 Abs. 3 BGB, wenn sich der Auftraggeber mit der Annahme der vom Auftragnehmer angebotenen Mangelbeseitigung in Annahmeverzug befindet.

OLG Celle, Urteil vom 28.2.2002 – 13U 185/01 – BauR 2003, 106

Ein Leistungsverweigerungsrecht steht dem Auftraggeber nicht mehr zu, wenn der Ausgleich der zu erwartenden Mangelbeseitigungskosten gesichert ist, z.B. die Haftpflichtversicherung des Auftragnehmers ihre Einstandspflicht (auch der Höhe nach) unbedingt anerkennt.

301 Streitig war, ob das Leistungsverweigerungsrecht des Auftraggebers entfällt, wenn er eine vom Auftragnehmer nach § 648 a BGB geforderte Sicherheitsleistung nicht erbringt. Dies ist Gegenstand der nachfolgenden Entscheidung des BGH.

Leitsatz

Setzt der Auftragnehmer Frist zur Sicherheitsleistung gem. § 648a BGB unter Ankündigung der Leistungsverweigerung, so kann er nach erfolglosem Fristablauf die Mangelbeseitigungsarbeiten einstellen. Der Auftraggeber kann jedoch weiterhin die Zahlung der Vergütung in Höhe der Mangelbeseitigungskosten zuzüglich des Druckzuschlags verweigern. Dem kann der Auftragnehmer dadurch begegnen, dass er Nachfrist zur Sicherheitsleistung mit der Erklärung setzt, die Mangelbeseitigung nach fruchtlosem Fristablauf abzulehnen. Nach ergebnislosem Ablauf der Nachfrist erlischt der Mangelbeseitigungsanspruch des Auftraggebers und wird der Anspruch des Auftragnehmers auf Schlusszahlung unter Abzug des sich aus dem Mangel ergebenden Minderwerts fällig.

Fall

Die Parteien schlossen einen Bauvertrag u.a. über Maurer-, Beton- und Stahlbetonarbeiten unter Einbeziehung der VOB/B. Nach Abnahme verlangte der Auftragnehmer Zahlung des Restwerklohns, der Auftraggeber rügte erhebliche Mängel, unter anderem Ausblühungen des Mauerwerks, Schwind- und Rissverformungen des Fachwerks und eine fehlerhafte Lage der Sickerwasserdichtung. Der Auftragnehmer forderte daraufhin unter Fristsetzung Sicherheit gem. § 648a BGB und kündigte an, nach Fristablauf die Leistung zu verweigern. Der Auftraggeber leistete keine Sicherheit, sondern machte seinerseits gegenüber der Werklohnforderung des Auftragnehmers ein Leistungsverweigerungsrecht wegen der Mängel geltend. Der Auftragnehmer war der Auffassung, der Auftraggeber könne die Zahlung nicht verweigern, weil er keine Sicherheit gem. § 648 a BGB gestellt habe.

Entscheidung

Der BGH gestand dem Auftraggeber das von diesem geltend gemachte Leistungsverweigerungsrecht zu. Es war nicht dadurch untergegangen, dass er die vom Auftragnehmer zu Recht geforderte Sicherheit nach § 648 a BGB nicht geleistet hatte.

Nach der Entscheidung des BGH kann der Unternehmer eines Bauwerks auch nach Abnahme Sicherheit gem. § 648 a Abs. 1 BGB verlangen, wenn er noch zu Leistungen verpflichtet ist, z. B. zur Mangelbeseitigung. Leistet der Auftraggeber die zu Recht verlangte Sicherheit nicht fristgemäß, kann der Unternehmer die Mangelbeseitigung verweigern. Denn der Unternehmer ist nach Abnahme gezwungen, wirtschaftlich eine Vorleistung in Form der Mangelbeseitigung zu erbringen, weil er andernfalls den Zahlungsanspruch nicht durchsetzen kann.

Damit stehen sich zunächst das Leistungsverweigerungsrecht des Auftraggebers auf Grund der Mängel und das Leistungsverweigerungsrecht des Auftragnehmers aus § 648 a BGB gegenüber. Diesen Schwebezustand kann der Auftragnehmer dadurch beenden, dass er dem Auftraggeber zur Nachholung der Sicherheitsleistung eine angemessene Nachfrist setzt mit der Erklärung, dass er bei fruchtlosem Fristablauf die Mangelbeseitigung ablehnt. Mit Fristablauf entfällt die Mangelbeseitigungsverpflichtung des Auftragnehmers. Die Schlusszahlung wird in entsprechender Anwendung des § 645 Abs. 1 BGB fällig. Der Vergütungsanspruch des Auftragnehmers ist um den mangelbedingten Minderwert der Leistung zu kürzen. Sofern die Mangelbeseitigung möglich ist und nicht wegen unverhältnismäßig hoher Kosten verweigert werden kann, ist die Vergütung regelmäßig um die Mangelbeseitigungskosten zu kürzen.

BGH, Urteil vom 22. 1. 2004 – VII ZR 183/02 – NJW 2004, 1525

Fallen/Praxishinweis

Der Auftragnehmer kann *kein* Leistungsverweigerungsrecht aus § 648 a BGB für sich in Anspruch nehmen, wenn er zugleich die Mängel oder seine Mängelhaftung bestreitet (OLG München, Urteil vom 12.6.2003 – 28 U 4242/02 – BauR 2004, 94). Denn die Sicherheitsleistung nach § 648 a BGB dient dazu, den Auftragnehmer davor zu schützen, dass er (weitere) Leistungen erbringt, ohne danach die geschuldete Vergütung zu erhalten. Dieser Sicherungszweck ist nicht erreichbar, wenn der Auftragnehmer von vornherein weitere Leistungen (hier die Mangelbeseitigung) ablehnt.

Geht der Auftragnehmer so vor, wie vom BGH in der vorangehenden Entscheidung vorgegeben, muss er eine Minderung seiner Vergütung hinnehmen. Bei beseitigbaren Mängeln entspricht der Abzug seiner Höhe nach den Kosten, „die notwendig sind, um den Mangel beseitigen zu lassen“. Fraglich ist, ob sich der Abzug nach den Selbstkosten richtet, die dem Auftragnehmer bei eigener Mangelbeseitigung entstehen, oder in Höhe der Kosten, die bei Selbstvornahme des Auftraggebers entstehen. Letztere sind in der Regel erheblich höher. Nach dem Wortlaut der Entscheidung kommt es auf die Kosten an, die erforderlich sind, um den Mangel beseitigen zu „lassen“, dies deutet daraufhin, dass nach Ansicht des BGH die Kosten der Selbstvornahme anzusetzen sind.

Der Anspruch des Auftraggebers auf Nacherfüllung geht nach Fristablauf nur hinsichtlich der Mängel unter, auf die sich die Fristsetzung bezieht. Treten weitere Mängel auf, kann der Auftraggeber aus den neu aufgetretenen Mängeln wiederum die Zahlung verweigern. Der Auftragnehmer muss gegebenenfalls erneut mit Fristsetzung und Nachfristsetzung (mit Ablehnungsandrohung) vorgehen.

Nach Inkrafttreten des Forderungssicherungsgesetzes und der damit verbundenen Änderung von § 648a BGB wird für die danach geschlossenen Verträge eine einmalige Fristsetzung des Auftragnehmers (ohne Ablehnungsandrohung) genügen. Der Auftragnehmer ist nach Fristsetzung und Fristablauf zur Kündigung berechtigt und muss sich dann von der Vergütung das abziehen lassen, was er sich an Aufwendungen durch den Wegfall der Mangelbeseitigung erspart. Zu berücksichtigen ist, dass § 648a BGB nicht anwendbar ist, wenn juristische Personen des öffentlichen Rechts oder – soweit es sich um die Herstellung oder Instandsetzung eines Einfamilienhauses handelt – private Bauherren als Auftraggeber auftreten.

9.4 Beschränkung des Leistungsverweigerungsrechts auf denselben Vertrag

302 Das Leistungsverweigerungsrecht auf Grund von Mängeln steht dem Auftraggeber nur gegenüber dem Werklohnanspruch des Auftragnehmers aus dem Vertrag zu, bei dessen Ausführung die mangelhafte Leistung erbracht wurde. Bei mehreren selbstständigen Verträgen zwischen denselben Parteien, kann der Auftraggeber aus Mängeln des einen Vertrags kein Leistungsverweigerungsrecht gegenüber dem Vergütungsanspruch des Auftragnehmers aus einem anderen Vertrag herleiten. Bei Zusatzarbeiten ist darauf abzustellen, ob es sich um eine Erweiterung des ursprünglichen Vertrags oder um einen selbstständigen Zusatzauftrag handelt.

Fall

Gegenstand eines Bauvertrags waren Maurer- und Betonarbeiten. Später wurden dem Auftragnehmer für dasselbe Bauvorhaben auch die Putz- und Ausbauarbeiten in Auftrag gegeben. Fällige Vergütungen aus dem Erstvertrag verweigerte der Auftraggeber unter Hinweis auf Mängel der zusätzlich beauftragten Putz- und Ausbauarbeiten.

Entscheidung

Das OLG Düsseldorf erkannte dem Auftraggeber kein Leistungsverweigerungsrecht zu. Nach der Entscheidung handelte es sich um getrennte Verträge, auch wenn es in der Leistungsbeschreibung des zweiten Vertrags hieß „Nachtrag für Putz- und Ausbauarbeiten".

Das OLG Düsseldorf stellte darauf ab, dass die Parteien die Verträge gesondert behandelt hatten. Der Auftragnehmer hatte jeweils getrennte Rechnungen gestellt und der Auftraggeber stets getrennte Zahlungen auf die einzelnen Rechnungen geleistet. So hatte der Auftraggeber auf die Rohbaurechnung eine Schlusszahlung abzüglich des für dieses Gewerk vereinbarten Sicherheitseinbehalts erbracht. Die Parteien hatten zudem getrennte Abnahmen für die Leistungen aus beiden Verträgen durchgeführt.

OLG Düsseldorf, Urteil vom 12.11.1996 – 21 U 68/96 – BauR 1997, 647

Falle/Praxishinweis

Die Entscheidung des OLG Düsseldorf ist insoweit überzeugend, als es vom Vorliegen getrennter Rechtsverhältnisse ausging. Hätte der Auftraggeber einen unselbstständigen Zusatzauftrag beabsichtigt, hätte er dies bei Vertragsschluss klarstellen müssen. Daher war es folgerichtig, dass das OLG Düsseldorf dem Auftraggeber aus vorhandenen Putzmängeln kein Leistungsverweigerungsrecht nach § 320 BGB gegenüber dem Werklohnanspruch für die Rohbauarbeiten zubilligte.

In Betracht kam allerdings ein Zurückbehaltungsrecht aus § 273 BGB. Möglich gewesen wäre es für den Auftraggeber weiterhin, mit einem Vorschussanspruch in Höhe der Kosten zur Beseitigung der Putzmängel aufzurechnen, sobald die Voraussetzungen für eine Selbstvornahme vorlagen.

9.5 Leistungsverweigerungsrecht bei Wohnungseigentum

303

Hinsichtlich der Mängel des Sondereigentums steht jedem Sondereigentümer das Leistungsverweigerungsrecht in vollem Umfang zu. Einschränkungen kommen nur in Betracht, soweit der einzelne Erwerber sein Leistungsverweigerungsrecht auf Mängel am Gemeinschaftseigentum stützt.

Falle/Praxishinweis

Dem Leistungsverweigerungsrecht der Wohnungseigentümer gegenüber dem Bauträger steht nicht entgegen, dass dieser in den notariellen Erwerbsverträgen (Kaufverträgen) seine eigenen Mängelansprüche gegen baubeteiligte Unternehmer, Architekten und Ingenieure sowie sonstige Dritte an die Wohnungseigentümer abgetreten hat. Den Erwerbern steht gegen Kaufpreisforderungen des Bauträgers ein Leistungsverweigerungsrecht aus Mängeln auch bei vereinbarter subsidiärer Haftung des Bauträgers zu.

Grundsätzlich steht den einzelnen Mitgliedern der Wohnungseigentümergemeinschaft das Leistungsverweigerungsrecht auch hinsichtlich der Mängel am Gemeinschaftseigentum zu. Das Leistungsverweigerungsrecht kann von jedem Erwerber geltend gemacht werden, es steht im Ausgangspunkt jedem Eigentümer in voller Höhe zu. Nehmen mehrere Erwerber ein Leistungsverweigerungsrecht wegen desselben Mangels am Gemeinschaftseigentum in Anspruch, verteilt sich das Leistungsverweigerungsrecht auf die einzelnen Erwerber im Verhältnis ihrer Miteigentumsanteile.

Im Rechtsstreit ist es Aufgabe des Bauträgers, die Übersicherung des einzelnen Wohnungseigentümers darzutun. Er muss also vortragen, welche Erwerber sich auf dieselben Mängel berufen und hieraus ein Leistungsverweigerungsrecht (in welcher Höhe) beanspruchen.

Prozessualer Hinweis

Machen mehrere Erwerber/Wohnungseigentümer wegen derselben Mängel am Gemeinschaftseigentum ein Leistungsverweigerungsrecht geltend, muss der auf Zahlung des Kaufpreises verklagte Erwerber/Wohnungseigentümer den geltend gemachten Einbehalt entsprechend anpassen und gegebenenfalls den dadurch einredefreien Kaufpreisteil unverzüglich anerkennen.

10 Gemeinschaftliche Haftung mehrerer Baubeteiligter/Mitverantwortung des Auftraggebers

10.1 Überblick über die gemeinschaftliche Haftung von Nebenunternehmern

304

Die aufgrund verschiedener Verträge und unabhängig voneinander auf der Baustelle tätigen Auftragnehmer haften dem Auftraggeber ausschließlich für Mängel, die in ihren Verantwortungsbereich fallen. Eine Zweckgemeinschaft aller Auftragnehmer dahin, dass sie als Gesamtschuldner für sämtliche Mängel haften würden, besteht nicht. Tragen allerdings mehrere Unternehmer zum Entstehen eines Mangels bzw. eines Schadens bei und kann der Mangel bzw. der Schaden nur durch eine einheitliche Maßnahme beseitigt werden, haften die betroffenen Auftragnehmer als Gesamtschuldner.

Fall

Nach Fertigstellung von Innen- und Außenputz eines neu errichteten Gebäudes stellte der Bauherr an den Außenwänden des Hauses Risse im Putz fest. Die Ursache der Risse lag zum einen in mangelhaften Rohbauarbeiten und zum anderen in Fehlern der Putzarbeiten. Rohbau und Putzarbeiten waren an verschiedene Auftragnehmer vergeben. Die Risse waren nur durch eine einheitliche Maßnahme zu beseitigen, nämlich durch Auftragen eines zusätzlichen Putzes.

Entscheidung

Nach der Entscheidung des Bundesgerichtshofs bestand zwischen Rohbauunternehmer und Putzfirma hinsichtlich des am Putz aufgetreten Mangels ein Gesamtschuldverhältnis. Beide Auftragnehmer mussten im Rahmen ihrer Mängelhaftung in vollem Umfang für die von ihnen mitverursachten Schäden einstehen, da nur eine einheitliche Sanierung in Betracht kam.

BGH, Urteil vom 26.6.2003 – VII ZR 126/02 – BauR 2003, 1379

Eine gesamtschuldnerische Haftung der einzelnen Unternehmer kommt auch insoweit in Betracht, als Vorleistungen eines Unternehmers Mängel im Gewerk des nachfolgenden Unternehmers herbeiführen. Insoweit haften der vorleistende Unternehmer auf Grund der von ihm gesetzten Mangelursache sowie der Unternehmer der nachfolgenden Leistung, wenn er seiner Prüfungs- und Hinweispflicht nicht nachkommt, als Gesamtschuldner. Vgl. Kleine-Möller/Merl, Handbuch des privaten Baurechts, 3. Aufl., § 12 Rdn. 1001 f.

Auch wenn der Bauherr einen Architekten zur Bauüberwachung oder zur Koordinierung der verschiedenen Gewerke eingeschaltet hat, bleibt der Auftragnehmer für die Prüfung der Vorleistungen anderer Unternehmer allein verantwortlich, soweit er mit seiner Leistung darauf aufbaut. Dem Bauherrn ist weder ein Überwachungsverschulden des Architekten/Ingenieurs noch das Mitverschulden des Vorunternehmers zuzurechnen. Vielmehr haften sämtliche Beteiligte dem Auftraggeber als Gesamtschuldner auf vollen Ersatz der Mangelbeseitigungskosten und der Mangelfolgeschäden.

305 Liegt ein Gesamtschuldverhältnis vor, so kann der vom Bauherrn in Anspruch genommene Auftragnehmer vom Mithaftenden Ausgleich gem. § 426 BGB verlangen, soweit er dem Auftraggeber über seinen internen (zwischen den Gesamtschuldnern geltenden) Haftungsanteil hinaus haftet und in Anspruch genommen wird.

Falle/Praxishinweis

Der vom Bauherrn in Anspruch genommene Gesamtschuldner kann von den übrigen Gesamtschuldnern keinen Ersatz für die Kosten einer gerichtlichen oder außergerichtlichen Auseinandersetzung mit dem Auftraggeber verlangen. Lässt sich ein Gesamtschuldner auf einen Rechtsstreit mit dem Bauherrn ein, hat er im Falle seines Unterliegens die Kosten dieses Rechtsstreits selbst zu tragen.

Der Ausgleichsanspruch nach § 426 Abs. 1 BGB verjährt in der regulären Verjährungsfrist nach § 195 BGB, die bis 31.12.2001 30 Jahre und ab 1.1.2002 drei Jahre beträgt. Die dreijährige Verjährungsfrist beginnt entsprechend § 199 BGB mit Ablauf des Kalenderjahres, in dem der Ausgleichsanspruch entsteht und der zum Ausgleich berechtigte Auftragnehmer von seinem Ausgleichsanspruch Kenntnis erhält oder ohne grobe Fahrlässigkeit Kenntnis erhalten hätte. Der Ausgleichsanspruch entsteht mit Entstehen des Gesamtschuldverhältnisses, also mit Eintritt des Mangels bzw. Schadens.

306 Soweit ein Gesamtschuldner den Auftraggeber befriedigt und von Gesamtschuldnern Ausgleich verlangen kann, gehen die Mängelrechte des Auftraggebers gegen die übrigen, zum internen Ausgleich verpflichteten Gesamtschuldner auf ihn über. Die Verjährung dieses übergegangenen Anspruchs richtet sich nach der Verjährungsfrist, welche die Parteien für Mängelrechte des Auftraggebers vereinbart haben oder wie sie sich aus § 634a BGB (bzw. für Altverträge nach § 638 BGB a.F.) und für den VOB-Vertrag nach § 13 Nr. 4 VOB/B ergibt. Zu Verjährungsfragen vgl. im Übrigen Kleine-Möller/Merl, Handbuch des privaten Baurechts, 3. Aufl., Rdn. 1079 f.

Falle/Praxishinweis

Die Verjährung des Ausgleichsanspruchs eines Gesamtschuldners gegen weitere Gesamtschuldner tritt unabhängig von der für die Mängelrechte des Auftraggebers geltenden Verjährungsfrist ein. Die Verjährung des Ausgleichsanspruchs kann also später oder früher eintreten, als die Verjährung der Mängelansprüche des Bauherrn. So kann es sein, dass der Ausgleichsanspruch des Gesamtschuldners bereits verjährt ist, er jedoch aus dem auf ihn übergegangenen Mängelrecht des Auftraggebers gegen weitere Gesamtschuldner vorgehen kann.

10.2 Ausführungsfehler des Unternehmers und mangelhafte Bauüberwachung des Architekten/Ingenieurs als Mangelursachen

307 Liegt ein Ausführungsfehler des Bauunternehmers sowie eine unzureichende Bauaufsicht des Architekten bzw. des Ingenieurs vor, so haften beide für den hierdurch verursachten Mangel dem Bauherrn gesamtschuldnerisch, ohne sich zu ihrer Entlastung auf den Mangelbeitrag des anderen Beteiligten berufen zu können (BGH, Urteil vom 21.12.2000 – VII ZR 192/98 – BauR 2001, 630, 632). Hinsichtlich des Bauunternehmers folgt dies daraus, dass er keinen Anspruch gegen den Bauherrn auf Überwachung hat und die Verpflichtung des Architekten/Ingenieurs zur Bauüberwachung ausschließlich gegenüber dem Bauherrn besteht. Das bedeutet:

Der Unternehmer ist dem Bauherrn gegenüber in vollem Umfang zur Mangelbeseitigung verpflichtet. Er kann nicht einwenden, dass auch der Architekt zur Entstehung des Mangels beigetragen hat. Das Überwachungsverschulden des Architekten beziehungsweise Ingenieurs entlastet den ausführenden Unternehmer im Verhältnis zum Bauherrn nicht.

Dem Bauherrn gegenüber haftet auch der Architekt in vollem Umfang, denn er hat durch die ungenügende Bauüberwachung eine Mitursache für die Entstehung des Mangels gesetzt. Auch der Architekt kann sich gegenüber dem Bauherrn nicht darauf berufen, dass (in erster Linie) der Unternehmer die Mangelursache gesetzt hat.

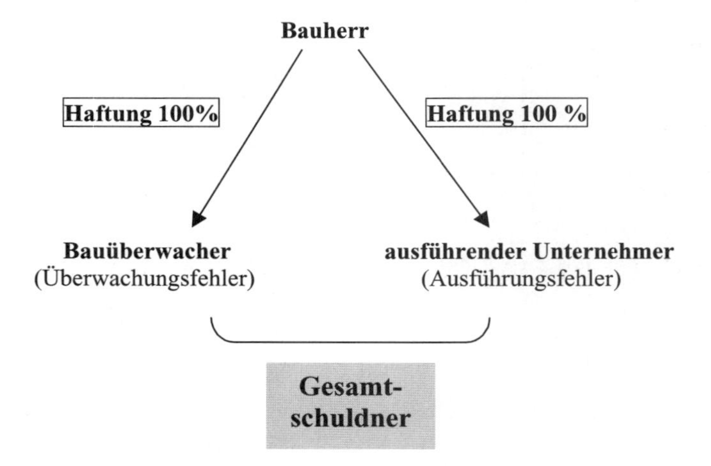

308 Haften Bauunternehmer sowie Architekt/Ingenieur dem Bauherrn als Gesamtschuldner, so steht es dem Bauherrn frei, wen er in Anspruch nimmt. Auch mit Rücksicht auf den Forderungsübergang gem. § 426 Abs. 2 BGB hat kein Gesamtschuldner Anspruch darauf, dass der Auftraggeber die zur Begründung von Mängelrechten gegenüber anderen Gesamtschuldnern erforderlichen Handlungen vornimmt (z. B. gegenüber dem ausführenden Unternehmer die Voraussetzungen der Selbstvornahme gem. § 637 BGB durch Fristsetzung herbeiführt).

Leitsatz

Versäumt es der Bauherr, Anspruchsgrundlagen für eine Haftung des Bauunternehmers zu schaffen, berührt dies die Haftung des Architekten nicht. Es liegt kein Verstoß des Auftraggebers gegen die Schadensminderungspflicht nach § 254 Abs. 2 BGB vor.

Fall

Die Bauherren beauftragten einen Unternehmer mit der Ausführung von Rohbauarbeiten und der Errichtung des Dachstuhls. Die Geltung der VOB/B wurde vereinbart. Vor Abnahme rügten die Bauherren zahlreiche Ausführungsmängel und setzten dem Bauunternehmer Frist zur Mangelbeseitigung, jedoch ohne die Kündigung des Auftrags anzudrohen. Nach Fristablauf setzten sie Drittunternehmer zur Beseitigung der Mängel ein. Erst im Laufe der Mangelbeseitigungsarbeiten traten gegenüber dem Bauunternehmer die Voraussetzungen zur Selbstvornahme nach § 4 Nr. 7 Satz 3 VOB/B ein.

Für die aufgetretenen Mängel und die zur Mangelbeseitigung entstandenen Kosten nahmen die Bauherren sowohl den Unternehmer als auch den Architekten in Anspruch. Der Bauunternehmer haftete auf Grund verspäteter Auftragsentziehung nur für einen Teil der Mangelbeseitigungskosten. Die Frage war, ob die gegenüber dem Bauherrn gesamtschuldnerisch haftenden Architekten ebenfalls nur für diejenigen Kosten einzustehen hatten, für welche der Bauherr die

Haftungsvoraussetzungen nach § 4 Nr. 7 Satz 3 VOB/B gegenüber dem Bauunternehmer geschaffen hatte.

Entscheidung

Dass der Bauunternehmer für die Kosten der Selbstvornahme (Ersatzvornahme) erst ab einem bestimmten Zeitpunkt haftete, hatte nach der Entscheidung des Bundesgerichtshofs keinen Einfluss auf die Haftung der Architekten. Dieser war für die gesamten Aufwendungen zur Mangelbeseitigung ersatzpflichtig, auch soweit der Bauunternehmer hierfür mangels rechtzeitiger Vertragsentziehung nicht einzutreten hatte. Der Bundesgerichtshof verneinte einen Verstoß der Bauherren gegen ihre Schadensminderungspflicht.

BGH, Urteil vom 23.10.2003 – VII ZR 448/01 – BauR 2004, 111/112

Fallen/Praxishinweis

Haften mehrere Baubeteiligte dem Bauherrn gesamtschuldnerisch für Mängelfolgen, so steht es dem Bauherrn frei, welchen Gesamtschuldner er in Anspruch nimmt. Der Bauherr ist nicht verpflichtet, gegen alle Gesamtschuldner vorzugehen. Dass der Bauherr es versäumt, tatsächliche oder rechtliche Voraussetzungen für die Inanspruchnahme einzelner Gesamtschuldner zu schaffen, hindert die Inanspruchnahme anderer Gesamtschuldner nicht.

Die Entscheidung des Bundesgerichtshofs betrifft letztlich auch die Fälle, in denen der Bauherr seine Forderung gegen einen oder mehrere Gesamtschuldner verjähren lässt. Die Haftung der übrigen Gesamtschuldner gegenüber dem Bauherrn wird hiervon nicht berührt. Unberührt bleibt hiervon auch das interne Ausgleichsverhältnis der Gesamtschuldner. Im vorliegenden Fall haftet z. B. der Bauunternehmer zwar gegenüber dem Bauherrn nur für einen Teil der Kosten der Selbstvornahme. Dies bedeutet aber noch nicht, dass der für den überschießenden Kostenteil zu Recht in Anspruch genommene Architekt insoweit keinen Rückgriff (oder teilweisen Rückgriff) entsprechend § 426 Abs. 1 BGB gegen den Bauunternehmer nehmen könnte. Der Nachteil für den Architekten liegt darin, dass er bei verjährtem Ausgleichsanspruch aus § 426 Abs. 1 BGB den Bauunternehmer nicht aus übergegangenem Recht des Bauherrn gem. § 426 Abs. 2 BGB in Anspruch nehmen kann.

Prozessualer Hinweis

Verklagt der Auftraggeber auf Grund eines Mangels sowohl den ausführenden Unternehmer wie auch den mit der Planung oder Bauaufsicht beauftragten Architekten/Ingenieur, sind die Beklagten einfache Streitgenossen. Klagt der Bauherr nur gegen den Unternehmer, kann er dem Architekten nicht den Streit verkünden, wenn dieser aufgrund unzureichender Bauüberwachung neben dem Bauunternehmer haftet. Soweit allerdings in Betracht kommt, dass der vom Bauherrn beauftragte Architekt bzw. Ingenieur auf Grund eines Planungsfehlers

Gewähr zu leisten hat, liegt kein Gesamtschuldverhältnis vor, eine darauf bezogene Streitverkündung ist zulässig.

Eine Verpflichtung des Bauherrn, zunächst den ausführenden Unternehmer in Anspruch zu nehmen und erst bei erfolgloser Inanspruchnahme des Unternehmers auf den Architekten zurückzugreifen, besteht nur bei entsprechender Vereinbarung. Besteht eine solche Vereinbarung nicht, so kann sich der Bauherr auch als erstes an den Architekten halten, der für die von ihm verursachten Baumängel auf Schadensersatz haftet und dem keine Frist zur Nacherfüllung gesetzt werden muss (BGH, Urteil vom 21.12.2000 – VII ZR 192/98 – BauR 2001, 630, 63). Der Architekt seinerseits kann Rückgriff beim ausführenden Unternehmer nehmen, ohne dass sich dieser gegenüber dem Ausgleichsanspruch auf sein gegenüber dem Bauherrn bestehendes Recht zur Mangelbeseitigung berufen kann. Der Bauunternehmer läuft somit Gefahr, dass er auf Geldzahlung in Anspruch genommen wird, ohne dass ihm vorher die Möglichkeit zur Beseitigung der von ihm verursachten Mängel gegeben war.

Falle/Praxishinweis

Bietet der Unternehmer die Mangelbeseitigung an, so verstößt der Bauherr gegen seine Schadensminderungspflicht, wenn er die angebotene Mangelbeseitigung grundlos nicht annimmt. Der Bauherr kann nicht ohne triftigen Grund das Angebot des ausführenden Unternehmers, den Mangel zu beseitigen, ablehnen und stattdessen den Architekten/Ingenieur auf Schadensersatz in Geld in Anspruch nehmen.

309 Im Verhältnis zwischen Unternehmer und überwachendem Architekten/Ingenieur haftet ersterer meist allein. Nimmt der Bauherr den Architekten in Anspruch, so kann dieser den von ihm geleisteten Schadensersatz nach § 426 BGB vom Unternehmer zurückverlangen.

Haftung bei Ausführungsfehler des Unternehmers und Bauüberwachungsfehler des Architekten bzw. Ingenieurs

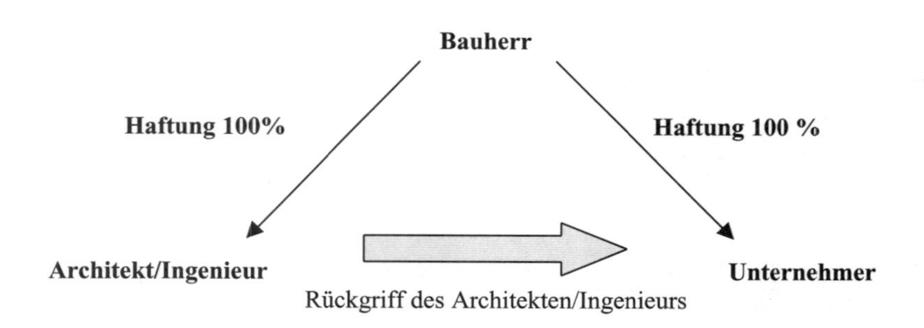

10.3 Planungsfehler des Architekten/Ingenieurs und Ausführungsfehler des Bauunternehmers als Mangelursachen

Beruht der Mangel auf einer fehlerhaften Planung des Architekten oder Ingenieurs und zugleich auf einem Ausführungsfehler des Bauunternehmers so ergeben sich folgende Haftungsverhältnisse: **310**

Der Architekt/Ingenieur haftet gegenüber dem Bauherrn in vollem Umfang für den Schaden, der auf dem Planungsfehler beruht. Hinsichtlich des Ausführungsfehlers des Bauunternehmers und des darauf beruhenden Schadens hat der Architekt/Ingenieur dann einzustehen, wenn ihm die Bauaufsicht übertragen war und er dieser nicht nachgekommen ist. In beiden Fällen kann der Bauherr vom Architekten/Ingenieur Schadensersatz in voller Höhe verlangen. Der Architekt bzw. Ingenieur kann sich nicht darauf berufen, dass auch der Bauunternehmer durch seinen Ausführungsfehler zum Entstehen des Schadens beigetragen hat. Der ausführende Unternehmer seinerseits kann sich hinsichtlich des Planungsfehlers auf das Mitverschulden des Architekten/Ingenieurs berufen. Er haftet für die aus dem Planungsfehler resultierenden Schäden, wenn er seiner Prüfungs- und Hinweispflicht nicht nachgekommen ist, nur zu einer Quote entsprechend seinem Mitverschuldensanteil. Für die Folgen seines Ausführungsfehlers haftet der Bauunternehmer dem Bauherrn dagegen in vollem Umfang. Er kann sich nicht mit dem Hinweis auf den Überwachungsfehler des Architekten/Ingenieurs entlasten.

Fall

Der Architekt unterließ es, für seine Planung die Bodenverhältnisse und den Grundwasserstand zu klären. Er plante die Kellerfensterbrüstungen einer weißen Wanne mindestens 30 cm zu tief, so dass bei steigendem Grundwasser Wasser in den Keller eintrat. Der ausführende Unternehmer setzte aufgrund eines Messfehlers die ohnedies zu tief geplanten Kellerfensterbrüstungen nochmals 17 bis 18 cm tiefer. Der Bauherr nahm den ausführenden Unternehmer in Anspruch. Dieser berief sich u. a. zu seiner Entlastung auf das Planungsverschulden des Architekten.

Entscheidung

Das OLG Hamm sah das Mitverschulden von Architekten und Bauunternehmer als gleichgewichtig an, so dass den Bauunternehmer eine Schadensersatzpflicht in Höhe der Hälfte des entstandenen Schadens traf.

OLG Hamm, Urteil vom 8.6.2000 – 24 U 127/99 – BauR 2001, 828

Zu Verjährungsfragen, insbesondere zur Unabhängigkeit der Verjährung des Ausgleichsanspruchs eines Gesamtschuldners nach § 426 Abs. 1 BGB und nach

§ 426 Abs. 2 BGB vgl. im Übrigen Kleine-Möller/Merl, Handbuch des privaten Baurechts, 3. Aufl., Rdn. 1003 f.

10.4 Planungsfehler des Architekten/Ingenieurs und Haftung des Unternehmers wegen Verletzung der Prüfungs- und Hinweispflicht

311 Bei einem Planungsfehler oder einer fehlerhaften sonstigen Anordnung des Architekten/Ingenieurs kommt eine Haftung des Bauunternehmers dann in Betracht, wenn er seiner Prüfungs- und Hinweispflicht nicht nachkommt und bei hinreichender Prüfung den Planungsfehler bzw. die Fehlerhaftigkeit der Anordnung hätte erkennen können. Allerdings muss sich der Bauherr die fehlerhafte Planung/Anordnung seines Architekten bzw. Ingenieurs als eigenes Mitverschulden entgegenhalten lassen. (OLG Düsseldorf, Urteil vom 10.11.2000 – 22 U 78/00 – BauR 2001, 638, 642). Architekt und Ingenieur sind insofern Erfüllungsgehilfen des Bauherrn, als der Bauherr dem Unternehmer die für die Bauausführung notwendige Planung zur Verfügung stellen muss und erforderliche bauleitende Anordnungen zu treffen hat.

Das dem Bauherrn zuzurechnende Planungs- und Anordnungsverschulden des Architekten bzw. Ingenieurs ist mit dem Verschulden des ausführenden Unternehmers infolge verletzter Prüfungs- und Hinweispflicht abzuwägen. Dies führt zu einer anteiligen Reduzierung der Haftung des Bauunternehmers. Die Haftung des Architekten/Ingenieurs wegen des Planungsfehlers wird dagegen durch die Verletzung der Prüfungs- und Hinweispflicht des Bauunternehmers nicht berührt.

Fall

Der Bauunternehmer war mit der Installierung von Heizungsanlagen beauftragt. Die installierten Heizungsanlagen wiesen Mängel auf, der Anlagen-Betriebsdruck war zu gering eingestellt, ein für den hydraulischen Ausgleich erforderliches Ventil fehlte. Der Bauherr hielt aus diesem Grund Werklohn zurück. Der für die Mängel in Anspruch genommene Bauunternehmer berief sich darauf, dass er nach den Vorgaben des vom Bauherrn beauftragten Fachingenieurs gebaut habe.

Entscheidung

Nach dem Urteil des OLG Celle war der Bauunternehmer zur Nacherfüllung verpflichtet und der Bauherr berechtigt, Werklohn einzubehalten. Der Bauunternehmer haftete, da er als Fachunternehmen den Planungsfehler hätte erkennen und auf ihn hinweisen müssen. Allein der Umstand, dass sich der Bauunternehmer an die vorgegebene Ausführung hielt, schloss die Haftung nicht aus. Dem Auftraggeber war der Planungsfehler seines Architekten als mitwirkendes Verschulden zuzurechnen. Bei der Abwägung der Mitverursachungs- und Mitverschuldensanteile wurde berücksichtigt, dass vom Fachingenieur die größere Fachkunde zu erwarten war. Das OLG Celle legte die Mithaftung des Auftragnehmers zu einem Drittel fest.

OLG Celle, Urteil vom 3.7.2002 – 7 U 123/02 – BauR 2003, 730

Falle/Praxishinweis

Der ausführende Unternehmer ist grundsätzlich verpflichtet, die Leistung so zu erstellen, dass sie die vereinbarte Beschaffenheit gem. § 633 Abs. 2 Satz 1 BGB aufweist. Vorrangig muss die Leistung jedoch verwendungstauglich sein. Dies ist sie in der Regel nicht, wenn sie nicht den anerkannten Regeln der Technik entspricht. Die gegen die anerkannten Regeln der Technik verstoßende Leistung ist daher auch dann mangelhaft, wenn sie der vertraglichen Leistungsbeschreibung entspricht.

Dies bedeutet hinsichtlich der Mängelhaftung des Auftragnehmers, dass dieser zur Mangelbeseitigung verpflichtet ist. Ihm steht allerdings ein Anspruch auf Ersatz des Kostenanteils zu, der dem Bauherrn auf Grund des Planungsfehlers des Architekten zuzurechnen ist. In Höhe dieses Anspruchs kann der Auftragnehmer nach ausgeführter Mangelbeseitigung Zahlung des Auftraggebers verlangen. Vor Beginn der Ausführung hat er Anspruch auf Sicherheitsleistung in Höhe des zu erwartenden Zahlungsbetrags. Leistet der Auftraggeber die gebotene Sicherheit nach Aufforderung nicht, kann der Auftragnehmer die Mangelbeseitigung verweigern. Haftet der Auftragnehmer auf Schadensersatz, ist der entsprechende Kostenanteil vom Schadensbetrag abzuziehen.

312 Bei der Abwägung der Haftungsanteile ist auf das Gewicht des jeweiligen Fehlverhaltens unter Berücksichtigung der den Beteiligten zukommenden Sachkenntnis und auf die Erkennbarkeit des Planungsfehlers abzustellen.

Fall

Der Architekt plante die Höhenlage des Kellers falsch, weil er sich auf die laienhaften Angaben des Bauherrn zu den Grundwasserverhältnissen verließ. Tatsächlich hätte der Keller einen halben Meter höher gelegt werden müssen. Bei den Aushubarbeiten, die der Architekt nicht beaufsichtigte, zeigte sich, dass in Höhe der Kellersohle Grundwasser auftrat. Der Unternehmer, der die Aushub- und Rohbauarbeiten ausführt, reagierte auf den Wassereinbruch nur „kosmetisch" dadurch, dass er einen Pumpensumpf anlegte und das auftretende Grundwasser abpumpte. Auf das auftretende Grundwasser wies er weder den Bauherrn noch den Architekten hin. Der ohne Abdichtungsmaßnahmen im Grundwasser errichtete Keller war feucht.

Entscheidung

Sowohl der Architekt (auf Grund des Planungsfehlers) als auch der Bauunternehmer (der nach dem Wassereintritt den Planungsfehler hätte bemerken müssen) hafteten nach der Entscheidung des OLG Karlsruhe für die Feuchtigkeitsschäden. Der Haftungsanteil des Unternehmers wurde in der Entscheidung mit 3/4 angesetzt, zumal auch Drainagearbeiten mangelhaft ausgeführt waren (statt Kiesfilter wurde Mineralschotter verwendet) und der Bauunternehmer – entgegen seiner vertraglichen Verpflichtung – dem Bauherrn nur unzureichende Planvorgaben für den bauseits zu erbringenden Vorfluter zur Verfügung gestellt hatte.

OLG Karlsruhe, Urteil vom 13.6.2002 – 9 U 153/01 – BauR 2003, 917

Falle/Praxishinweis

Die Entscheidung des OLG Karlsruhe zeigt deutlich, dass es für die Bestimmung der Haftungsquote auf die besonderen Umstände des Einzelfalles ankommt. In vorliegendem Fall ist zu berücksichtigen, dass dem ausführenden Unternehmer die Unrichtigkeit der Planung geradezu in die Augen stechen musste, als beim Aushub Wasser auftrat. Aus diesem Grund ist der Haftungsanteil des Unternehmers mit 3/4 nicht übertrieben hoch angesetzt, selbst wenn man die sonstigen Mangelursachen außer Acht lässt, die der ausführende Unternehmer nach der Entscheidung zu verantworten hatte. Dieser Fall zeigt auch, dass entgegen einzelnen Entscheidungen von Oberlandesgerichten eine generelle Festlegung der Haftungsquote nicht möglich ist, sondern die Haftungsquote in jedem Fall entsprechend dem jeweiligen Sorgfaltsverstoß der Beteiligten und unter Berücksichtigung der von ihnen zu verlangenden Fachkenntnisse bestimmt werden muss.

Der Tendenz nach wird die Haftung des Unternehmers höher angesetzt, soweit es sich um eine fehlerhafte Ausschreibung von Baumaterial und Bauteilen handelt, und niedriger bei Konstruktionsfehlern des Planers. Hinsichtlich der Tauglichkeit des Baumaterials geht die obergerichtliche Rechtsprechung ersichtlich von einem umfassenderen Sachwissen des Bauunternehmers aus, während es umgekehrt dem Architekten/Ingenieur ein überwiegendes Sachwissen hinsichtlich der Konstruktion zuordnet.

Haftung bei Planungsfehler des Architekten und Verletzung der Prüfungs- und Hinweispflicht durch Unternehmer

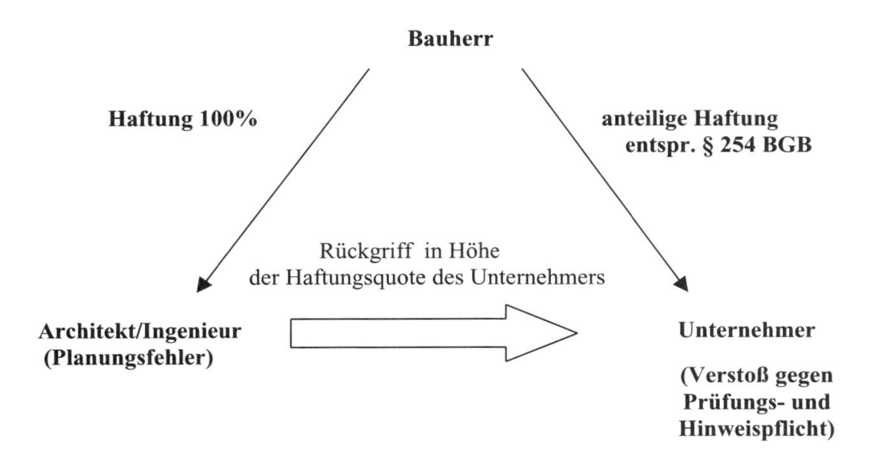

Durch Allgemeine Geschäftsbedingungen des Auftraggebers kann die Zurechnung des Planungsverschuldens des Architekten/Ingenieurs an den Bauherrn nicht abbedungen werden.

Allgemeine Geschäftsbedingung

„Kommt neben dem Auftragnehmer auch ein Dritter als Schadensverursacher in Betracht, haftet dennoch der Auftragnehmer gegenüber dem Auftraggeber als Gesamtschuldner."

Eine entsprechende Allgemeine Geschäftsbedingung des Bauherrn ist unwirksam, da sie dem ausführenden Unternehmer den Mitverschuldenseinwand abschneiden würde:

BGH, Urteil vom 5.6.1997 – VII ZR 54/96 – BauR 1997, 1036

Während sich der Auftragnehmer auf Planungsfehler berufen und seine Haftung dadurch einschränken kann, haftet der Planer dem Bauherrn für Planungsfehler in vollem Umfang auf Ersatz des mangelbedingten Schadens, ohne sich auf das mitwirkende Verschulden des Bauunternehmers berufen zu können, der gegen seine Prüfungs- und Hinweispflicht verstoßen hat. Es liegt eine teilweise Gesamtschuld beider Beteiligter vor und zwar in Höhe des Haftungsbetrags des nur anteilmäßig haftenden Bauunternehmers.

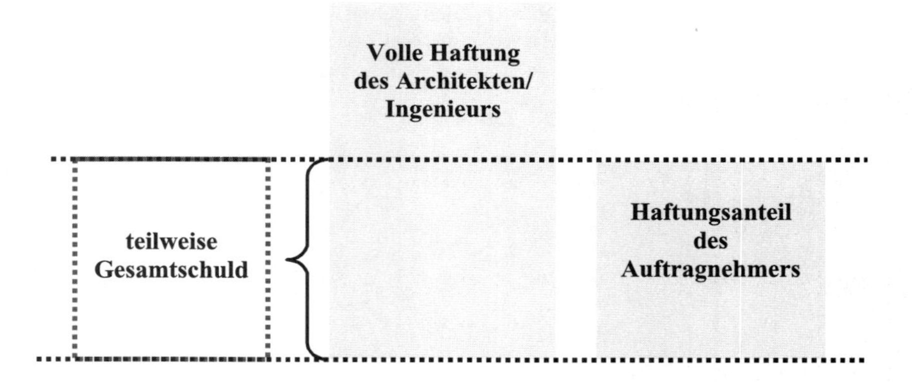

313 Soweit Planer und Bauunternehmer haften, sind sie in Höhe der übereinstimmenden Haftungsquote Gesamtschuldner gegenüber dem Bauherrn. Der Bauherr kann sich nach Belieben sowohl an den ausführenden Unternehmer wie auch an den Planer halten.

Soweit einer der Beteiligten den Mängelanspruch des Bauherrn befriedigt, kommt für ihn ein Ausgleichsanspruch gem. § 426 Abs. 1 BGB in Betracht. Ein Ausgleichsanspruch ist dann gegeben, wenn der leistende Gesamtschuldner an den Bauherrn mehr leistet, als er nach der internen Haftungsverteilung der Gesamtschuldner zu leisten verpflichtet wäre. Leistet ein Gesamtschuldner an den Bauherrn/Auftraggeber, so geht der Mangelanspruch des Auftraggebers insoweit auf ihn über, als er von weiteren Gesamtschuldnern Ausgleich verlangen kann.

314 Die Mängelansprüche des Bauherrn gegen die Gesamtschuldner verjähren voneinander unabhängig entsprechend den jeweils für sie geltenden vertraglichen oder gesetzlichen Verjährungsfristen. Gegenüber dem Bauherrn kann sich kein Gesamtschuldner auf eine Verjährung berufen, die hinsichtlich von Ansprüchen des Bauherrn gegen andere Gesamtschuldner eingetreten ist (§ 425 BGB). Umgekehrt schützt eine eventuelle Verjährung eigener Verpflichtungen gegenüber dem Bauherrn den Beteiligten nicht von einem noch nicht verjährten Rückgriffsanspruch anderer Gesamtschuldner. Ist schließlich der Ausgleichsanspruch eines Gesamtschuldners bereits verjährt, kann er einen auf ihn übergegangenen Mängelanspruch des Bauherrn geltend machen, soweit dieser noch unverjährt ist.

Unterschiedliche Verjährung von Ansprüchen des Bauherrn und von Rückgriffsansprüchen der Baubeteiligten

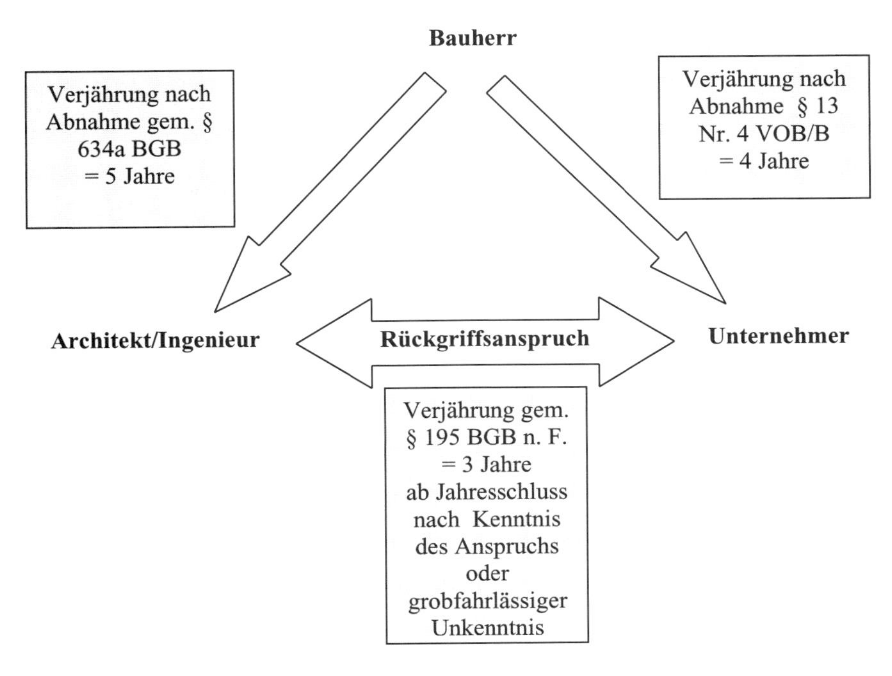

Die Verjährung der Mängelrechte des Bauherrn gegen den Unternehmer tritt zumindest dann früher ein, wenn dem Architekten auch die Leistungen gemäß Leistungsphase 9 des § 15 HOAI übertragen sind. In diesem Fall kann der Architekt eine Abnahme seiner Leistung erst nach Abschluss der Leistungsphase 9 verlangen, die wiederum erst mit Ablauf der Verjährungsfristen gegen die am Bau beteiligten Unternehmer abgeschlossen ist. In diesem Fall kann der Bauherr vom Bauüberwacher häufig noch Schadensersatz verlangen, wenn seine Mängelrechte gegenüber dem Bauunternehmer bereits verjährt sind. Der Bauüberwacher oder Planer wiederum kann u. U. seinen Ausgleichsanspruch nach § 426 Abs. 1 BGB gegen den ausführenden Unternehmer noch geltend machen, wenn dessen Mängelhaftung gegenüber dem Bauherrn bereits verjährt ist.

315 Macht der Bauherr einen Anspruch auf Nacherfüllung (Mangelbeseitigung) gegen den Bauunternehmer geltend, so ist dieser zur Mangelbeseitigung auch dann in vollem Umfang verpflichtet, wenn er nur zu einer Quote haftet. Denn eine teilweise Mangelbeseitigung ist nicht möglich. Allerdings kann der Bauunternehmer entsprechend dem Mitverursachungsanteil, der dem Bauherrn zuzurechnen ist, eine teilweise Erstattung der Mangelbeseitigungskosten verlangen. Dies führt zu einer doppelten Zug-um-Zug-Verurteilung wenn der Bauunternehmer nach Abnahme seinen Werklohn eingeklagt und die Beseitigung des Mangels gegen Erstattung der vom Bauherrn zu tragenden Mangelbeseitigungskosten anbietet (OLG Celle, Urteil vom 3. 7. 2002 – 7 U 123/02 – BauR 2003, 730).

Beispiel für Klageantrag im Werklohnprozess des Bauunternehmers bei doppelter Zug-um-Zug-Leistung auf Grund vorhandener Mängel, für die der Auftragnehmer nur quotenmäßig haftet:

„Der Beklagte wird verurteilt, ... Euro zu bezahlen, Zug um Zug gegen Beseitigung folgender Mängel ..., dies wiederum Zug um Zug gegen Zahlung des Beklagten in Höhe von ... Euro."

Der Unternehmer kann Zahlung des Erstattungsbetrags erst nach Durchführung der Mangelbeseitigung fordern, vor Ausführung jedoch Sicherstellung dieses Anspruchs durch den Bauherrn. Solange der Auftraggeber die vom Auftragnehmer verlangte Sicherheit nicht leistet, kann der Unternehmer die Mangelbeseitigung verweigern (OLG Düsseldorf, BauR 2001, 638, 643).

Zu Verjährungsfragen, insbesondere zur Unabhängigkeit der Verjährung des Ausgleichsanspruchs eines Gesamtschuldners nach § 426 Abs. 1 BGB von der Verjährung der nach § 426 Abs. 2 BGB auf ihn übergegangenen Mängelrechte des Auftraggebers vgl. Rdn. 314.; vgl. im Übrigen Kleine-Möller/Merl, Handbuch des privaten Baurechts, 3. Aufl., Rdn. 1003 f.

10.5 Fehler des Sonderfachmanns und mangelhafte Architektenleistung

316 Ist ein Baumangel sowohl durch den Architekten wie auch durch den vom Bauherrn eingeschalteten Sonderfachmann verursacht, kommt eine Haftung beider als Gesamtschuldner in Betracht. So haften z. B. Architekt und Statiker als Gesamtschuldner, wenn letzterer Bewehrungspläne erstellt, die nicht den Vorgaben der Architektenplanung entsprechen, und der Architekt dies mangels Prüfung nicht erkennt, sodass entsprechend der fehlerhaften Statik gebaut wird.

Der Tragwerksplaner ist verpflichtet, Unklarheiten in der Ausführungsplanung des Architekten aufzuklären. Unterlässt er dies, kommt für den daraus entstehenden Mangel eine gesamtschuldnerische Haftung von Tragwerksplaner und Architekt in Betracht (OLG Düsseldorf, Urteil vom 12. 5. 2000 – 22 U 191/99 – BauR 2001, 277, 281).

Fall

Dem Architekten waren die Grundleistungen der Leistungsphase 8 nach § 15 HOAI übertragen. Geplant war die Ausführung einer weißen Wanne, wobei Durchlässe für Abwasserleitungen anzulegen waren. Für diese Planung und für die Überwachung der Arbeiten wurde ein Fachplaner eingeschaltet. Die für Abwasserleitungen geplanten Durchlässe waren nach Ausführung nicht dicht, da der ausführende Unternehmer die Leistung nicht entsprechend dem Leistungsverzeichnis ausführte.

Entscheidung

Auch wenn die Planung und Überwachung der Durchlässe für die Abwasserleitungen einem Fachplaner übertragen waren, musste der Architekt eine Prüfung anhand der ihm zukommenden Fachkenntnis vornehmen. Allein der Umstand, dass ein Fachplaner eingeschaltet war, befreite den Architekten nicht von seiner Prüfungspflicht.

OLG München, Urteil vom 19.6.2002 – 27 U 951/01 – BauR 2003, 278, 280

Zu berücksichtigen ist allerdings, dass Architekt und Sonderfachmann jeweils nur zu einer eingeschränkten Prüfung der Leistungen des anderen Beteiligten verpflichtet sind, nämlich entsprechend der von ihnen zu verlangenden Sachkenntnis. So muss der Architekt nicht sämtliche Berechnungen des Statikers nachvollziehen. Er hat diese allerdings auf ihre Plausibilität und dahin zu prüfen, ob sie mit den Vorgaben der Architektenplanung und den tatsächlichen Gegebenheiten übereinstimmen. Unterlässt er dies, so haftet er für den hieraus entstehenden Mangel gemeinsam mit dem Sonderfachmann. Der Sonderfachmann ist umgekehrt nur insoweit zur Überprüfung der Architektenpläne verpflichtet, als die Pläne für seine Leistung von Bedeutung sind. So hat z. B. der Statiker ihm übergebene Architektenpläne daraufhin zu überprüfen, ob sie eine standsichere Konstruktion ermöglichen.

317 Dem mit der Planung beauftragten Architekten obliegt es auch, dem Statiker die für dessen Berechnung erforderlichen Angaben, z.B. über die zu berücksichtigenden Bodenverhältnisse, zur Verfügung zu stellen (OLG Düsseldorf, Urteil vom 12.5. 2000 – 22 U 191/99 – BauR 2001, 277, 279). Andererseits muss sich der Statiker selbst über die Bodenverhältnisse vergewissern, wenn er keine Angaben erhält. Verstoßen Architekt und Statiker gegen ihre entsprechende Sorgfaltspflicht, haften sie für einen auftretenden Bauschäden als Gesamtschuldner

318 Beauftragt der Bauherr in selbstständigen Verträgen einen Architekten und einen Sonderfachmann, so ist der Sonderfachmann regelmäßig nicht Erfüllungsgehilfe des Bauherrn im Verhältnis zum Architekten und der Architekt nicht Erfüllungsgehilfe des Bauherrn im Verhältnis zum Sonderfachmann. Ob der Sonderfachmann ausnahmsweise als Erfüllungsgehilfe des Bauherrn anzusehen ist, ist im Einzelfall anhand der konkreteren vertraglichen Beziehungen zwischen den Beteiligten zu beurteilen.

Fall

Der Architekt war mit den Leistungen gemäß Leistungsphasen 1 bis 4 nach § 15 Abs. 2 HOAI und zum Teil mit Leistungen der Leistungsphasen 5 bis 8 nach § 15 Abs. 2 HOAI beauftragt. Der Bauherr hatte weiterhin einen Bodengutachter mit den in § 92 Abs. 1 HOAI genannten Leistungen beauftragt. Im Bodengutachten wurde fehlerhaft davon ausgegangen, dass „Schwierigkeiten infolge Grundwasser nicht zu erwarten" seien und das Eindringen von Niederschlagwasser durch eine sorgfältige Verfüllung und Verdichtung der Arbeitsräume verhindert werden könne. Entsprechend dem Bodengutachten plante der Architekt keine Feuchtigkeitsabdichtung, wie sie auf Grund des vorhandenen bindigen Baugrundes und des zu erwartenden Schichtenwassers und anstauenden Niederschlagwassers erforderlich war.

Entscheidung

Nach der Entscheidung des Bundesgerichtshofs hafteten Architekt und Bodengutachter dem Bauherrn als Gesamtschuldner. Der Bodengutachter hätte im Gutachten darauf hinweisen müssen, dass infolge des Baugrundes mit Sicherheit zeitweise drückendes Wasser zu erwarten war. Der Architekt hätte unabhängig davon, auf Grund seines allgemeinen Kenntnis- und Erfahrungsstandes bei den im Bodengutachten beschriebenen Bodenverhältnissen, mit drückendem Wasser rechnen müssen. Dem Bauherrn war weder das Verschulden des Bodengutachters noch des Architekten zuzurechnen. Der vom Bauherrn beauftragte Sonderfachmann ist regelmäßig nicht Erfüllungsgehilfe des Bauherrn im Verhältnis zum Architekten und umgekehrt.

BGH, Urteil vom 10.7.2003 – VII ZR 329/02 – BauR 2003, 1918

Dementsprechend vertraten auch das OLG Stuttgart (Urteil vom 20.6.2002 – 2 U 209/01 – BauR 2003, 1062) sowie das OLG Karlsruhe (Urteil vom 27.2.2002 – 7 U 134/00 – BauR 2002, 1884) die Ansicht, dass sich der bauleitende Architekt gegenüber dem Bauherrn nicht auf eine fehlerhafte Vorleistung des Statikers berufen könne. Es ist nach den genannten Entscheidungen die eigentliche Aufgabe des bauleitenden Architekten, erkennbare planerische Fehler anderer Baubeteiligter zu erkennen und drohende Bauwerksmängel zu verhindern.

In gleicher Weise ging das OLG Karlsruhe in nachfolgender Entscheidung davon aus, dass der Objektüberwacher sich nicht auf ein Mitverschulden des planenden Architekten berufen kann.

Fall

Der Generalplaner eines Bauvorhabens übertrug die Leistungsphasen 1 bis 4 nach § 15 HOAI einerseits und Leistungen entsprechend Leistungsphasen 5 bis 9 nach. § 15 HOAI andererseits an Subunternehmer. Die Genehmigungsplanung war mangelhaft, da das Gefälle einer Rampe nicht hinreichend berücksichtigt war, eine höhenmäßige Einordnung fehlte und die Planung ohne konkrete Höhenangabe erfolgte. Der bauleitende Architekt unterließ es, die Genehmigungsplanung auf ihre Richtigkeit zu überprüfen, und ließ das Bauvorhaben entsprechend der fehlerhaften Planung errichten. Der Generalplaner nahm wegen der entstandenen Baumängel den Bauüberwacher in Anspruch.

Entscheidung

Nach der Entscheidung des OLG Karlsruhe haftete der die Bauaufsicht führende Architekt auf vollen Schadensersatz, da er die ihm übergebene Planung nicht überprüft hatte. Auf das Verschulden des Planers konnte sich der Bauüberwacher nicht berufen. Nach Ansicht des OLG Karlsruhe ist der planende Architekt nicht Erfüllungsgehilfe des Auftraggebers, da keine Verpflichtung des Auftraggebers bestehe, dem bauleitenden Architekten mangelfreie Pläne zur Verfügung zu stellen. Vielmehr ist es Aufgabe des bauleitenden Architekten, für die mangelfreie Errichtung des Bauwerks zu sorgen und die ihm übergebenen Pläne auf ihre Richtigkeit zu prüfen.

OLG Karlsruhe, Urteil vom 12.8.2003 – 17 U 188/02 – BauR 2003, 1921

Ähnlich konnte sich nach einer Entscheidung des OLG Hamm (Urteil vom 20.6. 1999 – 21U 115/98 – BauR 2000, 293) der Tragwerksplaner gegenüber dem Bauherrn nicht auf Unklarheiten in der Ausführungsplanung des Architekten berufen. Dem entspricht schließlich nachfolgende Entscheidung des OLG Hamm.

Trifft sowohl den planenden Architekten als auch den vom Bauherrn beauftragten Vermessungsingenieur der Vorwurf fehlerhaften Verhaltens, weil Abstandsflächen des Bauwerks zum Nachbargrundstück nicht eingehalten sind, so muss sich der Bauherr nicht das Fehlverhalten des Vermessungsingenieurs zurechnen lassen. Der Vermessungsingenieur ist nicht Erfüllungsgehilfe des Bauherrn, der Schadensersatzanspruch des Bauherrn gegen den planenden Architekten ist nicht nach § 254 BGB zu mindern.

OLG Hamm, Urteil vom 26.11.1999 – 25 U 56/99 – BauR 2000, 918

Dagegen hat das OLG Düsseldorf (Urteil vom 12.5.2000 – 22 U 191/99 – BauR 2001, 277) den vom Bauherrn beauftragte Statiker als dessen Erfüllungsgehilfen angesehen mit der Folge, dass sich der Bauherr dessen Verschulden zurechnen lassen musste.

319 Nicht in Betracht kommt ein Gesamtschuldverhältnis von Architekt und Sonderfachmann, wenn letzterer nur als Subunternehmer des Architekten tätig wird. Ist z.B. der Architekt auch mit der Erstellung der Statik beauftragt und schaltet er zur Erfüllung seiner eigenen Verpflichtung einen Statiker als Subunternehmer ein, so haftet dem Bauherrn für Fehler der Statik allein der Architekt, der Statiker wiederum haftet allein gegenüber dem Architekten.

Soweit ein Gesamtschuldverhältnis zwischen Architekt und Sonderfachmann vorliegt, kann der vom Bauherrn in Anspruch genommene Gesamtschuldner Ausgleich entsprechend § 426 BGB verlangen, wenn er an den Bauherrn mehr geleistet hat, als seiner internen Haftungsquote im Verhältnis der Gesamtschuldner entspricht.

Zu Verjährungsfragen, insbesondere zur Unabhängigkeit der Verjährung des Ausgleichsanspruchs eines Gesamtschuldners nach § 426 Abs. 1 BGB von der Verjährung der nach § 426 Abs. 2 BGB auf ihn übergegangenen Mängelrechte des Auftraggebers vgl. Rdn. 314.; vgl. im Übrigen Kleine-Möller/Merl, Handbuch des privaten Baurechts, 3. Aufl., Rdn. 1003 f.

10.6 Mangelverursachung durch Planer und Bauüberwacher

320 Liegen Planung und Bauüberwachung in verschiedenen Händen, so stellt sich die Frage nach der Haftung des Planers und des Bauüberwachers, wenn beide zum Entstehen desselben Mangels beigetragen haben, insbesondere ob der überwachende Architekt dem Bauherrn ein Mitverschulden des planenden Architekten entgegenhalten kann.

Praxisbeispiel

Die Ausführungspläne des Architekten A sind fehlerhaft. Die Bauüberwachung ist dem Architekten B übertragen, der den Planungsfehler nicht bemerkt. Daher wird das Bauwerk entsprechend der fehlerhaften Planung ausgeführt mit der Folge von Bauschäden.

In den bisher vorliegenden Entscheidungen mehrerer Oberlandesgerichte (OLG Stuttgart, BauR 2003, 1062, 1063; OLG Bamberg NJW-RR 1992, 91; OLG Köln BauR 1997, 505 = NJW-RR 1997, 597 sowie OLG Düsseldorf, BauR 1998, 583 = NJW-RR 1998, 741) wird davon ausgegangen, dass der Bauherr den Bauüberwacher auf vollen Schadensausgleich in Anspruch nehmen kann, wenn dem Bauüberwacher fehlerhafte Pläne zur Ausführung übergeben wurden. Dies wurde damit begründet, dass es gerade Aufgabe des Bauüberwachers sei, ihm übergebene Pläne vor Ausführung auf ihre Richtigkeit zu überprüfen

In der Rechtsliteratur wird dagegen der gegenteilige Standpunkt vertreten. Danach ist der vom Architekten/Ingenieur verursachte Planungsfehler dem Bauherrn im Verhältnis zum Bauüberwacher zuzurechnen. Der Bauüberwacher kann sich nach dieser Meinung zu seiner Entlastung auf den Planungsfehler berufen und haftet in aller Regel dem Bauherrn nicht in voller Höhe auf Schadensersatz, sondern nur anteilig entsprechend seinem Verursachungs- und Verschuldensanteil (vgl. Locher/Koeble/Frick, HOAI, § 1 I Rdn. 112/122; Löffelmann/Fleischmann, HOAI, Rdn.

553; Werner/Pastor, Bauprozess, Rdn. 1975; Kleine-Möller/Merl, Handbuch des privaten Baurechts, § 12 Rdn. 1010). Diese Ansicht ist allerdings durch die oben behandelten Entscheidungen des BGH vom 10.7.2003 (VII ZR 329/02 – BauR 2003, 1918) in Frage gestellt.

321 Geht man davon aus, dass sich der Bauüberwacher zu seiner Entlastung nicht auf Fehler der ihm übergebenen Planung berufen kann, so führt dies notwendigerweise zu einem Gesamtschuldverhältnis zwischen planendem und überwachendem Architekten in voller Höhe des Schadens. Für das sich daraus ergebende Ausgleichsverhältnis nach § 426 Abs. 1 BGB ist der jeweilige Mitverursachungs- und Mitverschuldensanteil zu berücksichtigen. Dabei ist zu berücksichtigen, dass einerseits der planende Architekten den Ausgangsfehler gesetzt hat, andererseits dem überwachenden Architekten gerade deshalb eine erhöhte Sorgfaltspflicht obliegt, weil er die Planung nicht selbst gefertigt hat (BGH, Urteil vom 9.11.2000 – VII ZR 363/99 – BauR 2001, 273; Urteil vom 6.7.2000 – VII ZR 82/98 – BauR 2000, 1513). Der jeweilige Haftungsanteil ergibt sich aus der Abwägung der von Planer und Bauüberwacher zu verantwortenden Mangelursachen und des die Beteiligten treffenden Schuldvorwurfs.

Zu Verjährungsfragen, insbesondere zur Unabhängigkeit der Verjährung des Ausgleichsanspruchs eines Gesamtschuldners nach § 426 Abs. 1 BGB von der Verjährung der nach § 426 Abs. 2 BGB auf ihn übergegangenen Mängelrechte des Auftraggebers vgl. Rdn. 314; vgl. im Übrigen Kleine-Möller/Merl, Handbuch des privaten Baurechts, 3. Aufl., Rdn. 1003 f.

11 Mitverantwortung des Auftraggebers, Sowieso-Kosten, Vorteilsausgleich

11.1 Mitverantwortung des Auftraggebers

322

Trägt der Auftraggeber zum Entstehen eines Mangels bei, so hat er für den Mangel und die hieraus entstehenden Schäden ganz oder teilweise selbst einzustehen. Eine Mitverantwortung des Auftraggebers zur Entstehung des Mangels kann darin liegen, dass er dem Auftragnehmer eine fehlerhafte Planung vorgegeben hat, fehlerhafte sonstige Anordnungen getroffen hat oder Mängel durch unterlassene oder unzureichende Koordinierung der verschiedenen Unternehmer eingetreten sind.

Der vom Auftraggeber zu vertretende Verursachungs- und Mitverschuldensanteil ist entspr. § 254 BGB unter Abwägung der beiderseitigen Verursachungs- und Verschuldensanteile zu ermitteln und führt in der Regel dazu, dass der Auftragnehmer für Mangel und Mangelfolgen nicht in vollem Umfang, sondern zu einer Quote haftet. So muss sich der Bauherr im Verhältnis zum Architekten ein Mitverschulden bei Ausführungsfehlern eines Unternehmers anrechnen lassen, den er trotz der vom Architekten geäußerten Bedenken gegen die Fachkunde und Zuverlässigkeit des Unternehmers beauftragte (BGH, Urteil vom 11.3.1999 – VII ZR 465/97 – BauR 1999, 680).

Den Auftraggeber trifft grundsätzlich keine Verpflichtung zur Überwachung und Prüfung der Bauausführung des Auftragnehmers. Deshalb haftet der Auftragnehmer gegenüber dem Bauherrn auf vollen Schadensersatz auch dann, wenn der Architekt die ihm vom Bauherrn übertragene Bauaufsicht nicht oder nur lückenhaft vorgenommen hat. Führt der Auftraggeber jedoch auf der Grundlage der Leistungen des Auftragnehmers selbst weiterführende Bauleistungen aus, so hat er die Tauglichkeit der Vorleistung des Auftragnehmers zu prüfen.

Fall

Der Hauptunternehmer war beauftragt, eine neue Fußbodenbeschichtung aufzubringen. Er übertrug einen Teil der Arbeiten einem Subunternehmer, der den Untergrund für die neue Beschichtung vorzubereiten hatte. Da die alte Beschichtung vom Subunternehmer nicht ordnungsgemäß abgefräst worden war, kam es zu Schäden. Der Subunternehmer berief sich u.a. auf eine Mitverantwortung des Hauptunternehmers.

Entscheidung

Erbringt ein Auftraggeber auf der Leistung des von ihm beauftragten Subunternehmers eigene Bauleistungen, so verletzt er die ihm in eigenen Angelegenheiten obliegende Sorgfaltspflicht, wenn er Leistungen des Subunternehmers ungeprüft übernimmt. Hätte er bei der gebotenen Prüfung der Vorleistung den Fehler feststellen können, so trifft den Hauptunternehmer bei unterlassener Prüfung ein Mitverschulden an dem entstandenen Schaden.

BGH, Urteil vom 8.5.2003 – VII ZR 205/02 – BauR 2003, 1213

323 Eine Überprüfungspflicht hinsichtlich der Tauglichkeit der Vorleistungen des Subunternehmers kommt nicht in Betracht, wenn diesem eine besondere Sachkenntnis zukommt.

Fall

Das mit der Planung und Überwachung eines Bauvorhabens beauftragte Architekturbüro übertrug die Tragwerksplanung einem Subunternehmer. Aufgrund fehlerhafter Planung des Subunternehmers zeigten sich Bruchschäden an den Rinnenkanten von Entwässerungsrinnen einer Stahlbetonbodenplatte. Der Subunternehmer berief sich u. a. auf ein Mitverschulden des Auftraggebers, da dieser die vom Subunternehmer gelieferte Tagwerksplanung nicht auf ihre Richtigkeit überprüft habe.

Entscheidung

Nach dem Urteil des OLG Celle bestanden Kontrollpflichten des Auftraggebers (Architekturbüro) hinsichtlich der Richtigkeit der Tagwerksplanung des Subunternehmers nur im Verhältnis zum Bauherrn, nicht jedoch gegenüber dem Subunternehmer. Auf die Richtigkeit der vom Subunternehmer gelieferten Planung durfte sich der Auftraggeber nicht nur deswegen verlassen, weil der Subunternehmer über die spezielleren Fachkenntnisse verfügte, sondern weil er gerade aus diesem Grund mit der Ausführungsplanung beauftragt worden war.

Der Auftraggeber durfte sich auch darauf verlassen, dass der Subunternehmer die Einbauvorschriften bei seiner Planung berücksichtigte. Ein Verschulden des Auftraggebers wäre nach der Entscheidung des OLG Celle allerdings in Betracht gekommen, wenn der Planungsfehler des Subunternehmers offenkundig gewesen wäre.

OLG Celle, Urteil vom 29.3.2001 – 16 U 239/100 – BauR 2001, 1469

324 Beauftragt der Bauherr einen Bodengutachter, so hat sich dieser die für sein Gutachten erforderlichen Informationen selbst zu beschaffen. Unterlässt er dies, so kann er sich nicht auf ein Mitverschulden des Bauherrn berufen, auch wenn dieser bei hinreichender Sorgfalt ein Mangelrisiko selbst hätte erkennen und abwenden können. Denn es ist gerade Aufgabe des beigezogenen Bodengutachters das entsprechende Mangelrisiko zu vermeiden (OLG Köln, Urteil vom 6.3.1998 – 19 U 116/97 – BauR 1998, 812).

325 Der Auftraggeber hat für eigenes Verschulden sowie das Verschulden seiner Erfüllungsgehilfen und derjenigen Personen einzutreten, die er zu seiner Vertretung bei der Abwicklung des Bauvorhabens heranzieht. Der vom Bauherrn beauftragte Architekt ist Erfüllungsgehilfe des Bauherrn hinsichtlich seiner planenden, anordnenden und koordinierenden Tätigkeit. Planungs-, Anordnungs- und Koordinierungsfehler des Architekten werden dem Bauherrn im Verhältnis zum bauausführenden Unternehmer zugerechnet.

Prozessualer Hinweis

Ein mitwirkendes Verschulden des Auftraggebers sowie seiner Erfüllungsgehilfen ist im Prozess zu berücksichtigen, wenn eine der Parteien Tatsachen vorträgt, die auf ein Mitverschulden des Auftraggebers schließen lassen.

Der Auftragnehmer trägt die Beweislast für diejenigen Umstände, die eine Mitverantwortung des Auftraggebers begründen.

326 Erhält der Generalunternehmer vom Bauherrn Planungsunterlagen und gibt er diese an seinen Subunternehmer weiter, hat er gegenüber dem Subunternehmer für Planungsmängel selbst einzustehen (BGH, Urteil vom 23.10.1986 – VII ZR 267/85 – NJW 1987, 644). Denn er erfüllt mit der Weitergabe der Pläne eine ihm gegenüber dem Subunternehmer obliegende Pflicht, so dass er für deren Verletzung haften muss.

Allgemeine Geschäftsbedingung

Von seiner Verpflichtung, dem Auftraggeber fehlerfreie Planunterlagen zur Verfügung zu stellen, kann sich der Auftraggeber nicht durch Allgemeine Geschäftsbedingungen freizeichnen, wonach der Auftragnehmer fehlende Unterlagen selbst zu erstellen hat und aus der nicht rechtzeitigen Planvorlage sowie aus Mängeln der Planung keine Rechte ableiten kann.

BGH, Urteil vom 5.6.1997 – VII ZR 54/96 – BauR 1997, 1036

327 Eine zur Haftungsaufteilung führende Mitverantwortung des Auftraggebers besteht insbesondere in den Fällen, in denen der Mangel beruht

- auf einer fehlerhaften Planung oder auf fehlerhafte sonstige Anordnung des Auftraggebers beziehungsweise seines Architekten/Ingenieurs als auch auf einem Ausführungsfehler des Auftragnehmers (vgl. im Einzelnen Rdn. 307 f.), oder
- auf einem Planungsfehler des Architekten/Ingenieurs, wobei der Auftragnehmer seine Prüfungs- und Hinweispflicht verletzt (vgl. im Einzelnen Rdn. 311 f.).

Rechtsprechungsbeispiel

Führt die fehlerhafte Planung des Architekten zu einem Bauwerksmangel, für den der Bauunternehmer haftet, weil er seiner Prüfungs- und Hinweispflicht nicht nachgekommen ist, muss sich der Bauherr im Verhältnis zum Unternehmer das Planungsverschulden seines Architekten zurechnen lassen.

OLG Düsseldorf, Urteil v. 10.11.2000 – 22 U 78/100 – BauR 2001, 638, 642

328 Für ein Fehlverhalten des Architekten bzw. Sonderfachmanns ist der ausführende Unternehmer dann nicht verantwortlich, wenn er seiner Prüfungs- und Hinweispflicht genügt. Soweit er seiner Prüfungs- und Hinweispflicht nicht nachkommt, ist er grundsätzlich gewährleistungspflichtig, seine Mängelhaftung reduziert sich jedoch im Regelfall, im Einzelfall kann sie sogar in vollem Umfang entfallen.

> Unterlässt der Unternehmer schuldhaft den gebotenen Hinweis auf eine fehlerhafte Planung und ein fehlerhaftes Leistungsverzeichnis, so führt dies zu einer Haftungsteilung. Hierbei ist auch auf die größere Fachkenntnis eines der Beteiligten abzustellen (z. B. auf das besondere Fachwissen des vom Bauherrn beigezogenen Fachingenieurs).
>
> **OLG Celle, Urteil vom 3.7.2002 – 7 U 123/02 – BauR 2003, 730**

Dies gilt in gleicher Weise auch, wenn vom Auftraggeber gelieferte oder vorgeschriebene Stoffe oder Bauteile Ursache des Mangels sind. Kann der Auftragnehmer die Fehlerhaftigkeit erkennen, so wird er von der Mängelhaftung nur frei, wenn er den Auftraggeber rechtzeitig auf die drohenden Mängel hinweist. Dies ergibt sich für den VOB-Vertrag aus § 13 Nr. 3 VOB/B. Das gesetzliche Mängelhaftungsrecht enthält keine entsprechende Bestimmung. Aus allgemeinen Rechtsgrundsätzen werden jedoch für den BGB-Vertrag dieselben Rechtsfolgen abgeleitet, wie sie sich aus § 13 Nr. 3 VOB/B ergeben. Vgl. Rdn. 151 ff.

Trotz verletzter Prüfungs- und Hinweispflicht wird der Auftragnehmer von der Mängelhaftung frei, wenn sein Verantwortungsanteil bei der Abwägung der Mitverantwortungs- und Mitverschuldensanteile entsprechend § 254 BGB hinter dem Verantwortungsanteil des Auftraggebers derart zurücktritt, dass er nicht mehr ins Gewicht fällt und außer Acht bleiben muss. Dies kommt insbesondere bei grobfahrlässigem und vorsätzlichem Verhalten des Auftraggebers in Betracht.

329 Verbleibt es bei der Mängelhaftung des Auftragnehmers, so führt der dem Auftraggeber zuzurechnende Mitverursachungsanteil dazu, dass dieser einen Teil des Mangelschadens und der Mangelfolgeschäden selbst zu tragen hat.

Haftungsquote des Bauunternehmers bei Planungsfehler des Architekten/Ingenieurs und Verletzung der Prüfungs- und Hinweispflicht durch Unternehmer

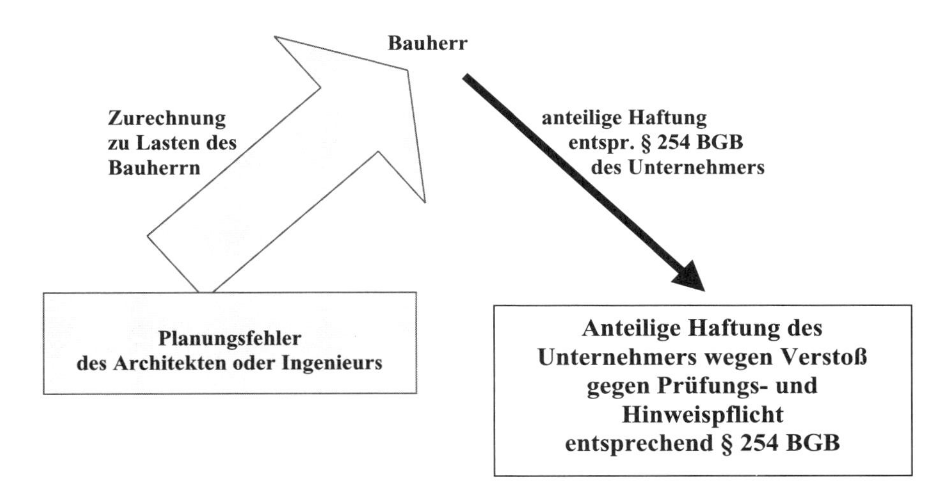

Die Mithaftungsquote des Auftraggebers bemisst sich nach den Umständen des Einzelfalles. Zu berücksichtigen ist insbesondere das vorhandene oder aufgrund des Vertrags vorauszusetzende Fachwissen der Beteiligten (vgl. OLG Celle, Urteil vom 3.7.2002 – 7 U 123/02 – BauR 2003, 730). Abzustellen ist weiterhin darauf, ob die Fehlerhaftigkeit der Planung, von Anordnungen bzw. vorgeschriebener Baustoffe offenkundig oder für den Auftragnehmer nach den von ihm zu verlangenden Fachkenntnissen leicht oder nur schwer zu erkennen war.

Nach der Rechtsprechung kann davon ausgegangen werden, dass der Auftragnehmer tendenziell einen höheren Verursachungsanteil trägt, wenn er seiner Prüfungs- und Hinweispflicht in Bezug auf fehlerhaftes Material nicht nachkommt, dagegen einen geringeren Haftungsanteil, soweit der Mangel seine Ursache in einer vom Architekten/Ingenieur fehlerhaft ausgeschriebenen Konstruktion hat und der Auftragnehmer insoweit seine Prüfungs- und Hinweispflicht verletzt.

330 Verbleibt es bei einer (reduzierten) Haftung des Auftragnehmers, so reduzieren sich Mängelansprüche des Auftraggebers, die auf einen Ausgleich in Geld gerichtet sind, entsprechend. Dies betrifft sowohl den Vorschuss- und Erstattungsanspruch bei Selbstvornahme, den Minderungsbetrag wie auch die Höhe des Schadensersatzanspruchs des Auftraggebers.

Hinsichtlich der Mangelbeseitigung verbleibt es auch bei einem dem Auftraggeber zuzurechnenden Mitverantwortungsanteil bei der Mangelbeseitigungspflicht des Auftragnehmers. Er hat jedoch Anspruch auf Vergütung seiner Nachbesserungsleistung in Höhe des den Auftraggeber treffenden Haftungsanteils. Fällig wird dieser Vergütungsanspruch erst nach Ausführung der Mangelbeseitigungsarbeiten. Der

Auftragnehmer kann bereits vor Beginn seiner Mangelbeseitigungsleistung fordern, dass der Auftraggeber Sicherheit für den zu erwartenden zusätzlichen Vergütungsanspruch stellt. Leistet der Auftraggeber nicht die geforderte Sicherheit, so kann der Auftragnehmer die Maangelbeseitigung verweigern. Bei einer Klage auf Nacherfüllung (Mangelbeseitigung) nach Abnahme ist der Auftragnehmer zur Nacherfüllung Zug-um-Zug gegen Sicherheitsleistung des Auftraggebers zu verurteilen.

331 Ohne Einfluss auf die Haftung des ausführenden Unternehmers ist es, wenn der Auftraggeber keine oder nur eine unzureichende Bauüberwachung vornimmt oder vornehmen lässt. Der ausführende Unternehmer hat keinen Anspruch auf Überwachung, er hat seine Leistung in eigener Verantwortung zu erbringen (§ 2 Nr. 1 Satz 1 VOB/B). Vgl. hierzu im Einzelnen Rdn. 307 f. Mit einem in der Praxis häufigen Sonderfall hatte sich der Bundesgerichtshof in der nachfolgenden Entscheidung zu befassen.

Leitsatz

Ein Auftraggeber, der selbst auf dem Gewerk seines Auftragnehmers aufbaut und weitere Bauleistungen erbringt, verletzt die ihm in eigenen Angelegenheiten obliegende Sorgfaltspflicht, wenn er die Leistungen dieses Auftragnehmers ungeprüft übernimmt.

Fall

Der Hauptunternehmer, der mit dem Aufbringen einer neuen Fußbodenbeschichtung beauftragt war, übertrug einen Teil der übernommenen Arbeiten an die Beklagte als Subunternehmer. Auf Vorschlag des Subunternehmers fräste dieser den Boden mit einer Großflächenfräse ab und der Kläger brachte nach anschließender Reinigung die Bodenbeschichtung auf. Die Fräsarbeiten des Subunternehmers waren nach der Feststellung des gerichtlichen Sachverständigen unzureichend ausgeführt, der alte Anstrich war nicht völlig entfernt worden. Dadurch kam es zu Schäden. Der Hauptunternehmer verlangte vom Subunternehmer Kostenvorschuss für die Mangelbeseitigung und die Feststellung der Verpflichtung des Subunternehmers zum Ersatz weitergehender Schäden. Im Rechtsstreit berief sich der Nachunternehmer u. a. auf eine Hinweispflicht des Hauptunternehmers nach § 4 Nr. 3 VOB/B.

Entscheidung

Der Einwand des Subunternehmers blieb ohne Erfolg. Nach der Entscheidung des Bundesgerichtshofs sind die Grundsätze des § 13 Nr. 3 VOB/B i. V. m. § 4 Nr. 3 VOB/B im vorliegenden Fall nicht anwendbar, auch wenn die Leistung des Subunternehmers technisch als Vorleistung für die Arbeiten des Hauptunternehmers anzusehen war. Zu prüfen war nach der Entscheidung des BGH allerdings ein Mitverschulden des Hauptunternehmers gem. § 254 Abs. 1 BGB. Ein Hauptunternehmer der mit seiner eigenen Leistung auf der Vorleistung seines Subunternehmers aufbaut, verletzt die ihm in eigenen Angelegenheiten obliegende

Sorgfaltspflicht, wenn er die Vorleistung ungeprüft übernimmt. Im vorliegenden Fall konnte allerdings eine Verletzung der Sorgfaltspflicht durch den Hauptunternehmer nicht festgestellt werden.

BGH, Urteil vom 8.5.2003 – VII ZR 205/02 – BauR 2003, 1213/1214

Fallen/Praxishinweis

Bei einem Mitverschulden des Hauptunternehmers stellt sich die Frage nach dem Umfang seiner Kostenbeteiligung. Grundsätzlich muss sich der Hauptunternehmer nicht an den Kosten beteiligen, die zur Nachbesserung der vom Subunternehmer erbrachten Vorleistung anfallen. Denn die Sorgfaltspflicht des Hauptunternehmers bezieht sich allein auf die Mangelfreiheit seines eigenen Leistungsteils. Nur insoweit könnte daher die Ersatzpflicht des Subunternehmers herabgesetzt und eine Kostenbeteiligung des Hauptunternehmers veranlasst sein.

11.2 Vorteilsausgleich

332 Ein Anspruch des Auftraggebers auf Vorschuss oder Erstattung von Mangelbeseitigungskosten, auf Minderung oder Schadensersatz reduziert sich in Höhe des Vorteilsausgleichs, wenn der Auftraggeber durch die Nacherfüllung bzw. den darauf gerichteten Schadensersatzanspruch mehr erhalten würde, als er nach dem Vertrag beanspruchen kann.

Müssen z.B. im Rahmen der Mangelbeseitigung Bauteile oder die gesamte Bauleistung neu erstellt werden, so kann sich die Frage des Vorteilsausgleichs in Form eines Abzugs „Neu für Alt“ stellen. Ein Vorteilsausgleich kommt insbesondere dann in Betracht, wenn das mangelhafte Bauwerk zwischenzeitlich ohne Beeinträchtigung genutzt wurde und durch die Neuherstellung von Teilen oder des Bauwerks im Ganzen eine erhebliche Verlängerung der Nutzungszeit eintritt, oder wennTauglichkeit und Wert des Bauwerks über das vertraglich geschuldete Maß hinaus verbessert werden.

333 Die Anrechnung solcher Vorteile zu Gunsten des haftenden Auftragnehmers kommt nicht in Betracht, wenn dies zu unbilligen Ergebnissen führt. Unbillig ist eine Anrechnung von Vorteilen dann, wenn sie auf einer vom Auftragnehmer verzögerten Mangelbeseitigung beruhen.

Verweigert z.B. der Auftragnehmer über Jahre die Mangelbeseitigung, so kann er sich nicht darauf berufen, dass durch die erforderliche Neuherstellung der Leistung eine verlängerte Nutzungsdauer eintritt. Denn der Auftragnehmer kann keinen Vorteil daraus ziehen, dass er seiner Verpflichtung zur Mangelbeseitigung nicht nachkommt (Brandenburgisches OLG, Urteil vom 11.1.2000 – 11 U 197/98 – BauR 2001, 283).

334 Theoretisch mögliche, tatsächlich aber nach der konkreten Nutzung nicht eintretende Vorteile bleiben unberücksichtigt (vgl. Oberlandesgericht Düsseldorf, Urteil vom 22.1.1994 – 21U 119/93 – NJW-RR 1994, 719, hinsichtlich einer erhöhten Wärmedämmung im Falle einer ungeheizten Kraftfahrzeughalle).

Prozessualer Hinweis

Ein Vorteilsausgleich im Rechtsstreit setzt einen entsprechenden Vortrag des Auftragnehmers voraus. Dafür, dass der Vorteilsausgleich im Einzelfall unbillig ist, ist der Auftraggeber vortrags- und beweispflichtig.

11.3 Anrechnung von Sowieso-Kosten

335 Zur Mangelbeseitigung kann es erforderlich sein, Maßnahmen durchzuführen, die im Vertrag nicht enthalten sind und vom Vertragspreis nicht erfasst werden, die jedoch von Anfang an erforderlich gewesen wären, um eine mangelfreie Leistung zu erreichen (Sowieso-Kosten, Ohnehin-Kosten). Die Kosten für solche Maßnahmen hat der Auftraggeber zu tragen bzw. dem Auftragnehmer zu erstatten.

Rechtsprechungsbeispiel

Ist der Architekt aufgrund mangelhafter Leistung zum Schadensersatz verpflichtet, so können ihm nicht diejenigen Kosten auferlegt werden, um die das Bauwerk bei ordnungsgemäßer Planung von vornherein teurer geworden wäre.

BGH, Urteil 21.12.2000 – VII ZR 488/99 – BauR 2001, 667, 669

Rechtsprechungshinweis

OLG Celle, Urteil vom 3.7.2002 – 7 U 123/02 – BauR 2003, 730

336 Der Vergütungsanspruch des Auftragnehmers ist nach der Kalkulation des Vertrags bzw. nach der Preissituation zum Zeitpunkt der ursprünglichen Auftragserteilung zu berechnen. Zugrunde zu legen ist eine zur Zeit der Vertragsausführung übliche und nach den technischen Kenntnissen zum Zeitpunkt der Entscheidung sicher und dauerhaft zur Beseitigung des Mangels führende Methode (OLG Nürnberg, Urteil vom 9.11.2000 – 4 U 2053/99 – BauR 2001, 961, 963).

337 Zahlung kann der Auftragnehmer erst dann verlangen, wenn er die Mangelbeseitigung durchgeführt hat. Bis dahin steht ihm ein Anspruch auf Sicherung seines Mehrvergütungsanspruchs zu. Der Auftraggeber hat nach Aufforderung entsprechende Sicherheit z.B. durch Bürgschaft zu leisten. Der Auftragnehmer ist zur Mangelbeseitigung Zug um Zug gegen Leistung der Sicherheit verpflichtet. Leistet der Auftraggeber die geforderte Sicherheit nicht, so kann der Auftragnehmer die Durchführung der Mangelbeseitigung verweigern (OLG Düsseldorf, Urteil vom 10.11.2000 – 22 U 78/100 – BauR 2001, 638, 643).

338 Ein Anspruch auf Erstattung von Sowieso-Kosten steht dem Auftragnehmer nicht zu, wenn er sich zu einem bestimmten Leistungserfolg ohne Rücksicht auf die hierfür erforderlichen Maßnahmen verpflichtet hat (z. B. zur schlüsselfertigen Erstellung eines Gebäudes in vermietungsfähigem Zustand) und sämtliche erforderlichen Maßnahmen durch die vereinbarte Vergütung abgegolten sein sollen. Stellt sich die vertraglich beschriebene Ausführung als unzureichend heraus, so hat der Auftragnehmer in diesem besonderen Fall sämtliche erforderlichen Leistungen ohne Zusatzvergütung zu erbringen.

Prozessualer Hinweis

Der Auftraggeber ist nicht verpflichtet, von sich aus Sowieso-Kosten zu berücksichtigen. Sowieso-Kosten sind vom Auftragnehmer darzulegen und zu beweisen.

BGH, Urteil vom 8. 5.2003 – VII ZR 407/01 – BauR 2003, 1247

12 Verjährung der Mängelrechte des Auftraggebers

12.1 Verjährungsfristen beim BGB-Vertrag vor Abnahme

339 Bis zur Schuldrechtsreform verjährten die Mängelrechte des Auftraggebers vor Abnahme innerhalb von 30 Jahren nach Fälligkeit (§ 195 BGB a.F.). Durch die Schuldrechtsreform ist die regelmäßige Verjährungsfrist erheblich verkürzt worden.

Die Rechte des Auftraggebers vor Abnahme nach §§ 280 ff. BGB bzw. §§ 323 ff. BGB verjähren gem. der Neufassung von § 195 BGB mit Ablauf von drei Jahren, beginnend mit Schluss des Jahres, in dem der Mangelanspruch entstanden ist und der Auftraggeber Kenntnis vom Mangel und dem für den Mangel verantwortlichen Auftragnehmer erlangt hat oder ohne grobe Fahrlässigkeit hätte erlangen können (§ 199 BGB). Für die Mängelrechte des Auftraggebers nach §§ 634 f. BGB ist seit 1.1.2002 die Verjährungsregelung in § 634a BGB maßgebend. Danach beträgt die Verjährungsfrist für Arbeiten an Bauwerken fünf Jahre und für Arbeiten an sonstigen Sachen zwei Jahre, jeweils beginnend mit Abnahme der Leistung durch den Auftraggeber. Der regelmäßigen Verjährungsfrist nach §§ 195 f. BGB unterliegen nur Mängelrechte aus sonstigen Leistungen (§ 634a Nr. 3 BGB). Auch wenn dem Auftraggeber die Mängelrechte aus § 634 a BGB bereits vor Abnahme zustehen (streitig, vgl. Kleine-Möller/Merl, Handbuch des privaten Baurechts, 3. Aufl., § 12 Rdn. 317 f.), so beginnt die Verjährung dieser Rechte, soweit sie Arbeiten an Bauwerken oder sonstigen Sachen betreffen, erst mit Abnahme.

12.2 Verjährungsfristen beim BGB-Vertrag nach Abnahme (Überblick)

340 Für die Verjährungsfristen nach Abnahme ist für Verträge, die bis 31.12.2001 abgeschlossen wurden, auf § 638 BGB a.F. abzustellen. Für Verträge, die ab 1.1.2002 geschlossen wurden, ist die Verjährungsregelung in § 634 a BGB anzuwenden. Soweit Forderungen aus Altverträgen am 1.1.2002 noch nicht verjährt waren, gelten Übergangsregeln. Vgl. hierzu die Erörterung der Übergangsvorschriften Rdn. 380.

341 Die Verjährungsfristen nach § 634 a BGB bzw. § 638 BGB a.F. gelten für Rechte des Auftraggebers aus mangelhafter Leistungserbringung durch den Auftragnehmer sowie für Rechte des Auftraggebers, die auf einer Pflichtverletzung des Auftragnehmers bei den Vertragsverhandlungen beruhen und zu einem Sachmangel geführt haben.

Praxisbeispiel

Der Auftragnehmer berät den Bauherrn bei Vertragsschluss über das Material, das bei der Ausführung der Arbeiten eingesetzt werden soll. Das vom Auftragnehmer empfohlene und eingebaute Material hält jedoch den Belastungen nicht stand, denen es nach dem vertraglich vorausgesetzten Gebrauch ausgesetzt sein soll. Die sich hieraus ergebenden Mängelansprüche des Bauherrn verjähren nach Abnahme gem. § 634 a BGB bzw. 638 BGB a.F.

342 Anzuwenden sind die Verjährungsfristen aus § 634 a BGB bzw. § 638 BGB a.F. auch auf unselbstständige Garantieversprechen des Auftragnehmers, die sich auf die Mangelfreiheit der Bauleistung beziehen und die Haftung des Auftragnehmers insoweit erweitern, als der Auftragnehmer Schadensersatz auch für unverschuldet verursachte Mängel zu leisten hat. Dagegen unterliegen selbstständige Garantieversprechen des Auftragnehmers (durch die der Auftragnehmer für einen Erfolg außerhalb der Leistung einstehen muss) der regelmäßigen Verjährungsfrist gem. § 195 BGB.

343 Rechte aus Mängeln von Verschleißteilen unterliegen denselben Verjährungsfristen wie Rechte aus Mängeln sonstiger Bauleistungen. Dem Verschleiß unterliegende Bauleistungen unterscheiden sich in ihren Rechtsfolgen von anderen Leistungen nicht. An sie können nur vergleichsweise geringere Anforderungen hinsichtlich der Dauer der Gebrauchstauglichkeit gestellt werden. Ist die dem Verschleiß unterliegende Leistung mangelhaft, weil sie nicht einmal die verkürzte Haltbarkeit aufweist, die nach vertraglicher Vereinbarung oder nach üblicher Beschaffenheit erwartet werden kann, führt dies zu denselben Mängelrechten und denselben Verjährungsfristen wie bei Mängeln sonstiger Leistungen.

Die Verjährungsfristen nach § 634 a BGB sowie nach § 638 BGB a.F. sind in nachfolgender Übersicht gegenübergestellt.

Verjährung der Mängelrechte	
Vertragsschluss bis 31.12. 2001	**Vertragsschluss ab 1.1.2002**
§ 638 BGB a.F. betrifft alle Mängelrechte	**§ 634 a BGB** **Rücktritt und Minderung verjähren als Gestaltungsrechte nicht,** sind jedoch nach Eintritt der Verjährung unwirksam und führen zum Leistungsverweigerungsrecht
Bauwerk = 5 Jahre Fristbeginn mit Abnahme	**Bauwerk** einschließlich Planung und Überwachung = **5 Jahre** Fristbeginn mit Abnahme
Arbeiten am **Grundstück** **= 1 Jahr** Fristbeginn mit Abnahme	Herstellung, Wartung oder Veränderung einer **sonstigen Sache** einschließlich Planung und Überwachung = **2 Jahre** Fristbeginn mit Abnahme
Sonstige Werkleistung einschließlich Herstellung beweglicher Sachen **= 6 Monate** Fristbeginn mit Abnahme	**Sonstige Werkleistung** regelmäßige Verjährungsfrist = **3 Jahre** (§ 195 BGB); Höchstfrist 10 Jahre bzw. bei Verletzung von Leben, Körper, Gesundheit, Freiheit = 30 Jahre Fristbeginn (§ 199 BGB) mit Jahresende nach Kenntnis oder grobfahrlässiger Unkenntnis von den anspruchsbegründenden Umständen und der Person des Schuldners

Die Verjährungsfristen können von den Parteien abgeändert werden. Allgemeine Geschäftsbedingungen des Auftraggebers, die ohne rechtfertigenden Grund überlange Verjährungsfristen enthalten, sind nach §§ 307 f. BGB unwirksam.

12.3 Dauer der Verjährungsfristen nach § 634 a BGB

12.3.1 Arbeiten an einem Bauwerk

344 Einer fünfjährigen Verjährungsfrist unterliegen gem. § 634a Abs. 1 Nr. 2 BGB Arbeiten an einem Bauwerk und darauf bezogene Planungs- und Überwachungsleistungen. Als Bauwerk anzusehen ist jede unbewegliche, unter Einsatz von Arbeit und Material in Verbindung mit dem Erdboden hergestellte Sache. Zur dauerhaften Verbindung des Bauwerks mit dem Erdboden reicht es aus, dass das Werk zu einem längeren Verbleib an Ort und Stelle bestimmt ist, und durch sein Gewicht oder auf Grund anderer Umstände nicht ohne weiteres entfernt werden kann; so kann z.B. durch die Anbindung von Versorgungsleitungen ein längeres Verbleiben sichergestellt sein.

Arbeiten am Bauwerk sind alle Arbeiten im Zusammenhang mit der Herstellung oder Veränderung eines Bauwerks. Es kann sich um Hoch- oder Tiefbauten, Industriebauten, Wohnbauten oder Bauwerke sonstiger Art handeln. Die Arbeiten können sich auf die Herstellung eines Bauwerks im gesamten als auch auf die Herstellung oder Veränderung von Teilen eines Bauwerks beziehen. Nicht als Arbeiten am Bauwerk sind solche Arbeiten anzusehen, die als Nebenarbeiten bei der Herstellung oder Veränderung von Bauwerken anfallen, ohne deren Substanz zu verändern, wie z.B. die Baureinigung.

Leitsatz

Unter einem Bauwerk ist eine unbewegliche, durch Verwendung von Arbeit und Material in Verbindung mit dem Erdboden hergestellte Sache zu verstehen. Erfasst sind damit nicht nur Gebäude, sondern auch andere in vergleichbarer Weise ortsfest angebrachte Sachen. Unter einem Bauwerk ist auch die Herstellung einzelner Bauteile und Bauglieder zu verstehen, und zwar unabhängig davon, ob sie als äußerlich hervortretende, körperlich abgesetzte Teile in Erscheinung treten.

BGH, Urteil vom 20.5.2003 – X ZR 57/02 – BauR 2003, 1391

Rechtsprechungshinweis

Vgl. BGH NJW 1992,1455 = BauR 1992, 269 (Containerkombination als ortsfestes Ladengeschäft)

345 Als Bauwerk wurden im Rahmen von § 638 BGB a.F behandelt und sind auch nach § 634a Abs. 1 Nr. 2 BGB zu behandeln Bauleistungen zur Herstellung folgender Anlagen,

- Gasleitungsnetz eines Energieversorgungsunternehmens (BGH BauR 1993, 219, 220),
- Gleisanlagen (BGH BauR 1972, 172),
- Flutlichtmasten einer Sportanlage (BGH NJW 1983, 567),
- Hofbefestigung aus Verbundpflaster bzw. Betonformsteinen (BGH BauR 1993, 217; 1992, 502),
- Pflaster einer Terrasse, der Garagenzufahrt und eines Wegs zwischen Haus und Garage sowie Herstellen der Hofentwässerung (OLG Düsseldorf BauR 2001, 648).

Arbeiten an bestehenden Bauwerken (Altbauten) fallen unter die fünfjährige Verjährungsfrist nach § 634 a Abs. 1 Nr. 2 BGB, wenn sie für Bestand und Nutzbarkeit des Bauwerks von wesentlicher Bedeutung sind, in die vorhandene Bausubstanz eingreifen oder Bauteile fest mit dem Bauwerk verbunden werden. **346**

Beispiele für Bauwerksarbeiten bei Altbauten (Rechtsprechung zu § 638 BGB a.F.)

- Neueindeckung von großen Dachflächen (BGH NJW 1956, 1195),
- Erneuerung der elektrischen Anlage in wesentlichen Teilen (BGH BauR 1978, 303),
- großflächig verklebte Bodenbeläge (BGH NJW 1991, 2486),
- Beschichtung einer Hausfassade zum Verschließen von Putzrissen (BGH BB 1970, 192),
- umfassende Renovierung eines Bauwerks, die zu einer wesentlich verbesserten Bausubstanz führt (BGH NJW 1993, 3195).

Bei **Wartungsarbeiten** an Bauwerken ist darauf abzustellen, ob ein Eingriff in die Substanz des Bauwerks erfolgt, insbesondere ob für das Bauwerk wesentliche Teile erneuert oder neu eingebaut werden. Wartungsarbeiten ohne Erneuerung oder Veränderung wesentlicher Bauteile sind nicht als Arbeiten am Bauwerk anzusehen. **347**

Praxisbeispiel

Keine Arbeit am Bauwerk liegt vor, wenn maschinelle Teile eines Aufzugs gereinigt oder gangbar gemacht werden. Wird jedoch die Steuerungsanlage des Lifts ersetzt, so handelt es sich um Bauwerksarbeiten.

In bestehende Gebäude eingebaute Anlagen sind als Arbeiten am Bauwerk anzusehen, wenn es sich um dauerhaft eingebaute Anlagen handelt und sie der funktionsgerechten Nutzung des Gebäudes dienen. **348**

Beispiele für Bauwerksarbeiten durch Einbau von Anlagen (Rechtsprechung zu § 638 BGB a.F.)

- Fest eingebaute Klimaanlage eines Gebäudes (BGH NJW 1974, 136),
- Einbau einer den Bestellerwünschen angepassten Einbauküche (BGH NJW-RR 1990,787),
- Einbau eines Kachelofens (OLG Koblenz, NJW-RR 1995, 655),
- Ballenpresse einer Papierentsorgungsanlage eines Verwaltungsgebäudes (BGH BauR 1987, 205),
- Hängebahn in einer Werkshalle, Steuerungsanlage der Hängebahn (BGH BauR 1997, 640).

Beispiele – keine Bauwerksarbeiten (Rechtsprechung zu § 638 BGB a. F.)

Keine Arbeiten am Bauwerk liegen vor bei
- Einbau einer mit dem Gebäude nicht fest verbundenen Kreisförderanlage (BGH BauR 1972, 379),
- Aufstellen von Maschinen mit Verankerung auf Fundamenten eines Hallenbodens (OLG Düsseldorf NJW-RR 1987, 563).

12.3.2 Werkleistungen hinsichtlich sonstiger Sachen

349 Für Arbeiten zur Herstellung, Wartung oder Veränderung sonstiger Sachen (Sachen mit Ausnahme von Bauwerken), einschließlich dafür erbrachter Planungs- und Überwachungsleistungen, beträgt die Verjährungsfrist gem. § 634a Abs. 1 Nr. 1 BGB 2 Jahre. Darunter fallen auch Arbeiten am Grundstück, also Arbeiten, die an Grund und Boden vorgenommen werden, ohne dass ein unmittelbarer Bezug zur Herstellung oder Veränderung eines Bauwerks besteht.

Beispiele

- Grundstücksdränage,
- Verlegen einer Rohrleitung in einem Grundstück ohne Verbindung mit einem Bauwerk,
- Planieren eines Grundstücks,
- Anpflanzen von Bäumen und Sträuchern.

350 Weiterhin unterliegen der zweijährigen Verjährungsfrist nach § 634 a Abs. 1 Nr. 1 BGB solche Arbeiten an Altbauten, die nicht in die vorhandene Bausubstanz eingreifen oder der Bausubstanz nichts Wesentliches hinzufügen.

Beispiele (Rechtsprechung zu § 638 BGB a.F.)

- Erneuerung eines Fassadenanstrichs als Schönheitsreparatur (OLG Celle NJW 1954, 1607),
- Fensteranstrich (BGH Sch/F Z 2.414 Bl. 106, 150),
- Anlegen eines Dachgartens (OLG München NJW-RR 1990, 917),
- Umbau einer Beleuchtungsanlage bei weitgehender Verwendung vorhandener Teile (BGH BauR 1971, 128).

12.3.3 Sonstige Werkleistungen

351 Arbeiten, die nicht auf die Herstellung einer Sache gerichtet sind, unterliegen gemäß § 634 a Abs. 1 Nr. 3 BGB der regelmäßigen Verjährungsfrist gem. § 195 BGB. Sie verjähren somit in drei Jahren, beginnend nach Schluss des Jahres, in dem der Auftraggeber Kenntnis von Mangel und Mangelverursacher erlangt oder ohne grobe Fahrlässigkeit erlangt hätte. Diese Verjährungsfrist ist z.B. anzuwenden auf einen Gutachtensauftrag über Zustand oder Wert eines Hauses, wenn das Gutachten keinen Bezug zu Bauleistungen am Gebäude hat.

12.3.4 Lieferung von Baustoffen und Bauteilen

352 Die Lieferung von Baustoffen und Bauteilen unterliegt seit 1.1.2002 den Verjährungsvorschriften des Kaufvertragsrechts. Gem. § 438 Abs. 1 Nr. 2 BGB (ggf. i. V. m. § 651 BGB) beträgt die Verjährungsfrist für Mängelansprüche fünf Jahre bei einer Sache, die entsprechend ihrer üblichen Verwendungsweise für ein Bauwerk verwendet worden ist und dessen Mangelhaftigkeit verursacht hat. Die Verjährung beginnt mit der Ablieferung der Baustoffe und Bauteile. Darauf, ob die Baustoffe und Bauteile nach besonderen Angaben des Käufers bzw. nach den Erfordernissen einer bestimmten Baustelle hergestellt sind, kommt es nicht an.

12.3.5 Allgemeine Geschäftsbedingungen

353 Allgemeine Geschäftsbedingungen des Auftraggebers mit erheblich über die Fristen des § 634 a BGB hinausgehenden Verjährungsfristen sind wirksam, wenn ein objektiv berechtigtes Interesse des Auftraggebers an der längeren Verjährungsfrist besteht.

Allgemeine Geschäftsbedingung

Die formularmäßige Vereinbarung einer Verjährungsfrist von 10 Jahren und einem Monat für Mängelansprüche bei Flachdacharbeiten ist auch in Allgemeinen Geschäftsbedingungen des Auftraggebers wirksam.

BGH, Urteil vom 9.5.1996 – VII ZR der 259/94 – BauR 1996, 707

12.4 Dauer der Verjährungsfrist nach § 638 BGB a.F.

354 Die Verjährungsregelung nach § 638 BGB a.F. findet auf die bis 31.12.2001 geschlossenen BGB-Verträge Anwendung.

Soweit es um mängelbedingte Schäden geht, fallen unter die Verjährungsfristen nach § 638 BGB a.F. nur die Schäden, für die der Auftragnehmer nach § 635 BGB

a. F. haftet, nämlich der Mangelschaden (Mangelbeseitigungskosten) und enge Mangelfolgeschäden. Auf Ansprüche aus entfernten Mangelfolgeschäden finden nicht die Verjährungsregeln nach § 638 BGB a.F. Anwendung. Der Auftragnehmer haftet hierfür vielmehr aus positiver Vertragsverletzung. Anzuwenden ist somit die Verjährungsfrist nach § 195 BGB a.F., die (bis 31.12.2001) 30 Jahre betrug. Vgl. i.E. Kleine-Möller/Merl, Handbuch des privaten Baurechts, 3. Aufl., § 12 Rdn. 668 ff.

355 Als enge Mangelfolgeschäden wurde z.B. angesehen

- Mangelbeseitigungskosten bei Planungs- oder Überwachungsfehlern des Architekten/Ingenieurs oder technischen Baubetreuers (BGH WM 1981, 683; NJW-RR 1991, 218),
- Mietentgang (BGH BauR 2003, 1900; 2003, 1391),
- Gutachtenskosten (BGH BauR 2003, 693, 695; 2002, 86),
- erhöhte Finanzierungskosten (OLG Düsseldorf BauR 2001, 1605, 1606),
- Prozesskosten, soweit Gegenstand des Rechtsstreits enge Mangelfolgeschäden sind (BGH BauR 2003, 1900).

Als entfernte Mangelfolgeschäden wurde u. a. angesehen,

- Schäden an Fußboden und Deckenbalken auf Grund mangelhafter Installationsarbeiten (OLG Bamberg BauR 1995, 394),
- Feuchtigkeitsschäden an einem im Keller gelagerten Teppichvorrat auf Grund mangelhafter Außenisolierung (BGH NJW-RR 1990, 786),
- Schäden durch falsch eingebautes Absperrventil in einem Abwasserkanal (OLG Stuttgart NJW-RR 1989, 917),
- Schäden aus einem Einbruch, der durch eine mangelhafte Überwachungsanlage ermöglicht wurde (BGH NJW 1991, 2418).

> Ob es sich bei Prozesskosten um enge oder entfernte Mangelfolgeschäden nach § 635 BGB a.F. handelt, richtet sich danach, welche Schäden im Rechtsstreit geltend gemacht werden. Enge Mangelfolgeschäden sind Prozesskosten auf Grund mangelbedingter Mietausfälle, die ihrerseits als enger Mangelfolgeschaden anzusehen sind. Dies trifft auch für solche Prozesskosten zu, die dem Endabnehmer des Auftraggebers aus einem durch den Mangel bedingten Rechtsstreit mit dem Mieter entstehen, indem z.B. der Mieter auf Grund eines Sachmangels der Mietsache eine Mietminderung geltend macht.
>
> **BGH, Urteil vom 25.9.2003 – VII ZR 357/02 – BauR 2003, 1900**

356 Ist § 638 BGB a.F. anwendbar, so ist die Dauer der Verjährungsfrist abhängig davon, ob es sich um Arbeiten an Bauwerken, Arbeiten an einem Grundstück und sonstigen Arbeiten handelt.

357 Die Definition der **Arbeiten am Bauwerk** für § 638 BGB a.F. entspricht derjenigen nach § 634 a Abs. 1 Nr. 2 BGB. Vgl. Rdn. 329 f. Die Dauer der Verjährungsfrist beträgt fünf Jahre.

Bei **Arbeiten am Grundstück** beträgt die Verjährungsfrist gem. § 638 Abs. 1 BGB a.F. ein Jahr. Unter den Sammelbegriff der Arbeiten an einem Grundstück fallen zunächst solche Leistungen, die der Auftragnehmer an Grund und Boden vornimmt, ohne dass ein Zusammenhang mit der Errichtung oder Veränderung eines Bauwerks besteht. Hinzutreten so genannte „unechte" Arbeiten am Grundstück. Insoweit handelt es sich um Arbeiten an bereits bestehenden Bauwerken, die für deren Bestand und Nutzung nicht von wesentlicher Bedeutung sind und die Substanz des Altbaus nicht wesentlich verändern. Dies betrifft insbesondere Schönheitsreparaturen. Vgl. i. E. Kleine-Möller/Merl, Handbuch des privaten Baurechts, 3. Aufl., § 12 Rdn.1119 f. **358**

Beispiele

Unechte Arbeiten am Grundstück liegen z.B. vor bei

- Erneuerung eines Fassadenanstrichs als Schönheitsreparatur (OLG Celle NJW 1954, 1607),
- Fensteranstrich (BGH Sch/F Z 2.414 Bl. 106, 150),
- Anlegen eines Dachgartens (OLG München NJW-RR 1990, 917),
- Umbau einer Beleuchtungsanlage unter weitgehender Verwendung vorhandener Teile (BGH BauR 1971, 128),
- Baureinigungsarbeiten,
- Einbau technischer Anlagen, die für die Nutzung des Bauwerks ohne wesentliche Bedeutung sind und mit dem Bauwerk nicht dauerhaft verbunden werden.

Soweit **Leistungen weder Arbeiten am Bauwerk noch Arbeiten am Grundstück** sind, unterliegen die Gewährleistungsrechte des Auftraggebers einer Verjährungsfrist von sechs Monaten. Dies betrifft insbesondere Arbeiten mit einem unkörperlichen Arbeitsergebnis (zum Beispiel Gutachten) sowie die Herstellung beweglicher Sachen, soweit diese nicht zum Einbau in ein bestimmtes Bauwerk oder für Arbeiten an einem Grundstück bestimmt sind. Die 6-monatige Verjährungsfrist ergibt sich aus § 638 Abs. 1 BGB a.F. oder – soweit ein Werklieferungsvertrag vorliegt – aus §§ 651, 638 Abs. 1 BGB a.F. bzw. aus §§ 651, 477 BGB a.F. **359**

Herstellung und Lieferung von Fertigteilen: Stellt der Auftragnehmer auf Grund konkreter Vorgaben des Auftraggebers Bauteile her, die zum Einbau in ein bestimmtes Bauwerk bestimmt sind, handelt es sich um Arbeiten an einem Bauwerk (OLG Dresden, Urteil vom 17.11.2000 – 11 U 369/00 – BauR 2001, 424). Ist der Auftragnehmer zur Lieferung serienmäßig hergestellter und auf Vorrat gehaltener Baustoffe oder Bauteile verpflichtet, so sind die Vorschriften des Kaufvertragsrechts anzuwenden, nämlich §§ 651, 438 BGB a.F. **360**

12.5 Verjährung der Mängelansprüche nach VOB/B vor Abnahme

361 Für den Zeitraum vor Abnahme enthält die VOB/B für die Mängelansprüche des Auftraggebers aus § 4 Nr. 7 VOB/B keine Verjährungsregelung. Insoweit gilt die regelmäßige Verjährungsfrist gem. § 195 f. BGB.

Leitsatz

Soweit sich Mangelbeseitigungsansprüche aus § 4 Nr. 7 VOB/B inhaltlich mit Ansprüchen aus § 13 VOB/B decken und bei Abnahme nicht erledigt sind, wandeln sie sich bei Abnahme in die entsprechenden Mangelhaftungsansprüche aus § 13 VOB/B um. Sie verjähren sodann gem. § 13 Nr. 4 VOB/B oder gem. § 13 Nr. 7 Abs. 3 VOB/B. Dies gilt nicht nur für den Mängelbeseitigungsanspruch aus § 4 Nr. 7 Satz 1 VOB/B, sondern auch für den Schadensersatzanspruch nach § 4 Nr. 7 Satz 2 VOB/B und den Anspruch auf Selbstvornahme nach § 4 Nr. 7 Satz 3 VOB/B. Für die Anwendbarkeit der Verjährungsregeln nach § 13 VOB/B ist die Abnahme grundsätzliche Voraussetzung.

BGH, Urteil vom 19.12.2002 – VII ZR 103/100 – BauR 2003, 689/691

12.6 Verjährung der Mängelansprüche nach VOB/B nach Abnahme

362 Die Verjährungsfristen für Mängelansprüche des Auftraggebers nach Abnahme ergeben sich bei wirksam und unverändert vereinbarter VOB/B aus § 13 Nr. 4 VOB/B sowie aus § 13 Nr. 7 Abs. 4 VOB/B. Die Dauer der Verjährungsfrist ist zunächst abhängig davon, welche Fassung der VOB/B dem Vertrag zu Grunde liegt und ob die Parteien im Vertrag eigenständige Verjährungsregelungen getroffen haben. Vertragliche Verjährungsfristen gehen entsprechend § 13 Nr. 4 Abs. 1 Satz 1 VOB/B den Verjährungsregeln der VOB/B vor.

363 Allgemeine Geschäftsbedingungen des Auftragnehmers, wonach die Verjährungsfristen nach § 13 Nr. 4 VOB/B gelten sollen, ohne dass im Übrigen die VOB/B vereinbart ist, sind unwirksam. Unwirksam sind auch Allgemeine Geschäftsbedingungen, die nicht sicher erkennen lassen, inwieweit die Verjährungsvorschriften der VOB/B anzuwenden sind.

Allgemeine Geschäftsbedingung

Unwirksam sind Allgemeine Geschäftsbedingungen des Auftraggebers, wonach sich die Gewährleistungsfrist „nach der VOB und darüber hinaus nach dem BGB" richtet. Denn hier bleibt unklar, welche Regeln anzuwenden sind.

OLG Celle, Urteil vom 8.2.1996 – 14 U 23/95 – BauR 1996, 711

Die Anwendung der Verjährungsfristen nach § 13 VOB/B setzt die Abnahme der Leistung voraus. **364**

Leitsatz

Für die Anwendbarkeit der Verjährungsregelungen nach § 13 VOB/B ist die Abnahme grundsätzliche Voraussetzung. Allein die Kündigung oder Teilkündigung des Vertrags begründet nicht die Anwendbarkeit der Verjährungsfristen nach § 13 VOB/B. Denn die Kündigung lässt den Erfüllungsanspruch der Vertragsparteien hinsichtlich der bis zur Kündigung entstandenen Leistungsteile regelmäßig unberührt.

BGH, Urteil vom 19.12.2002 – VII ZR 103/100 – BauR 2003, 689/691

Den Verjährungsvorschriften des § 13 Nr. 4 VOB/B unterliegen nach Abnahme auch die bereits vor Abnahme gem. § 4 Nr. 7 VOB/B entstandenen und bei Abnahme noch nicht erledigten Mängelrechte des Auftraggebers.

Einschlägig sind die Verjährungsfristen nach § 13 VOB/B für Ansprüche des Auftraggebers aus mangelhafter Leistung des Auftragnehmers, auch soweit diese auf einer Pflichtverletzung des Auftragnehmers bei den Vertragsverhandlungen beruhen. Hinsichtlich eines Verschuldens bei Vertragsschluss, wenn z.B. der Auftragnehmer bei den Vertragsverhandlungen den Auftraggeber unzutreffend über Materialeigenschaften berät, sind die Regeln der Mängelhaftung vorrangig, für die Mängelrechte des Auftraggebers gelten die Verjährungsfristen nach § 13 VOB/B. **365**

Die Verjährungsfristen nach § 13 VOB/B sind auch auf unselbstständige Garantieversprechen des Auftragnehmers anzuwenden, die sich auf die Beschaffenheit der Bauleistung beziehen. Dagegen unterliegen selbstständige Garantieversprechen des Auftragnehmers (wonach der Auftragnehmer für einen außerhalb der Leistungsqualität liegenden Erfolg haftet) der regelmäßigen Verjährungsfrist gem. § 195 BGB. **366**

Die Verjährungsfristen nach § 13 VOB/B gelten nur für Bauleistungen, nicht jedoch für Planungs- oder Überwachungsleistungen. Werden an einen Auftragnehmer in einem Vertrag sowohl Bauleistungen wie auch Planungsleistungen vergeben, so bezieht sich die vereinbarte Anwendung der VOB/B von vornherein nur auf die vereinbarten Bauleistungen. Planungsleistungen verjähren in den Fristen des § 634 a BGB.

367 Für die Dauer der Verjährungsfristen ist – soweit vertragliche Vereinbarungen fehlen – maßgebend, ob dem Vertrag die VOB/B i.d.F. 2002 oder die VOB/B i.d.F. 2000 zu Grunde liegt. Zwar halten beide Fassungen der VOB/B im Gegensatz zu § 634a BGB an der Unterscheidung zwischen Arbeiten am Bauwerk und Arbeiten am Grundstück fest. Die Verjährungsfrist für Arbeiten am Bauwerk ist jedoch in der VOB/B 2002 wesentlich länger; sie beträgt nach § 13 Nr. 4 i.d.F. 2002 vier Jahre, nach § 13 Nr. 4 i.d.F. 2000 2 Jahre. Für Arbeiten am Grundstück beträgt die Verjährungsfrist nach § 13 Nr. 4 i.d.F. 2002 zwei Jahre, nach § 13 Nr. 4 i. d. F. 2000 1 Jahr.

Verjährung der Mängelansprüche nach VOB/B i. d. F. 2002

Unmittelbare Anwendung auf den Mangelbeseitigungsanspruch, auf Ansprüche aus der Selbstvornahme und auf den Schadensersatzanspruch; mittelbare Auswirkung auf das Minderungsrecht

§ 13 Nr. 4. VOB/B 2002

Arbeiten am Bauwerk ⟹ **4 Jahre**

Arbeiten am Grundstück , vom Feuer berührte Teile von Feuerungsanlagen } ⟹ **2 Jahre**

Feuerberührte und abgasdämmende Teile von industriellen Feuerungsanlagen = 1 Jahr

Maschinelle und elektrotechnische/elektronische Anlagen oder Teile hiervon, bei denen die Wartung Einfluss auf die Sicherheit und Funktionsfähigkeit hat,

⟹ **4 Jahre oder** bei Arbeiten am Grundstück **2 Jahre,**

wenn sich der Auftraggeber entschieden hat, dem Auftragnehmer die Wartung für die Dauer der Verjährungsfrist nicht zu übertragen ⟹ **2 Jahre**

Gesetzliche Verjährungsfristen, soweit sich der Auftragnehmer durch Versicherung seiner gesetzlichen Haftpflicht gegen einen Schaden versichert hat oder hätte schützen können, oder soweit ein besonderer Versicherungsschutz vereinbart ist. - § 13 Nr. 7 VOB/B

Die Verjährungsfristen der VOB/B in der Fassung von 2000 bleiben erheblich hinter den Verjährungsfristen der VOB/B 2002 zurück. Nach § 13 Nr. 4 VOB/B i. d. F. 2000 beträgt die Verjährungsfrist für Bauwerke 2 Jahre und für Arbeiten an einem Grundstück ein Jahr. Auch die übrigen Verjährungsfristen sind erheblich kürzer. **368**

Verjährung der Mängelansprüche nach VOB/B i. d. F. 2000

Anwendung auf alle Mängelrechte

§ 13 Nr. 4. VOB/B 2000

Arbeiten am Bauwerk und Holzerkrankungen ⇒ **2 Jahre**

Arbeiten am Grundstück , ⇒ **1 Jahr**
vom Feuer berührte Teile von Feuerungsanlagen ⇒ **1 Jahr**

Maschinelle und elektrotechnische/elektronische Anlagen oder Teile hiervon, bei denen die Wartung Einfluss auf die Sicherheit und Funktionsfähigkeit hat,

⇒ **2 Jahre** oder bei Grundstücksarbeiten **1 Jahr,**

wenn sich der Auftraggeber entschieden hat, dem Auftragnehmer die Wartung für die Dauer der Verjährungsfrist nicht zu übertragen ⇒ **1 Jahr**

Gesetzliche Verjährungsfristen, soweit sich der Auftragnehmer durch Versicherung seiner gesetzlichen Haftpflicht gegen einen Schaden versichert hat oder hätte schützen können, oder soweit ein besonderer Versicherungsschutz vereinbart ist. - § 13 Nr. 7 VOB/B

Die Definition der **Arbeiten am Bauwerk** entspricht in jeder Fassung der VOB/B der Definition zu § 634 Abs. 1 Nr. 2 BGB. Daher wird auf die Ausführungen zu § 634 a BGB verwiesen, vgl. Rdn. 329 f. Hinsichtlich der Definition der Arbeiten am Grundstück wird auf die entsprechende Begriffsbestimmung zu § 638 BGB a.F. verwiesen, vgl. Rdn. 340. **369**

370 Für **Holzerkrankungen** enthielt die VOB/B i.d.F. 2000 in § 13 Nr. 4 Abs. 1 eine eigene Verjährungsfrist (von zwei Jahren). Dagegen ist in § 13 Nr. 4 VOB/B i. d. F. 2002 keine eigenständige Verjährungsfrist für Holzerkrankungen vorgesehen. Entsprechende Mängelrechte verjähren je nachdem, ob die Holzteile bei Bauwerksarbeiten oder bei Arbeiten an einem Grundstück verwendet wurden, in vier oder zwei Jahren. Vgl. hierzu Kleine-Möller/Merl, Handbuch des privaten Baurechts, 3. Aufl., § 12 Rdn. 132 f.

371 Für die vom **Feuer berührten Teile von Feuerungsanlagen** beträgt die Verjährungsfrist nach der VOB/B i.d.F. 2002 grundsätzlich 2 Jahre, wobei jedoch die Verjährungsfrist für feuerberührte und abgasdämmende Teile von industriellen Feuerungsanlagen auf ein Jahr reduziert ist (§ 13 Nr. 4 Abs. 1 Satz 1, Satz 2 VOB/B). Nach der VOB/B i.d.F. 2000 beträgt die Verjährungsfrist für Mängelrechte bei Mängeln an den vom Feuer berührten Teilen von Feuerungsanlagen ausnahmslos ein Jahr.

Diese Verjährungsfristen gelten nur für die jeweils unmittelbar feuerberührten oder abgasdämmenden Teile der Feuerungsanlagen, nicht für sonstige Anlagenteile. Für diese gilt die Verjährungsfrist für Arbeiten am Bauwerk. Vgl. im Einzelnen Kleine-Möller/Merl, Handbuch des privaten Baurechts, 3. Aufl., § 12 Rdn. 1134, 1135.

372 Bei **maschinellen und elektrotechnischen bzw. elektronischen Anlagen** oder Teilen hiervon, bei denen die Wartung Einfluss auf Sicherheit und Funktionsfähigkeit hat, beträgt die Verjährungsfrist abweichend von der Regelfrist nur 2 Jahre bei Geltung der VOB/B i.d.F. 2002 bzw. nur ein Jahr bei Geltung der VOB/B i.d.F. 2000, wenn sich der Auftraggeber entschieden hat, dem Auftragnehmer nicht die Wartung für die Dauer der Verjährungsfrist zu übertragen. Hier steht in Streit, ob das erforderliche Wartungsangebot des Auftraggebers bereits bei Abschluss des Bauvertrags vorliegen muss oder vom Auftragnehmer noch bis zur Abnahme der Arbeiten des Hauptvertrags vorgelegt werden kann. Vgl. im Einzelnen Kleine-Möller/Merl, Handbuch des privaten Baurechts, 3. Aufl., § 12 Rdn. 1136 f.

12.7 Verjährungsfristen für Verträge mit verschiedenen Leistungen

373 Werden dem Auftraggeber durch einen Vertrag verschiedene Leistungen übertragen, so gilt eine einheitliche Verjährungsfrist, wenn sämtliche Leistungen sachlich zusammengehören und einem einheitlichen Zweck dienen. Dies kommt z.B. in Betracht, wenn im Rahmen umfangreicher Bauwerksarbeiten auch Schönheitsreparaturen durchgeführt werden. Insoweit gilt für sämtliche Arbeiten die für Arbeiten am Bauwerk geltende Verjährungsfrist (BGH, Urteil vom 8.3.1973 – VII ZR 43/71 – BauR 1973, 246; Kapellmann/Messerschmidt/Weyer, VOB/B, § 13 Rdn. 124; Kleine-Möller/Merl, Handbuch des privaten Baurechts, 3. Aufl., § 12 Rdn. 1154). Werden dagegen in einem Vertrag Arbeiten vergeben, die bei natürlicher Betrachtungsweise nicht miteinander in Verbindung stehen, z.B. Dachdeckerarbeiten und Gartenarbeiten, so ist die Dauer der Verjährungsfrist für die verschiedenen Leistungsbereiche gesondert zu ermitteln.

Nach diesen Gesichtspunkten hatte das OLG Düsseldorf zu entscheiden, ob die Anlage eines Gartens bei der Errichtung eines Einfamilienhauses als Arbeit am Bauwerk anzusehen ist.

Fall

Dem Auftragnehmer war in Zusammenhang mit der Errichtung eines Einfamilienhauses die Pflasterung einer Terrasse, der Garagenzufahrt und des Weges zwischen Haus und Garage, die Herstellung einer Hofentwässerung und die Anlage des Gartens übertragen. Als der Auftragnehmer wegen Mängeln in Anspruch genommen wurde, wandte er Verjährung ein.

Entscheidung

Das OLG Düsseldorf sah die Pflasterung der Terrasse sowie der Garagenzufahrt als Arbeit am Bauwerk an, da sie der erstmaligen Herstellung des Einfamilienhauses dienten und nach der Art der Arbeiten verdeckte Mängel erst nach längerer Zeit hervortreten. Dem Gesetzeszweck entspreche es, so die Entscheidung, für derartige Arbeiten eine längere Verjährungsfrist, nämlich diejenige für Bauwerksarbeiten vorzusehen.

Die Verjährungsfrist für Bauwerke gelte aber auch für die Anlage des Gartens. Zwar handle es sich bei diesen Arbeiten, wenn sie als technisch und wirtschaftlich selbständige Leistungen im Rahmen eines gesonderten und allein darauf abgestellten Vertrags vergeben werden, um Arbeiten am Grundstück mit der entsprechend kürzeren Verjährungsfrist. Träfen solche Leistungen jedoch in einem einheitlichen Vertrag mit Arbeiten am Bauwerk zusammen, so sind sie nach der Entscheidung des OLG Düsseldorf mit diesen Leistungen technisch und wirtschaftlich verbunden mit der Folge, dass für sämtliche Leistungen die längere Verjährungsfrist für Bauwerke gilt.

OLG Düsseldorf, Urteil vom 12.5.2000 – 22 U 194/99 – BauR 2001, 648

Fallen/Praxishinweis

Grundsätzlich ist dem OLG Düsseldorf darin zu folgen, dass zusammengehörende Leistungen eines Vertrags einer einheitliche Verjährungsfrist unterliegen. Ob dies auch hinsichtlich der im konkreten Fall neben Bauwerksleistungen beauftragten Gartenarbeiten zutrifft, erscheint jedoch fraglich. Hier besteht nur ein äußerer Zusammenhang mit Bauwerksarbeiten. Für die Praxis ist zu empfehlen, das Problem der Verjährungsfrist bei verschiedenartigen und in einem Vertrag zusammengefassten Leistungen ausdrücklich zu regeln oder der Sache nach nicht zusammengehörende Leistungen in getrennten Verträgen zu beauftragen.

12.8 Verjährungsfrist bei arglistig verschwiegenen Mängeln/Organisationsverschulden

374 Verschweigt der Auftragnehmer bei Abnahme arglistig Mängel, so stellen die Verjährungsfristen gem. § 634 a Abs. 1 BGB und § 13 Nr. 4 VOB/B bzw. die im Vertrag vereinbarten Verjährungsfristen nur Mindestfristen dar. Nach § 634 a Abs. 3 BGB, der insoweit entsprechend für den VOB-Vertrag gilt, sind die Vorschriften der §§ 195 f. BGB ergänzend anzuwenden, soweit sie zu einer längeren Verjährungszeit führen. Die Mindestfrist der Verjährung beträgt gem. § 195 BGB seit 1.1.2002 drei Jahre. Sie beginnt gem. § 199 BGB mit Schluss des Kalenderjahrs, in dem der Auftraggeber vom Mangel und dem verantwortlichen Mangelverursacher Kenntnis erlangt oder ohne grobe Fahrlässigkeit Kenntnis erlangt hätte. Bis zum 31.12.2001 betrug die Verjährungsfrist für arglistig verschwiegene Mängel nach § 195 BGB a.F. 30 Jahre.

Der Auftragnehmer verschweigt Mängel arglistig, wenn er bei Abnahme das Nichtvorliegen eines Mangels vorspiegelt oder Mängel pflichtwidrig nicht offenbart. Die Absicht, den Auftraggeber zu schädigen, ist nicht erforderlich.

Beispiel

Errichtet der Auftragnehmer ein Gebäude bewusst planwidrig und entgegen dem Hinweis der Baubehörde ohne Abdichtung im Kellerbereich, so ist das Verschweigen dieses Mangels auch dann arglistig, wenn er darauf vertraut, dass keine Wasserschäden auftreten.

BGH, Urteil vom 5.12.1985 – VII ZR 5/85 – NJW 1986, 980

375 Voraussetzung ist im Ausgangspunkt, dass der Auftragnehmer den Mangel bei Abnahme kennt oder mit dem Bestehen des Mangels rechnet; nachträgliche Mängelkenntnis steht dem nicht gleich. Erhält der Auftragnehmer nach Abnahme Kenntnis von einem bis dahin unerkannten Mangel, so ist dies ohne Auswirkung auf die Verjährungsfrist.

Ein Hinweis des Auftragnehmers ist auch dann geboten, wenn der Auftraggeber bei Abnahme zwar Kenntnis vom Mangel hat, die Bedeutung des Mangels jedoch offensichtlich falsch einschätzt.

Ein arglistiges Verhalten liegt entsprechend nachfolgender Entscheidung des OLG Köln bereits darin, wenn der Auftragnehmer eine mangelhafte Leistung bewusst in Kauf nimmt, wenn er z.B. nicht über die für die Ausführung des Vertrags erforderliche Sachkunde verfügt.

Leitsatz

Der Auftragnehmer, der entgegen der eindeutig erkennbaren Erwartung des Auftraggebers nicht die für die ordnungsgemäße Erbringung der beauftragten Leistung nötigen Kenntnisse hat und dies verschweigt, handelt arglistig. Der Auftragnehmer nimmt nämlich bewusst in Kauf, dem Auftraggeber eine Leistung zur Abnahme anzubieten, deren Mangelhaftigkeit oder Mangelfreiheit er nicht sicher beurteilen kann. Damit handelt er arglistig. Ob der Auftragnehmer bei Abnahme subjektiv davon ausgeht, er habe die Leistung trotz fehlender Fachkunde fehlerfrei ausgeführt, ist unerheblich.

OLG Köln, Urteil vom 15.12.2000 – 11 U 61/00 – BauR 2001, 1271, 1272

376 Dem Auftragnehmer wird das Wissen seiner Vertreter sowie derjenigen Mitarbeiter zugerechnet, die mit der Durchführung der Abnahme beauftragt sind. Dem Auftragnehmer wird die Kenntnis seiner Subunternehmer als eigene Kenntnis zugerechnet, wenn er diesen die Ausführung der Leistung überlässt, ohne sie zu überwachen.

Fall

Der Hauptunternehmer setzt bei Innenputzarbeiten einen Subunternehmer ein, der den Innenputz entgegen DIN 18550 ohne Spritzbewurf ausführt. Nach Ablauf der Verjährungsfrist nach § 634 a BGB platzt der Innenputz ab. Der Auftraggeber nimmt den Hauptunternehmer (als seinen Vertragspartner) in Anspruch. Dieser beruft sich auf Verjährung.

Entscheidung

Der Hauptunternehmer kann sich nicht auf den Ablauf der Verjährungsfrist berufen, wenn er nicht einen zuverlässigen und nach seiner Fachkenntnis geeigneten Bauleiter zur Überwachung des Subunternehmers eingesetzt hat.

OLG Hamm, Urteil vom 9.10.1998 – 12 U 99/97 – BauR 1999, 767

Das Verschulden von Lieferanten hat sich der Auftragnehmer dann zurechnen zu lassen, wenn sie ausnahmsweise seine Erfüllungsgehilfen sind. Dies ist der Fall, wenn auf besondere Anweisung bzw. Angaben des Auftragnehmers hergestellte Bauteile geliefert werden. Dagegen sind die Lieferanten keine Erfüllungsgehilfen, soweit es sich um die Lieferung serienmäßig hergestellter Stoffe oder Bauteile handelt, die nicht speziell für die fragliche Baustelle hergestellt wurden (vgl. OLG Stuttgart, Urteil vom 9.10.1996 – 1 U 32/95 – BauR 1997, 317).

377 Einem arglistigen Verhalten des Auftragnehmers steht es gleich, wenn er sich hinsichtlich der Mängelkenntnis blind stellt, zum Beispiel nicht die organisatorischen Leistungen schafft, um bei Abnahme sachgerecht beurteilen zu können, ob seine durch Mitarbeiter oder Subunternehmer hergestellte Leistung mangelfrei ist (Organisationsverschulden). Ist dem Auftragnehmer ein Mangel infolge unzureichender Überwachung der durch Mitarbeiter durchgeführten Arbeiten unbekannt geblieben, so ist er so zu stellen, als wäre ihm der Mangel bei Abnahme bekannt gewesen. Überträgt der Auftragnehmer die beauftragten Arbeiten einem Subunternehmer, muss er sich dessen fehlende Eigenüberwachung zurechnen lassen (OLG Stuttgart, Urteil vom 9.10.1996 – 1 U 32/95 – BauR 1997, 317).

Fall

Vom Auftragnehmer war ein Bauwerk aus Spannbeton-Fertigteilen errichtet worden. Ca. 20 Jahre nach Abnahme stürzte ein Teil des Daches ein. Teile des Tragwerks waren nicht ausreichend auf Konsolen aufgelagert, die in die Tragwerksbalken eingelassenen Schlaufen erfassten die aus den Konsolen herausstehenden Dorne nicht.

Entscheidung

Aus Art und Umfang der Mängel war ersichtlich, dass der Auftragnehmer die Überwachung der Arbeiten nicht ordnungsgemäß organisiert hatte. Es handelte sich um besonders auffällige Mängel, die für die Stabilität des Daches von wesentlicher Bedeutung waren. Da sie bei ordnungsgemäßer Überwachung der Herstellung entdeckt worden wären, haftete der Auftragnehmer wie bei arglistig verschwiegenem Mangel.

BGH, Urteil vom 12.3.1992 – VII ZR 5/91 – BauR 1992, 500

Rechtsprechungshinweise

Vgl. OLG Jena, Urteil vom 27.2.2001 – 5 U 766/00 – BauR 2001, 1124; OLG Stuttgart, Urt. vom 9.10.1996 – 1 U 32/95 – BauR 1997, 317; OLG Köln, Urteil vom 1.7.1994 – 11 U 29/94 – NJW-RR 1995, 180, 181; OLG Oldenburg, Urteil vom 15.12.1993 – 2 U 147/93 – BauR 1995, 105.

378 Die Darlegungs- und Beweislast für ein arglistiges Verschweigen von Mängeln bei Abnahme sowie für ein Organisationsverschulden des Auftragnehmers trifft den Auftraggeber. Ein gravierender Mangel an besonders wichtigen Teilen des Bauwerks kann ebenso den Schluss auf eine unzureichende Überwachung rechtfertigen wie eine Vielzahl augenfälliger Mängel an weniger wichtigen Bauteilen. Auch die Art des Mangels kann auf Überwachungsfehler hinweisen.

Fall

Bei Estricharbeiten wies die erbrachte Leistung über große Flächen hinweg eine zu dünne Estrichschicht auf, die Bewehrungsmatten waren nicht ordnungsgemäß verlegt, die Dämmmatten lagen zum Teil wegen des unebenen Untergrunds auf Hohlräumen; festzustellen war schließlich eine unterschiedliche Lagerung des Estrichs und eine unzureichende Verdichtung des Estrichmörtels. Der Auftragnehmer erhob die Einrede der Verjährung. Der Auftraggeber verwies darauf, dass der Auftragnehmer die Bauarbeiten ungenügend überwacht habe.

Entscheidung

Nach der Entscheidung des OLG Köln ergab sich aus der Vielzahl der Mängel der Nachweis für die fehlende oder unzureichende Überwachung der Arbeiten und damit für ein Organisationsverschulden des Auftragnehmers. Dass die Mängel nicht alle zugleich an den bei der Überprüfung geöffneten Stellen aufgetreten waren, stand dem nicht entgegen.

OLG Köln, Urteil vom 1.7.1994 – 11 U 29/94 – BauR 1995, 107

Rechtsprechungshinweis

Vgl. Brandenburgisches OLG, Urteil vom 30.6.1999 – 13 U 141/98 – BauR 1999, 1191; OLG Oldenburg, Urteil vom 15.12.1993 – 2 U 147/93 – BauR 1995, 105.

379 Sind im Rechtsstreit hinreichende Tatsachen für eine unzureichende Überwachung der Arbeiten vorgetragen und bewiesen, hat der Auftragnehmer zu seiner Entlastung die von ihm getroffenen Maßnahmen zur Beaufsichtigung des Arbeitsvorgangs darzutun und insbesondere anzugeben, welche Bauabschnitte von wem und wie überwacht wurden.

Falle/Praxishinweis

Nach der bereits voranstehend besprochenen Entscheidung des OLG Köln reicht es nicht aus, die Mitarbeiter nur in die durchzuführenden Arbeiten einzuweisen. Auch eine einmalige Qualitätskontrolle ist bei zweitägigen Arbeiten unter Einsatz von drei Arbeitern nicht ausreichend. Es bedarf mehrfacher und regelmäßiger stichprobenartiger Überprüfung dergestalt, dass der Bauleiter oder ein damit beauftragter Mitarbeiter jederzeit über den wesentlichen Stand und die Qualität der Arbeiten informiert ist.

OLG Köln, Urteil vom 1.7.1994 – 11 U 29/94 – BauR 1995, 107

Neben einer generellen Beschreibung der zur Überwachung eingerichteten Organisation ist im Rechtsstreit vom Auftragnehmer vorzutragen, wie oft die mit der Beaufsichtigung der Arbeiten beauftragten Mitarbeiter die Baustelle besucht haben und welche Bauabschnitte sie im Einzelnen überwacht haben (OLG Oldenburg, Urteil vom 15.12.1993 – 2 U 147/93 – BauR 1995, 105).

Praxishinweis

Als Beweismittel für eine ordnungsgemäße Überwachung der Arbeiten sind insbesondere Bautagebücher oder eine fotografische Dokumentation in Betracht zu ziehen.

OLG Köln, Urteil vom 1.7.1994 – 11 U 29/94 – BauR 1995, 107

Voraussetzung der Haftung des Auftragnehmers aus Organisationsverschulden ist, dass er bei ordnungsgemäßer Überwachung den Mangel rechtzeitig (vor Abnahme) hätte erkennen können. Hierfür spricht eine Vermutung. Sache des Auftragnehmers ist es, Anhaltspunkte vorzutragen und zu beweisen, die diese Vermutung im Einzelfall erschüttern.

380 Einem arglistigen Verschweigen des Mangels steht es gleich, wenn der Architekt seiner Aufklärungspflicht beim Auftreten eines Mangels nicht hinreichend nachkommt und dem Bauherrn dadurch eine mögliche Haftung des Architekten verborgen bleibt. Der Architekt schuldet dem Bauherrn die unverzügliche und umfassende Aufklärung über die Mangelursachen. Der Architekt ist verpflichtet, die Klärung der Mangelursachen selbst dann voranzutreiben, wenn eigene Planungs- oder Aufsichtsfehler in Betracht kommen. Er ist verpflichtet, dem Bauherrn Mängel der Architektenleistung zu offenbaren. Andernfalls muss er sich so behandeln lassen, als hätte er den Mangel arglistig verschwiegen.

Leitsatz

Ein Hinweis auf eine mögliche eigene Haftung obliegt dem Architekten bereits dann, wenn nicht ausgeschlossen werden kann, dass Baumängel auf einer fehlerhaften Architektenleistung beruhen. Kommt der Architekt dieser Verpflichtung nicht nach und unterlässt es der Bauherr aus diesem Grund, Mängelansprüche gegen den Architekten vor Eintritt der Verjährung geltend zu machen, so kann sich der Architekt nicht auf die eingetretene Verjährung berufen.

BGH, Urteil vom 16.3.1978 – VII ZR 145/76 – BauR 1978, 235

Rechtsprechungshinweis

Vgl. BGH, Urteil vom 1.10.1984 – VII ZR 342/83 – BauR 1985, 97.

Dies gilt entsprechend, wenn der Architekt bei Auftreten von Mängeln keine hinreichend umfassende Überprüfung vornimmt und aus diesem Grund für den Mangel ursächliche Fehler des Architekten nicht entdeckt werden (OLG Düsseldorf, Urteil vom 15.9.2000 – 22 U 35/00 – BauR 2001, 672).

12.9 Beginn der Verjährungsfristen

381

Nach § 634a Abs. 1 Nr. 1, Nr. 2 BGB sowie nach § 638 BGB a.F. beginnt die Verjährung mit Abnahme der Leistung. Dem steht ein Annahmeverzug des Auftraggebers gleich.

Bei abnahmereifer Vollendung der Leistung ist der Auftraggeber zur Abnahme verpflichtet. Allgemeine Geschäftsbedingungen, die den Verjährungsbeginn von einer Abnahme des Auftraggebers abkoppeln und hinausschieben, sind unwirksam.

Allgemeine Geschäftsbedingung

Unwirksam ist eine Allgemeine Geschäftsbedingung des Auftraggebers, wonach die Verjährung erst mit „mangelfreier Übergabe" der Leistung an den Auftragnehmer beginnt.

OLG Celle, Urteil vom 8.2.1996 – 14 U 23/95 – BauR 1996, 711

Die Abnahme kann nicht vom Verhalten eines Dritten abhängig gemacht werden, z.B. nicht von einer Mangelfreiheitsbescheinigung des Endabnehmers oder – im Subunternehmervertrag – von der Abnahme des Bauherrn gegenüber dem Hauptunternehmer.

Allgemeine Geschäftsbedingung

Unwirksam ist folgende Allgemeine Geschäftsbedingung des Hauptunternehmers im Subunternehmervertrag: „Die Gewährleistungsfrist beginnt mit der Abnahme durch den Bauherrn."

BGH, Urteil vom 18.1.2001 – VII ZR 247/98 – BauR 2001, 621

Unwirksam sind Allgemeine Geschäftsbedingungen des Auftraggebers, wonach die Verjährungsfrist erst beginnt, wenn alle Mängel ordnungsgemäß beseitigt sind. Durch eine solche Formularklausel würde der Beginn der Verjährungsfrist auf einen ungewissen Zeitpunkt verschoben. Der Auftragnehmer hat jedoch Anspruch auf Abnahme nach Fertigstellung seiner Leistung, soweit nicht wesentliche Mängel vorliegen, sodass der Beginn der Verjährung nicht von der Beseitigung aller Mängel abhängig gemacht werden kann.

382

Diese Grundsätze gelten auch für den Architekten- und Ingenieurvertrag. Die Verjährung von Mängelrechten beginnt mit Abnahme der vollendeten Architektenleistung. Maßgebend ist, dass Architekt bzw. Ingenieur sämtliche beauftragten Leistungen erbracht haben. Auf die Fertigstellung des Bauwerks ist nicht abzustellen, da der Architekt nicht das Bauwerk, sondern seinen Leistungsbeitrag zur Entstehung des Bauwerks schuldet.

Leitsatz

Der Lauf der Verjährungsfrist für die gegen den Architekten bzw. Ingenieur gerichteten Mängelrechte setzt die abnahmereife Vollendung sämtlicher geschuldeter Leistungen voraus. Ist der Architekt/Ingenieur mit der Objektbetreuung beauftragt, so ist seine Leistung erst mit Erfüllung auch dieser Leistungsphase beendet.

BGH, Urt. v. 25.2.1999 – VII ZR 190/97 – BauR 1999, 934 = NJW 1999, 2112

Rechtsprechungshinweis

Vgl. Brandenburgisches OLG, Urteil vom 11.1.2000 – 11 U 197/98 – BauR 2001, 283, 287.

Sind dem Architekten auch Leistungen aus § 15 HOAI Leistungsphase 9 (Objektbetreuung und Dokumentation) übertragen, so ist im Ergebnis der Verjährungsbeginn hinsichtlich der Architektenleistungen bis zum Ablauf der gegenüber den ausführenden Unternehmern geltenden Verjährungsfristen hinausgeschoben. Ein Anspruch auf Teilabnahme (z.B. nach erbrachter Leistungsphase 8 gem. § 15 HOAI) besteht für den Architekten/Ingenieur nur bei entsprechender vertraglicher Vereinbarung, die durch Einzelvereinbarung erfolgen muss.

Sind einem Architekten die Leistungsphasen 1–9 des § 15 Abs. 2 HOAI vollständig übertragen, kann ein Anspruch auf Teilabnahme nach erbrachter Leistungsphase 8 nach § 15 HOAI nicht durch Allgemeine Geschäftsbedingungen des Architekten/Ingenieurs begründet werden.

OLG Schleswig-Holstein , Urteil vom 6.7.2000 – 6 U 69/97 – BauR 2001, 1286; Revision vom BGH nicht angenommen

12.10 Hemmung der Verjährung

383 Ist die Verjährung gehemmt, so wird der Lauf der Verjährungsfrist angehalten, im Ergebnis verlängert sich die Verjährungsfrist um die Zeit der Hemmung.

Verlängerung der Verjährungsfrist durch Hemmung

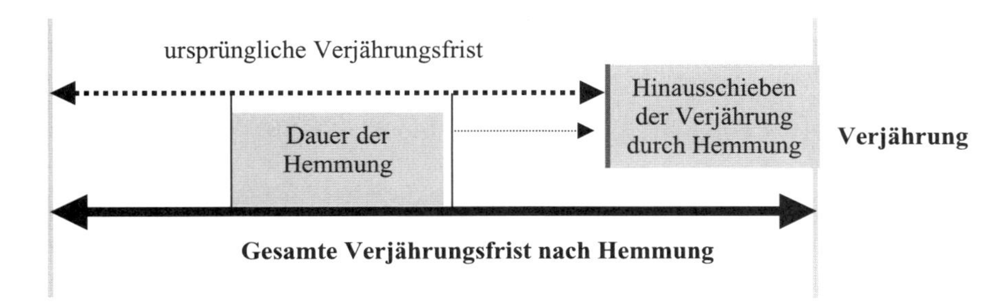

Die Verjährung wird nur hinsichtlich des Mangels gehemmt, für den der Hemmungstatbestand vorliegt, und zwar für alle aus diesem Mangel folgenden Mängelrechte. Der Ablauf der Verjährungsfrist hinsichtlich der Mängelansprüche aus anderen Mängeln bleibt davon unberührt. Für die einzelnen Mängel kann die Verjährung dadurch zu unterschiedlichen Zeitpunkten eintreten.

Bezug der Verjährungshemmung auf jeweils einzelne Mängel

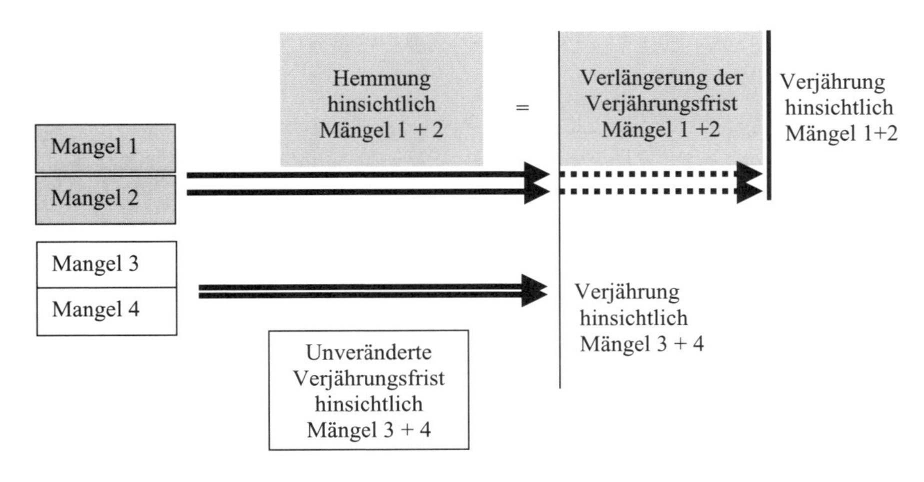

384 Wird ein Mängelrecht in einer die Verjährung hemmenden Weise geltend gemacht, so werden sämtliche aus demselben Mangel sich ergebende Mängelrechte gehemmt (§ 213 BGB). Verlangt der Kläger z. B. Minderung der Vergütung, so wird durch diese Klage auch die Verjährung hinsichtlich eines eventuellen Schadensersatzanspruchs gehemmt.

Eine Klage auf Ersatz verauslagter Kosten der Selbstvornahme hemmt die Verjährung nur hinsichtlich des eingeklagten Betrags. Dagegen hemmt die Klage auf Vorschuss die Verjährung hinsichtlich sämtlicher notwendiger Mangelbeseitigungskosten.

Leitsatz

Die Vorschussklage hemmt die Verjährung für alle Mängelansprüche aus den der Klage zu Grunde liegenden Mängeln.

OLG Hamm, Urteil vom 1.4.1998 – 12 U 146/94 – BauR 1998, 1019

Eine Hemmung kann auch hinsichtlich desselben Anspruchs mehrmals aus demselben Grund oder aus unterschiedlichen Gründen eintreten. Beweispflichtig für den Eintritt einer Verjährungshemmung ist der Auftraggeber. Ist streitig, wann die Hemmung endet, ist hierfür der Auftragnehmer beweispflichtig.

Beispiel: mehrfache Hemmung der Verjährung

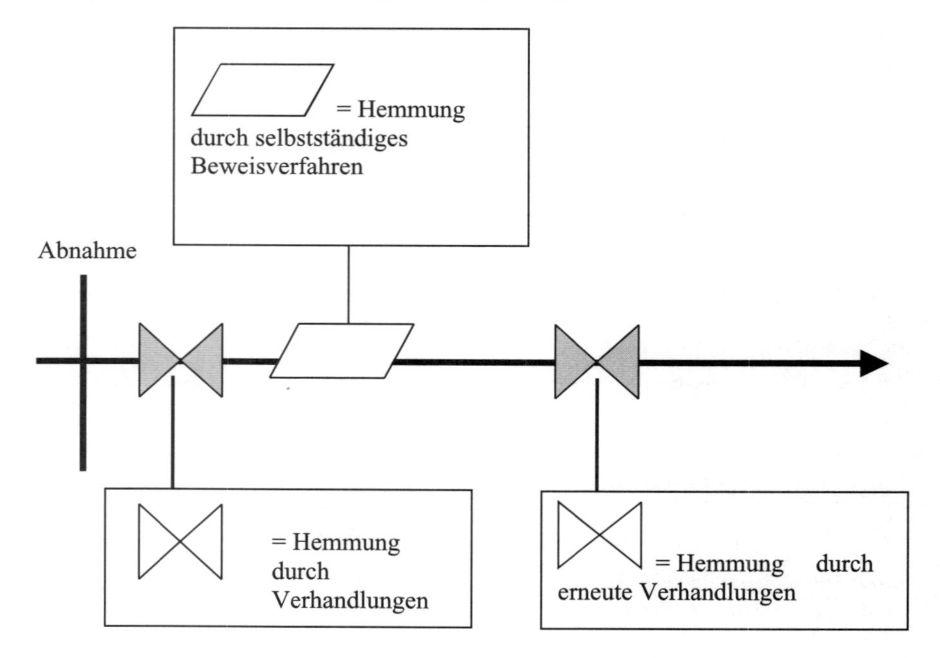

12.11 Möglichkeiten der Hemmung der Verjährung seit 1.1.2002

Gem. §§ 203 ff. BGB kann der Auftraggeber die Verjährung seiner Mängelrechte gem. §§ 203, 204 BGB u. a. hemmen, **385**

- durch Klage oder Zustellung des Mahnbescheids an den Auftragnehmer,
- durch Aufrechnung in einem mit dem Auftragnehmer geführten Prozess,
- durch Zustellung der Streitverkündung an den Auftragnehmer,
- durch Zustellung des Antrags auf Durchführung eines selbstständigen Beweisverfahrens gegen den Auftragnehmer,
- durch ein vereinbartes Begutachtungsverfahren,
- durch die Anmeldung von Mängelrechten im Insolvenzverfahren des Auftragnehmers,
- durch Einleitung des schiedsrichterlichen Verfahrens,
- durch Verhandlungen mit dem Auftragnehmer über den Anspruch oder hinsichtlich der den Anspruch begründenden Umstände.

Nachfolgend werden die für den Bauvertrag wesentlichen Hemmungsgründe behandelt, vgl. Kleine-Möller/Merl, Handbuch des privaten Baurechts, 3. Aufl., § 12 Rdn. 1179 f.

12.11.1 Hemmung der Verjährung durch Leistungs- und Feststellungsklage

Gem. § 204 Abs. 1 Nr. 1 BGB wird die Verjährung durch Erhebung der Klage des Auftraggebers auf Leistung oder Feststellung des Anspruchs gehemmt. Die Klage muss wirksam erhoben und der Kläger im Zeitpunkt der Klagezustellung Inhaber des Mängelanspruchs oder zur Prozessführung bevollmächtigt sein (§ 265 ZPO). Andernfalls beginnt die Hemmung erst dann, wenn der Kläger Inhaber des Rechts oder vom Rechtsinhaber zur Prozessführung ermächtigt wird. **386**

Falle/Praxishinweis

Eine Klage auf Minderung mit der Folge einer Verjährungshemmung kann bei Mängeln am Gemeinschaftseigentum nur durch die Wohnungseigentümergemeinschaft erhoben werden, nicht jedoch durch einzelne Wohnungseigentümer, sofern diese nicht durch die Eigentümergemeinschaft hierzu bevollmächtigt wurden.

Eine Verjährungshemmung tritt nur dann ein, wenn die Klage gegen den richtigen Schuldner gerichtet ist.

Falle/Praxishinweis

Die Verjährung von Mängelansprüchen gegen den Auftragnehmer wird nicht durch Maßnahmen gegenüber dem Bürgen des Auftragnehmers gehemmt, auch nicht durch eine Klage gegen den Gewährleistungsbürgen.

Saarländisches OLG, Urteil vom 26.9.1000 – 7 U 83/00 23 – BauR 2001, 266

Die Hemmung der Verjährung tritt auch ein, wenn die Klage unzulässig und vor einem unzuständigen Gericht erhoben ist. Die Hemmung tritt mit Erhebung der Klage ein, d.h. mit Zustellung der Klageschrift. Erfolgt die Zustellung demnächst nach Klageeinreichung, so wirkt sie auf diesen Zeitpunkt zurück (§ 270 Abs. 3 ZPO).

387 Die Hemmung der Verjährung endet sechs Monate nach der rechtskräftigen Entscheidung oder anderweitigen Beendigung (z.B. durch Klagerücknahme) des eingeleiteten Verfahrens. Gerät das Verfahren dadurch in Stillstand, dass die Parteien es nicht betreiben, endet das Verfahren mit der letzten Verfahrenshandlung der Parteien oder des Gerichts. Die Hemmung beginnt erneut, wenn und soweit eine der Parteien das Verfahren weiter betreibt. Besteht für das Untätigbleiben des Klägers ein prozesswirtschaftlich vernünftiger und für den Betrachter erkennbarer Grund, endet die Hemmung nicht, dies ist z.B. der Fall, wenn das Verfahren ruht, um einer Partei die Beschaffung von Beweisen zu ermöglichen oder wenn die Parteien zunächst den Ausgang eines Strafverfahrens abwarten.

12.11.2 Hemmung der Verjährung durch Mahnbescheid

388 Gem. § 204 Abs. 1 Nr. 3 BGB wird die Verjährung von Mängelansprüchen durch Zustellung eines Mahnbescheids gehemmt. Die Voraussetzungen des Eintritts der Hemmung sowie die Dauer der Hemmung entsprechen der Hemmung durch Klage, vgl. Rdn. 363. Die Hemmung beginnt mit Zustellung des Mahnbescheids. Erfolgt die Zustellung „demnächst“, so wirkt sie auf den Zeitpunkt der Einleitung des Antrags zurück (§ 693 Abs. 2 ZPO). Ein Mahnbescheid kann allerdings nur hinsichtlich eines Geldanspruchs beantragt werden.

Falle/Praxishinweis

Ein Mahnbescheidsantrag, den Auftragnehmer zur Nacherfüllung (Mangelbeseitigung) zu verpflichten, ist unzulässig und führt nicht zur Hemmung der Verjährung von Mängelrechten.

12.11.3 Hemmung der Verjährung durch Aufrechnung mit Mängelansprüchen im Prozess

389 Gem. § 204 Abs. 1 Nr. 5 BGB wird die Verjährung durch Aufrechnung des Anspruchs in einem gerichtlichen Verfahren gehemmt. Der Auftraggeber muss entweder im Prozess die Aufrechnung erklären oder auf eine außergerichtliche Aufrechnungserklärung Bezug nehmen. Die Aufrechnung hemmt die Verjährung auch bei prozessual unzulässiger Aufrechnung. Die Verjährung wird nur hinsichtlich des zur Aufrechnung gestellten Teils des Anspruchs gehemmt, also höchstenfalls in Höhe des Klagebetrags, gegen den aufgerechnet wird. Werden mehrere Forderungen (hilfsweise) zur Aufrechnung gestellt (z. B. auf Grund mehrerer Mängel) wird jede der zur Aufrechnung gestellten Forderungen in Höhe der Klageforderung gehemmt. Die Hemmung endet sechs Monate nach rechtskräftiger Entscheidung oder anderweitiger Beendigung des eingeleiteten Verfahrens.

12.11.4 Hemmung der Verjährung durch Zustellung der Streitverkündung

390 Gem. § 204 Abs. 1 Nr. 7 BGB wird die Verjährung gehemmt, wenn der Auftraggeber in einem gerichtlichen Verfahren (einschließlich des selbstständigen Beweisverfahrens) dem Auftragnehmer den Streit verkündet und die Streitverkündungsschrift zugestellt wird. Die Hemmung tritt gem. § 270 Abs. 3 ZPO mit Einreichen der Streitverkündung ein, wenn die Zustellung „demnächst" erfolgt. Hemmungswirkung entfaltet die entsprechend § 72 ZPO zulässige Streitverkündung und zwar im Umfang der Streitverkündung.

Falle/Praxishinweis

Im Prozess gegen einen Gesamtschuldner ist eine Streitverkündung gegen weitere Gesamtschuldner nicht zulässig, ihr kommt daher keine verjährungshemmende Wirkung zu.

Beispiel

Bei einem Ausführungsfehler des Bauunternehmers, für den auch der Architekt auf Grund eines Überwachungsfehlers haftet, sind Bauunternehmer und Architekt gegenüber dem Bauherrn Gesamtschuldner. Führt der Bauherr wegen des Mangels einen Rechtsstreit gegen den Unternehmer, so kann er in diesem Prozess dem Architekten nicht wirksam den Streit verkünden. Eine dennoch erfolgte Streitverkündung wäre wirkungslos und führt nicht zur Verjährungshemmung gegenüber dem Architekten.

Prozessualer Hinweis

Verklagt der Bauherr einen Bauunternehmer, weil er seiner Prüfungs- und Hinweispflicht hinsichtlich eines Planungsfehlers des Architekten nicht nachgekommen ist, ist eine wirksame Streitverkündung an den Architekten möglich. Da der Bauunternehmer dem Bauherrn das Planungsverschulden des Architekten entgegenhalten kann, liegt insoweit keine gesamtschuldnerische Haftung von Architekt und Bauunternehmer vor.

12.11.5 Hemmung der Verjährung durch selbstständiges Beweisverfahren

391 Gem. § 204 Abs. 1 Nr. 7 BGB ist die Verjährung ab Zustellung des Antrags auf Durchführung eines selbstständigen Beweisverfahrens gehemmt, wenn der Antragsteller Inhaber des geltend gemachten Rechts ist oder als Prozessstandschafter zur Prozessführung berechtigt ist (Bundesgerichtshof, Urteil 21.12.2000 – VII ZR 407/99 – BauR 2001, 674). Bei Erwerb des Rechts im Laufe des Beweisverfahrens, tritt die Hemmung der Verjährung ab diesem Zeitpunkt ein, ohne dass die Rechtsänderung in den Prozess eingeführt werden muss. Das selbstständige Beweisverfahren muss sich gegen den für den Mangel verantwortlichen Auftragnehmer richten. Wird der Beweisantrag „demnächst" zugestellt, tritt Hemmung bereits mit Antragseingang ein (§ 270 Abs. 3 ZPO).

392 Ein zulässiger Antrag muss dem Antragsgegner neben den zu sichernden Tatsachen sowie den Beweismitteln auch das rechtliche Interesse des Antragstellers darlegen und glaubhaft machen. Zur Unzulässigkeit eines Beweisantrags führende Fehler des Antrags stehen einer Hemmung der Verjährung nicht entgegen, sofern der Antrag vom Gericht nicht zurückgewiesen wird (BGH, Urteil vom 22.1.1998 – VII ZR 204/96 – BauR 1998, 390). Die Hemmung der Verjährung ist nicht davon abhängig, dass die vom Antragsteller aufgestellte Behauptung durch das Beweisverfahren bestätigt wird (BGH, Urteil vom 30.4.1998 – VII ZR 74/97 – NJW-RR 1998, 1475). Die Hemmung der Verjährung endet sechs Monate nach Beendigung oder Stillstand des selbstständigen Beweisverfahrens.

Fall

Der Bauherr beantragt die Durchführung eines selbstständigen Beweisverfahrens gegen einen Bauunternehmer, dem er Ausführungsmängel vorwirft. Der Bauunternehmer stellt Gegenantrag, Beweis zu erheben darüber, dass der Mangel auf einem Planungsfehler des Architekten beruht. Der mit der Erstattung des Gutachtens beauftragte Sachverständige behandelt zunächst die Frage des Ausführungsfehlers und reicht hierzu ein Gutachten ein. Hinsichtlich der Frage eines Planungsfehlers wird das selbstständige Beweisverfahren noch längere Zeit fortgeführt.

Falle/Praxishinweis

Endet die Beweisaufnahme zu Antrag und Gegenantrag nicht gleichzeitig, stellt sich die Frage, bis zu welchem Zeitpunkt die Hemmungswirkung des selbstständigen Beweisverfahrens andauert:

Für den Ablauf der Verjährungshemmung maßgebend ist allein die Beendigung des Verfahrens hinsichtlich der Beweisanträge des Auftraggebers. Ist die Beweisaufnahme hinsichtlich der Beweisanträge des Auftraggebers abgeschlossen, verlängern noch anhängige Gegenbeweisanträge des Auftragnehmers die Hemmungsdauer nicht. Wird die Beweisaufnahme zunächst zum Beweisantrag des Auftraggebers durchgeführt und abgeschlossen, so endet die Verjährungshemmung 6 Monate nach diesem Zeitpunkt. Dass die Beweiserhebung zum Gegenantrag des Bauunternehmers noch weitergeführt wird, steht dem nicht entgegen.

Wird ein selbstständiges Beweisverfahren hinsichtlich mehrerer Mängel durchgeführt und erstattet der Gutachter getrennte Gutachten zu den einzelnen Mängelkomplexen, so endet die Hemmung hinsichtlich der einzelnen Mängelkomplexe mit Zugang des einschlägigen Gutachtens bzw. mit Ende der Anhörung des Sachverständigen zum jeweiligen Mangel und mit der Zusendung des Protokolls.

12.11.6 Hemmung durch das Begutachtungsverfahren nach § 641a BGB

393 Das Begutachtungsverfahren nach § 641a BGB führt zu keiner Hemmung der hier interessierenden Verjährungsfristen. Dieses Verfahren ist darauf ausgerichtet, Ansprüche des Auftragnehmers fällig zu stellen und zu sichern. Es handelt sich um ein Instrument, das allein dem Auftragnehmer zur Hand gegeben ist.

Falle/Praxishinweis

Gem. § 204 Abs. 1 Nr. 8 BGB wird die Verjährung gehemmt, wenn ein Verfahren nach § 641a BGB (Fertigstellungsbescheinigung) eingeleitet wird. Die Hemmung erstreckt sich nur auf die Verjährung der Ansprüche des Auftragnehmers, nicht jedoch auf Gegenansprüche des Auftraggebers, also nicht auf dessen Mängelansprüche.

12.11.7 Hemmung der Verjährung auf Grund von Verhandlungen

394 Nach der für Altverträge (Abschluss bis 31.12.2001) geltenden Regelung des § 639 BGB a.F. ist die Verjährung von Mängelansprüchen des Auftraggebers gehemmt, wenn sich der Auftragnehmer mit Einverständnis des Auftraggebers der Prüfung oder Beseitigung von Mängeln unterzieht. Die Hemmung der Verjährung gem. § 639 Abs. 2 BGB beginnt bereits mit der Ankündigung der Prüfung von Mängeln (OLG Bremen, Urteil vom 15.2.2001 – 5 U 69/00 – BauR 2001, 1599, 1602) bzw. der Einigung der Parteien auf eine Mangelprüfung durch den Auftragnehmer (BGH, Urteil vom 30.9.1993 – VII ZR 136/92 – BauR 1994, 103, 104; OLG Düsseldorf, Urteil vom 10.11.2000 – 22 U 78/00 – BauR 2001, 638, 642). An die Stelle der Verjährungshemmung durch Mangelbeseitigung bzw. Mangelprüfung ist ab 1.1.2002 die Hemmung der Verjährung durch Verhandlungen gem. § 203 BGB getreten. Dies schließt im Ergebnis den Hemmungsgrund nach § 639 BGB a.F. ein.

395 Verhandlung ist jeder Meinungsaustausch zwischen Auftraggeber und Auftragnehmer über Mängel oder Mängelansprüche des Auftraggebers, wenn der Auftragnehmer zu erkennen gibt, dass er sich auf die Erörterung über Mängel oder Mängelansprüche einlässt. Hierzu genügt

- die Nachfrage des Auftragnehmers, welche Rechte der Auftraggeber aus einem gerügten Mangel geltend machen will,
- die Erklärung des Auftragnehmers, zur Aufklärung eines Mangels beizutragen,
- das Anerbieten des Auftragnehmers, in einer Besprechung seinen Standpunkt zu erläutern.

Überprüft der Auftragnehmer auf eine Mängelrüge hin, ob die gerügten Mängel vorhanden sind, entspricht dies einem Verhandeln nach § 203 BGB.

Fallen/Praxishinweis

Die Teilnahme des Architekten oder Ingenieurs an einer Ortsbesichtigung, die zur Feststellung von Mängeln der Leistung des Bauunternehmers dient, führt nicht zur Verjährungshemmung.

BGH, Urteil vom 27.9.2001 – VII 320/00 – NJW 2002, 288

12.12 Möglichkeiten der Hemmung der Verjährung bis 31.12.2001

396 In der Zeit bis 31.12.2001 kommen im Wesentlichen für den Bauvertrag folgende Hemmungstatbestände in Betracht,

- eine Stundungsvereinbarung der Parteien, z.B. infolge einer vereinbarten subsidiären Haftung des Auftragnehmers, oder wenn die Parteien die Einholung eines Schiedsgutachtens vereinbaren; dagegen führt die Ausübung eines Zurückbehaltungs- oder Leistungsverweigerungsrechts durch den Auftragnehmer zu keiner Verjährungshemmung;

- eine Mangelprüfung oder ein Mangelbeseitigungsversuch des Auftragnehmers mit Einverständnis des Auftraggebers; die Hemmung der Verjährung tritt ein mit der Erklärung des Auftragnehmers, dass er das Vorliegen des Mangels prüfen oder den Mangel beseitigen wird (vgl. hierzu Kleine-Möller/Merl, Handbuch des privaten Baurechts, 3. Aufl., § 12 Rdn. 1207 f.).

12.13 Neubeginn der Verjährung seit 1.1.2002

397 Durch das Schuldrechtsmodernisierungsgesetz ist der Neubeginn der Verjährung (dies entspricht der Verjährungsunterbrechung früheren Rechts) erheblich eingeschränkt worden. Der Neubeginn der Verjährung tritt ein bei Schuldanerkenntnis des Auftragnehmers und wenn der Auftraggeber Vollstreckungshandlungen gegen den Auftragnehmer vornimmt bzw. veranlasst. Das Anerkenntnis kann durch ausdrückliche Erklärung oder schlüssiges Verhalten erfolgen, wenn der Auftragnehmer das Bewusstsein vom Bestehen der Schuld unzweideutig zum Ausdruck bringt.

Unternimmt der Auftragnehmer die Beseitigung gerügter Mängel, so enthält dies ein stillschweigendes Anerkenntnis, wenn der Auftragnehmer die Arbeiten im erkennbaren Bewusstsein vornimmt, hierzu verpflichtet zu sein.

Falle/Praxishinweis

Kein Anerkenntnis liegt vor, wenn der Auftragnehmer allgemein zusagt, sich um die Angelegenheit „zu kümmern". Eine solche Erklärung kann aber gem. § 203 BGB den Beginn von Verhandlungen darstellen und damit zur Hemmung der Verjährung führen.

12.14 Verjährungsunterbrechung bis 31.12.2001

398 Nach dem bis zum 31.12.2001 geltenden Verjährungsrecht konnte eine Unterbrechung der Verjährung, die zu einem Neubeginn der Verjährung führt, vom Auftraggeber herbeigeführt werden durch

- Klage, Mahnbescheid oder Antrag auf Durchführung des selbstständigen Beweisverfahrens gegen den Auftragnehmer,
- Streitverkündung gegenüber dem Auftragnehmer,
- Anmeldung von Gewährleistungsrechten im Konkurs bzw. im Insolvenzverfahren des Auftragnehmers,
- durch Aufrechnung in einem mit dem Auftragnehmer geführten Rechtsstreit (z.B. Aufrechnung mit dem Anspruch auf Kostenvorschuss, Kostenerstattung oder Schadensersatz),
- Anerkenntnis des Auftragnehmers hinsichtlich des Mangels; ein Anerkenntnis konnte auch im Versuch der Mangelbeseitigung liegen.

12.15 Quasi-Neubeginn der Verjährung durch erste schriftliche Aufforderung zur Mangelbeseitigung

399 Durch die erste schriftliche Aufforderung zur Mangelbeseitigung wird – bei vereinbarter VOB/B – hinsichtlich des gerügten Mangels der Lauf einer zweijährigen Verjährungsfrist (bei VOB/B i.d.F. 2002) bzw. der Regelfristen nach § 13 Nr. 4 VOB/B (bei VOB/B i.d.F. 2000) in Lauf gesetzt. Der ersten schriftlichen Beseitigungsaufforderung kommt damit eine Wirkung zu, die mit dem Neubeginn der Verjährung vergleichbar ist. Die Fristen beginnen mit Zugang des schriftlichen Beseitigungsverlangens, enden jedoch nicht vor der ursprünglichen, unabhängig vom Beseitigungsverlangen geltenden Verjährungsfrist. Wird die erste schriftliche Aufforderung zur Mangelbeseitigung so frühzeitig nach Abnahme erklärt, dass die damit in Lauf gesetzte (z.B. zweijährige) Frist noch vor den Verjährungsfristen nach § 13 Nr. 4 VOB/B endet, so bleibt sie wirkungslos.

Beispiel: Quasi-Neubeginn ohne Auswirkung auf den Eintritt der Verjährung

(erste schriftliche Mängelrüge nach einem Jahr – bei ursprünglicher Verjährungsfrist von vier Jahren)

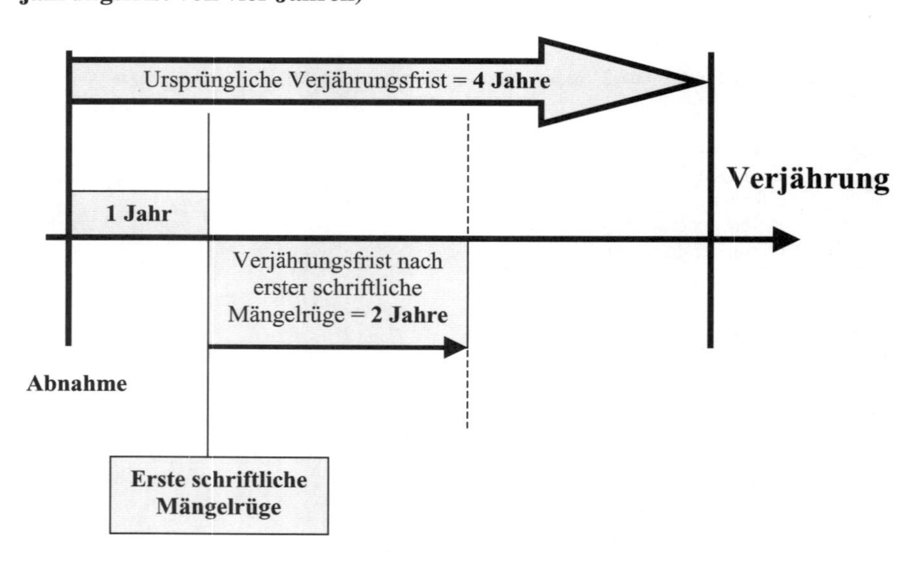

400 Voraussetzung für den Quasi-Neubeginn der Verjährung ist die an den Auftragnehmer oder seine Vertreter gerichtete schriftliche Aufforderung zur Beseitigung bestimmt bezeichneter Mängel. Nicht zum Neubeginn führt das Verlangen des Auftraggebers nach Kostenvorschuss oder Schadensersatz oder die Ausübung des Minderungs- oder Rücktrittsrechts.

Der Auftraggeber muss zur Beseitigung bestimmt bezeichneter Mängel auffordern. Eine allgemeine Aufforderung, vorhandene Mängel zu beseitigen, genügt nur dann, wenn auf Grund früherer Erklärungen für den Auftragnehmer unmissverständlich klar ist, auf welche Mängel sich die Aufforderung bezieht. Zur Beschreibung der gerügten Mängel vgl. Rdn. 168. Beschreibt der Auftraggeber die gerügten Mängel nach den Mängelerscheinungen, so führt dies zum Neubeginn der Verjährung für alle Mangelursachen, die den beschriebenen Mängelerscheinungen zu Grunde liegen. Beschreibt der Auftraggeber den Mangel sowohl anhand der Mangelerscheinung wie anhand von Mangelursachen, so ist die Beschreibung der Mangelerscheinung vorrangig.

Falle/Praxishinweis

Nimmt der Auftraggeber die Beschreibung des Mangels ausschließlich anhand der von ihm angenommenen, aber tatsächlich nicht zutreffenden Mangelursache vor, so kommt es zu keinem Neubeginn der Verjährung. Die Aufforderung bezieht sich nämlich infolge der unzutreffend angegebenen Mangelursache auf einen nicht existierenden Mangel. Den tatsächlich vorhandenen Mangel erfasst die Beseitigungsaufforderung dagegen nicht, da sie weder die richtige Mangelursache noch die Mangelerscheinung beschreibt. Zu empfehlen ist daher in jedem Fall eine Mängelrüge unter Angabe der Mangelerscheinung. Vgl. i. E. Rdn. 170 f.

Beispiel: Aufforderung zur Mangelbeseitigung mit falsch angegebener Mangelursache

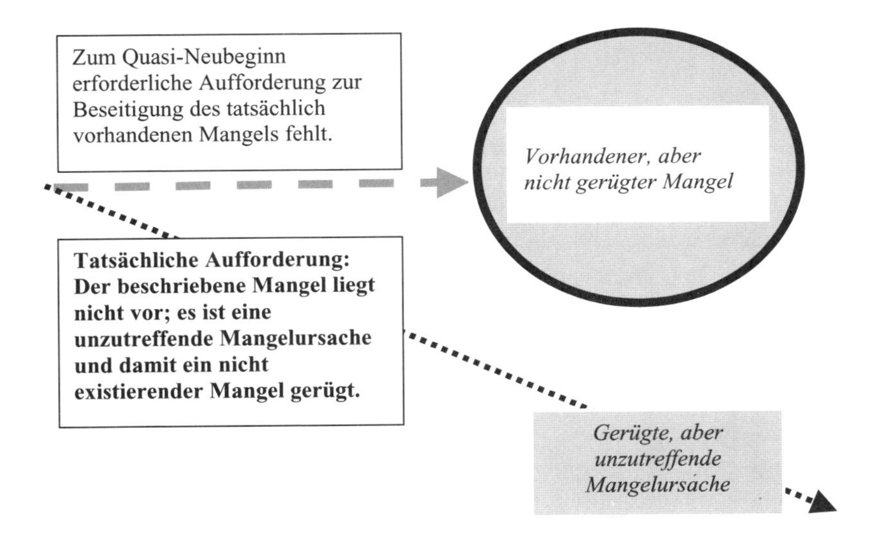

401 Rügt der Auftraggeber einen Mangel, den er örtlich genau beschreibt, so tritt der Neubeginn der Verjährung nicht nur für die beschriebene Mangelstelle ein, sondern für die zu Grunde liegenden Mangelursachen, unabhängig davon, an welchen Teilen des Bauwerks sie vorliegen (BGH, Urteil vom 10. 11. 1988 – VII ZR 140/87 – NJW-RR 1989, 208).

Notwendige Voraussetzung des Quasi-Neubeginns der Verjährung ist die Schriftlichkeit der Aufforderung zur Mangelbeseitigung. Eine mündliche bzw. telefonische Aufforderung zur Mangelbeseitigung reicht nicht.

Die schriftliche Aufforderung muss nicht unterschrieben sein, aber den Erklärenden eindeutig erkennen lassen. Das Mangelbeseitigungsverlangen muss an den haftenden Auftragnehmer gerichtet sein. Einem Mangelbeseitigungsverlangen, das an den Gewährleistungsbürgen gerichtet ist, führt nicht zum Quasi-Neubeginn der Verjährung (OLG Celle, Urteil vom 20.17.1000 – 13 U 271/99 – BauR 2001, 259).

402 Der Quasi-Neubeginn der Verjährung kommt nur der auf den jeweiligen Mangel bezogenen „ersten" schriftlichen Aufforderung zur Mangelbeseitigung zu. Mündliche bis und damit im Hinblick auf den Neubeginn der Verjährung wirkungslose Aufforderungen bleiben hierbei außer Betracht.

Praxisbeispiel

Verlangt der Auftraggeber mehrfach mündlich die Beseitigung eines Mangels und fordert er erst dann schriftlich zur Beseitigung dieses Mangels auf, so bewirkt erstmals diese schriftliche Aufforderung den Neubeginn der Verjährung. Fordert der Auftraggeber wiederholt schriftlich die Beseitigung desselben Mangels, führt nur die erste schriftliche Mängelrüge zum Quasi-Neubeginn.

Beispiel: mehrfache mündliche und schriftliche Aufforderungen zur Beseitigung eines Mangels

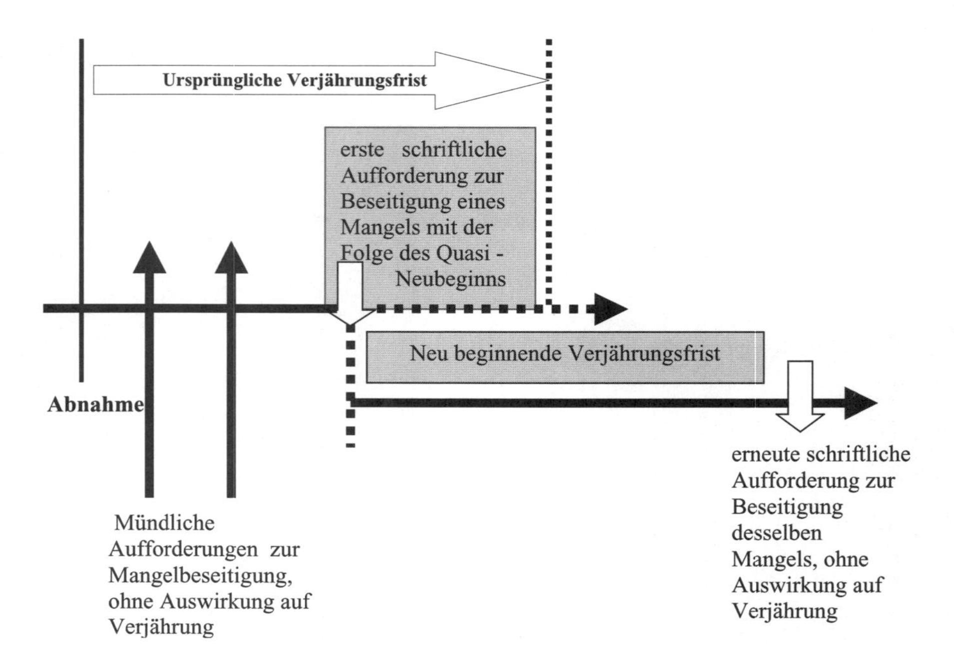

403 Richtet der Auftraggeber eine schriftliche Aufforderung zur Mängelbeseitigung an den Auftragnehmer, so ist für diesen Mangel die Möglichkeit des Neubeginns der Verjährung durch schriftliche Beseitigungsaufforderung zunächst verbraucht. Hinsichtlich anderer Mängel steht dagegen die Möglichkeit des Neubeginns der Verjährung durch schriftliche Aufforderung zur Mangelbeseitigung offen. Bessert der Auftragnehmer auf Grund der schriftlichen Aufforderung den gerügten Mangel nach, so kann der Auftraggeber bei Erfolglosigkeit der Nachbesserung erneut den Neubeginn der Verjährung durch schriftliche Aufforderung zur Mangelbeseitigung erreichen (BGH, Urteil vom 15.6.1989 – VII ZR 14/88 – NJW 1989, 2753).

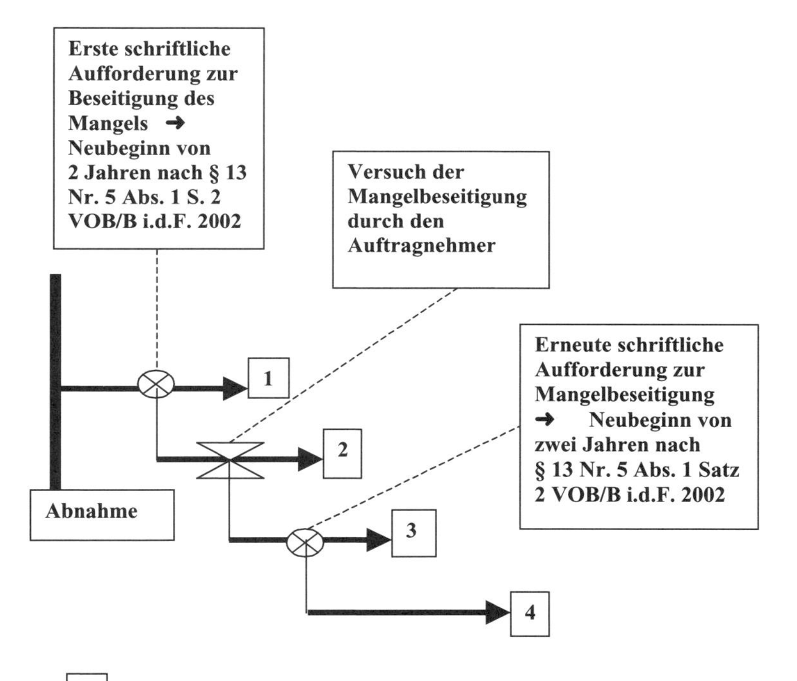

1 = ursprüngliche Verjährungsfrist

2 = Verjährungsfrist nach 1. schriftlicher Aufforderung zur Mangelbeseitigung

3 = Verjährungsfrist nach Mangelbeseitigungsversuch des Auftragnehmers

4 = Verjährungsfrist nach erneuter 1. schriftlicher Aufforderung zur Mangelbeseitigung

12.16 Verjährungsfrist nach erfolgloser Mangelbeseitigung

404 Unternimmt der Auftragnehmer den Versuch der Mangelbeseitigung, so beginnt gem. § 13 Nr. 5 Abs. 1 Satz 3 VOB/B mit Abnahme der Arbeiten und für den Mangel, zu dessen Beseitigung die Arbeiten dienten, eine neue zweijährige Verjährungsfrist (bei Geltung der VOB/B i.d.F. 2002) bzw. eine neue Regelfrist nach § 13 Nr. 4 VOB/B (bei Geltung der VOB/B i. d. F. 2000). Dies gilt auch bei wiederholten Versuchen der Mangelbeseitigung. Endet die auf Grund des Mangelbeseitigungsversuchs neu beginnende Verjährungsfrist, bevor noch die ursprüngliche Verjährungsfrist abgelaufen ist, so bleibt sie wirkungslos.

12.17 Verjährung der gegen Architekten bzw. Ingenieure gerichteten Mängelrechte

405 Für den Architekten- und Ingenieurvertrag gelten nach Abnahme die gesetzlichen Verjährungsfristen nach § 634 a BGB (bzw. bis zum 31.12.2001 die Verjährungsfristen nach § 638 BGB a.F.). So verjähren die gegen den Architekten beziehungsweise Ingenieur auf Grund eines Planungs- oder Überwachungsfehlers gerichteten Ansprüche in fünf Jahren, soweit sie sich auf Bauwerksarbeiten beziehen. Die fünfjährige Verjährungsfrist gilt auch für Gutachtertätigkeiten, die unmittelbar der Errichtung oder Veränderung eines Bauwerks dienen, z.B. für ein Bodengutachten.

406 Die Verjährungsfrist beginnt mit Abnahme der Leistungen des Architekten/Ingenieurs. Sind dem Architekten bzw. Ingenieur durch einen Vertrag auch Leistungen nach Leistungsphase 9 des § 15 HOAI übertragen, so ist seine Leistung erst nach Abschluss der Leistungsphase 9 vollendet. Erst nach Abschluss auch dieser Leistungsphase kommt eine Abnahme des Architektenwerks in Betracht (BGH, Urteil vom 10.2.1994 – VII ZR 20/93 – NJW 1994, 1276). Eine Teilabnahme der Leistung nach Vollendung der Leistungsphase 8 von § 15 HOAI kann der Architekt bzw. Ingenieure dann verlangen, wenn dies im Vertrag vereinbart ist.

Vereinbaren die Parteien, dass für Bauwerksmängel der Architekt bzw. Ingenieur erst nachrangig nach dem Bauunternehmer in Anspruch genommen werden kann, so beginnt die Verjährung der Rechte gegenüber dem Architekten bzw. Ingenieur erst dann, wenn die Voraussetzungen der subsidiären Haftung des Architekten beziehungsweise Ingenieurs vorliegen.

12.18 Übergangsregelungen für die zum 1. 1. 2002 nicht verjährten Mängelrechte

Auf Mängelrechte aus Verträgen, die ab 1. 1. 2002 geschlossen wurden, findet ausschließlich das ab 1. 1. 2002 gesetzliche Verjährungsrecht Anwendung, sowohl hinsichtlich des Beginns und der Dauer von Verjährungsfristen als auch hinsichtlich der Vorschriften zur Hemmung und zum Neubeginn der Verjährung. Für die vor dem 1. 1. 2002 abgeschlossenen Verträge ist ausschließlich das bis dahin geltende Verjährungsrecht maßgebend, soweit Ansprüche des Auftraggebers bis spätestens 31. 12. 2002 bereits erledigt oder verjährt waren. Nachfolgende Erörterungen betreffen ausschließlich Verträge, die bereits vor dem 1. 1. 2002 abgeschlossen wurden, und den Fall, dass Mängelrechte aus solchen Verträgen zum 1. 1. 2002 noch nicht erledigt und noch nicht verjährt waren. **407**

Welche Verjährungsregeln auf die vor dem 1. 1. 2002 entstandenen und am 1. 1. 2002 noch nicht verjährten Mängelrechte anzuwenden sind, ergibt sich aus den Überleitungsvorschriften des Schuldrechtsmodernisierungsgesetzes (SchModG). Nach Art. 229 § 6 EGBGB bestimmen sich Beginn, Hemmung, Ablaufhemmung und Unterbrechung (Neubeginn) der Verjährung für die Zeit vor dem 1. 1. 2002 nach den bis dahin geltenden gesetzlichen Vorschriften. Eine vor dem 1. 1. 2002 eingetretene Hemmung oder Unterbrechung der Verjährung wird nicht rückwirkend beseitigt. Dauern Hemmung oder Unterbrechung der Verjährung über den 31. 12. 2002 hinaus, so ist ab 1. 1. 2002 neues Recht maßgebend. Dies führt dazu, dass die meisten Unterbrechungstatbestände nach früherem Recht ab dem 1. 1. 2002 nur mehr als Hemmung fortwirken. Streitig ist allerdings, ob der Auftraggeber nach Ende eines Unterbrechungstatbestands, der ab 1. 1. 2002 als Hemmung wirkt, die volle Verjährungsfrist zur Verfügung hat (wie sie ihm auf Grund der bis 31. 12. 2002 fortdauernden Unterbrechung zustünde) oder nur den Rest der Verjährungsfrist, der sich ergibt, wenn die Unterbrechung von Anfang an als Hemmung anzusehen wäre. Richtig wird man davon ausgehen müssen, dass dem Auftraggeber noch die volle Verjährungsfrist zusteht (a. A. Palandt-Heinrichs, 61. Auflage, Art. 229 § 6 EGBGB Rdn. 8; vgl. auch Kniffka, ibr-online-Komm. Bauvertragsrecht (11. 8. 04) von § 631 Rdn. 152). **408**

Wurde vom Auftraggeber Klage vor dem 1. 1. 2002 erhoben, aber erst nach dem 31. 12. 2002 zugestellt, so unterbricht die Klage die Verjährung zum Zeitpunkt der Klageeinreichung, wenn sie demnächst zugestellt würde und daher nach § 270 Abs. 3 ZPO zurückwirkt. Ab 1.1.2002 ist die Verjährung der Forderung gehemmt.

Die Dauer der Verjährungsfrist bestimmt sich ab 1. 1. 2002 nach neuem Recht. Ist jedoch die bis zum 31. 12. 2001 anzuwendende Verjährungsfrist kürzer, so ist auf die frühere (kürzere) Verjährungsfrist abzustellen. Dies gilt in gleicher Weise, wenn zwar die ursprüngliche Verjährungsfrist länger war, der zum 1. 1. 2002 verbliebene Rest der Verjährungsfrist jedoch kürzer ist, als die nach neuem Recht maßgebende Frist. Die Prüfung, welche Verjährungsfrist ab dem 1. 1. 2002 für Altverträge Anwendung findet, vollzieht sich somit in zwei Schritten. Im ersten Schritt werden **409** die früher geltende und die nunmehr einschlägige Verjährungsfrist gegenübergestellt. Die hierbei kürzere Frist kommt zur Anwendung. Kommt danach die neue geltende Frist zur Anwendung, wird ihr gegenübergestellt die Restfrist aus der früheren Verjährung. Ist die Restfrist kürzer, kommt diese zur Anwendung, ist die neue geltende Frist kürzer, ist auf diese abzustellen.

12.19 Wirkungen der Verjährung

410 Sobald die Verjährung eintritt, kann der Auftragnehmer die Erfüllung seiner Verpflichtung verweigern. Soweit Rücktritt und Minderung nach der Neuregelung von § 634 Nr. 3 BGB bzw. § 13 Nr. 6 VOB/B i. d. F. 2002 Gestaltungsrechte sind, ist der nach Eintritt der Verjährung des Nacherfüllungsanspruchs erklärte Rücktritt bzw. die erklärte Minderung unwirksam. Der Auftraggeber kann aber bei einem unwirksamen Rücktritt bzw. bei unwirksamer Minderung die Zahlung noch offenen Werklohns in dem Umfang verweigern, in dem er hierzu bei einem wirksamen Rücktritt bzw. bei wirksamer Minderung berechtigt wäre (§ 634 a Abs. 4, Abs. 5 BGB). Macht er von diesem Recht Gebrauch, kann der Auftragnehmer seinerseits vom Vertrag zurücktreten.

Nach der bis zum 31.12.2001 geltenden Rechtslage war gem. § 639 BGB a.F. i. V. m. § 477 Abs. 2,3 BGB a.F. bzw. im § 478 BGB a.F. Voraussetzung für ein entsprechendes Leistungsverweigerungsrecht sowie ein entsprechendes Aufrechnungsrecht des Auftraggebers nach Eintritt der Verjährung, dass eine Mangelanzeige oder eine entsprechende Streitverkündung in unverjährter Zeit erfolgt war bzw. in unverjährter Zeit eine selbstständiger Beweisantrag gestellt wurde.

411 Eine Aufrechnung gegenüber anderen Forderungen des Auftragnehmers ist nach Verjährungseintritt möglich, wenn die verjährte Aufrechnungsforderung zu der Zeit, zu der sie gegen die andere Forderung aufgerechnet werden konnte, noch nicht verjährt war (§ 390 Satz 2 BGB).

412 Auch der Gewährleistungsbürge kann sich auf die Verjährung von Gewährleistungsrechten berufen und zwar auch dann, wenn die Verjährung erst nach Erhebung der Bürgschaftsklage eintritt (BGH, Urteil vom 5.11.1998 – IX ZR 48/98 – NJW 1999, 278; Saarländisches OLG, Urteil vom 26.9.2000 – 7 U 83/0023 – BauR 2001, 266). Daraus, dass eine Bürgschaft befristet ist, folgt nicht, dass der Gewährleistungsbürge bis zum Ablauf der für die Bürgschaft vereinbarten Frist auf die Verjährungseinrede bezüglich der Hauptschuld verzichtet; im Zweifel werden durch die Befristung nur die Folgen nach § 777 BGB ausgelöst (Saarländisches OLG a.a.O.).

13 Abnahme

13.1 Grundlagen

Die Abnahme ist für das gesetzliche Werkvertragsrecht in §§ 640 BGB geregelt. Nach § 640 Abs. 1 Satz 1 BGB ist der Auftraggeber verpflichtet, das vertragsgemäß hergestellte Werk abzunehmen, sofern nicht nach der Beschaffenheit des Werks die Abnahme ausgeschlossen ist. **413**

Der Auftraggeber kann die Abnahme nicht wegen unwesentlicher Mängel verweigern (§ 640 Abs. 1 Satz 2 BGB). Ob ein Mangel wesentlich oder unwesentlich ist, beurteilt sich in erster Linie danach, inwieweit er die Verwendungsfähigkeit der Leistung beeinträchtigt. Zu berücksichtigen ist hierbei auch die Höhe der Mangelbeseitigungskosten.

Ob Schönheitsfehler als wesentliche Mängel angesehen werden können, ist eine Frage des Einzelfalls, jedoch häufig zu verneinen. Im Einzelfall kann dem Erscheinungsbild der Leistung im Vertrag jedoch eine besondere Bedeutung zukommen, sodass auch objektiv unerhebliche optische Beeinträchtigungen eine Abnahmeverweigerung rechtfertigen können. **414**

Leitsatz

Die Leistung ist in der Regel abnahmefähig, wenn ein geringfügiger optischer Mangel vorliegt, und keine nennenswert erhöhten Instandhaltungsarbeiten und keine verkürzte Lebensdauer der Leistung zu erwarten sind.

Fall

Der Auftragnehmer verlegte u. a. für sechs Reihenhäuser Haustürschwellen aus geflammtem und poliertem Granit. Im Leistungsverzeichnis war die Ausführung nicht beschrieben. Der Auftraggeber verweigerte die Zahlung der Vergütung, weil keine einteiligen Schwellen verlegt waren, sondern jeweils Schwellen aus mehreren Teilstücken. Der Auftragnehmer war der Meinung, seine Verlegeart sei mit dem Wortlaut des Leistungsverzeichnisses noch zu vereinbaren, denn dort sei nicht angegeben, in wieviel Teilstücken die Schwelle zu verlegen sei.

Der erstinstanzlich beauftragte Gutachter kam zum Ergebnis, dass die vorhandene Ausführung als mögliche Alternative i. S. d. Regelwerke einzustufen sei. Der in zweiter Instanz beauftragte Gutachter stellte fest, dass die Verlegeart nicht dem Auftrag entspreche, jedoch nur einen optischen Mangel darstelle, da unnötig viele klein geschnittene Restplatten eingesetzt worden waren, ohne sichtbares Bemühen, einen gleichmäßigen Bahnenverlauf herzustellen, der mit geringem Mehraufwand möglich gewesen wäre. Der Auftraggeber hatte nach diesem Gutachten angesichts des Ausschreibungstextes und der technischen Rahmenbedingungen eine Zwei- oder maximal Dreiteilung erwarten dürfen.

Technische Mängel waren nicht vorhanden. Insbesondere waren auf Grund der Stückelung keine nennenswert erhöhten Instandhaltungsarbeiten und keine verkürzte Lebensdauer zu erwarten. Die ausgeführte Verlegung verstieß nicht gegen Regeln der Technik. Der Wert der Türschwellen war nach dem Gutachten um 40 % gemindert.

Entscheidung

Das OLG Hamm ging davon aus, dass kein wesentlicher Mangel vorlag. Die Leistung wurde als abnahmefähig angesehen. Der optische Mangel führte wegen unverhältnismäßig hohen Mängelbeseitigungsaufwands zu einer Minderung der Vergütung.

OLG Hamm, Urteil vom 24.3.2003 – 17 U 88/02 – BauR 2003, 1403

Fallen/Praxishinweis

Ein wesentlicher Mangel, der zur Verweigerung der Abnahme berechtigt, kann aber im Einzelfall auch vorliegen, wenn nur das optische Erscheinungsbild der Leistung beeinträchtigt ist. So kann sich z. B. aus dem vertraglich vereinbarten oder vorausgesetzten Verwendungszweck ergeben, dass besonderer Wert auf das äußere Erscheinungsbild der Leistung zu legen war. In diesem Fall können sogar objektiv unwesentliche Schönheitsfehler zu wesentlichen Mängeln werden. Lässt sich aus dem Vertrag nichts entnehmen, was der optischen Erscheinung der Leistung besondere Bedeutung verleiht, muss ein Schönheitsfehler freilich ganz erheblich sein, um als wesentlicher Mangel gelten zu können.

415 Der Anspruch des Auftragnehmers auf Abnahme seiner Leistung besteht auch im Fall der Kündigung eines teilweise ausgeführten Vertrags.

Leitsatz

Die Kündigung selbst ist keine konkludente Abnahme. Denn sie enthält nicht die Erklärung des Auftraggebers, dass er das bis zur Kündigung erbrachte Werk als im Wesentlichen vertragsgemäß anerkennt.

BGH, Urteil vom 19.12.2002 – VII ZR 103/100 – BauR 2003, 689/691

Nach Kündigung hat der Auftragnehmer Anspruch auf Abnahme, wenn die bis zur Kündigung erbrachte Leistung ohne wesentliche Mängel ist. Bei der Bewertung der Leistung ist zu berücksichtigen, dass ihre bloße Unvollständigkeit nicht als Mangel anzusehen ist. Die fehlende Funktionsfähigkeit der bis zur Kündigung erbrachten Teilleistung stellt keinen Mangel dar, wenn die Funktionsfähigkeit nach üblichem oder vertraglich vereinbartem Bauablauf erst durch die weitere Ausführung erreicht worden wäre.

416 Der Abnahme steht (seit 1. 1. 2002) gleich, wenn der Auftraggeber das Werk nicht innerhalb einer ihm vom Auftragnehmer bestimmten angemessenen Frist abnimmt, obwohl er dazu verpflichtet ist (§ 640 Abs. 1 Satz 3 BGB). Nach § 641a BGB, der nach Inkrafttreten des Forderungssicherungsgesetzes nur für die bis dahin abgeschlossenen Bauverträge Gültigkeit behalten wird, steht es der Abnahme gleich, wenn der Auftragnehmer von einem Gutachter in einem gesetzlich festgelegten Verfahren eine Bescheinigung über die Abnahmefähigkeit der Leistung (Fertigstellungsbescheinigung) erhält.

417 Bei vereinbarter VOB/B ergeben sich Voraussetzungen und Wirkungen der Abnahme aus § 12 VOB/B. Nach § 12 Nr. 1 VOB/B hat der Auftraggeber binnen 12 Werktagen die Abnahme der Leistung durchzuführen, wenn dies der Auftragnehmer nach Fertigstellung seiner Leistung verlangt. Eine andere Frist kann vereinbart werden. Die Abnahme kann, ebenso wie nach § 640 BGB, nur wegen wesentlicher Mängel verweigert werden. Im Einzelnen enthält § 12 VOB/B besondere, auf den Bauvertrag abgestimmte Abnahmeregeln zur förmlichen Abnahme sowie zur fiktiven Abnahme. Abnahmebegriff und Abnahmewirkungen sind identisch mit dem gesetzlichen Abnahmerecht.

13.2 Inhalt der Abnahme

418 Die Abnahme besteht in der körperlichen Entgegennahme der Bauleistung durch den Auftraggeber, verbunden mit der ausdrücklichen oder stillschweigenden Erklärung, dass die Bauleistung in der Hauptsache als vertragsgemäß anerkannt wird. Die Abnahme besteht neben der Besitzübergabe aus einer einseitigen Willenserklärung des Auftraggebers, dass er die von ihm angenommene Bauleistung als im Wesentlichen vertragsrecht ansieht. Eine Besitzübergabe scheidet aus, wenn der Auftraggeber bereits im Besitz der Leistung ist. Dies trifft z. B. zu bei Umbauten an einem Gebäude im Eigentum des Bauherrn. Ob nach der Neufassung von § 633 Abs. 1 BGB der Auftragnehmer im Rahmen der Abnahme auch das Eigentum zu verschaffen hat, sofern der Auftraggeber bis dahin noch nicht Eigentümer geworden ist, ist streitig.

In Ausnahmefällen kommt es zur Abnahme auch ohne oder gegen den Abnahmewillen des Auftraggebers. Es sind dies die Fälle der fiktiven Abnahme, hier wird auf ein typisches Verhalten des Auftraggebers abgestellt, aus dem ohne Rücksicht auf den tatsächlichen Abnahmewillen die Abnahme abgeleitet wird.

13.3 Die einzelnen Abnahmeformen

419 Die Abnahme kann in Form der stillschweigenden, ausdrücklichen, förmlichen oder fiktiven Abnahme erfolgen. Die verschiedenen Abnahmeformen unterscheiden sich nur hinsichtlich der Voraussetzungen, nicht aber hinsichtlich der Wirkung.

Eine mündliche Abnahme oder eine fingierte Abnahme entfalten dieselbe rechtliche Wirkung wie eine ausdrücklich erklärte oder förmlich durchgeführte Abnahme.

Den Parteien steht es frei, im Vertrag für die Abnahme eine besondere Form vorzusehen. Dies gilt sowohl für den BGB-Vertrag als auch für den VOB-Vertrag. Die fiktiven Abnahmen gem. § 12 Nr. 5. VOB/B können auch durch Allgemeine Geschäftsbedingungen des Auftraggebers wirksam ausgeschlossen werden.

Die fiktive Abnahme nach § 12 Nr. 5 VOB/B (nach Fertigstellungsmitteilung des Auftragnehmers bzw. nach Inbenutzungnahme der Leistung durch den Auftraggeber) ist bereits dann ausgeschlossen, wenn im Vertrag eine förmliche Abnahme vereinbart ist.

Andernfalls kann bei vereinbarter VOB/B jede Partei eine förmliche Abnahme fordern (§ 12 Nr. 4 Abs. 1 VOB/B). Sofern die förmliche Abnahme von einer Partei innerhalb der nach § 12 Nr. 5 VOB/B vorgesehenen Fristen gefordert wird, ist der Eintritt der fiktiven Abnahme nach § 12 Nr. 5 VOB/B ausgeschlossen.

Praxisbeispiel

Dem Bauvertrag liegt die VOB/B zu Grunde. Vereinbarungen über die Abnahme haben die Vertragsparteien nicht getroffen. Der Auftragnehmer zeigt schriftlich die Fertigstellung seine Leistungen an. Nach fünf Werktagen fordert der Auftraggeber eine förmliche Abnahme.

Der Eintritt der fiktiven Abnahme nach § 12 Nr. 5 VOB/B ist ausgeschlossen, nachdem der Auftraggeber noch innerhalb der nach § 12 Nr. 5 Nr. 1 VOB/B maßgebenden Frist von zwölf Werktagen eine förmliche Abnahme verlangt hat.

An die Vereinbarung einer bestimmten Abnahmeform sind die Parteien nicht gebunden. Die Parteien können z.B. von der vereinbarten förmlichen Abnahme Abstand nehmen. Dies kann auch stillschweigend erfolgen („vergessene förmliche Abnahme"). Der Auftraggeber kann sich auf die vereinbarte förmliche Abnahme nicht berufen, wenn er nach Schlussabrechnung des Vertrags über längere Zeit das Bauwerk nutzt, ohne auf die vereinbarte förmliche Abnahme zurückzukommen.

13.4 Die stillschweigende Abnahme, insbesondere die Abnahme durch Benutzung

420 Die Abnahme bedarf nicht in jedem Fall einer ausdrücklichen Abnahmeerklärung des Auftraggebers. Sowohl nach gesetzlichem Werkvertragsrecht wie auch nach VOB/B kann die Abnahme auch stillschweigend (schlüssig) erfolgen. Voraussetzung ist, dass aus dem Verhalten des Auftraggebers ersichtlich ist, dass er die Leistung des Auftragnehmers als im Wesentlichen vertragsgemäß annimmt. Dies bedarf eines nach außen gerichteten, zur Kenntnisnahme von Dritten bestimmten oder jedenfalls geeigneten Verhaltens. Rein interne Vorgänge beim Auftraggeber bleiben außer Betracht. Voraussetzung ist weiterhin, dass die Beteiligten keine förmliche Abnahme vereinbart haben oder auf die vereinbarte förmliche Abnahme verzichtet haben.

Da grundsätzlich eine Abnahmeverpflichtung frühestens mit Fertigstellung der Leistung besteht, liegt die schlüssige Abnahme einer nicht fertig gestellten Leistung in der Regel fern.

Leitsatz

Ist die Leistung nicht fertig gestellt, schließt dies eine schlüssige Abnahme nicht notwendig aus. Allerdings müssen gewichtige Umstände vorliegen, welche die Annahme rechtfertigen, der Auftraggeber habe die Leistung trotz fehlender Fertigstellung als vertragsgemäß anerkannt. Ein Abnahmewille kann in einem solchen Fall trotz Übernahme der Leistung dem Auftraggeber in der Regel nicht unterstellt werden.

BGH, Urteil vom 18.2.2003 – X ZR 245/00 – BauR 2004, 337/339

421 Eine schlüssige Abnahme kann insbesondere bei einer länger dauernden Nutzung der Bauleistung in Betracht kommen, wenn es sich um eine auf Dauer angelegte Nutzung handelt, die dem bestimmungsgemäßen Gebrauch der Bauleistung entspricht. Eine kurzzeitige Nutzung, um die Funktionsfähigkeit zu erproben, rechtfertigt nicht die Annahme, der Auftraggeber habe die Leistung abgenommen.

Praxisbeispiel

Wird ein Heizkessel kurzzeitig in Betrieb gesetzt, um seine Funktionsfähigkeit zu prüfen, so liegt darin noch keine stillschweigende Abnahme. Wird dagegen der Heizkessel in Betrieb gesetzt, um den Heizbetrieb auf Dauer aufzunehmen, tritt nach der erforderlichen Nutzungszeit die Abnahme ein.

Kann die fertig gestellte Bauleistung in mehrfacher Weise genutzt werden, so reicht für den Eintritt der Abnahme die Ausübung einer bestimmungsgemäßen Nutzungsmöglichkeit. Erstellt etwa der Bauunternehmer ein Gebäude, das zum einen Teil zu Wohnzwecken und zum anderen Teil zu gewerblichen Zwecken genutzt werden soll, so reicht bereits die Benutzung zu Wohnzwecken aus, um eine stillschweigende Abnahme herbeizuführen. Die Abnahme tritt bei einer Teilnutzung hinsichtlich der gesamten Bauleistung ein, sofern diese in vollem Umfang funktionsfähig erbracht ist.

Beispiel

Der Auftragnehmer erstellt für einen Tierarzt ein Haus mit einem Anbau. Der Tierarzt beabsichtigt, das Gebäude als Praxis und zu Wohnzwecken, den Anbau zur Unterbringung kranker Tiere zu nutzen.

Sind Haus und Anbau abnahmefähig (funktionsfähig) erstellt und beginnt der Tierarzt mit dem Betrieb seiner Praxis oder bewohnt er das Gebäude, so tritt nach angemessener Nutzungszeit die Abnahme hinsichtlich des gesamten Gebäudes ein, auch soweit es von der Nutzung nicht erfasst wird.

BGH, Urteil vom 20.9.1984 – VII ZR 377/83 – NJW 1985, 731

422 Die stillschweigende Abnahme tritt nicht mit dem Beginn der Nutzung, sondern erst nach einer gewissen Nutzungszeit ein. Die erforderliche Nutzungszeit ist letztlich davon abhängig, welcher Zeitraum für den Benutzer erforderlich ist, um eventuelle Mängel feststellen zu können. Diese Zeitspanne ist nach den Umständen des Einzelfalls zu bestimmen, und insbesondere abhängig von Art und Umfang der Bauleistung.

Eine Abnahme von Duschen und Bädern ist in der Rechtsprechung bereits nach zweiwöchiger Nutzung angenommen worden, ebenso hinsichtlich einer Wärmepumpe, die zur Sommerzeit in Benutzung genommen wurde. Für den Eintritt der stillschweigenden Abnahme bei Nutzung eines Wohnhauses wird nicht von einer derart geringen Nutzungszeit ausgegangen werden können. Eine Nutzungszeit unter sechs Monaten dürfte nicht ausreichen. Nur unter besonderen Umständen wird eine sechswöchige Nutzung zur Abnahme eines Bauwerks führen, so wie dies das OLG Hamm für ein Fertighaus angenommen hat (OLG Hamm, Urteil vom 23.8.1994 – 26 U 60/94 – NJW-RR 1995, 1233).

423 Keine stillschweigende Abnahme liegt in der Nutzung der Bauleistung, wenn die Nutzung ersichtlich aus einer Zwangslage heraus aufgenommen wird, oder um drohende Schäden zu verhindern (BGH, Urteil vom 16.11.1993 – X ZR 7/92 – BauR 1994, 242, 244).

So tritt keine Abnahme ein, wenn der Auftragnehmer ein Haus bezieht, obwohl offensichtliche und schwerwiegende Mängel vorliegen. Zwar stehen Mängel der Bauleistung einer stillschweigenden Abnahme nicht ohne weiteres entgegen, selbst wenn sie vom Auftraggeber bei Nutzungsbeginn oder alsbald nach Aufnahme der Nutzung gerügt werden (OLG Hamm, Urteil vom 23.8.1994 – 26 U 60/94 – NJW-RR 1995, 1233). Liegen jedoch offensichtlich schwerwiegende Mängel vor oder werden schwerwiegende Mängel gerügt, kann dies der Annahme eines Abnahmewillen entgegenstehen, auch wenn der Auftraggeber die Abnahme nicht ausdrücklich ablehnt. Zweifel kann der Auftraggeber allerdings nur dadurch sicher vermeiden, dass er die Abnahme ausdrücklich ablehnt.

424 Eine stillschweigende Abnahme kann sich auch daraus ergeben, dass der Auftraggeber die vom Auftragnehmer gestellte Schlussrechnung bezahlt. Dass der Auftraggeber den vertraglich vereinbarten Gewährleistungseinbehalt bei seiner Zahlung in Abzug bringt, spricht nicht gegen seinen Abnahmewillen. Diesen Einbehalt darf er nämlich – da vertraglich vereinbart – auch bei einer Leistung vornehmen, an der noch keine Mängel in Erscheinung getreten sind.

Werden dagegen von der Schlussrechnung erhebliche Einbehalte für schwerwiegende Mängel gemacht, so spricht dies gegen einen Abnahmewillen des Auftraggebers.

Fall

Nach Fertigstellung der Leistung führen die Parteien ein Schlussgespräch über die Restforderung des Unternehmers aus der Schlussrechnung. Das Gespräch endet mit der Zusage der Zahlung durch den Auftraggeber, wobei dieser einen Rückbehalt eines Teilbetrages für gerügte Mängel vornimmt. Er behält von einer Gesamtwerklohnforderung von über einer Million DM und einer Restforderung von ca. 122.000 DM einen Betrag von ca. 61.000 DM zurück, bis gerügte Mängel (Schallbrücken, Kältebrücken) beseitigt sind.

Entscheidung

Das OLG Koblenz ist trotz des Einbehalts von einer stillschweigenden Abnahme durch den Auftraggeber ausgegangen. Der Einbehalt war nach Ansicht des OLG Koblenz nicht derart erheblich, dass darin eine Abnahmeverweigerung zu sehen war.

OLG Koblenz, Urteil vom 29.7.1993 – 5 U 921/93 – NJW-RR 1994, 786

Von einer stillschweigenden Abnahme kann in der Regel ausgegangen werden, wenn der Auftraggeber die Leistung seinem eigenen Auftraggeber als vertragsgemäß anbietet (OLG Köln, Urteil vom 23.2.1996 – 19 U 231/95 – NJW-RR 1997, 756). So kommt eine stillschweigende Abnahme des Bauträgers gegenüber dem Generalunternehmer in Betracht, wenn der Bauträger den Käufern die Wohnungen einer Wohnungseigentumsanlage zur Abnahme anbietet und übergibt. Zu Unrecht hat allerdings das OLG Hamm (Urteil vom 29.10.1992 – 23 U 3/92 – NJW-RR 1993, 340) bereits die bloße Schlüsselübergabe an den Erwerber für eine Abnahme ausreichen lassen.

Besichtigt der Auftraggeber fertig gestellte Verputz- und Malerarbeiten und erklärt er sich dann damit einverstanden, dass das hierfür genutzte Gerüst entfernt wird, so liegt darin eine Abnahme der besichtigten Arbeiten.

425 Keine Abnahme liegt im Prüfvermerk des Architekten zur Schlussrechnung des Auftragnehmers. Die Schlussrechnungsprüfung des Architekten stellt nur einen internen Vorgang auf Seiten des Auftraggebers dar.

Ebenso führt nicht zur Abnahme, dass der Auftraggeber die Beseitigung von Mängeln im Wege der Selbstvornahme ankündigt (BGH, Urteil vom 16.11.1993 –

X ZR 7/92 – BauR 1994, 242, 244). Bezieht sich dagegen der Auftraggeber in Mängelrügeschreiben auf die erst nach Abnahme geltende Regelung des § 13 VOB/B, so liegt darin eine Abnahmeerklärung.

426 Die Fortführung der Bauleistung kann eine konkludente Abnahme darstellen (BGH, Urteil vom 25.3.1993 – X ZR 17/92 – BauR 1993, 469), wenn erkennbar ist, dass der Auftraggeber die Leistung als im Wesentlichen vertragsgemäß ansieht.

Lässt der Auftraggeber nach Kündigung des Vertrags die bis zur Kündigung erbrachte Teilleistung durch einen Drittunternehmer vollenden, so liegt darin allerdings keine Abnahme (OLG Düsseldorf, Urteil vom 12.4.2000 – 5 U 28/99 – BauR 2001, 262). Die Kündigung selbst enthält keine Abnahmeerklärung.

Leitsatz

Die Kündigung des Vertrags durch den Auftraggeber ist keine konkludente Abnahme. Denn sie enthält nicht die Erklärung des Auftraggebers, dass er das bis zur Kündigung erbrachte Werk als im Wesentlichen vertragsgemäß anerkennt.

BGH, Urteil vom 19.12.2002 – VII ZR 103/100 – BauR 2003, 689/691

427 Grundsätzlich steht es den Parteien frei, vertraglich eine bestimmte Form der Abnahme zu vereinbaren und damit zugleich andere Abnahmeformen (zunächst) auszuschließen. Entsprechende Allgemeine Geschäftsbedingungen des Auftraggebers bedürfen jedoch einer hinreichend deutlichen Festlegung der Abnahmefrist.

Allgemeine Geschäftsbedingung

Eine Allgemeine Geschäftsbedingung des Auftraggebers, nach der die stillschweigende Abnahme ausgeschlossen wird, ist wirksam, wenn in der Klausel zugleich eine bestimmte Frist zur Durchführung der Abnahme nach Fertigstellung der Leistung angegeben ist.

BGH, Urteil vom 10.10.1996 – VII ZR 224/95 – NJW 1997, 394

13.5 Förmliche Abnahme

428 Nach § 12 Nr. 4 VOB/B ist eine förmliche Abnahme durchzuführen, wenn eine Partei dies verlangt. Dem gesetzlichen Werkvertragsrecht ist eine förmliche Abnahme unbekannt, einer entsprechenden Vereinbarung der Parteien steht jedoch nichts entgegen.

Das Abnahmeverlangen bedarf keiner bestimmten Form, auch eine mündliche Aufforderung genügt. Haben die Parteien bereits im Vertrag eine förmliche Abnahme vereinbart, so liegt darin das Abnahmeverlangen nach § 12 Nr. 4 VOB/B. Der Auftraggeber hat einen Termin zur Durchführung der förmlichen Abnahme innerhalb von 12 Werktagen anzusetzen, wenn die Leistung fertig gestellt ist und vom Auftragnehmer zur Abnahme angeboten wird.

429 Der Auftraggeber hat den Auftragnehmer zum Termin zu laden. Eine Abnahme in Abwesenheit des Auftragnehmers kann stattfinden, wenn der Termin vereinbart bzw. dem Auftragnehmer rechtzeitig mitgeteilt war, und der Auftragnehmer unentschuldigt nicht erschienen ist.

Zur Vorbereitung des Abnahmetermins haben die Parteien in ihrem Aufgabenbereich die Maßnahmen zu treffen, die erforderlich sind, um eine Prüfung der Bauleistung zu ermöglichen, insbesondere ist die Baustelle zugänglich zu halten. Den Parteien steht es frei, auf eigene Kosten einen Sachverständigen zum Abnahmetermin beizuziehen. Dem von einer Partei mitgebrachten Sachverständigen ist der Zugang zur Baustelle zu gestatten.

430 Über den Ablauf des Abnahmetermins ist ein gemeinsames Abnahmeprotokoll anzufertigen. Aufzunehmen sind neben den Formalien des Abnahmetermins (Tag und Ort der Abnahme, Teilnehmer), die wesentlichen Feststellungen und Erklärungen der Parteien, insbesondere ein etwaiger Vertragsstrafenvorbehalt des Auftraggebers, vom Auftraggeber erhobene Mängelrügen, gegebenenfalls auch eine vom Auftraggeber erklärte Abnahmeverweigerung. Ein Vertragsstrafenvorbehalt kann auch formularmäßig im Abnahmeprotokoll enthalten sein. Werden Vorbehalte des Auftraggebers wegen Mängeln oder Vertragsstrafen nicht zu Protokoll erklärt, gelten sie als nicht erhoben.

Mit Unterzeichnung des Abnahmeprotokolls ist die Abnahmeverhandlung abgeschlossen. Jede Partei hat ein Anrecht darauf, eine Ausfertigung des Abnahmeprotokolls zu erhalten. Findet die Abnahme in Abwesenheit des Auftragnehmers statt, ist diesem eine Mitteilung über den Abnahmetermin zuzusenden. In diese Mitteilung sind die Erklärungen aufzunehmen, die Gegenstand des Abnahmeprotokolls sind. Mit Zugang der Mitteilung beim Auftragnehmer ist die Abnahme erfolgt.

431 Enthält das Abnahmeprotokoll Mängelrügen des Auftraggebers, verweigert er aber die Abnahme nicht ausdrücklich, ist im Zweifel von einer Abnahme auszugehen.

Leitsatz

Eine Abnahme liegt trotz der Rüge umfangreicher Mängel vor, wenn der Auftraggeber die Niederschrift über die Begehung des Bauwerks, die mit Abnahmeprotokoll überschrieben ist, unterzeichnet, ohne die Abnahme ausdrücklich zu verweigern.

OLG Brandenburg, Urteil vom 20.3.2003 – 12 U 14/02 – BauR 2003, 1054

432 Die Parteien können von der vereinbarten förmliche Abnahme absehen. Ein stillschweigender Verzicht der Parteien liegt z.B. vor, wenn der Auftragnehmer die Schlussrechnung stellt und der Auftraggeber nach Eingang der Schlussrechnung monatelang nicht auf die vereinbarte förmliche Abnahme zurückkommt oder die Schlussrechnung ohne Rücksicht auf die förmliche Abnahme bezahlt (BGH, Urteil vom 21.4.1977 – VII ZR 108/76 – BauR 1977, 344: Verzicht auf förmliche Abnahme nicht später als fünf Monate nach Zugang der Schlussrechnung).

Ein Verzicht auf die förmliche Abnahme kann auch in einer länger dauernden rügelosen Nutzung der Leistung liegen. Vgl. im Einzelnen Kleine-Möller/Merl, Handbuch des privaten Baurechts, 3. Aufl., § 11 Rdn. 62 f.

Leitsatz

Die Parteien verzichten stillschweigend auf die vereinbarte förmliche Abnahme, wenn der Auftragnehmer die Schlussrechnung übersendet, ohne die Abnahme zu verlangen, und der Auftraggeber hierauf über mehrere Monate nicht reagiert, sondern eine Prüfung der Schlussrechnung vornimmt und das Ergebnis der Prüfung durch einen Prüfungs- und Zahlungsbeleg mitteilt, in dem ein Fälligkeitstermin genannt ist.

Fall

Die Parteien hatten im Vertrag die förmliche Abnahme vereinbart. Tatsächlich wurde jedoch keine förmliche Abnahme durchgeführt. Vielmehr nahm der Auftraggeber das Bauwerk in Benutzung und der Auftragnehmer übersandte die Schlussrechnung, ohne dass einer der Beteiligten eine Abnahme verlangt hätte. Auf die Schlussrechnung erfolgte seitens des Auftraggebers über mehr als neun Monate keine Reaktion. Danach nahm der Auftraggeber eine Rechnungsprüfung vor, teilte das Ergebnis der Prüfung dem Auftragnehmer mit und nannte im Prüfungs- und Zahlungsbeleg als Zahlungstermin ein etwa zwei Monate später liegendes Datum.

Entscheidung

Das OLG Karlsruhe ging von einem übereinstimmenden Verzicht der Parteien hinsichtlich der vereinbarten förmlichen Abnahme aus, und nahm an, dass die Abnahme (spätestens) mit Ablauf des Monats eingetreten war, indem der Auftraggeber die Schlussrechnung erhalten hatte. Der Auftraggeber hatte nach Ansicht des Gerichts durch sein Verhalten nach Übersendung der Schlussrechnung zum Ausdruck gebracht, dass er von einer Abnahme des Werks ausgehe. Denn statt auf das Fehlen der Abnahme und damit auf die fehlende Fälligkeit der Vergütung hinzuweisen, war er in die Rechnungsprüfung eingetreten und hatte ein Fälligkeitsdatum für die Schlusszahlung genannt.

OLG Karlsruhe, Urteil vom 23. 9.2003 – 17 U 234/02 – BauR 2004, 518

Fallen/Praxishinweis

Im vorliegenden Fall lagen mehrere Umstände vor, die auf einen stillschweigenden Verzicht der Parteien auf die vereinbarte förmliche Abnahme schließen lassen. Ein stillschweigender Verzicht kommt allein schon dadurch in Betracht, dass der Auftraggeber nach Eingang der Schlussrechnung monatelang auf die vereinbarte förmliche Abnahme nicht zurückgekommen ist (BGH, Urteil vom 21.4.1977 – VII ZR 108/76 – BauR 1977, 344).

Weiterhin hatte der Auftraggeber das Bauwerk schon längere Zeit genutzt. Will der Auftraggeber verhindern, dass eine formlose Abnahme infolge längerer Nutzung eintritt, muss er entweder alsbald einen Termin zur förmlichen Abnahme ansetzen oder die Abnahme der Leistung ausdrücklich verweigern, wenn erhebliche Mängel vorliegen.

Von besonderer Bedeutung war, dass der Auftraggeber einen Fälligkeitstermin für die Schlusszahlung mitteilte. Da eine Schlusszahlung erst nach Abnahme fällig wird, war die Terminmitteilung vom Auftragnehmer dahingehend zu verstehen, dass auch der Auftraggeber von einer bereits erfolgten Abnahme ausgeht, sodass für eine förmliche Abnahme kein Raum mehr bestand.

Rechtsprechungshinweis

Vgl. OLG Düsseldorf (Urteil vom 9.6.1992 – 23 U 192/91 – BauR 1992, 678 LS), wonach der Auftraggeber gegen Treu und Glauben verstößt, wenn er sich auf die fehlende förmliche Abnahme beruft, obwohl sich die Parteien Jahre zuvor darüber einig waren, dass die Bauleistung im Wesentlichen vertragsgerecht ist, und der Auftraggeber den vereinbarten Werklohn vorbehaltlos zahlte.

Einem stillschweigenden Verzicht auf die vereinbarte förmliche Abnahme steht nicht entgegen, dass die Parteien im Vertrag die Schriftform für Vertragsänderungen vereinbaren (BGH NJW 1979, 212).

13.6 Fiktive Abnahme nach § 640 Abs. 1 Satz 3 BGB

433 Nach § 640 Abs. 1 Satz 3 BGB wird die Abnahme fingiert, wenn der Auftragnehmer Frist zur Abnahme setzt und der Auftraggeber dem Abnahmeverlangen nicht nachkommt, obwohl er zur Abnahme verpflichtet ist. § 640 Abs. 1 Satz 3 BGB ist auch auf VOB-Verträge anzuwenden.

Voraussetzung der Abnahmefiktion ist die vertragsgemäße Fertigstellung der Leistung und eine Fristsetzung des Auftragnehmers zur Abnahme. Die bloße Aufforderung zur Abnahme ohne Fristsetzung reicht nicht. Ohne Fristsetzung tritt keine Abnahmefiktion ein. Die Aufforderung zur „unverzüglichen“ oder „baldigen“

Abnahme steht einer Fristsetzung nicht gleich. Eine Fristsetzung ist auch erforderlich, wenn der Auftraggeber die Abnahme endgültig und bestimmt verweigert. Als angemessene Frist kann im Regelfall die in § 12 Nr. 1 VOB/B vorgegebene Frist von 12 Werktagen angesehen werden. Setzt der Auftragnehmer eine zu kurze Frist, so verlängert sich diese angemessen. Nach Ablauf der gesetzten bzw. angemessenen Frist tritt die Abnahmefiktion auch dann ein, wenn der Auftraggeber die Frist schuldlos versäumt hat. Die Abnahmefiktion tritt allerdings nur ein, wenn der Auftraggeber zur Abnahme verpflichtet ist, d.h. die Leistung keine wesentlichen Mängel aufweist. In Streit steht, ob es hinsichtlich der Mangelhaftigkeit der Leistung auf die Beurteilung bei Fristablauf ankommt, oder auf die objektive Beurteilung im Zeitpunkt der Entscheidung des Gerichts. Vgl. im Einzelnen Kleine-Möller/Merl, Handbuch des privaten Baurechts, 3. Aufl., § 11 Rdn. 67 f.

13.7 Die fiktive Abnahme durch Fertigstellungsbescheinigungen (§ 641a BGB)

434 Der Auftragnehmer kann die Abnahme durch eine Fertigstellungsbescheinigung eines Sachverständigen in dem durch § 641a BGB vorgesehenen Verfahren herbeiführen. Diese Möglichkeit wird nach Inkrafttreten des Forderungssicherungsgesetzes nur für die bis dahin abgeschlossenen Bauverträge bestehen. Aus diesem Grund und da das Verfahren nach § 641 a BGB in der Baupraxis keine Bedeutung erlangt hat, wird von einer Erläuterung abgesehen. Vgl. hierzu Kleine-Möller/Merl, Handbuch des privaten Baurechts, 3. Aufl., § 11 Rdn. 84 ff.

13.8 Fiktive Abnahme gem. § 12 Nr. 5 Abs. 1 VOB/B (Fertigstellungsmitteilung)

435 Nach § 12 Nr. 5 Abs. 1 VOB/B gilt die Leistung als abgenommen mit Ablauf von 12 Werktagen nach schriftlicher Mitteilung über die Fertigstellung der Leistung. Voraussetzung der Abnahmefiktion ist jeweils die Fertigstellung der Leistung sowie, dass es sich um einen ungekündigten Vertrag handelt. Nach Vertragskündigung kommt eine Abnahmefiktion nach § 12 Nr. 5 VOB/B nicht in Betracht.

Leitsatz

Eine fiktive Abnahme nach § 12 Nr. 5 VOB/B kommt bei einem gekündigten Vertrag nicht in Betracht. Die Kündigung selbst ist keine konkludente Abnahme. Denn sie enthält nicht die Erklärung des Auftraggebers, dass er das bis zur Kündigung erbrachte Werk als im Wesentlichen vertragsgemäß anerkennt.

BGH, Urteil vom 19.12.2002 – VII ZR 103/100 – BauR 2003, 689/691

Der Eintritt der Abnahmefiktion ist weiterhin ausgeschlossen, wenn der Auftraggeber innerhalb der in § 12 Nr. 5 VOB/B genannten Fristen die Abnahme ausdrücklich verweigert, oder wenn innerhalb der Frist eine der Parteien die (förmliche) Abnahme verlangt. Ist im Vertrag die förmliche Abnahme bereits vereinbart, so scheidet eine fiktive Abnahme nach § 12 Nr. 5 VOB/B aus. Sie kann nur dann zum Zug kommen, wenn die Parteien einvernehmlich von der Durchführung der förmlichen Abnahme absehen, gegebenenfalls auch stillschweigend. **436**

Die Abnahmefiktion nach § 12 Nr. 5 Abs. 1 VOB/B setzt eine schriftliche Fertigstellungsmitteilung voraus. Teilt der Auftragnehmer den Abschluss seiner Leistungen nur mündlich mit oder wird dem Auftraggeber die Fertigstellung der Leistung auf andere Weise bekannt, führt dies nicht zur Abnahmefiktion nach § 12 Nr. 5 Abs. 1 VOB/B. Eine Fertigstellungsmitteilung liegt auch in der Übersendung der Schlussrechnung, die nicht ausdrücklich als „Schlussrechnung" bezeichnet, aber inhaltlich als Schlussabrechnung erkennbar sein muss. **437**

13.9 Fiktive Abnahme gem. § 12 Nr. 5 Abs. 2 VOB/B (Benutzung)

Nach § 12 Nr. 5 Abs. 2 VOB/B tritt die Abnahmefiktion ein, wenn der Auftraggeber die fertig gestellte Leistung oder einen in sich abgeschlossenen Teile der Leistung über sechs Werktage in Benutzung genommen hat. Erforderlich ist der bestimmungsgemäße Gebrauch der Leistung, der z. B. im Bezug eines Bauwerks oder in der Freigabe einer Straße für den Verkehr liegen kann. Übergibt der Hauptunternehmer die vom Subunternehmer erstellte Leistung dem Bauherrn, so liegt darin eine Benutzung i. S. von § 12 Nr. 5 Abs. 2 VOB/B. Stellt der Auftraggeber die Leistung anderen Bauunternehmern für die Fortführung der Arbeiten zur Verfügung, so führt dies nach § 12 Nr. 5 Abs. 2 Satz 2 VOB/B nicht zur fiktiven Abnahme. Keine Abnahme trotz Benutzung tritt ein, wenn der Auftraggeber nur aus einer offensichtlichen Zwangslage oder zur Schadensminderung die Nutzung aufnimmt. **438**

Für den Eintritt der Abnahmefiktion bedarf es einer ununterbrochenen Nutzung über sechs Werktage. Wird die Nutzung aus Gründen unterbrochen, die mit der Leistung nicht in Zusammenhang stehen, steht dies dem Eintritt der Abnahmefiktion nicht entgegen. **439**

13.10 Teilabnahme

§ 12 Nr. 2 VOB/B i. d. F. 2002 (= § 12 Nr. 2 a VOB/B i. d. F. 2000) sieht eine Verpflichtung des Auftraggebers zur Abnahme in sich abgeschlossener Teile der Leistung vor, wenn der Auftragnehmer diese verlangt. In sich abgeschlossenen sind Teilleistungen, wenn sich ihre Funktions- und Verwendungsfähigkeit selbstständig **440** beurteilen lässt. Der Teilabnahme zugänglich sind zum Beispiel mehrere selbstständige Gebäude oder einzelne Gewerke. Nicht in sich abgeschlossen sind z. B. die einzelnen Stockwerke eines Gebäudes. Dem Auftraggeber steht es allerdings frei, auch nicht in sich abgeschlossene Teile abzunehmen, jedoch ist er hierzu nicht verpflichtet.

Das gesetzliche Werkvertragsrecht kennt keine Verpflichtung des Auftraggebers, Teilleistungen abzunehmen. Den Parteien steht es allerdings frei, eine solche Abnahmeverpflichtung vertraglich zu vereinbaren.

13.11 Technische Zustandsfeststellung

441 Nach § 4 Nr. 10 VOB/B i.d.F. 2002 bzw. nach § 12 Nr. 2 b VOB/B i.d.F. 2000 kann der Auftragnehmer die Abnahme von Leistungsteilen verlangen, die durch die weitere Ausführung der Prüfung und Feststellung entzogen werden. Insoweit handelt es sich um eine technische Prüfung der Leistung, die zu keiner Abnahme führt. Die Zustandsfeststellung gewinnt insoweit Bedeutung, als der Auftraggeber die Beweislast für von ihm behauptete Mängel trägt, soweit diese bei erfolgter Zustandsfeststellung nicht festgestellt wurden. Verweigert der Auftraggeber unberechtigt die geforderte Zustandsfeststellung, so trägt er die Beweislast für später von ihm behauptete Mängel des Leistungsteils.

13.12 Vorbehalt der Vertragsstrafe und von Mängeln

442 Nach § 341 Abs. 3 BGB bzw. § 11 Nr. 4 VOB/B verliert der Auftraggeber einen Vertragsstrafenanspruch, wenn er diesen nicht bei Abnahme vorbehält. Bei förmlicher Abnahme ist der Vorbehalt nur wirksam, wenn er zu Protokoll erklärt wird. Allgemeine Geschäftsbedingungen des Auftraggebers, wonach er sich den Vertragsstrafenanspruch bei Abnahme nicht vorbehalten muss, sind unwirksam. Wirksam sind Allgemeine Geschäftsbedingungen des Auftraggebers, wonach der Vorbehalt noch bis zur Schlusszahlung erklärt werden kann.

Vorbehalten muss sich der Auftraggeber gem. § 640 Abs. 2 BGB bzw. § 12 Nr. 5 Abs. 3 VOB/B bei Abnahme auch seine Rechte wegen ihm bekannter Mängel. Der Vorbehalt, der bereits in der Mängelrüge liegt, ist in das Abnahmeprotokoll aufzunehmen. Bei unterlassenem Vorbehalt verliert der Auftraggeber sämtliche verschuldensunabhängigen Mängelrechte. Das Recht auf Nacherfüllung und Selbstvornahme sowie das Minderungs- und Rücktrittsrecht gehen hinsichtlich der bei Abnahme bekannten aber nicht vorbehaltenen Mängel unter. Nur soweit der Auftragnehmer den Mangel schuldhaft verursacht hat, kann der Auftraggeber weiterhin Schadensersatz gem. § 634 Nr. 4 BGB, § 635 BGB a.F. bzw. § 13 Nr. 7 VOB/B verlangen.

443 Der Rechtsverlust tritt nur hinsichtlich der dem Auftraggeber bei Abnahme bekannten (nicht nur erkennbaren) und nicht vorbehaltenen Mängel ein. Die Rechtsstellung des Auftraggebers hinsichtlich sonstiger, bei Abnahme unbekannter oder bei Abnahme vorbehaltener Mängel bleibt ungeschmälert.

Vgl. zum Vorbehalt von Mängeln und Vertragsstrafe bei Abnahme Kleine-Möller/Merl, Handbuch des privaten Baurechts, § 11 Rdn. 171 f., insbesondere § 11 Rdn. 174 ff. zu Inhalt, Form und Zeitpunkt der Vorbehaltserklärung, sowie § 11 Rdn. 191 f., 194 f. zu den Rechtsfolgen bei unterlassenem Vorbehalt.

Stichwortverzeichnis

Testen Sie jetzt die „Baurecht und Baupraxis“ im kostenlosen Probeabo!

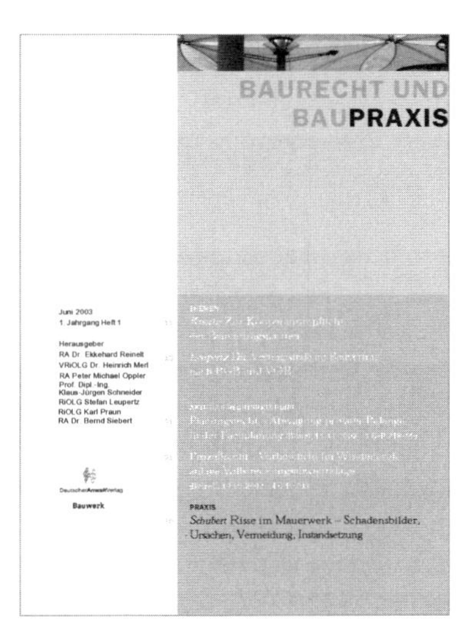

Baurecht und Baupraxis

erscheint monatlich
Jahresabonnement 118 € zzgl. VK
Sonderpreis für Mitglieder der ARGE Baurecht 98 € zzgl. VK
Probeabo: 3 Hefte kostenlos*

*Wenn man beim Probeabonnement innerhalb von 14 Tagen nach Erhalt des letzen Heftes nichts anderes mitteilt, profitiert man weiterhin regelmäßig von den Informationen zum Baurecht. Man erhält dann die jeweils aktuelle Ausgabe bequem per Post. Diese Vereinbarung kann man jeweils 6 Wochen vor Ablauf des Kalenderjahres schriftlich kündigen.

„Baurecht und Baupraxis – BrBp“ beantwortet Monat für Monat nicht nur kompetent Ihre **täglichen Fragen rund ums Baurecht,** sondern liefert Ihnen zusätzlich das nötige **baupraktische Hintergrundwissen.** So sind Sie für die erfolgreiche Arbeit in Ihrer Kanzlei bestens ausgerüstet.

Ihre Vorteile im Überblick:

- **Griffig und schnell erfassbar:** Mit der BrBp sind Sie schnell informiert, denn namhafte Fachleute vermitteln Ihnen in konsequent auf die anwaltliche Praxis ausgerichteten Aufsätzen ihr Know-how. Durch **übersichtliche und leicht verständliche Beiträge** erfahren Sie alles Wesentliche aus den Bereichen **privates und öffentliches Baurecht, Architekten- und Ingenieurrecht** sowie **Bauprozessrecht**.
- **Aktuell und praxisnah:** Mit der BrBp sind Sie immer auf dem neuesten Stand, denn hier finden Sie die **aktuelle Rechtsprechung auf den Punkt gebracht** – von erfahrenen Baurechtlern und Baupraktikern kommentiert und mit vielen **Mustern, Formularen und Fallbeispielen** versehen.
- **Besonders hilfreich:** Mit der BrBp haben Sie den **Durchblick bei allen relevanten technischen Fragen**, denn nur die BrBp bietet Ihnen zusätzlich das nötige **Fachwissen zu Bauschäden, Bauphysik und Baubetrieb.** Leicht verständliche Beiträge und das praktische **Glossar** sorgen dafür, dass Sie beispielsweise ein Gutachten richtig einschätzen.

Herausgeber:
RA Dr. Ekkehart Reinelt, Prof. Dr. Dipl.-Ing. Erich Cziesielski, VRiOLG Dr. Heinrich Merl, RA Peter Oppler, RiOLG Stefan Leupertz, RiOLG Karl Praun und RA Dr. Bernd Siebert

Redaktion:
RiOLG Stefan Leupertz, RA Dr. Bernd Siebert und Prof. Dipl.-Ing. Klaus-Jürgen Schneider

DeutscherAnwaltVerlag
Wachsbleiche 7 · 53111 Bonn · T 0228 91911-44 · F 0228 91911-23

Lederer (Hrsg.)

Honorarmanagement bei Architekten- und Ingenieurverträgen

Mit Praxisbeispielen, aktueller Rechtsprechung und Checklisten
Mit HOAI-Text 2002 und DIN 276 (Ausg. ´81 und ´93)

2003. 544 Seiten.
17 x 24 cm. Gebunden.

EUR 66,–
ISBN 3-934369-36-7

Aus dem Inhalt:

- Honorarrecht bei Architekten- und Ingenieurverträgen: Werk- oder Dienstvertrag?
- Vertragsabschluss und Vertragsdurchführung / Honorarrechtliche Probleme
- Vertragsgestaltung, regelungsbedürftige Punkte in Architektenverträgen, Architektenwettbewerb und Ansprüche des Architekten, Kündigung von Architekten- und Ingenieurverträgen
- Erkennen, Sichern und Durchsetzen berechtigter Honoraransprüche, Kostenfalle Generalplaner, Planungs- und Bauabläufe, preisrechtliche Regelungen der Besonderen Leistungen, mehrere Vor- und Entwurfsplanungen, getrennte Honorarabrechnung bei mehreren Gebäuden, Planungsänderungsmanagement, Abrechnungsmechanismen der HOAI
- Geschäftsprozesse in Planungsbüros

Herausgeber:
Dr. M.-M. Lederer ist Rechtsanwalt und Partner der Anwaltsozietät Kapellmann und Partner (Düsseldorf, Berlin, Frankfurt, Mönchengladbach, München) mit Schwerpunkt privates Baurecht und Architektenrecht. Er ist Fachreferent in Seminaren und Mitautor des Fachbuches „Juristisches Projektmanagement".

Autoren:
Dr. M.-M. Lederer, siehe oben.
Dipl.-Ing. K. Heymann ist Architekt und öffentlich bestellter und vereidigter Sachverständiger für Honorare für Leistungen der Architekten, Innenarchitekten, Landschaftsarchitekten, Stadtplaner und Ingenieure.

Bauwerk www.bauwerk-verlag.de

Ax / Schneider

Außergerichtliche Streitbeilegung im Bauwesen

Kommentierung, Beispiele, Praxishinweise

2004. 168 Seiten.
17 x 24 cm. Kartoniert.

EUR 38,–
ISBN 3-89932-027-1

Aus dem Inhalt:

- **Schiedsgerichte nach Zivilprozessordnung (ZPO)**
- **Unterschiede Schiedsgericht- und Schlichtungsverfahren und / oder Schiedsgutachten von Bausachverständigen**
- **Schiedsgerichtsordnung des Schiedsgerichts für privates Baurecht in Deutschland**
- **Anhang: Vertragsmuster, Auszüge aus der ZPO, Gesetzestexte und Verordnungen**

Dieses Praxishandbuch stellt umfassend die Möglichkeiten einer außergerichtlichen Behandlung von Konflikten und Streitfällen im Bauwesen vor. Anhand von Beispielen werden zeit- und kostensparende Alternativen zur konventionellen Beilegung von Baustreitigkeiten durch gerichtliche Verfahren vorgestellt. Ausführlich behandelt werden Vor- und Nachteile der einzelnen Alternativen, Verfahrensgrundsätze, Verfahrensdauer, Fachkompetenzen, Organisation und Kosten. Ein Anhang mit Mustern (Schiedsvereinbarung, Schiedsgutachtervertrag), Gesetzestexten und Verordnungen (Schlichtungsgesetz, Schiedsgerichtsordnung, Schlichtungs- und Schiedsordnung), die im Hauptteil bereits kommentiert wurden, rundet das Programm ab.

Autoren:
RA Dr. jur. Thomas Ax, Maître en Droit (Paris X-Nanterre), und RA Matthias Schneider sind Partner der Kanzlei AX SCHNEIDER & KOLLEGEN. Referenten- und Publikationstätigkeit im Vertrags- und Vergaberecht. Dozenten am Privaten Institut für deutsches und internationales Vergaberecht GmbH und an der Akademie für Baurecht GmbH.

Bauwerk www.bauwerk-verlag.de

Eichberger / Oehl

Architekten- und Ingenieurrecht kompakt

Neue VOB und Neues Schuldrechtmodernisierungsgesetz eingearbeitet

2004. 200 Seiten.
17 x 24 cm. Gebunden.

EUR 44,–
ISBN 3-89932-021-2

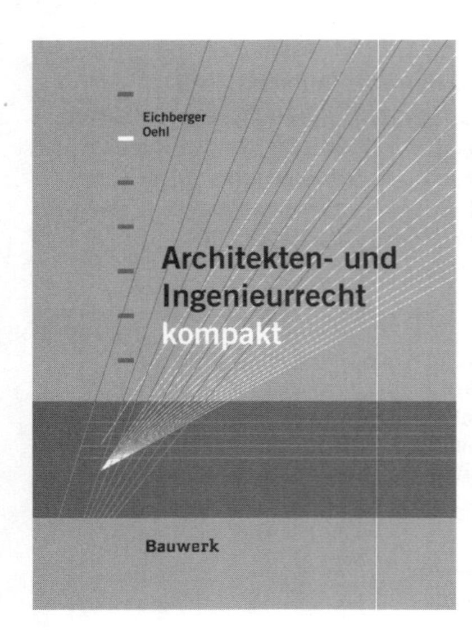

Aus dem Inhalt:

- Der Architekten- und Ingenieurvertrag
- Die Vollmacht des Architekten / Ingenieurs
- Allgemeine Geschäftsbedingungen
- Vertragskündigung
- Das Urheberrecht des Architekten
- Honorarrecht – HOAI
- Die Haftung von Architekten und Sonderfachleuten
- Auswirkungen des Schuldrechtsmodernisierungsgesetzes auf das Architekten- und Ingenieurrecht
- Prozessrecht (Honorarklage, Gewährleistungsprozess, selbständiges Beweisverfahren)
- Neuere Entwicklungen im Architekten- und Ingenieurrecht (Generalplanervertrag, Generalauftragnehmer, ARGE-Planerzusammenschlüsse, Planerzusammenschlüsse als Projekt-GmbH)

Diese Neuerscheinung liefert in übersichtlicher Form eine umfassende Darstellung zentraler Gebiete des Architekten- und Ingenieurrechts. Schwerpunkte des Buches sind die Vertragsgestaltung, Haftungs-, Honorar- und Prozessfragen.
Aufgenommen sind die neuesten Entwicklungen im Architekten- und Ingenieurrecht, z.B. besondere Kooperationsformen zwischen Architekten und Ingenieuren sowie der Generalplanervertrag.

Autoren:
Dr. Tassilo Eichberger (Nörr Stiefenhofer Lutz, München) ist Rechtsanwalt und Lehrbeauftragter im Studiengang Immobilienwirtschaft an der FH Biberach.
Frank Oehl (Nörr Stiefenhofer Lutz, Düsseldorf) ist Rechtsanwalt mit dem Tätigkeitsschwerpunkt "Bau- und Architektenrecht".

Interessenten:
Rechtsanwälte und Richter, Architekten und Ingenieure, Angestellte der Bauwirtschaft, Projektsteuerer, Sachverständige für Honorarfragen

Bauwerk www.bauwerk-verlag.de

Volpert / Bachmann / Diederichsen

Bauplanungs- und Bauordnungsrecht Rechtsprechung kompakt

Grundsatzurteile mit Sachverhalt, Entscheidung und Praxishinweisen

2003. 486 Seiten.
17 x 24 cm. Gebunden.

EUR 48,–
ISBN 3-934369-44-8

Aus dem Inhalt:

Bauplanungsrecht
Grundsätze der Bauleitplanung • Verfahren zur Aufstellung der Bauleitpläne • Festsestzungsmöglichkeiten im Bebauungsplan • Zusammenarbeit mit Privaten • Sicherung der Bauleitplanung • Zulässigkeit von Bauvorhaben • Planungsschadensrecht • Umlegungsverfahren • Städtebauliches Sanierungs- und Entwicklungsrecht • Erhaltungssatzung und städtebauliche Gebote

Bauordnungsrecht
Verhältnis des Abstandsflächenrechts zum Planungsrecht • Berechnung der Abstandsfläche bei Änderung der Geländeoberfläche • »Schmalseitenprivileg« • Wirkung einer Abstandsflächenbaulast • Regelungsinhalt der Baugenehmigung • Wirkung des Bauvorbescheids • Baueinstellung wegen Abweichung von den genehmigten Bauvorlagen • Voraussetzungen einer Beseitigungsanordnung • Folgen zur Duldung von Schwarzbauten

Nachbarschutz
Grundlagen des baurechtlichen Nachbarschutzes • Nachbarschutz im Bauplanungsrecht • Nachbarschutz im Bauordnungsrecht

Dieser kompakte Band füllt eine Lücke in der Kommentierung des öffentlichen Baurechts. Auf der Grundlage des Baugesetzbuches und der Landesbauordnungen wird das Bauplanungs- und Bauordnungsrecht anhand einer Sammlung von wichtigen Grundsatzurteilen dargestellt. Diese Gerichtsurteile stellen typische Problem-Fälle aus der Praxis dar, die prägnant und praxisnah formuliert sind. Sie bieten mit Begründung, Erläuterungen und Praxishinweisen jedem Praktiker – ob Anwalt, Planer, Bauherr oder Investor – **eine Arbeitshilfe für mehr Rechtssicherheit in der Auslegung des Bauplanungs- und Bauordnungsrechts.**

Autoren:
RA Raimund Volpert, RA Dr. Peter Bachmann und RA Dr. Lars Diederichsen sind Partner der Kanzlei NÖRR STIEFENHOFER LUTZ (München, Berlin, Budapest, Bukarest, Dresden, Düsseldorf, Frankfurt/Main, Prag, Warschau) mit dem Arbeitsschwerpunkt Öffentliches Baurecht.

Bauwerk www.bauwerk-verlag.de